Curso

*La diferencia entre aprobar
y sacar plaza*

Auxiliar de la Policía Local

COMUNIDAD AUTÓNOMA DE GALICIA

Si aún no dispones de tu **Curso MAD360**, te ofrecemos un acceso GRATIS de 30 días para que disfrutes de los siguientes recursos:

- Técnicas de Memoria 360.
- MADTEST: Test *online* Nivel PRO.
- Temario en formato digital.
- Planificación de estudio.
- Foro entre opositores hasta la fecha del examen.*
- Recursos y novedades exclusivas.
- Consúltanos sobre tu oposición y proceso selectivo.
- Actualizaciones legislativas (Boletines Oficiales) hasta 60 días antes de la fecha del examen.*

Para acceder a esta prueba del Curso MAD360** será necesaria la compra de todos los libros para esta especialidad de la edición 2026.

Regístrate en **mad.es/iniciar-sesion** y, en la pestaña **MIS CURSOS**, valida los códigos que encontrarás en la última página de tus libros. Recuerda que dispones de un plazo de **45 días desde la fecha de compra** para realizar la validación. Si no verificas tu matrícula, el periodo de uso del curso comenzará a contar aunque no hayas accedido.

NOTA IMPORTANTE:

* Examen de esta categoría profesional correspondiente a la convocatoria publicada en el DOG n.º 63, de 7 de abril de 2026, o hasta el 31 de mayo de 2027, lo que se cumpla antes, y previa renovación del servicio.

** El acceso al CURSO MAD360 estará disponible desde mayo de 2026 (algunos recursos podrían estar disponibles en fecha posterior). Tendrá una duración de 30 días RENOVABLES mediante pago, desde la validación de códigos, o hasta el 30 de noviembre de 2027, lo que se cumpla antes.

MAD se reserva el derecho a ampliar dichas fechas.

Auxiliar de la Policía Local de la Comunidad Autónoma de Galicia

Auxiliar de la Policía Local de la Comunidad Autónoma de Galicia

Temario y test

Autores

JOSEFA GUILLERMA GANCEDO CONS

Licenciada en Derecho

Jefa de Servicio de Administración Empresarial Xunta de Galicia

JOSÉ LUIS GARRIDO VELA

Licenciado en Derecho

FRANCISCO JESÚS TORRES FONSECA

Licenciado en Derecho

© 7 Editores Recursos para la Cualificación Profesional y el Empleo, S.L. (7 Editores)
© Los autores
Primera edición, abril 2026 (646 páginas)
Derechos de edición reservados a favor de 7 Editores
IMPRESO EN ESPAÑA
Diseño Portada: 7 Editores
Edita: 7 Editores
Avda. San Francisco Javier, 9 · Edificio Sevilla 2 · Planta 11 · Módulos 25-27 · 41018 Sevilla
Teléfono: 954 784 411 · WEB: www.mad.es · e-mail: administracion@7editores.com
ISBN: 979-13-702-8860-0
© "Editorial Mad" y "Eduforma" son nombres comerciales registrados de
7 Editores Recursos para la Cualificación Profesional y el Empleo, S.L.

Presentación

Presentamos el manual de desarrollo del temario establecido en la convocatoria del proceso selectivo unitario para la provisión de puestos de Auxiliares de Policía Local en diversos municipios de la Comunidad Autónoma de Galicia, según las bases de la convocatoria publicada en el DOG n.º 63, de 7 de abril de 2026.

Incluye los temas 1 a 12 del Programa, desarrollados con profundidad y rigor para que tu preparación sea lo más completa posible y se encuentran completamente actualizados hasta la fecha de edición. Asimismo, cuentan con una serie de recursos didácticos, a modo de recordatorios y actividades, que te serán de gran utilidad para una preparación efectiva de la prueba de conocimientos.

Además, el libro incorpora cuestionarios tipo test que contienen una selección de preguntas para cada uno de los temas como muestra de todas las que podrás encontrar en el campus.

Finalmente, en el Curso MAD360 tienes todos los recursos necesarios para llevar tu preparación al siguiente nivel; consulta las condiciones en la primera página de tu manual.

Índice

TEMARIO

TEST

TEMARIO

TEMA 1

El municipio. Concepto y elementos.
Competencias municipales.
La organización y funcionamiento
del municipio. El Pleno. El alcalde.
La Junta de Gobierno local. Otros
órganos municipales

¿Quieres mejorar tus resultados? Combina este temario en **papel** con
los recursos *online* del Curso MAD360.

Índice

1. El Municipio: concepto

Entre los Entes Locales, destaca el Municipio por su importancia histórica.

ENTRENA CUESTA lo ha definido como el «Ente Público menor territorial primario», basándose en su personalidad jurídica y titularidad de potestades, en su subordinación al Estado, en que reúne a cuantas personas se asientan en su territorio, y en el hecho de que es el primero de los Entes Públicos territoriales en que se organizan los ciudadanos para la persecución de sus intereses comunes.

Por su parte, MARTÍNEZ MARÍN lo define como «toda comunidad o comunidades humanas asentadas sobre un territorio delimitado y organizado bajo un Ayuntamiento o Concejo Abierto para la gestión de sus propios intereses».

Por lo que respecta a nuestra vigente Constitución, de 27 de diciembre de 1978 (CE, en adelante), se refiere al mismo en su art. 137, al establecer, con carácter general, que «el Estado se organiza territorialmente en Municipios, en Provincias y en las Comunidades Autónomas que se constituyan. Todas estas Entidades gozan de autonomía para la gestión de sus respectivos intereses».

Más concretamente, en el art. 140, dispone que «la Constitución garantiza la autonomía de los Municipios. Estos gozarán de personalidad jurídica plena. Su gobierno y administración corresponde a sus respectivos Ayuntamientos, integrados por los Alcaldes y los Concejales. Los Concejales serán elegidos por los vecinos del Municipio mediante sufragio universal, igual, libre, directo y secreto, en la forma establecida por la ley. Los Alcaldes serán elegidos por los Concejales o por los vecinos. La ley regulará las condiciones en las que proceda el régimen del Concejo Abierto».

Finalmente, el art. 1,1.º de la **Ley 7/1985, de 2 de abril, Reguladora de las Bases del Régimen Local** (LRL, en lo sucesivo), lo define como Entidad básica de la organización territorial del Estado y cauce inmediato de participación ciudadana en los asuntos públicos, que institucionaliza y gestiona con autonomía los intereses propios de la respectiva colectividad. Por su parte, el art. 11,1.º de este texto legal le confiere personalidad jurídica y plena capacidad para el cumplimiento de sus fines, es decir, con arreglo al art. 5 , así como el art. 1 del Texto Refundido de las disposiciones legales vigentes en materia de Régimen Local, aprobado por el Real Decreto Legislativo 781/1986, de 18 de abril (TR/86, en adelante), para adquirir, poseer, reivindicar, permutar, gravar o enajenar toda clase de bienes, celebrar contratos, establecer y explotar obras y servicios públicos, obligarse, interponer los recursos establecidos y ejercitar las acciones previstas en las leyes.

En el mismo sentido se pronuncia el art. 3 del Reglamento de Organización, Funcionamiento y Régimen Jurídico de las Entidades Locales, aprobado por el Real Decreto 2568/1986, de 28 de noviembre (ROFRJEL, en adelante).

Por su parte, el art. 4 de este Reglamento le reconoce las potestades y prerrogativas propias de toda Administración Pública:

a) Reglamentaria y de autoorganización.

b) Tributaria y financiera.

c) De programación o planificación.

d) Expropiatoria y de investigación, deslinde y recuperación de oficio de sus bienes.

e) La presunción de legitimidad y la ejecutividad de sus actos.

f) De ejecución forzosa y sancionadora.

g) De revisión de oficio de sus actos y acuerdos.

h) La inembargabilidad de sus bienes y derechos en los términos previstos en las leyes, las prelaciones y preferencias y demás prerrogativas reconocidas a la Hacienda Pública para los créditos de las misma, sin perjuicio de las que correspondan a las Haciendas del Estado y de las Comunidades Autónomas.

El art. 3,3.º ROFRJEL le reconoce, también, la exención de tributos del Estado y de las Comunidades Autónomas, en los términos de las leyes.

Finalmente y por lo que respecta a la denominación de los Municipios, el art. 14 LRL dispone que los cambios de denominación de los Municipios solo tendrán carácter oficial cuando, tras haber sido anotados en un Registro creado por la Administración del Estado para la inscripción de todas las entidades a que se refiere la presente ley (regulado por el Real Decreto 382/1986, de 10 de febrero, por el que se crea, organiza y regula el funcionamiento del Registro de Entidades Locales), se publiquen en el «Boletín Oficial del Estado». La denominación de los Municipios podrá ser, a todos los efectos, en castellano, en cualquier otra lengua española oficial en la respectiva Comunidad Autónoma, o en ambas.

También los artículos 88 a 100 de la Ley 5/1997, de 22 de julio, de Administración Local de Galicia, regulan los Regímenes municipales especiales, disponiendo que por sus singulares características, gozarán de un régimen especial los municipios turísticos, los histórico-artísticos, los industriales, los pesqueros y los rurales.

Corresponde tal declaración, conforme al procedimiento que reglamentariamente se establezca, al Consejo de la Junta de Galicia, de oficio o a instancia de los municipios interesados.

La aplicación de más de un régimen o tratamiento especial podrá compatibilizarse siempre que el municipio reúna las condiciones y requisitos legales exigidos en cada caso.

Además de los regímenes municipales especiales establecidos en la presente Ley, podrán regularse, mediante Ley, otros en los que se tengan en cuenta otras particularidades propias de Galicia.

Mediante Ley del Parlamento de Galicia se regulará el régimen jurídico específico de las diferentes catalogaciones de los municipios.

Los municipios con una población superior a los 70.000 habitantes podrán contar con un régimen jurídico especial establecido por Ley.

Por Ley del Parlamento de Galicia, se dotará de un estatuto especial a la ciudad de Santiago de Compostela como sede de las instituciones autonómicas.

Municipios turísticos

Podrán ser declarados municipios turísticos aquellos en los que, por la afluencia periódica o estacional, la media ponderada anual de población turística sea superior al 25 por 100 del número de vecinos o cuando el número de alojamientos turísticos y de segundas viviendas sea superior al 50 por 100 del número de viviendas de residencia primaria.

También podrá declararse municipios turísticos los que acrediten contar, dentro de su territorio, con algún servicio turístico susceptible de producir una atracción turística de visitantes en una cantidad cinco veces superior a su población, computada a lo largo de un año y repartida al menos en más de treinta días.

Los municipios turísticos y la Junta de Galicia podrán celebrar Convenios para establecer las fórmulas de asistencia y coordinación destinadas a garantizar la prestación de sus servicios más característicos y, en especial, la protección de la salubridad e higiene en el medio urbano y natural y en las playas y costas, así como también la protección civil y la seguridad ciudadana.

La Comunidad Autónoma fomentará la constitución de mancomunidades de municipios turísticos para fines de esta naturaleza y coordinará, a petición de los propios Ayuntamientos, las campañas y actividades municipales de difusión y promoción turística. Todos los municipios mancomunados tendrán la consideración de municipios turísticos.

Los municipios turísticos podrán establecer tributos o recargos específicos, de acuerdo con la legislación de las haciendas locales.

Municipios histórico-artísticos

Podrán tener la consideración de municipios histórico-artísticos los que hayan sido declarados conjunto histórico de acuerdo con la legislación específica o cuenten con un conjunto individualizado de inmuebles a los que haya sido otorgado tal carácter.

Los municipios histórico-artísticos y la Junta de Galicia podrán celebrar Convenios por los que se regularán las formas de asistencia y cooperación técnica de proyectos especiales de protección, conservación, restauración y rehabilitación del patrimonio monumental.

La Junta de Galicia asistirá de modo especial a estos municipios en la elaboración del inventario del patrimonio histórico-artístico, mueble e inmueble, y en la defensa del mismo.

Municipios industriales

Podrán declararse municipios industriales aquellos en los que la actividad económica predominante corresponda al sector secundario y así sea declarado por el Consejo de la Junta de Galicia.

Los municipios industriales y la Junta de Galicia podrán celebrar Convenios mediante los que se regularán las formas de asistencia y cooperación técnica destinadas a dotar a aquéllos de la infraestructura precisa para el asentamiento, en sus términos, de actividades económicas de esta naturaleza y, en especial, de mecanismos eficaces de protección medioambiental y de las singulares condiciones técnicas que las instalaciones industriales imponen para la adecuada prestación de los servicios municipales.

La Junta de Galicia potenciará la participación de estos municipios en la elaboración de los instrumentos de planificación física o sectorial que puedan afectar a su ámbito territorial e impulsará tanto el establecimiento, en los mismos, de las dotaciones y equipamientos precisos tendentes a equilibrar las carencias existentes como la realización de operaciones de rehabilitación de las áreas industriales.

Igualmente los planes hidráulicos que, de acuerdo con la legislación del Estado, apruebe la Comunidad Autónoma establecerán las determinaciones precisas para el abastecimiento, evacuación y tratamiento de sus aguas.

Municipios pesqueros

Podrán declararse municipios pesqueros aquellos en los que la actividad económica predominante corresponda a este sector primario y así sea declarado por el Consejo de la Junta de Galicia.

Los municipios pesqueros y la Junta de Galicia podrán celebrar Convenios mediante los que se regularán las formas de asistencia y cooperación técnica destinadas a dotar a aquéllos de la infraestructura precisa, especialmente en materia de puertos; apoyar a las cofradías de pescadores y demás organizaciones de productores, cooperativistas del mar y asociaciones de productores, y promocionar acuerdos intersectoriales entre las asociaciones y organizaciones señaladas.

Municipios rurales

Podrán declararse municipios rurales aquellos que cumplan las siguientes condiciones:

a) Que la actividad económica predominante se desarrolle en el sector primario de la agricultura.

b) Que tengan menos de 25.000 habitantes.

c) Que el número de Entidades dentro de su término municipal exceda de 10 o la densidad de población sea inferior a la media gallega.

Los municipios rurales y la Junta de Galicia podrán celebrar Convenios mediante los que se regularán las formas de asistencia y cooperación técnica y económica destinadas a dotar a aquéllos de la infraestructura precisa para garantizar la prestación de los servicios mínimos a los ciudadanos.

La Junta de Galicia podrá impulsar planes de actuación respecto a estos municipios a fin de fijar la población en el campo y aprovechar las potencialidades productivas que tengan.

Sabías que...

En España existen 8.116 municipios, repartidos por las cincuenta provincias, Ceuta y Melilla, y cuyos datos oficiales de población son recogidos por el Instituto Nacional de Estadística.

2. Elementos

Conforme al **art. 11,2.º LRL**, son el territorio o término municipal, la población y la organización.

2.1. El término municipal

2.1.1. Concepto

Según el **art. 12,1.º LRL** y el art. 1 del Reglamento de Población y Demarcación Territorial de las Entidades Locales, aprobado por el Real Decreto 1690/1986, de 11 de julio, «el término municipal es el territorio en que el Ayuntamiento ejerce sus competencias», y está formado por territorios continuos, aunque se pueden mantener las situaciones de discontinuidad reconocidas en la actualidad, siendo, por lo demás, competencia del Ayuntamiento su división en distritos y en barrios y las variaciones de los mismos.

El número 2.º de este art. 12, añadido por la Ley 57/2003, de 16 de diciembre, de Medidas para la Modernización del Gobierno Local (LMMGL, en otras citas), dispone, por otra parte, que cada Municipio pertenecerá a una sola provincia.

Por otro lado, la jurisdicción sobre el territorio no supone una propiedad de las tierras, sino un elemento esencial de la constitución de un Municipio, que permite permanecer a sus habitantes y proporcionarles riqueza, que son otros elementos indispensables para la existencia del Municipio.

 Recuerda que...

El término municipal es el territorio en que el Ayuntamiento ejerce sus competencias.

2.1.2. Alteración del término municipal

Conforme el **art. 13 LRL**:

1. La creación o supresión de municipios, así como la alteración de términos municipales, se regularán por la legislación de las Comunidades Autónomas sobre régimen local, sin que la alteración de términos municipales pueda suponer, en ningún caso, modificación de los límites provinciales. Requerirán en todo caso audiencia de los municipios interesados y dictamen del Consejo de Estado o del órgano consultivo superior de los Consejos de Gobierno de las Comunidades Autónomas, si existiere, así como informe de la Administración que ejerza la tutela financiera. Simultáneamente a la petición de este dictamen se dará conocimiento a la Administración General del Estado.

2. La creación de nuevos municipios solo podrá realizarse sobre la base de núcleos de población territorialmente diferenciados, de al menos 4.000 habitantes y siempre que los municipios resultantes sean financieramente sostenibles, cuenten con recursos suficientes para el cumplimiento de las competencias municipales y no suponga disminución en la calidad de los servicios que venían siendo prestados.

3. Sin perjuicio de las competencias de las Comunidades Autónomas, el Estado, atendiendo a criterios geográficos, sociales, económicos y culturales, podrá establecer medidas que tiendan a fomentar la fusión de municipios con el fin de mejorar la capacidad de gestión de los asuntos públicos locales.

4. Los municipios, con independencia de su población, colindantes dentro de la misma provincia podrán acordar su fusión mediante un convenio de fusión, sin perjuicio del procedimiento previsto en la normativa autonómica. El nuevo municipio resultante de la fusión no podrá segregarse hasta transcurridos diez años desde la adopción del convenio de fusión.

   Al municipio resultante de esta fusión le será de aplicación lo siguiente:

   a) El coeficiente de ponderación que resulte de aplicación de acuerdo con el artículo 124.1 del texto refundido de la Ley Reguladora de las Haciendas Locales, aprobado mediante Real Decreto Legislativo 2/2004, de 5 de marzo se incrementará en 0,10.

   b) El esfuerzo fiscal y el inverso de la capacidad tributaria que le corresponda en ningún caso podrá ser inferior al más elevado de los valores previos que tuvieran cada municipio por separado antes de la fusión de acuerdo con el artículo 124.1 del texto refundido de la Ley Reguladora de las Haciendas Locales, aprobado mediante Real Decreto Legislativo 2/2004, de 5 de marzo.

   c) Su financiación mínima será la suma de las financiaciones mínimas que tuviera cada municipio por separado antes de la fusión de acuerdo con el artículo 124.2 del texto refundido de la Ley Reguladora de las Haciendas Locales, aprobado mediante Real Decreto Legislativo 2/2004, de 5 de marzo.

d) De la aplicación de las reglas contenidas en las letras anteriores no podrá derivarse, para cada ejercicio, un importe total superior al que resulte de lo dispuesto en el artículo 123 del citado texto refundido de la Ley Reguladora de las Haciendas Locales.

e) Se sumarán los importes de las compensaciones que, por separado, corresponden a los municipios que se fusionen y que se derivan de la reforma del Impuesto sobre Actividades Económicas de la disposición adicional décima de la Ley 51/2002, de 27 de diciembre, de Reforma de la Ley 39/1988, de 28 de diciembre, Reguladora de las Haciendas Locales, actualizadas en los mismos términos que los ingresos tributarios del Estado en cada ejercicio respecto a 2004, así como la compensación adicional, regulada en la disposición adicional segunda de la Ley 22/2005, de 18 de noviembre, actualizada en los mismos términos que los ingresos tributarios del Estado en cada ejercicio respecto a 2006.

f) Queda dispensado de prestar nuevos servicios mínimos de los previstos en el artículo 26 que le corresponda por razón de su aumento poblacional.

g) Durante, al menos, los cinco primeros años desde la adopción del convenio de fusión, tendrá preferencia en la asignación de planes de cooperación local, subvenciones, convenios u otros instrumentos basados en la concurrencia. Este plazo podrá prorrogarse por la Ley de Presupuestos Generales del Estado.

La fusión conllevará:

a) La integración de los territorios, poblaciones y organizaciones de los municipios, incluyendo los medios personales, materiales y económicos, del municipio fusionado. A estos efectos, el Pleno de cada Corporación aprobará las medidas de redimensionamiento para la adecuación de las estructuras organizativas, inmobiliarias, de personal y de recursos resultantes de su nueva situación. De la ejecución de las citadas medidas no podrá derivarse incremento alguno de la masa salarial en los municipios afectados.

b) El órgano del gobierno del nuevo municipio resultante estará constituido transitoriamente por la suma de los concejales de los municipios fusionados en los términos previstos en la Ley Orgánica 5/1985, de 19 de junio, del Régimen Electoral General.

c) Si se acordara en el Convenio de fusión, cada uno de los municipios fusionados, o alguno de ellos podrá funcionar como forma de organización desconcentrada de conformidad con lo previsto en el artículo 24 bis.

d) El nuevo municipio se subrogará en todos los derechos y obligaciones de los anteriores municipios, sin perjuicio de lo previsto en la letra e).

e) Si uno de los municipios fusionados estuviera en situación de déficit se podrán integrar, por acuerdo de los municipios fusionados, las obligaciones, bienes y derechos patrimoniales que se consideren liquidables en un fondo, sin perso-nalidad jurídica y con contabilidad separada, adscrito al nuevo municipio, que designará un liquidador al que le corresponderá la liquidación de este fondo. Esta liquidación deberá llevarse a cabo durante los cinco años siguientes desde la adopción del convenio de fusión, sin perjuicio de los posibles derechos que puedan corresponder a los acreedores. La aprobación de las normas a las que tendrá que ajustarse la contabilidad del fondo corresponderá al Ministro de Hacienda y Administraciones Públicas, a propuesta de la Intervención General de la Administración del Estado.

f) El nuevo municipio aprobará un nuevo presupuesto para el ejercicio presu-puestario siguiente a la adopción del convenio de fusión.

5. Las Diputaciones provinciales o entidades equivalentes, en colaboración con la Comunidad Autónoma, coordinarán y supervisarán la integración de los servicios resultantes del proceso de fusión.

6. El convenio de fusión deberá ser aprobado por mayoría simple de cada uno de los plenos de los municipios fusionados. La adopción de los acuerdos previstos en el artículo 47.2, siempre que traigan causa de una fusión, será por mayoría simple de los miembros de la corporación.

En particular, la materia de alteración de términos municipales la regulan los arts. 3 y siguientes TR/86 y 2 a 16 RPDT, señalándose que la alteración podrá producirse:

a) Por incorporación de uno o más Municipios a otro u otros limítrofes.

b) Por fusión de dos o más Municipios limítrofes.

c) Por segregación de parte del territorio de uno o varios Municipios para constituir otro independiente.

d) Por segregación de parte del territorio de un Municipio para agregarla a otro limítrofe.

En ningún caso, la alteración de términos municipales podrá suponer modificación de los límites provinciales.

La resolución definitiva del procedimiento se hará por Decreto del Consejo de Gobierno de la Comunidad Autónoma correspondiente, del que se dará traslado a la Administración del Estado (art. 9,5.º TR/86), al igual que ocurre con la alteración del nombre y capitalidad de los Municipios (art. 11 TR/86).

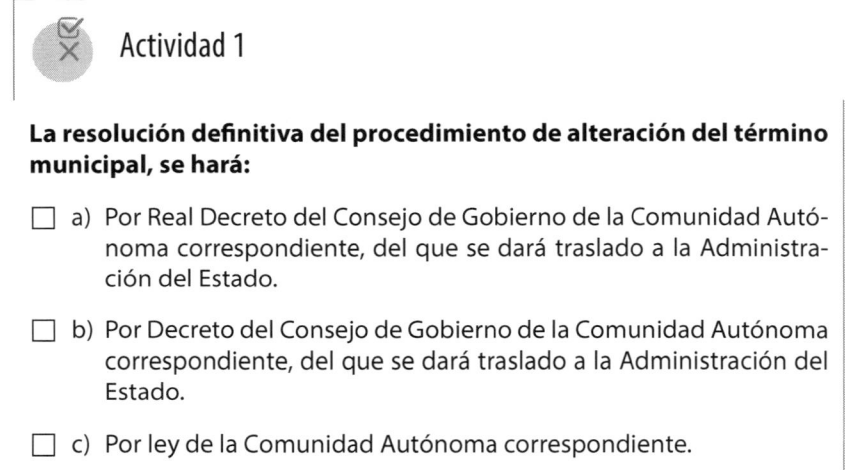

Actividad 1

La resolución definitiva del procedimiento de alteración del término municipal, se hará:

☐ a) Por Real Decreto del Consejo de Gobierno de la Comunidad Autónoma correspondiente, del que se dará traslado a la Administración del Estado.

☐ b) Por Decreto del Consejo de Gobierno de la Comunidad Autónoma correspondiente, del que se dará traslado a la Administración del Estado.

☐ c) Por ley de la Comunidad Autónoma correspondiente.

2.1.3. Deslinde de términos municipales

Las cuestiones que se susciten entre Municipios sobre deslinde de sus términos municipales serán resueltas por la correspondiente Comunidad Autónoma, previo informe del Instituto Geográfico Nacional y dictamen del órgano consultivo superior del Consejo de Gobierno de aquella, si existiere, o, en su defecto, del Consejo de Estado (art. 10 TR/86 y 24 RPDT).

En el supuesto de que se trate de Municipios pertenecientes a distintas Comunidades Autónomas, se resolverán por la Administración General del Estado, previo informe del Instituto Geográfico Nacional, audiencia de los Municipios afectados y de las respectivas Comunidades Autónomas y dictamen del Consejo de Estado (número 3 del art. 50 LRL, añadido por la Ley 11/1999).

A estos efectos, debe estarse a lo dispuesto por el Real Decreto 3426/2000, de 15 de diciembre, por el que se regula el procedimiento de deslinde de términos municipales pertenecientes a distintas Comunidades Autónomas.

2.2. La población: especial referencia al empadronamiento

2.2.1. Introducción

La población es el elemento personal del Municipio, estando constituida por el conjunto de personas inscritas en el Padrón municipal, considerándose a las mismas como vecinos (art. 15 LRL y 55 RPDT), habiendo, por lo tanto, desaparecido con la reforma de la Ley 4/1996, ya citada, la distinción entre residentes, ausentes y transeúntes, vecinos y domiciliados. A estos efectos, la condición de vecino se adquiere en el mismo momento de su inscripción en el Padrón.

2.2.2. Consideración especial del vecino

Los **arts. 18 LRL**, 56 RPDT y 226 ROFRJEL, centran en el vecino el régimen de derechos y deberes de la población en atención a esta cualidad.

A tal efecto, se establece que son derechos y deberes de los vecinos:

1. Ser elector y elegible, de acuerdo con lo dispuesto en la legislación electoral (constituida por la Ley Orgánica 5/1985, de 19 de junio, del Régimen Electoral General –LOREG, en adelante–).

2. Participar en la gestión municipal, de acuerdo con lo dispuesto en las leyes y, en su caso, cuando la colaboración con carácter voluntario de los vecinos sea interesada por los órganos de gobierno y administración municipal.

3. Utilizar, de acuerdo con su naturaleza, los servicios públicos municipales, y acceder a los aprovechamientos comunales, conforme a las normas aplicables.

4. Contribuir mediante las prestaciones económicas y personales legalmente previstas a la realización de las competencias municipales.

5. Ser informado, previa petición razonada, y dirigir solicitudes a la administración municipal con relación a todos los expedientes y documentación municipal, de acuerdo con lo previsto en el art. 105 CE.

6. Pedir la consulta popular en los términos previstos en la ley (a ella se refiere el art. 71 LRL, al establecer que, de conformidad con la legislación del Estado y de la Comunidad Autónoma, cuando esta tenga competencia estatutariamente atribuida para ello, el Alcalde, previo acuerdo por mayoría absoluta del Pleno y autorización del Gobierno de la Nación, podrá someter a consulta popular aquellos asuntos de la competencia propia municipal y de carácter local que sean de especial relevancia para los intereses de los vecinos, con excepción de los relativos a la Hacienda Local).

7. Exigir la prestación y, en su caso, el establecimiento del correspondiente servicio público, en el supuesto de constituir una competencia municipal propia de carácter obligatorio (es decir, de las contempladas en el art. 26 LRL).

8. Ejercer la iniciativa popular en los términos previstos en el art. 70 bis.

9. Aquellos otros derechos y deberes establecidos en las leyes (en particular, especialmente, los derechos reconocidos por los artículos 13, 28 y 53 de la LPACAP).

En cuanto a los extranjeros, a tenor del número 2 del art. 18 LRL y del art. 56,2º RPDT, su inscripción en el Padrón municipal no constituirá prueba de su residencia legal en España ni les atribuirá ningún derecho que no les confiera la legislación vigente, especialmente en materia de derechos y libertades de los extranjeros en España, sobre lo que habrá que estar a la Ley Orgánica 4/2000, de 11 de enero, sobre derechos y libertades de los extranjeros en España y su integración social, profundamente modificada.

Derechos y deberes de los vecinos de un Municipio
Ser elector y elegible, de acuerdo con lo dispuesto en la legislación electoral.
Participar en la gestión municipal de acuerdo con lo dispuesto en las leyes.
Utilizar los servicios públicos municipales y acceder a los aprovechamientos comunales, conforme a las normas aplicables.
Contribuir, mediante prestaciones económicas y personales, legalmente previstas, a la realización de las competencias municipales.
Ser informado, previa petición razonada, y dirigir solicitudes a la Administración municipal en relación con todos los expedientes y documentación municipal, de conformidad con lo previsto en el art. 105 de la CE.
Pedir la consulta popular en los términos establecidos en la Ley.
Exigir la prestación del correspondiente servicio público, en el supuesto de constituir una competencia municipal propia de carácter obligatorio.
Ejercer la iniciativa popular.
Aquellos otros derechos y deberes establecidos en las leyes.

Actividad 2

La inscripción de los extranjeros en el Padrón municipal, ¿constituye prueba de su residencia legal en España?

2.2.3. El empadronamiento

2.2.3.1. Concepto del Padrón

El **art. 16,1.º LRL** (artículo modificado por Real Decreto-ley 6/2023, de 19 de diciembre, por el que se aprueban medidas urgentes para la ejecución del Plan de Recuperación, Transformación y Resiliencia en materia de servicio público de justicia, función pública, régimen local y mecenazgo, así como el art. 53 RPDT), parcialmente modificado por la citada Ley Orgánica 14/2003, de 20 de noviembre, lo define como «el registro administrativo donde constan los vecinos de un municipio».

Asimismo, señala que «sus datos constituyen prueba de la residencia en el municipio y del domicilio habitual en el mismo. Las certificaciones que de dichos datos se expidan tendrán carácter de documento público y fehaciente para todos los efectos administrativos.

La inscripción en el Padrón Municipal sólo surtirá efecto de conformidad con lo dispuesto en el artículo 15 por el tiempo que subsista el hecho que la motivó y, en todo caso, deberá ser objeto de renovación periódica cada dos años cuando se trate de la inscripción de extranjeros sin autorización de residencia de larga duración, no pertenecientes a un Estado miembro de la Unión Europea, a Estados parte en el Acuerdo sobre el Espacio Económico Europeo o a otros Estados a los que, en virtud de un convenio internacional se extienda el régimen jurídico previsto para los ciudadanos de los Estados mencionados anteriormente.

El transcurso del plazo señalado en el párrafo anterior será causa para acordar la caducidad de las inscripciones que deban ser objeto de renovación periódica, siempre que el interesado no hubiese procedido a tal renovación. En este caso, la caducidad podrá declararse sin necesidad de audiencia previa del interesado.«La inscripción en el Padrón municipal —continua este artículo— contendrá como obligatorios solo los siguientes datos (art. 16,2.º LRL, modificado parcialmente por la LRSAL y 57,1.º RPDT):

a) Nombre y apellidos.

b) Sexo.

c) Domicilio habitual, con especificación de la referencia catastral, en el territorio fiscal común o el código equivalente en los territorios forales, siempre que el domicilio cuente con referencia catastral o código equivalente.

d) Nacionalidad.

e) Lugar y fecha de nacimiento.

f) Número de documento nacional de identidad o, tratándose de extranjeros:

1.º Número de identidad de extranjero que conste en el certificado de inscripción en el Registro Central de Extranjeros expedido por las autoridades españolas, o en su defecto, número del documento acreditativo de la identidad o del pasaporte en vigor expedido por las autoridades del país de procedencia, tratándose de ciudadanos nacionales de Estados miembros de la Unión Europea, de otros Estados parte en el Acuerdo sobre el Espacio Económico Europeo o de Estados a los que, en virtud de un convenio internacional se extienda el régimen jurídico previsto para los ciudadanos de los Estados mencionados.

2.º Número de identidad de extranjero que conste en documento, en vigor, expedido por las autoridades españolas o, en su defecto, por no ser titulares de estos, el número del pasaporte en vigor expedido por las autoridades del país de procedencia, tratándose de ciudadanos nacionales de Estados no comprendidos en el párrafo anterior, salvo que, por virtud de Tratado o Acuerdo Internacional, disfruten de un régimen específico de exención de visado en materia de pequeño tráfico fronterizo con el municipio en el que se pretenda el empadronamiento, en cuyo caso, se exigirá el correspondiente visado.

g) Certificado o título escolar o académico que se posea.

h) Cuantos otros datos puedan ser necesarios para la elaboración del Censo Electoral, siempre que se garantice el respeto a los derechos fundamentales reconocidos en la Constitución Española.

Asimismo, de conformidad con la Ley 39/2015, de 1 de octubre, del Procedimiento Administrativo Común de las Administraciones Públicas, la inscripción en el Padrón municipal podrá recoger la aportación voluntaria de los datos relativos a la designación de las personas que pueden representar a cada vecino ante la administración municipal a efectos padronales, el número de teléfono de contacto y la dirección de correo electrónico.

Con carácter voluntario se podrán recoger los siguientes datos (art. 57,2.º RPDT):

a) Designación de las personas que pueden representar a cada vecino ante la Administración municipal a efectos padronales.

b) Número de teléfono móvil o fijo.

c) Correo electrónico.

Por lo demás, a tenor del número 3 de este art. 16 LRL (art. 53 RPDT), también afectado por el Real Decreto-ley 6/2023, de 19 de diciembre, los datos obligatorios del Padrón Municipal se cederán a otras Administraciones públicas que lo soliciten sin consentimiento previo del afectado solamente cuando les sean necesarios para el ejercicio de sus respectivas competencias, y exclusivamente para asuntos en los que la residencia o el domicilio sean datos relevantes. También pueden servir para elaborar estadísticas oficiales sometidas al secreto estadístico, en los términos previstos en la Ley 12/1989, de 9 de mayo, de la Función Estadística Pública y en las leyes de estadística de las Comunidades Autónomas con competencia en la materia. Los datos de aportación voluntaria no serán susceptibles de cesión en ningún caso.

En todo caso, el padrón municipal está sujeto al ejercicio por parte de los vecinos de los derechos de acceso y de rectificación y supresión regulados en los arts. 13 a 15 de la Ley Orgánica 3/2018, de 5 de diciembre, de Protección de Datos Personales y garantía de los derechos digitales.

Por otra parte, a tenor de la nueva Disposición Adicional Séptima de esta LRL (añadida por la Ley Orgánica 14/2003 y modificada por Real Decreto-ley 6/2023), para la exclusiva finalidad del ejercicio de las competencias establecidas en la Ley Orgánica de derechos y libertades de los extranjeros en España y su integración social, sobre control y permanencia de extranjeros en España, la Dirección General de la Policía accederá a los datos de inscripción padronal de los extranjeros existentes en los Padrones Municipales, preferentemente por vía telemática.

A fin de asegurar el estricto cumplimiento de la legislación de protección de datos de carácter personal, los accesos se realizarán con las máximas medidas de seguridad. A estos efectos, quedará constancia en la Dirección General de la Policía de cada acceso, la identificación de usuario, fecha y hora en que se realizó, así como de los datos consultados.

Con el fin de mantener actualizados los datos de inscripción padronal de extranjeros en los padrones municipales, la Dirección General de la Policía, comunicará, al menos mensualmente, al Instituto Nacional de Estadística, para el ejercicio de sus competencias, los datos de los extranjeros anotados en el Registro Central de Extranjeros.

Finalmente, se habilita a los Ministros de Economía y Hacienda (actualmente esas competencias se distribuyen en dos Ministerios: Ministerio de Economía, Comercio y Empresa y Ministerio de Hacienda) y del Interior para dictar las disposiciones que regulen las comunicaciones de los datos de los extranjeros anotados en el Registro Central de Extranjeros por medios electrónicos, informáticos o telemáticos al Instituto Nacional de Estadística.

En desarrollo de lo previsto en el artículo 16 LRL, podemos destacar la regulación técnica contenida en la Resolución de 17 de febrero de 2020, de la Presidencia del Instituto Nacional de Estadística y de la Dirección General de Cooperación Autonómica y Local, por la que se dictan instrucciones técnicas a los Ayuntamientos sobre la gestión del Padrón municipal, y modificada por Resolución de 3 de febrero de 2023, de la Presidencia del Instituto Nacional de Estadística y de la Dirección General de Cooperación Autonómica y Local.

Actividad 3

Señala cuál de los siguientes no es un dato que ha de figurar obligatoriamente en el Padrón municipal:

- ☐ a) Sexo.
- ☐ b) Lugar y fecha de nacimiento.
- ☐ c) Número de teléfono.

2.2.3.2. Régimen de empadronamiento

Conforme al **art. 15 LRL** (art. 54 RPDT), toda persona que viva en España está obligada a inscribirse en el Padrón del Municipio en el que resida habitualmente. Quien viva en varios Municipios deberá inscribirse únicamente en el que habite durante más tiempo al año.

Las personas menores de edad no emancipadas tendrán la misma vecindad que los padres que tengan su guarda y custodia o, en su defecto, de sus representantes legales, salvo autorización por escrito de estos para residir en otro domicilio o municipio.

Finalmente, la inscripción en el Padrón municipal de personas que residiendo en el Municipio carezcan de domicilio en el mismo solo se podrá llevar a cabo después de haber puesto el hecho en conocimiento de los servicios sociales competentes en el ámbito geográfico donde esa persona resida.

El Real Decreto 141/2024, de 6 de febrero, por el que se modifica el Reglamento de Población y Demarcación Territorial de las Entidades Locales ha añadido el Artículo 54 bis, que dispone lo siguiente:

1. La inscripción en el padrón municipal sólo surtirá efecto por el tiempo que subsista el hecho que la motivó, de conformidad con lo previsto en el artículo 54.

2. En todo caso, cuando se trate de la inscripción de extranjeros sin autorización de residencia de larga duración, no pertenecientes a un Estado miembro de la Unión Europea, a Estados parte en el Acuerdo sobre el Espacio Económico Europeo o a otros Estados a los que, en virtud de un convenio internacional, se extienda el régimen jurídico previsto para los ciudadanos de los Estados mencionados anteriormente, deberá ser objeto de renovación periódica cada dos años.

3. El transcurso del plazo señalado en el apartado anterior será causa para acordar la caducidad de las inscripciones que deban ser objeto de renovación periódica, siempre que el interesado no hubiese procedido a tal renovación. En este caso, la caducidad podrá declararse sin necesidad de audiencia previa del interesado.

2.2.3.3. Formación, mantenimiento y rectificación del Padrón

A tenor de lo dispuesto en el **art. 17 LRL** (también afectado por la Ley Orgánica 14/2003 y por por Real Decreto-ley 6/2023):

1. La formación, mantenimiento, revisión y custodia del Padrón municipal corresponde al Ayuntamiento, de acuerdo con lo que establezca la legislación del Estado.

   Con este fin, los distintos organismos de la Administración General del Estado, competentes por razón de la materia, remitirán periódicamente a cada Ayuntamiento información sobre las variaciones de los datos de sus vecinos que con carácter obligatorio deben figurar en el Padrón municipal, en la forma que se establezca reglamentariamente.

   La gestión del Padrón municipal se llevará por los Ayuntamientos con medios informáticos. Las Diputaciones Provinciales o entidades equivalentes, Cabildos y

Consejos insulares asumirán la gestión informatizada de los Padrones de los municipios que, por su insuficiente capacidad económica y de gestión, no puedan mantener los datos de forma automatizada.

2. Los Ayuntamientos realizarán las actuaciones y operaciones necesarias para mantener actualizados sus Padrones de modo que los datos contenidos en éstos concuerden con la realidad.

Si un ayuntamiento no llevara a cabo dichas actuaciones, el Instituto Nacional de Estadística, previo informe del Consejo de Empadronamiento, podrá requerirle previamente concretando la inactividad, y si fuere rechazado, sin perjuicio de los recursos jurisdiccionales que procedan, podrá acudir a la ejecución sustitutoria prevista en el artículo 60 de la presente ley.

3. Los Ayuntamientos remitirán al Instituto Nacional de Estadística los datos de sus respectivos Padrones, en la forma que reglamentariamente se determine por la Administración General del Estado, a fin de que pueda llevarse a cabo la coordinación entre los Padrones de todos los municipios.

El Instituto Nacional de Estadística, en aras a subsanar posibles errores y evitar duplicidades, realizará las comprobaciones oportunas, y comunicará a los Ayuntamientos las actuaciones y operaciones necesarias para que los datos padronales puedan servir de base para la elaboración de estadísticas de población a nivel nacional, para que las cifras resultantes de las revisiones anuales puedan ser declaradas oficiales, y para que los Ayuntamientos puedan remitir, debidamente actualizados, los datos del Censo Electoral.

Corresponderá a la persona que ejerza la Presidencia del Instituto Nacional de Estadística la resolución de las discrepancias que, en materia de empadronamiento, surjan entre los Ayuntamientos, Diputaciones Provinciales o entidades equivalentes, Cabildos y Consejos insulares o entre estos entes y el Instituto Nacional de Estadística, así como elevar al Gobierno de la Nación la propuesta de cifras oficiales de población de los municipios españoles, comunicándolo en los términos que reglamentariamente se determinan al Ayuntamiento interesado.

El Instituto Nacional de Estadística podrá ceder los datos de su base padronal a otras Administraciones Públicas en las mismas condiciones señaladas en el artículo 16.3. Asimismo, el Instituto Nacional de Estadística facilitará a los Institutos estadísticos de las Comunidades Autónomas, u órganos competentes en la materia, los datos relativos a los padrones de los municipios de su ámbito territorial en las condiciones previstas en el artículo 16.3, y con la periodicidad que se acuerde entre las partes.'

4. Adscrito al Ministerio de Economía, Comercio y Empresa se crea el Consejo de Empadronamiento como órgano colegiado de colaboración entre la Administración General del Estado y los Entes Locales en materia padronal, de acuerdo con lo que reglamentariamente se establezca.

El Consejo será presidido por el Presidente del Instituto Nacional de Estadística y estará formado por representantes de la Administración General del Estado y de los Entes Locales.

El Consejo funcionará en Pleno y en Comisión, existiendo en cada provincia una Sección Provincial bajo la presidencia del Delegado del Instituto Nacional de Estadística y con representación de los Entes Locales.

El Consejo de Empadronamiento desempeñará las siguientes funciones:

A) Elevar a la decisión de la persona que ejerza la Presidencia del Instituto Nacional de Estadística propuesta vinculante de resolución de las discrepancias que surjan en materia de empadronamiento entre Ayuntamientos, Diputaciones Provinciales o entidades equivalentes, Cabildos, Consejos insulares o entre estos entes y el Instituto Nacional de Estadística.

B) Informar, con carácter vinculante, las propuestas que eleve al Gobierno el Presidente del Instituto Nacional de Estadística sobre cifras oficiales de población de los municipios españoles.

C) Proponer la aprobación de las instrucciones técnicas precisas para la gestión de los padrones municipales.

D) Cualquier otra función que se le atribuya por disposición legal o reglamentaria.

5. La Administración General del Estado, en colaboración con los Ayuntamientos y Administraciones de las Comunidades Autónomas confeccionará un Padrón de españoles residentes en el extranjero, al que será de aplicación las normas de esta Ley que regulan el Padrón municipal.

Las personas inscritas en este Padrón se considerarán vecinos del municipio español que figura en los datos de su inscripción únicamente a efectos del ejercicio del derecho de sufragio, no constituyendo, en ningún caso, población del municipio.

Esta materia se ha desarrollado por extenso por los arts. 60 a 83 RPDT modificados por Real Decreto 141/2024, de 6 de febrero, estableciendo, en particular, el art. 81 que «los Ayuntamientos aprobarán la revisión de sus padrones municipales con referencia al 1 de enero de cada año, formalizando las actuaciones llevadas a cabo durante el ejercicio anterior. La cifra de población resultante, junto con una copia de los datos obligatorios de su padrón completo a la misma fecha, serán remitidos al Instituto Nacional de Estadística.

Asimismo, deberán tenerse en cuenta la parcialmente vigente Resolución de 1 de abril de 1997, la Orden de 11 de julio de 1997, sobre comunicaciones electrónicas entre las Administraciones Públicas referentes a la información de los Padrones municipales, y la Resolución de 29 de abril de 2020, de la Subsecretaría, por la que se publica la Resolución de 17 de febrero de 2020, de la Presidencia del Instituto Nacional de Estadística y de la Dirección General de Cooperación Autonómica y Local, por la que se dictan instrucciones técnicas a los Ayuntamientos sobre la gestión del Padrón municipal y la Resolución de 20 de julio de 2018, de la Presidencia del Instituto Nacional de Estadística y de la Dirección General de Cooperación Autonómica y Local, sobre instrucciones técnicas a los Ayuntamientos sobre la revisión anual del padrón municipal y el procedimiento de obtención de la propuesta de cifras oficiales de población.

Según esta última Resolución y en virtud de lo previsto en el artículo 65 del Reglamento de Población y Demarcación Territorial de las Entidades Locales, los Ayuntamientos remitirán al Instituto Nacional de Estadística, por medio de un sistema de intercambio de datos en tiempo real, las variaciones que se hayan producido en los datos de sus padrones municipales, para que este organismo pueda ejercer las tareas de coordinación encomendadas en el artículo 17.3 de la Ley 7/1985, de 2 de abril, sin perjuicio de la información que deben remitir a la Oficina del Censo Electoral para la actualización del censo electoral, de acuerdo con lo que establece la Ley Orgánica 5/1985, de 19 de junio.

Esta remisión se hará por medios telemáticos a través del aplicativo de internet IDA-Padrón, con certificados electrónicos de firma digital, reconocidos por @firma, ajustándose a los formatos de registro de los ficheros de intercambio publicados en IDA-Padrón. El calendario anual de envío se publicará asimismo en IDA-Padrón.

Junto con la información anterior deberán comunicarse las confirmaciones, a través de comunicaciones de rechazo, a aquellas inscripciones comunicadas por el Instituto Nacional de Estadística como posibles duplicados que, tras llevarse a cabo las actuaciones señaladas en el apartado de gestión de bajas, se mantengan sin cambios.

Con el envío de las variaciones mensuales se dará por cumplido el trámite previsto en el artículo 100.2 del Reglamento de Población de comunicar al Instituto Nacional de Estadística, en los diez primeros días del mes siguiente, las altas de los españoles residentes en el extranjero que hayan traslado su residencia al territorio español.

El Instituto Nacional de Estadística podrá solicitar de los Ayuntamientos la documentación y aclaraciones que estime convenientes.

Cuando no haya habido movimientos se remitirá un fichero con parte negativo.

También recoge la Resolución de 17 de febrero de 2020, que en virtud de lo establecido en el artículo 66 del Reglamento de Población y Demarcación Territorial de las Entidades Locales, el Instituto Nacional de Estadística remitirá mensualmente a cada Ayuntamiento, en los mismos formatos de registro con una cola de errores añadida, descrita en el aplicativo de internet IDA-Padrón, la siguiente información:

- Los errores detectados en la información remitida por los Ayuntamientos en los ficheros de intercambio.

- Las discrepancias encontradas como resultado de la confrontación con los distintos Padrones, para que procedan a introducir las rectificaciones que sean pertinentes.

  Las altas efectuadas en los Padrones municipales y en el Padrón de Españoles Residentes en el Extranjero para que los respectivos Ayuntamientos repercutan las bajas correspondientes en sus Padrones.

- Las modificaciones en los datos de inscripción procedentes de los órganos de la Administración General del Estado competentes en la materia en el caso de que el Instituto Nacional de Estadística canalice dicha información.

- Los preavisos de caducidad de los extranjeros no comunitarios sin autorización de residencia permanente.

- Las comunicaciones para la comprobación de residencia de los extranjeros que no tienen la obligación de renovar su inscripción padronal.

- Asimismo y mediante los diseños de registros específicos al efecto publicados en IDA-Padrón, el Instituto Nacional de Estadística remitirá a los Ayuntamientos las bajas por defunción y altas por nacimiento procedentes del Registro Civil.

- Las altas por nacimiento se comunicarán también en los ficheros de intercambio de devolución mensual cuando, una vez contrastadas con la base padronal del INE, se detecte que el municipio de residencia declarado en la inscripción del Registro Civil es diferente al de la inscripción padronal de la madre del nacido. Las defunciones se comunicarán en todos los casos, en tanto no hayan sido remitidas por los Ayuntamientos.

- Cualesquiera otras comunicaciones que se informen favorablemente por el Consejo de Empadronamiento, y cuya difusión se realice a través de IDA-Padrón.

2.2.3.4. Consejo de Empadronamiento

El Consejo de Empadronamiento, adscrito al Ministerio de Economía, Comercio y Empresa, es un órgano colegiado de colaboración entre la Administración General del Estado y los Entes locales en materia padronal.

El Consejo de Empadronamiento tiene carácter nacional y dispone de Secciones Provinciales para conseguir una mayor agilidad en su funcionamiento (arts. 17 LRL y 84 RPDT).

El Consejo será presidido por el Presidente del Instituto Nacional de Estadística y sus Vocales son (art. 86 RPDT):

a) Dos representantes del Instituto Nacional de Estadística que deberán tener rango de Subdirector General o equivalente.

b) Un representante de la Oficina del Censo Electoral que deberá tener rango de Subdirector General o equivalente.

c) Un representante del Ministerio de Política Territorial y Memoria Democrática que deberá tener rango de Subdirector General o equivalente.

d) Un representante del Ministerio de Asuntos Exteriores, Unión Europea y Cooperación que deberá tener rango de Subdirector General o equivalente.

e) Un representante de la Secretaría General de Administración Digital que deberá tener rango de Subdirector General o equivalente.

f) Siete representantes de las Entidades locales.

El Consejo funcionará en Pleno y en Comisión Permanente, existiendo en cada provincia una Sección Provincial, bajo la presidencia del Delegado del Instituto Nacional de Estadística, formada por dos representantes de la Administración General del Estado en la Provincia y tres representantes de las Entidades Locales de la Provincia, en calidad de Vocales (arts. 89 y 91 RPDT).

El Consejo de Empadronamiento desempeñará las siguientes funciones (arts. 17 LRL y 85 RPDT):

a) Elevar a la decisión del Presidente del Instituto Nacional de Estadística propuesta vinculante de resolución de las discrepancias que surjan en materia de empadronamiento entre Ayuntamientos, Diputaciones Provinciales, Cabildos, Consejos Insulares o entre estos Entes y el Instituto Nacional de Estadística.

b) Informar, con carácter vinculante, las propuestas que eleve al Gobierno el Presidente del Instituto Nacional de Estadística sobre cifras oficiales de población de los Municipios españoles.

c) Proponer la aprobación de las instrucciones técnicas precisas para la gestión de los padrones municipales, en especial sobre intercambios de información entre Administraciones, precisión de datos padronales, operaciones de muestreo, operaciones de actualización, sistemas de gestión, normalización de documentos, etc.

d) Informar, con carácter preceptivo, de la acción sustitutoria a realizar por el Instituto Nacional de Estadística en los términos previstos en el art. 62 RPDT (cuando un Ayuntamiento no realice las actuaciones y operaciones necesarias para mantener actualizado su Padrón de modo que los datos contenidos en él concuerden con la realidad).

e) Informar, con carácter vinculante, sobre las altas y bajas de oficio en los casos previstos en los arts. 72 y 73 RPDT.

f) Informar, asimismo, cuantas otras cuestiones relacionadas con el empadronamiento puedan proponer o plantear las Administraciones Públicas.

g) Cualquier otra función que en materia padronal se le atribuya por disposición legal o reglamentaria.

 Recuerda que...

La población es el elemento personal del Municipio, estando constituida por el conjunto de personas inscritas en el Padrón municipal, considerándose a las mismas como vecinos.

2.2.3.5. Padrón de españoles residentes en el extranjero

El Padrón de españoles residentes en el extranjero, cuya formación se realizará por la Administración General del Estado, en colaboración con los Ayuntamientos y Comunidades Autónomas, es el registro administrativo donde constan las personas que gozando de la nacionalidad española viven habitualmente fuera de España, sea o no esta su única nacionalidad.

Los datos obligatorios del padrón de españoles residentes en el extranjero se cederán a otras Administraciones Públicas que lo soliciten sin consentimiento previo del afectado solamente cuando les sean necesarios para el ejercicio de sus respectivas competencias, y exclusivamente para asuntos en que la residencia en el extranjero sea dato relevante. También podrán servir para elaborar estadísticas oficiales sometidas al secreto estadístico, en los términos previstos en la Ley 12/1989, de 9 de mayo, y en las leyes de estadística de las Comunidades Autónomas con competencia en la materia. Los datos de aportación voluntaria no serán susceptibles de cesión salvo en los supuestos legalmente previstos.

En todo caso, este padrón está sujeto al ejercicio, por parte de los españoles residentes en el extranjero, de los derechos regulados en el Reglamento (UE) 2016/679 del Parlamento Europeo y del Consejo, de 27 de abril de 2016, y en la Ley Orgánica 3/2018, de 5 de diciembre.

Los españoles inscritos en este Padrón se considerarán vecinos del Municipio español que figura en los datos de su inscripción únicamente a efectos del ejercicio del derecho de sufragio, no constituyendo, en ningún caso, población del municipio.

Los arts. 93 a 106 RPDT regulan pormenorizadamente este Padrón, en términos que se inspiran en las normas establecidas para el Padrón Municipal.

En relación con este Padrón, por lo demás, habrá que tener en cuenta las previsiones Real Decreto 991/2024, de 1 de octubre, sobre inscripción de las personas de nacionalidad española en los Registros de Matrícula de las Oficinas Consulares en el extranjero.

Finalmente, ha de hacerse mención a la Ley 40/2006, de 14 de diciembre, del Estatuto de la ciudadanía española en el exterior, así como al Real Decreto 230/2008, de 15 de febrero, por el por el que se regula el Consejo General de la Ciudadanía Española en el exterior, modificado por el Real Decreto 245/2009, de 27 de febrero, y al Real Decreto 1960/2009, de 18 de diciembre, por el que se regulan los Consejos de Residentes Españoles en el Extranjero y a la ya citada Resolución de 17 de febrero de 2020.

 Recuerda que...

Toda persona que viva en España está obligada a inscribirse en el Padrón del Municipio en el que resida habitualmente.

3. Competencias municipales

3.1. Concepto

Se entiende por competencia municipal el ámbito sectorial en que el Municipio puede actuar con arreglo a Derecho. Es, en definitiva, el conjunto de facultades atribuidas al Municipio para que este pueda cumplir los fines que le son propios.

Actividad 4

Los españoles inscritos en este Padrón de españoles residentes en el extranjero, se considerarán vecinos del Municipio español que figura en los datos de su inscripción:

- [ ] a) A los efectos del ejercicio de todos sus derechos como vecino del municipio.
- [ ] b) Se considera vecino, pero sin derecho alguno.
- [ ] c) Únicamente a efectos del ejercicio del derecho de sufragio.

3.2. Clases

Conforme al **art. 7 LRL**:

1. Las competencias de las Entidades Locales son propias o atribuidas por delegación.

2. Las competencias propias de los Municipios, las Provincias, las Islas y demás Entidades Locales territoriales solo podrán ser determinadas por ley y se ejercen en régimen de autonomía y bajo la propia responsabilidad, atendiendo siempre a la debida coordinación en su programación y ejecución con las demás Administraciones Públicas.

3. El Estado y las Comunidades Autónomas, en el ejercicio de sus respectivas competencias, podrán delegar en las Entidades Locales el ejercicio de sus competencias.

   Las competencias delegadas se ejercen en los términos establecidos en la disposición o en el acuerdo de delegación, según corresponda, con sujeción a las reglas establecidas en el artículo 27, y preverán técnicas de dirección y control de oportunidad y eficiencia.

4. Las Entidades Locales solo podrán ejercer competencias distintas de las propias y de las atribuidas por delegación cuando no se ponga en riesgo la sostenibilidad financiera del conjunto de la Hacienda municipal, de acuerdo con los requerimientos de la legislación de estabilidad presupuestaria y sostenibilidad financiera y no se incurra en un supuesto de ejecución simultánea del mismo servicio público con otra Administración Pública. A estos efectos, serán necesarios y vinculantes los informes previos de la Administración competente por razón de materia, en el que se señale la inexistencia de duplicidades, y de la Administración que tenga atribuida la tutela financiera sobre la sostenibilidad financiera de las nuevas competencias.

   En todo caso, el ejercicio de estas competencias deberá realizarse en los términos previstos en la legislación del Estado y de las Comunidades Autónomas.

Sobre la clasificación de las competencias, se ha de hacer notar que esta LRSAL ha derogado el art. 28 LRL, que contemplaba la posibilidad de que «los Municipios pueden realizar actividades complementarias de las propias de otras Administraciones Públicas y, en particular, las relativas a la educación, la cultura, la promoción de la mujer, la vivienda, la sanidad y la protección del medio ambiente», debiendo estarse en la actualidad a las clases de competencias antes aludidas.

3.3. Competencias propias

Conforme al **art. 25 LRL**:

1. El Municipio, para la gestión de sus intereses y en el ámbito de sus competencias, puede promover actividades y prestar los servicios públicos que contribuyan a satisfacer las necesidades y aspiraciones de la comunidad vecinal en los términos previstos en este artículo.

2. El Municipio ejercerá en todo caso como competencias propias, en los términos de la legislación del Estado y de las Comunidades Autónomas, en las siguientes materias:

   a) Urbanismo: planeamiento, gestión, ejecución y disciplina urbanística. Protección y gestión del Patrimonio histórico. Promoción y gestión de la vivienda de protección pública con criterios de sostenibilidad financiera. Conservación y rehabilitación de la edificación.

   b) Medio ambiente urbano: en particular, parques y jardines públicos, gestión de los residuos sólidos urbanos y protección contra la contaminación acústica, lumínica y atmosférica en las zonas urbanas.

   c) Abastecimiento de agua potable a domicilio y evacuación y tratamiento de aguas residuales.

   d) Infraestructura viaria y otros equipamientos de su titularidad.

   e) Evaluación e información de situaciones de necesidad social y la atención inmediata a personas en situación o riesgo de exclusión social.

   f) Policía local, protección civil, prevención y extinción de incendios.

   g) Tráfico, estacionamiento de vehículos y movilidad. Transporte colectivo urbano.

   h) Información y promoción de la actividad turística de interés y ámbito local.

i) Ferias, abastos, mercados, lonjas y comercio ambulante.

j) Protección de la salubridad pública.

k) Cementerios y actividades funerarias.

l) Promoción del deporte e instalaciones deportivas y de ocupación del tiempo libre.

m) Promoción de la cultura y equipamientos culturales.

n) Participar en la vigilancia del cumplimiento de la escolaridad obligatoria y coo-perar con las Administraciones educativas correspondientes en la obtención de los solares necesarios para la construcción de nuevos centros docentes. La conservación, mantenimiento y vigilancia de los edificios de titularidad local destinados a centros públicos de educación infantil, de educación primaria o de educación especial.

ñ) Promoción en su término municipal de la participación de los ciudadanos en el uso eficiente y sostenible de las tecnologías de la información y las comunicaciones.

o) Actuaciones en la promoción de la igualdad entre hombres y mujeres así como contra la violencia de género. (Apartado añadido por la Disposición Final primera del Real Decreto-ley 9/2018, de 3 de agosto, de medidas urgentes para el desarrollo del Pacto de Estado contra la violencia de género).

p) Promoción y participación en comunidades ciudadanas de energía y comuni-dades de energías renovables que permitan contribuir a la obtención de bene-ficios medioambientales, económicos o sociales en los municipios donde ope-ran, así como el impulso de actuaciones de transición energética tales como la eficiencia energética, la electrificación y el fomento del autoconsumo.

3. Las competencias municipales en las materias enunciadas en este artículo se de-terminarán por ley debiendo evaluar la conveniencia de la implantación de servi-cios locales conforme a los principios de descentralización, eficiencia, estabilidad y sostenibilidad financiera.

4. La ley a que se refiere el apartado anterior deberá ir acompañada de una memoria económica que refleje el impacto sobre los recursos financieros de las Adminis-traciones Públicas afectadas y el cumplimiento de los principios de estabilidad, sostenibilidad financiera y eficiencia del servicio o la actividad. La ley debe prever la dotación de los recursos necesarios para asegurar la suficiencia financiera de las Entidades Locales sin que ello pueda conllevar, en ningún caso, un mayor gasto de las Administraciones Públicas.

Los proyectos de leyes estatales se acompañarán de un informe del Ministerio de Hacienda y Administraciones Públicas (actualmente dividido en dos, el Ministerio de Hacienda y el Ministerio para la Transformación Digital y de la Función Pública) en el que se acrediten los criterios antes señalados.

5. La ley determinará la competencia municipal propia de que se trate, garantizando que no se produce una atribución simultánea de la misma competencia a otra Administración Pública.

4. La organización y funcionamiento del municipio. El Pleno. El alcalde. La Junta de Gobierno local. Otros órganos municipales

4.1. Introducción

La organización constituye el tercero de los elementos del Municipio, junto a la población y el territorio, estando constituida por una serie de medios personales, simples o complejos e institucionales (los órganos de gobierno propiamente dichos) o burocráticos (el personal al servicio de cada Corporación), que desarrollan las actividades propias del Municipio para que este cumpla los fines que le son propios.

El art. 19 LRL, establece que el Gobierno y la administración municipal, salvo en aquellos Municipios que legalmente funcionen en régimen de Concejo Abierto (es decir, los regulados en el art. 29 LRL), corresponde al Ayuntamiento, integrado por el Alcalde y los Concejales.

Los Concejales son elegidos mediante sufragio universal, igual, libre, directo y secreto, y el Alcalde es elegido por los Concejales o por los vecinos; todo ello en los términos que establezca la legislación electoral general.

El régimen de organización de los municipios señalados en el Título X de la LRL, es decir, el de los Municipios de gran población, se ajustará a lo dispuesto en el mismo (que luego examinaremos), y, en lo no previsto por dicho Título, será de aplicación el régimen común regulado en los artículos siguientes.

El régimen de Concejo Abierto a que se ha hecho referencia, se aplicará, conforme al citado art. 29 LRL:

1. Funcionan en Concejo Abierto:

   a) Los municipios que tradicional y voluntariamente cuenten con ese singular régimen de gobierno y administración.

   b) Aquellos otros en los que por su localización geográfica, la mejor gestión de los intereses municipales u otras circunstancias lo hagan aconsejable.

i) Ferias, abastos, mercados, lonjas y comercio ambulante.

j) Protección de la salubridad pública.

k) Cementerios y actividades funerarias.

l) Promoción del deporte e instalaciones deportivas y de ocupación del tiempo libre.

m) Promoción de la cultura y equipamientos culturales.

n) Participar en la vigilancia del cumplimiento de la escolaridad obligatoria y coo-perar con las Administraciones educativas correspondientes en la obtención de los solares necesarios para la construcción de nuevos centros docentes. La conservación, mantenimiento y vigilancia de los edificios de titularidad local destinados a centros públicos de educación infantil, de educación primaria o de educación especial.

ñ) Promoción en su término municipal de la participación de los ciudadanos en el uso eficiente y sostenible de las tecnologías de la información y las comunicaciones.

o) Actuaciones en la promoción de la igualdad entre hombres y mujeres así como contra la violencia de género. (Apartado añadido por la Disposición Final pri-mera del Real Decreto-ley 9/2018, de 3 de agosto, de medidas urgentes para el desarrollo del Pacto de Estado contra la violencia de género).

p) Promoción y participación en comunidades ciudadanas de energía y comuni-dades de energías renovables que permitan contribuir a la obtención de bene-ficios medioambientales, económicos o sociales en los municipios donde ope-ran, así como el impulso de actuaciones de transición energética tales como la eficiencia energética, la electrificación y el fomento del autoconsumo.

3. Las competencias municipales en las materias enunciadas en este artículo se de-terminarán por ley debiendo evaluar la conveniencia de la implantación de servi-cios locales conforme a los principios de descentralización, eficiencia, estabilidad y sostenibilidad financiera.

4. La ley a que se refiere el apartado anterior deberá ir acompañada de una memoria económica que refleje el impacto sobre los recursos financieros de las Adminis-traciones Públicas afectadas y el cumplimiento de los principios de estabilidad, sostenibilidad financiera y eficiencia del servicio o la actividad. La ley debe prever la dotación de los recursos necesarios para asegurar la suficiencia financiera de las Entidades Locales sin que ello pueda conllevar, en ningún caso, un mayor gasto de las Administraciones Públicas.

Los proyectos de leyes estatales se acompañarán de un informe del Ministerio de Hacienda y Administraciones Públicas (actualmente dividido en dos, el Ministerio de Hacienda y el Ministerio para la Transformación Digital y de la Función Pública) en el que se acrediten los criterios antes señalados.

5. La ley determinará la competencia municipal propia de que se trate, garantizando que no se produce una atribución simultánea de la misma competencia a otra Administración Pública.

6. Con carácter previo a la atribución de competencias a los municipios, de acuerdo con el principio de diferenciación, deberá realizarse una ponderación específica de la capacidad de gestión de la entidad local, dejando constancia de tal ponderación en la motivación del instrumento jurídico que realice la atribución competencial, ya sea en su parte expositiva o en la memoria justificativa correspondiente.

3.4. Servicios mínimos

El **art. 26 LRL**, prescribe que:

1. Los Municipios deberán prestar, en todo caso, los servicios siguientes:

    a) En todos los Municipios: alumbrado público, cementerio, recogida de residuos, limpieza viaria, abastecimiento domiciliario de agua potable, alcantarillado, acceso a los núcleos de población y pavimentación de las vías públicas.

    b) En los Municipios con población superior a 5.000 habitantes, además: parque público, biblioteca pública y tratamiento de residuos.

    c) En los Municipios con población superior a 20.000 habitantes, además: protección civil, evaluación e información de situaciones de necesidad social y la atención inmediata a personas en situación o riesgo de exclusión social, prevención y extinción de incendios e instalaciones deportivas de uso público.

    d) En los Municipios con población superior a 50.000 habitantes, además: transporte colectivo urbano de viajeros y medio ambiente urbano.

2. En los municipios con población inferior a 20.000 habitantes será la Diputación provincial o entidad equivalente la que coordinará la prestación de los siguientes servicios:

    a) Recogida y tratamiento de residuos.

    b) Abastecimiento de agua potable a domicilio y evacuación y tratamiento de aguas residuales.

c) Limpieza viaria.

d) Acceso a los núcleos de población.

e) Pavimentación de vías urbanas.

f) Alumbrado público.

Para coordinar la citada prestación de servicios, la Diputación propondrá, con la conformidad de los municipios afectados, al *Ministerio de Hacienda y Administraciones Públicas* la forma de prestación (actualmente dividido en dos, el Ministerio de Hacienda y el Ministerio para la Transformación Digital y de la Función Pública), consistente en la prestación directa por la Diputación o la implantación de fórmulas de gestión compartida a través de consorcios, mancomunidades u otras fórmulas. *Para reducir los costes efectivos de los servicios, el mencionado Ministerio decidirá sobre la propuesta formulada que deberá contar con el informe preceptivo de la Comunidad Autónoma si es la Administración que ejerce la tutela financiera.* (Se declaran inconstitucionales y nulos los incisos destacados en cursivas en este párrafo, por Sentencia del TC 111/2016, de 9 de junio).

Cuando el municipio justifique ante la Diputación que puede prestar estos servicios con un coste efectivo menor que el derivado de la forma de gestión propuesta por la Diputación provincial o entidad equivalente, el municipio podrá asumir la prestación y coordinación de estos servicios si la Diputación lo considera acreditado.

Cuando la Diputación o entidad equivalente asuma la prestación de estos servicios repercutirá a los municipios el coste efectivo del servicio en función de su uso. Si estos servicios estuvieran financiados por tasas y asume su prestación la Diputación o entidad equivalente, será a esta a quien vaya destinada la tasa para la financiación de los servicios.

3. La asistencia de las Diputaciones o entidades equivalentes a los Municipios, prevista en el artículo 36, se dirigirá preferentemente al establecimiento y adecuada prestación de los servicios mínimos.

3.5. Conflictos de competencias

Finalmente, el art. 50,2.º LRL y el art. 222,2.º ROFRJEL, disponen que los conflictos de competencias planteados entre diferentes Entidades Locales serán resueltos por la Administración de la Comunidad Autónoma o por la Administración del Estado, previa audiencia de las Comunidades Autónomas afectadas, según se trate de Entidades pertenecientes a la misma o a distinta Comunidad, y sin perjuicio de la ulterior posibilidad de impugnar la resolución dictada ante la Jurisdicción Contencioso-Administrativa.

4. La organización y funcionamiento del municipio. El Pleno. El alcalde. La Junta de Gobierno local. Otros órganos municipales

4.1. Introducción

La organización constituye el tercero de los elementos del Municipio, junto a la población y el territorio, estando constituida por una serie de medios personales, simples o complejos e institucionales (los órganos de gobierno propiamente dichos) o burocráticos (el personal al servicio de cada Corporación), que desarrollan las actividades propias del Municipio para que este cumpla los fines que le son propios.

El art. 19 LRL, establece que el Gobierno y la administración municipal, salvo en aquellos Municipios que legalmente funcionen en régimen de Concejo Abierto (es decir, los regulados en el art. 29 LRL), corresponde al Ayuntamiento, integrado por el Alcalde y los Concejales.

Los Concejales son elegidos mediante sufragio universal, igual, libre, directo y secreto, y el Alcalde es elegido por los Concejales o por los vecinos; todo ello en los términos que establezca la legislación electoral general.

El régimen de organización de los municipios señalados en el Título X de la LRL, es decir, el de los Municipios de gran población, se ajustará a lo dispuesto en el mismo (que luego examinaremos), y, en lo no previsto por dicho Título, será de aplicación el régimen común regulado en los artículos siguientes.

El régimen de Concejo Abierto a que se ha hecho referencia, se aplicará, conforme al citado art. 29 LRL:

1. Funcionan en Concejo Abierto:

    a) Los municipios que tradicional y voluntariamente cuenten con ese singular régimen de gobierno y administración.

    b) Aquellos otros en los que por su localización geográfica, la mejor gestión de los intereses municipales u otras circunstancias lo hagan aconsejable.

2. La constitución en concejo abierto de los municipios a que se refiere el apartado b) del número anterior, requiere petición de la mayoría de los vecinos, decisión favorable por mayoría de dos tercios de los miembros del Ayuntamiento y aprobación por la Comunidad Autónoma.

3. En el régimen de Concejo Abierto, el gobierno y la administración municipales corresponden a un Alcalde y una asamblea vecinal de la que forman parte todos los electores. Ajustan su funcionamiento a los usos, costumbres y tradiciones locales y, en su defecto, a lo establecido en esta ley y las leyes de las Comunidades Autónomas sobre régimen local.

4. No obstante lo anterior, los alcaldes de las corporaciones de municipios de menos de 100 residentes podrán convocar a sus vecinos a Concejo Abierto para decisiones de especial trascendencia para el municipio. Si así lo hicieren deberán someterse obligatoriamente al criterio de la Asamblea vecinal constituida al efecto.

Los municipios que con anterioridad venían obligados por ley en función del número de residentes a funcionar en Concejo Abierto, podrán continuar con ese régimen especial de gobierno y administración si tras la sesión constitutiva de la Corporación, convocada la Asamblea Vecinal, así lo acordaran por unanimidad los tres miembros electos y la mayoría de los vecinos.

4.2. Organización propiamente dicha

A tenor de lo dispuesto en el **art. 20 LRL** (art. 35,2.º ROFRJEL):

1. La organización municipal responde a las siguientes reglas:

   a) El Alcalde, los Tenientes de Alcalde y el Pleno existen en todos los Ayuntamientos.

   b) La Junta de Gobierno Local existe en todos los municipios con población superior a 5.000 habitantes y en los de menos, cuando así lo disponga su Reglamento orgánico o así lo acuerde el Pleno de su Ayuntamiento.

   c) En los municipios de más de 5.000 habitantes, y en los de menos en que así lo disponga su Reglamento orgánico o lo acuerde el Pleno, existirán, si su legislación autonómica no prevé en este ámbito otra forma organizativa, órganos que tengan por objeto el estudio, informe o consulta de los asuntos que han de ser sometidos a la decisión del Pleno, así como el seguimiento de la gestión del Alcalde, la Junta de Gobierno Local y los concejales que ostenten delegaciones, sin perjuicio de las competencias de control que corresponden al Pleno. Todos los grupos políticos integrantes de la Corporación tendrán derecho a participar en dichos órganos, mediante la presencia de concejales pertenecientes a los mismos en proporción al número de Concejales que tengan en el Pleno.

   d) La Comisión Especial de Sugerencias y Reclamaciones existe en los municipios señalados en el Título X, y en aquellos otros en que el Pleno así lo acuerde, por el voto favorable de la mayoría absoluta del número legal de sus miembros, o así lo disponga su Reglamento orgánico.

e) La Comisión Especial de Cuentas existe en todos los municipios, de acuerdo con la estructura prevista en el art. 116.

2. Las leyes de las Comunidades Autónomas sobre el régimen local podrán establecer una organización municipal complementaria a la prevista en el número anterior.

3. Los propios municipios, en los Reglamentos orgánicos, podrán establecer y regular otros órganos complementarios, de conformidad con lo previsto en este artículo y en las leyes de las Comunidades Autónomas a las que se refiere el número anterior.

El art. 119 ROFRJEL señala como órganos complementarios:

1. Los Concejales Delegados.

2. Las Comisiones Informativas.

3. La Comisión Especial de Cuentas, que, conforme al art. 20, es órgano necesario en todos los municipios.

4. Los Consejos Sectoriales.

5. Los órganos desconcentrados y descentralizados para la gestión de servicios.

6. Los representantes personales del Alcalde en los poblados y barriadas.

7. Las Juntas Municipales de Distrito.

Pasamos, a continuación, a tratar de los distintos órganos.

4.3. El Alcalde

4.3.1. Estatuto personal

Es el órgano unipersonal que preside la Corporación.

En cuando a su nombramiento, es elegido por los Concejales o por los vecinos, en los términos que establece la LOREG (arts. 19 LRL y 140 CE).

Al efecto, el art. 196 de esta ley (LOREG), dispone que «en la misma sesión de constitución de la Corporación se procede a la elección de Alcalde, de acuerdo con el siguiente procedimiento:

a) Pueden ser candidatos todos los Concejales que encabecen sus correspondientes listas.

b) Si alguno de ellos obtiene la mayoría absoluta de los votos de los Concejales, es proclamado electo.

c) Si ninguno de ellos obtiene dicha mayoría es proclamado Alcalde el Concejal que encabece la lista que haya obtenido mayor número de votos populares en el correspondiente Municipio. En caso de empate, se resolverá por sorteo.

En los Municipios comprendidos entre cien y doscientos cincuenta habitantes pueden ser candidatos a Alcalde todos los Concejales; si alguno de los candidatos obtiene la mayoría absoluta de los votos de los Concejales, es proclamado electo; si ninguno obtuviese dicha mayoría, será proclamado Alcalde el Concejal que hubiere obtenido más votos populares en las elecciones de Concejales».

En cuanto a quién puede ser elegido Alcalde, la citada LOREG establece que «son elegibles los españoles mayores de edad que, poseyendo la cualidad de elector (es decir, españoles mayores de edad inscritos en el censo electoral vigente, que no carezcan del derecho de sufragio por condena según sentencia judicial a la pena de privación de este derecho, o declarados incapaces al efecto por sentencia judicial, o, finalmente, internados en un Hospital Psiquiátrico con autorización judicial con expresa mención de incapacidad para el ejercicio del derecho de sufragio) no se encuentren incursos en alguna de las causas de inelegibilidad que la propia ley detalla» (art. 6, en relación con el 2 y 3 LOREG).

A ellos habrá que añadir, tras la reforma parcial de la LOREG, a través de la Ley Orgánica 1/1997, de 30 de mayo, de modificación de la Ley Orgánica del Régimen Electoral General para la transposición de la Directiva 94/80/CE, de Elecciones Municipales, todas las personas residentes en España que, sin haber adquirido la nacionalidad española:

a) Tengan la condición de ciudadanos de la Unión Europea según lo previsto en el párrafo 2 del apartado 1 del artículo 8 del Tratado Constitutivo de la Comunidad Europea, o bien sean nacionales de países que otorguen a los ciudadanos españoles el derecho de sufragio pasivo en sus elecciones municipales en los términos de un Tratado.

b) Reúnan los requisitos para ser elegibles exigidos en esta ley para los españoles.

c) No hayan sido desposeídos del derecho de sufragio pasivo en su Estado de origen.

Por lo demás, conforme al art. 18 TR/86, «antes de comenzar el ejercicio de sus funciones, el alcalde deberá jurar o prometer el cargo ante el Ayuntamiento».

Por lo que se refiere a su tratamiento, los de Madrid y Barcelona lo tienen de Excelencia; los de las demás Capitales de Provincia, de Ilustrísima, y los de los Municipios restantes, de Señoría, respetándose, no obstante, los tratamientos que respondan a tradiciones reconocidas por disposiciones legales (art. 19 TR/86 y art. 33 ROFRJEL).

Finalmente, el mandato del Presidente será por cuatro años, pero el Alcalde puede ser destituido de su cargo mediante moción de censura o por la pérdida de una cuestión de confianza por él planteada ante el Pleno de la Corporación. Una y otra figura se regulan por los arts. 197 y 197 bis de la LOREG, redactados *ex novo* por la Ley Orgánica 8/1999, de 21 de abril, de modificación de la LOREG. Así pues, dispone el artículo 197 de la LOREG respecto a la **moción de censura** del Alcalde, lo siguiente:

1. El Alcalde puede ser destituido mediante moción de censura, cuya presentación, tramitación y votación se regirá por las siguientes normas:

    a) La moción de censura deberá ser propuesta, al menos, por la mayoría absoluta del número legal de miembros de la Corporación y habrá de incluir un candidato a la Alcaldía, pudiendo serlo cualquier Concejal cuya aceptación expresa conste en el escrito de proposición de la moción.

    En el caso de que alguno de los proponentes de la moción de censura formara o haya formado parte del grupo político municipal al que pertenece el Alcalde cuya censura se propone, la mayoría exigida en el párrafo anterior se verá incrementada en el mismo número de concejales que se encuentren en tales circunstancias.

    Este mismo supuesto será de aplicación cuando alguno de los concejales proponentes de la moción haya dejado de pertenecer, por cualquier causa, al grupo político municipal al que se adscribió al inicio de su mandato.

    b) El escrito en el que se proponga la moción de censura deberá incluir las firmas debidamente autenticadas por Notario o por el Secretario general de la Corporación y deberá presentarse ante este por cualquiera de sus firmantes. El Secretario general comprobará que la moción de censura reúne los requisitos exigidos en este artículo y extenderá en el mismo acto la correspondiente diligencia acreditativa.

    c) El documento así diligenciado se presentará en el Registro General de la Corporación por cualquiera de los firmantes de la moción, quedando el Pleno automáticamente convocado para las doce horas del décimo día hábil siguiente al de su registro. El Secretario de la Corporación deberá remitir notificación indicativa de tal circunstancia a todos los miembros de la misma en el plazo máximo de un día, a contar desde la presentación del documento en el Registro, a los efectos de su asistencia a la sesión, especificando la fecha y hora de la misma.

    d) El Pleno será presidido por una Mesa de edad, integrada por los concejales de mayor y menor edad de los presentes, excluidos el Alcalde y el candidato a la Alcaldía, actuando como Secretario el que lo sea de la Corporación, quien acreditará tal circunstancia.

    e) La Mesa se limitará a dar lectura a la moción de censura, constatando para poder seguir con su tramitación que en ese mismo momento se mantienen los requisitos exigidos en los tres párrafos del apartado a), dando la palabra, en su caso, durante un breve tiempo, si estuvieren presentes, al candidato a la Alcaldía, al Alcalde y a los Portavoces de los grupos municipales, y a someter a votación la moción de censura.

2. Ningún concejal puede firmar durante su mandato más de una moción de censura. A dichos efectos no se tomarán en consideración aquellas mociones que no hubiesen sido tramitadas por no reunir los requisitos previstos en la letra b) del apartado 1 de este artículo.

3. La dimisión sobrevenida del Alcalde no suspenderá la tramitación y votación de la moción de censura.

4. En los municipios en los que se aplique el régimen de concejo abierto, la moción de censura se regulará por las normas contenidas en los dos números anteriores, con las siguientes especialidades:

   a) Las referencias hechas a los concejales a efectos de firma, presentación y votación de la moción de censura, así como a la constitución de la Mesa de edad, se entenderán efectuadas a los electores incluidos en el censo electoral del municipio, vigente en la fecha de presentación de la moción de censura.

   b) Podrá ser candidato cualquier elector residente en el municipio con derecho de sufragio pasivo.

   c) Las referencias hechas al Pleno se entenderán efectuadas a la Asamblea vecinal.

   d) La notificación por el Secretario a los concejales del día y hora de la sesión plenaria se sustituirá por un anuncio a los vecinos de tal circunstancia, efectuado de la forma localmente usada para las convocatorias de la Asamblea vecinal.

   e) La Mesa de edad concederá la palabra solamente al candidato a la Alcaldía y al Alcalde.

5. El Alcalde, en el ejercicio de sus competencias, está obligado a impedir cualquier acto que perturbe, obstaculice o impida el derecho de los miembros de la Corporación a asistir a la sesión plenaria en que se vote la moción de censura y a ejercer su derecho al voto en la misma. En especial, no son de aplicación a la moción de censura las causas de abstención y recusación previstas en la legislación de procedimiento administrativo.

6. Los cambios de Alcalde como consecuencia de una moción de censura en los municipios en los que se aplique el sistema de concejo abierto no tendrán incidencia en la composición de las Diputaciones Provinciales.

En cuanto a la **cuestión de confianza**, dispone el artículo 197 bis de la LOREG lo siguiente:

1. El Alcalde podrá plantear al Pleno una cuestión de confianza, vinculada a la aprobación o modificación de cualquiera de los siguientes asuntos:

   a) Los presupuestos anuales.

   b) El reglamento orgánico.

   c) Las ordenanzas fiscales.

   d) La aprobación que ponga fin a la tramitación de los instrumentos de planeamiento general de ámbito municipal.

2. La presentación de la cuestión de confianza vinculada al acuerdo sobre alguno de los asuntos señalados en el número anterior figurará expresamente en el correspondiente punto del orden del día del Pleno, requiriéndose para la adopción de dichos acuerdos el «quórum» de votación exigido en la Ley 7/1985, de 2 de abril, reguladora de las Bases del Régimen Local, para cada uno de ellos. La votación se efectuará, en todo caso, mediante el sistema nominal de llamamiento público.

3. Para la presentación de la cuestión de confianza será requisito previo que el acuerdo correspondiente haya sido debatido en el Pleno y que este no hubiera obtenido la mayoría necesaria para su aprobación.

4. En el caso de que la cuestión de confianza no obtuviera el número necesario de votos favorables para la aprobación del acuerdo, el Alcalde cesará automáticamente, quedando en funciones hasta la toma de posesión de quien hubiere de sucederle en el cargo. La elección del nuevo Alcalde se realizará en sesión plenaria convocada automáticamente para las doce horas del décimo día hábil siguiente al de la votación del acuerdo al que se vinculase la cuestión de confianza, rigiéndose por las reglas contenidas en el artículo 196, con las siguientes especialidades:

   a) En los municipios de más de 250 habitantes, el Alcalde cesante quedará excluido de la cabeza de lista a efectos de la elección, ocupando su lugar el segundo de la misma, tanto a efectos de la presentación de candidaturas a la Alcaldía como de designación automática del Alcalde, en caso de pertenecer a la lista más votada y no obtener ningún candidato el voto de la mayoría absoluta del número legal de concejales.

   b) En los municipios comprendidos entre 100 y 250 habitantes, el Alcalde cesante no podrá ser candidato a la Alcaldía ni proclamado Alcalde en defecto de un candidato que obtenga el voto de la mayoría absoluta del número legal de concejales. Si ningún candidato obtuviese esa mayoría, será proclamado Alcalde el concejal que hubiere obtenido más votos populares en las elecciones de concejales, excluido el Alcalde cesante.

5. La previsión contenida en el número anterior no será aplicable cuando la cuestión de confianza se vincule a la aprobación o modificación de los presupuestos anuales. En este caso se entenderá otorgada la confianza y aprobado el proyecto si en el plazo de un mes desde que se votara el rechazo de la cuestión de confianza no se presenta una moción de censura con candidato alternativo a Alcalde, o si esta no prospera.

   A estos efectos, no rige la limitación establecida en el apartado 2 del artículo anterior.

6. Cada Alcalde no podrá plantear más de una cuestión de confianza en cada año, contado desde el inicio de su mandato, ni más de dos durante la duración total del mismo. No se podrá plantear una cuestión de confianza en el último año de mandato de cada Corporación.

7. No se podrá plantear una cuestión de confianza desde la presentación de una moción de censura hasta la votación de esta última.

8. Los concejales que votasen a favor de la aprobación de un asunto al que se hubiese vinculado una cuestión de confianza no podrán firmar una moción de censura contra el Alcalde que lo hubiese planteado hasta que transcurra un plazo de seis meses, contado a partir de la fecha de votación del mismo.

Asimismo, durante el indicado plazo, tampoco dichos concejales podrán emitir un voto contrario al asunto al que se hubiese vinculado la cuestión de confianza, siempre que sea sometido a votación en los mismos términos que en tal ocasión. Caso de emitir dicho voto contrario, este será considerado nulo.

4.3.2. Atribuciones

Con arreglo al **art. 21 LRL**:

1. El alcalde es el Presidente de la Corporación y ostenta las siguientes atribuciones:

    a) Dirigir el gobierno y la administración municipal.

    b) Representar al ayuntamiento.

    c) Convocar y presidir las sesiones del Pleno, salvo los supuestos previstos en esta ley y en la legislación electoral general, de la Junta de Gobierno Local, y de cualesquiera otros órganos municipales cuando así se establezca en disposición legal o reglamentaria, y decidir los empates con voto de calidad.

    d) Dirigir, inspeccionar e impulsar los servicios y obras municipales.

    e) Dictar Bandos.

    f) El desarrollo de la gestión económica de acuerdo con el Presupuesto aprobado, disponer gastos dentro de los límites de su competencia, concertar operaciones de crédito, con exclusión de las contempladas en el artículo 158.5 de la Ley 39/1988, de 28 de diciembre, Reguladora de las Haciendas Locales, siempre que aquellas estén previstas en el Presupuesto y su importe acumulado dentro de cada ejercicio económico no supere el 10 por ciento de sus recursos ordinarios, salvo las de tesorería que le corresponderán cuando el importe acumulado de las operaciones vivas en cada momento no supere el 15 por ciento de los ingresos corrientes liquidados en el ejercicio anterior, ordenar pagos y rendir cuentas; todo ello de conformidad con lo dispuesto en la Ley Reguladora de las Haciendas Locales (esta referencia al art. 158.5 hay que entenderla hecha al art. 177.5 del Texto Refundido de la Ley Reguladora de las Haciendas Locales, aprobado por el Real Decreto Legislativo 2/2004, de 5 de marzo —TR-LHL, en otras referencias—, que ha derogado a la citada Ley 39/1988, de 28 de diciembre, que, como el antiguo art. 158.5, se refiere a los créditos extraordinarios y los suplementos de crédito).

    g) Aprobar la oferta de empleo público de acuerdo con el Presupuesto y la plantilla aprobados por el Pleno, aprobar las bases de las pruebas para la selección del personal y para los concursos de provisión de puestos de trabajo y distribuir las retribuciones complementarias que no sean fijas y periódicas.

h) Desempeñar la jefatura superior de todo el personal, y acordar su nombramiento y sanciones, incluida la separación del servicio de los funcionarios de la Corporación y el despido del personal laboral, dando cuenta al Pleno, en estos dos últimos casos, en la primera sesión que celebre. Esta atribución se entenderá sin perjuicio de lo dispuesto en los artículos 99.1 y 3 de esta ley (esta referencia al art. 99 LRL ha quedado obsoleta, dado que fue derogado por la Ley 7/2007, de 12 de abril, del Estatuto Básico del Empleado Público, derogado por Real Decreto Legislativo 5/2015, de 30 de octubre, por el que se aprueba el texto refundido de la Ley del Estatuto Básico del Empleado Público).

i) Ejercer la jefatura de la Policía Municipal.

j) Las aprobaciones de los instrumentos de planeamiento de desarrollo del planeamiento general no expresamente atribuidas al Pleno, así como la de los instrumentos de gestión urbanística y de los proyectos de urbanización.

k) El ejercicio de las acciones judiciales y administrativas y la defensa del ayuntamiento en las materias de su competencia, incluso cuando las hubiere delegado en otro órgano, y, en caso de urgencia, en materias de la competencia del Pleno, en este supuesto dando cuenta al mismo en la primera sesión que celebre para su ratificación.

l) La iniciativa para proponer al Pleno la declaración de lesividad en materias de la competencia de la Alcaldía.

m) Adoptar personalmente, y bajo su responsabilidad, en caso de catástrofe o de infortunios públicos o grave riesgo de los mismos, las medidas necesarias y adecuadas dando cuenta inmediata al Pleno.

n) Sancionar las faltas de desobediencia a su autoridad o por infracción de las ordenanzas municipales, salvo en los casos en que tal facultad esté atribuida a otros órganos.

ñ) (Derogada).

o) La aprobación de los proyectos de obras y de servicios cuando sea competente para su contratación o concesión y estén previstos en el presupuesto.

p) (Derogada).

q) El otorgamiento de las licencias, salvo que las leyes sectoriales lo atribuyan expresamente al Pleno o a la Junta de Gobierno Local.

r) Ordenar la publicación, ejecución y hacer cumplir los acuerdos del Ayuntamiento.

s) Las demás que expresamente le atribuyan las leyes y aquellas que la legislación del Estado o de las Comunidades Autónomas asignen al municipio y no atribuyan a otros órganos municipales.

2. Corresponde asimismo al Alcalde el nombramiento de los Tenientes de Alcalde.

3. El Alcalde puede delegar el ejercicio de sus atribuciones, salvo las de convocar y presidir las sesiones del Pleno y de la Junta de Gobierno Local, decidir los empates con el voto de calidad, la concertación de operaciones de crédito, la jefatura superior de todo el personal, la separación del servicio de los funcionarios y el despido

del personal laboral, y las enunciadas en los apartados a), e), j), k), l) y m) del apartado 1 de este artículo. No obstante, podrá delegar en la Junta de Gobierno Local el ejercicio de las atribuciones contempladas en el apartado j).

Finalmente, el Alcalde dará cuenta sucinta a la Corporación, en cada sesión ordinaria del Pleno, de las resoluciones que hubiere adoptado desde la última sesión plenaria ordinaria, para que los Concejales conozcan el desarrollo de la Administración Municipal, a los efectos de control y fiscalización de su gestión (art. 42 ROFRJEL).

4.4. El Ayuntamiento Pleno

4.4.1. Composición

Conforme al **art. 22 LRL**, (art. 49 ROFRJEL), está integrado por todos los Concejales y es presidido por el Alcalde.

En cuanto al número de Concejales que habrá de elegirse para cada Ayuntamiento, depende de la población que exista en el término municipal, determinándose con arreglo a la siguiente escala que establece el art. 179 LOREG (modificado por la citada Ley Orgánica 2/2011, de 28 de enero):

- Hasta 100 residentes: 3.
- De 101 a 250: 5.
- De 251 a 1.000: 7.
- De 1.001 a 2.000: 9.
- De 2.001 a 5.000: 11.
- De 5.001 a 10.000: 13.
- De 10.001 a 20.000: 17.
- De 20.001 a 50.000: 21.
- De 50.001 a 100.000: 25.
- De 100.001 en adelante, un Concejal más por cada 100.000 residentes o fracción, añadiéndose uno más cuando el resultado sea un número par.

El procedimiento concreto de elección de los Concejales viene determinado en la citada LOREG, siendo electores todos los ciudadanos españoles (y lo serán hasta los extranjeros, en los términos del art. 18,2.º LRL) que reúnan las condiciones antes señaladas respecto del Alcalde y no se hallen incursos en alguna de las causas de inelegibilidad e incompatibilidad que la propia ley señala.

4.4.2. Atribuciones

A tenor del citado **art. 22 LRL**:

1. El Pleno, integrado por todos los Concejales, es presidido por el Alcalde.

2. Corresponden, en todo caso, al Pleno municipal en los Ayuntamientos, y a la Asamblea vecinal en el régimen de Concejo Abierto, las siguientes atribuciones:

   a) El control y la fiscalización de los órganos de gobierno.

   b) Los acuerdos relativos a la participación en organizaciones supramunicipales; alteración del término municipal; creación o supresión de municipios y de las entidades a que se refiere el artículo 45; creación de órganos desconcentrados; alteración de la capitalidad del municipio y el cambio de nombre de este o de aquellas entidades y la adopción o modificación de su bandera, enseña o escudo.

   c) La aprobación inicial del planeamiento general y la aprobación que ponga fin a la tramitación municipal de los planes y demás instrumentos de ordenación previstos en la legislación urbanística, así como los convenios que tengan por objeto la alteración de cualesquiera de dichos instrumentos.

   d) La aprobación del reglamento orgánico y de las ordenanzas.

   e) La determinación de los recursos propios de carácter tributario; la aprobación y modificación de los presupuestos, y la disposición de gastos en materia de su competencia y la aprobación de las cuentas; todo ello de acuerdo con lo dispuesto en la Ley Reguladora de las Haciendas Locales.

   f) La aprobación de las formas de gestión de los servicios y de los expedientes de municipalización.

   g) La aceptación de la delegación de competencias hecha por otras Administraciones públicas.

   h) El planteamiento de conflictos de competencias a otras entidades locales y demás Administraciones públicas.

   i) La aprobación de la plantilla de personal y de la relación de puestos de trabajo, la fijación de la cuantía de las retribuciones complementarias fijas y periódicas de los funcionarios y el número y régimen del personal eventual.

   j) El ejercicio de acciones judiciales y administrativas y la defensa de la corporación en materias de competencia plenaria.

   k) La declaración de lesividad de los actos del Ayuntamiento.

l)   La alteración de la calificación jurídica de los bienes de dominio público.

m) La concertación de las operaciones de crédito cuya cuantía acumulada, dentro de cada ejercicio económico, exceda del 10 por ciento de los recursos ordinarios del Presupuesto -salvo las de tesorería, que le corresponderán cuando el importe acumulado de las operaciones vivas en cada momento supere el 15 por ciento de los ingresos corrientes liquidados en el ejercicio anterior- todo ello de conformidad con lo dispuesto en la Ley Reguladora de las Haciendas Locales.

n)   (Derogada)

ñ)   La aprobación de los proyectos de obras y servicios cuando sea competente para su contratación o concesión, y cuando aún no estén previstos en los presupuestos.

o)   (Derogada)

p)   Aquellas otras que deban corresponder al Pleno por exigir su aprobación una mayoría especial.

q)   Las demás que expresamente le confieran las leyes.

3. Corresponde, igualmente, al Pleno la votación sobre la moción de censura al Alcalde y sobre la cuestión de confianza planteada por el mismo, que serán públicas y se realizarán mediante llamamiento nominal en todo caso, y se rigen por lo dispuesto en la legislación electoral general.

4. El Pleno puede delegar el ejercicio de sus atribuciones en el Alcalde y en la Junta de Gobierno Local, salvo las enunciadas en el apartado 2, párrafos a), b), c), d), e), f), g), h), i), l) y p), y en el apartado 3 de este artículo.

4.5. La Junta de Gobierno Local

A tenor del **art. 23 LRL**:

1. La Junta de Gobierno Local se integra por el Alcalde y un número de Concejales no superior al tercio del número legal de los mismos, nombrados y separados libremente por aquel, dando cuenta al Pleno.

2. Corresponde a la Junta de Gobierno Local:

    a) La asistencia al Alcalde en el ejercicio de sus atribuciones.

    b) Las atribuciones que el Alcalde u otro órgano municipal le delegue o le atribuyan las leyes.

3. Los Tenientes de Alcalde sustituyen, por el orden de su nombramiento y en los casos de vacante, ausencia o enfermedad, al Alcalde, siendo libremente designados y removidos por este de entre los miembros de la Junta de Gobierno Local y, donde esta no exista, de entre los Concejales.

4. El Alcalde puede delegar el ejercicio de determinadas atribuciones en los miembros de la Junta de Gobierno Local y, donde esta no exista, en los Tenientes de Alcalde, sin perjuicio de las delegaciones especiales que, para cometidos específicos, pueda realizar en favor de cualesquiera Concejales, aunque no pertenecieran a aquella.

4.6. Los Tenientes de Alcalde

Como acabamos de examinar, los Tenientes de Alcalde sustituyen, por el orden de su nombramiento y en los casos de vacante, ausencia o enfermedad, al Alcalde, siendo libremente designados y removidos por este de entre los miembros de la Junta de Gobierno Local y, donde esta no exista, de entre los Concejales.

Según los arts. 22 TR/86 y 46 ROFRJEL, en los Municipios con Junta de Gobierno Local, el número de Tenientes de Alcalde no podrá exceder del número de miembros de aquella. En los que no exista, el número de Tenientes de Alcalde no podrá exceder del tercio del número legal de los miembros de la Corporación.

Los nombramientos y los ceses se harán por resolución del Alcalde, de la que dará cuenta al Pleno en la primera sesión que se celebre, notificándose, además, personalmente a los designados, y se publicarán en el Boletín Oficial de la Provincia, sin perjuicio de su efectividad desde el día siguiente al de la firma de la resolución por el Alcalde, si en ella no se dispone otra cosa.

La condición de Teniente de Alcalde se pierde, además de por el cese, por renuncia expresa manifestada por escrito y por pérdida de la condición de miembro de la Junta de Gobierno Local.

En cuanto a sus atribuciones, les corresponde, con arreglo a los arts. 23,3.º LRL y 47 ROFRJEL, sustituir en la totalidad de sus funciones y por el orden de su nombramiento al Alcalde, en los casos de ausencia, enfermedad o impedimento que imposibilite a este para el ejercicio de sus atribuciones, así como desempeñar las funciones del Alcalde en los supuestos de vacante en la Alcaldía hasta que tome posesión el nuevo Alcalde. También sustituirán al Alcalde en las sesiones cuando deba abstenerse de intervenir en relación a algún punto concreto de las mismas.

En los casos de ausencia, enfermedad o impedimento, las funciones del alcalde no podrán ser asumidas por el Teniente de Alcalde a quien corresponda, sin expresa delegación, salvo lo previsto en el art. 47,2.º ROFRJEL.

4.7. La Comisión Especial de Cuentas

Es de existencia preceptiva, a tenor de los arts. 20,1.º,e), y 116 LRL, y su constitución, composición e integración y funcionamiento se ajusta a lo señalado para las demás Comisiones Informativas.

Le corresponde el examen, estudio e informe de todas las cuentas, presupuestarias y extrapresupuestarias, que deba aprobar el Pleno de la Corporación.

A través del Reglamento Orgánico o mediante acuerdo adoptado por el Pleno de la Corporación, esta Comisión podrá actuar como Comisión Informativa Permanente para los asuntos relativos a Economía y Hacienda de la Entidad.

4.8. Órganos complementarios

Dentro de los mismos, hay que señalar, siguiendo los **arts. 119 a 133 ROFRJEL**:

4.8.1. Los Concejales Delegados

Ostentan alguna delegación especial del Alcalde, con las atribuciones que se especifiquen en el Decreto de delegación. En el caso de que la delegación se refiera genéricamente a una materia o sector de actividad, sin especificación de potestades, se entenderá que comprende todas aquellas facultades, derechos y deberes referidos a la materia delegada que correspondan al órgano que tiene asignadas originariamente las atribuciones, salvo las que no sean delegables.

Cesarán en su condición de tales por renuncia expresa por escrito ante la Alcaldía, por revocación de la delegación y por pérdida de la condición de miembro de la Junta de Gobierno Local cuando la delegación se les confirió por ostentar este carácter.

4.8.2. Las Comisiones Informativas

Integradas exclusivamente por miembros de la Corporación, son órganos sin atribuciones resolutorias, que tienen por función el estudio, informe o consulta de los asuntos que hayan de ser sometidos a la decisión del Pleno y de la Junta de Gobierno Local cuando esta actúe con competencias delegadas por el Pleno, salvo cuando hayan de adoptarse acuerdos declarados urgentes.

Igualmente, informarán aquellos asuntos de la competencia propia de la Junta de Gobierno Local y del Alcalde, que les sean sometidos a su conocimiento por expresa decisión de aquellos.

Pueden ser Permanentes y Especiales. Las primeras se constituyen con carácter general, distribuyendo entre ellas las materias que han de someterse al Pleno, procurándose, en lo posible, su correspondencia con el número y denominación de las grandes áreas en que se estructuran los servicios corporativos.

Las Especiales son constituidas por el Pleno para un asunto concreto, en consideración a sus características especiales de cualquier tipo. Estas Comisiones se extinguen automáticamente una vez que hayan dictaminado o informado sobre el asunto que constituye su objeto, salvo que el acuerdo plenario que las creó dispusiera otra cosa.

En el acuerdo de creación de unas y otras Comisiones Informativas se determinará su composición, teniendo en cuenta las siguientes reglas:

a) El Alcalde es el Presidente nato de todas ellas, pudiendo delegar la presidencia efectiva en cualquier miembro de la Corporación, a propuesta de la propia Comisión, tras la correspondiente elección efectuada en su seno.

b) Cada Comisión estará integrada de forma que su composición se acomode a la proporcionalidad existente entre los distintos grupos políticos representados en la Corporación.

c) La adscripción concreta a cada Comisión de los miembros de la Corporación que deban formar parte de la misma en representación de cada grupo, se realizará mediante escrito del Portavoz del mismo dirigido al Alcalde, y del que se dará cuenta al Pleno. Podrá designarse, de igual forma, un suplente por cada titular.

En cuanto a su funcionamiento, habrá que estar a los arts. 134 a 138 ROFRJEL.

Por lo demás, sus dictámenes tienen carácter preceptivo (salvo los supuestos de urgencia de que trata el art. 126) y no vinculante.

4.8.3. Los Consejos Sectoriales

Su finalidad será la de canalizar la participación de los ciudadanos y de sus asociaciones en los asuntos municipales, informando y, en su caso, proponiendo las iniciativas municipales relativas al sector de actividad al que corresponde cada Consejo. Su creación, composición, organización, ámbito de actuación y funcionamiento serán establecidos en el correspondiente acuerdo plenario. En cualquier caso, estarán presididos por un miembro de la Corporación, nombrado y separado libremente por el Alcalde, que actuará como enlace entre aquella y el Consejo.

4.8.4. Los órganos desconcentrados y descentralizados para la gestión de los servicios

Son creados por el Pleno de la Corporación, con personalidad jurídica propia los segundos, y se establecen cuando así lo aconseje la necesidad de una mayor eficacia en la gestión, la complejidad de la misma, la agilización de los procedimientos, la expectativa de aumentar o mejorar la financiación o la conveniencia de obtener un mayor grado de participación ciudadana en la actividad de prestación de los servicios. Su número, en función del principio de economía organizativa, será el menos posible en atención a la correcta prestación de los servicios.

4.8.5. Los representantes personales del Alcalde en los poblados y barriadas

A ellos se refiere el art. 122 ROFRJEL, conforme al cual «en cada uno de los poblados y barriadas separados del casco urbano y que no constituyan Entidad Local, el Alcalde podrá nombrar un representante personal entre los vecinos residentes en los mismos.

También podrá nombrar el Alcalde dichos representantes en aquellas ciudades en que el desenvolvimiento de los servicios así lo aconseje. El representante habrá de estar avecindado en el propio núcleo en el que ejerza sus funciones. La duración del cargo estará sujeta a la del mandato del Alcalde que lo nombró, quien podrá removerlo cuando lo juzgue oportuno. Los representantes tendrán carácter de Autoridad en el cumplimiento de sus cometidos municipales, en cuanto representantes del Alcalde que los nombró».

4.8.6. Las Juntas Municipales de Distrito

Son creadas por el Pleno, con el carácter de órganos territoriales de gestión desconcentrada (art. 24 LRL) y cuya finalidad será la mejor gestión de los asuntos de la competencia municipal y facilitar la participación ciudadana en el respectivo ámbito territorial. Su composición, organización y ámbito territorial, así como las funciones administrativas que, en relación con las competencias municipales, se deleguen o puedan ser delegadas en las mismas (dejando a salvo la unidad de gestión del Municipio), se determinará en el correspondiente Reglamento regulador de las mismas aprobado por el Pleno y que se considerará, a todos los efectos, parte integrante del Reglamento Orgánico (arts. 128 y 129 ROFRJEL).

En concreto, el citado art. 24 LRL dispone que:

1. Para facilitar la participación ciudadana en la gestión de los asuntos locales y mejorar esta, los municipios podrán establecer órganos territoriales de gestión desconcentrada, con la organización, funciones y competencias que cada ayuntamiento les confiera, atendiendo a las características del asentamiento de la población en el término municipal, sin perjuicio de la unidad de gobierno y gestión del municipio.

2. En los municipios señalados en el artículo 121 será de aplicación el régimen de gestión desconcentrada establecido en el artículo 128.

4.8.7. Entidades de ámbito territorial inferior al Municipio sin personalidad jurídica

El art. 24 bis LRL dispone que:

1. Las leyes de las Comunidades Autónomas sobre régimen local regularán los entes de ámbito territorial inferior al Municipio, que carecerán de personalidad jurídica, como forma de organización desconcentrada del mismo para la administración de núcleos de población separados, bajo su denominación tradicional de caseríos, parroquias, aldeas, barrios, anteiglesias, concejos, pedanías, lugares anejos y otros análogos, o aquella que establezcan las leyes.

2. La iniciativa corresponderá indistintamente a la población interesada o al Ayuntamiento correspondiente. Este último debe ser oído en todo caso.

3. Solo podrán crearse este tipo de entes si resulta una opción más eficiente para la administración desconcentrada de núcleos de población separados de acuerdo con los principios previstos en la Ley Orgánica 2/2012, de 27 de abril, de Estabilidad Presupuestaria y Sostenibilidad Financiera.

4.9. Organización de los Municipios de gran población

4.9.1. Introducción

Como se ha venido exponiendo, la LMMGL ha establecido un régimen peculiar para los Municipios de gran población, recogido en el **Título X de la LRL**, cuyas normas (que, a tenor de la Disposición Adicional Undécima LRL, prevalecerán respecto de las demás normas de igual o inferior rango en lo que se opongan, contradigan o resulten incompatibles), conforme al **art. 121** de la misma, serán de aplicación:

a) A los municipios cuya población supere los 250.000 habitantes.

b) A los municipios capitales de provincia cuya población sea superior a los 175.000 habitantes.

c) A los municipios que sean capitales de provincia, capitales autonómicas o sedes de las instituciones autonómicas.

d) Asimismo, a los municipios cuya población supere los 75.000 habitantes, que presenten circunstancias económicas, sociales, históricas o culturales especiales.

En los supuestos previstos en los párrafos c) y d), se exigirá que así lo decidan las Asambleas Legislativas correspondientes a iniciativa de los respectivos ayuntamientos.

Cuando un municipio, de acuerdo con las cifras oficiales de población resultantes de la revisión del padrón municipal aprobadas por el Gobierno con referencia al 1 de enero del año anterior al de inicio de cada mandato de su ayuntamiento, alcance la población requerida para la aplicación del régimen previsto en este título, la nueva corporación dispondrá de un plazo máximo de seis meses desde su constitución para adaptar su organización al contenido de las disposiciones de este Título.

A estos efectos, se tendrá en cuenta exclusivamente la población resultante de la indicada revisión del padrón, y no las correspondientes a otros años de cada mandato.

Los municipios a los que resulte de aplicación el régimen previsto en este título, continuarán rigiéndose por el mismo aun cuando su cifra oficial de población se reduzca posteriormente por debajo del límite establecido en esta ley.

Por lo demás, conforme a la Disposición Transitoria Primera de la LMMGL, los Plenos de los Ayuntamientos a los que resulte de aplicación este régimen dispondrán de un plazo de seis meses desde la entrada en vigor de esta ley (el 1 de enero de 2004) para aprobar las normas orgánicas necesarias para la adaptación de su organización a lo previsto en este Título X, continuando en vigor las normas que regulan estas materias en el momento de entrada en vigor de esta LMMGL en tanto se aprueban tales normas orgánicas. Esta previsión será de aplicación, asimismo, a los Plenos de los Cabildos Insulares que queden incluidos en el ámbito de la Disposición Adicional Decimocuarta LRL, añadida por esta LMMGL, según la cual:

1. Las normas contenidas en los capítulos II y III del título X de esta ley, salvo los artículos 128, 132 y 137, serán de aplicación:

    a) A los Cabildos Insulares Canarios de islas cuya población sea superior a 175.000 habitantes.

    b) A los restantes Cabildos Insulares de islas cuya población sea superior a 75.000 habitantes, siempre que así lo decida mediante ley el Parlamento Canario a iniciativa de los Plenos de los respectivos Cabildos.

2. Serán órganos insulares necesarios de los Cabildos el Pleno, el Presidente y el Consejo de Gobierno Insular.

3. Las referencias contenidas en los artículos 122, 123, 124, 125 y 126 al Alcalde, se entenderán hechas al Presidente del Cabildo; las contenidas en los artículos 124, 125 y 127 a los Tenientes de Alcalde, a los Vicepresidentes; las contenidas en los artículos 123, 126, 127, 129 y 130 a la Junta de Gobierno Local, al Consejo de Gobierno Insular y las contenidas en los artículos 122, 124 y 126 a los Concejales, a los Consejeros.

4. Las competencias atribuidas a los órganos mencionados en el apartado anterior serán asumidas por el respectivo órgano insular del Cabildo, siempre que las mismas no sean materias estrictamente municipales.

5. La Asesoría Jurídica, los Órganos Superiores y Directivos y el Consejo Social Insular, tendrán las competencias asignadas a los mismos en los artículos 129, 130 y 131. El nombramiento de los titulares de la Asesoría Jurídica y de los Órganos Directivos se efectuará teniendo en cuenta los requisitos exigidos en los artículos 129 y 130.

Pasamos a examinarlo a la luz de los arts. 122 a 137 LRL.

4.9.2. El Ayuntamiento Pleno

A tenor del **art. 122 LRL**:

1. El Pleno, formado por el Alcalde y los Concejales, es el órgano de máxima representación política de los ciudadanos en el gobierno municipal.

2. El Pleno será convocado y presidido por el Alcalde, salvo en los supuestos previstos en esta ley y en la legislación electoral general, al que corresponde decidir los empates con voto de calidad. El Alcalde podrá delegar exclusivamente la convocatoria y la presidencia del Pleno, cuando lo estime oportuno, en uno de los concejales.

3. El Pleno se dotará de su propio reglamento, que tendrá la naturaleza de orgánico. No obstante, la regulación de su organización y funcionamiento podrá contenerse también en el reglamento orgánico municipal.

    En todo caso, el Pleno contará con un secretario general y dispondrá de Comisiones, que estarán formadas por los miembros que designen los grupos políticos en proporción al número de concejales que tengan en el Pleno.

4. Corresponderán a las comisiones las siguientes funciones:

    a) El estudio, informe o consulta de los asuntos que hayan de ser sometidos a la decisión del Pleno.

    b) El seguimiento de la gestión del Alcalde y de su equipo de gobierno, sin perjuicio del superior control y fiscalización que, con carácter general, le corresponde al Pleno.

    c) Aquellas que el Pleno les delegue, de acuerdo con lo dispuesto en esta ley.

        En todo caso, serán de aplicación a estas Comisiones las previsiones contenidas para el Pleno en los artículos 46.2, párrafos b), c) y d).

5. Corresponderá al secretario general del Pleno, que lo será también de las comisiones, las siguientes funciones:

    a) La redacción y custodia de las actas, así como la supervisión y autorización de las mismas, con el visto bueno del Presidente del Pleno.

    b) La expedición, con el visto bueno del Presidente del Pleno, de las certificaciones de los actos y acuerdos que se adopten.

    c) La asistencia al Presidente del Pleno para asegurar la convocatoria de las sesiones, el orden en los debates y la correcta celebración de las votaciones, así como la colaboración en el normal desarrollo de los trabajos del Pleno y de las comisiones.

d) La comunicación, publicación y ejecución de los acuerdos plenarios.

e) El asesoramiento legal al Pleno y a las comisiones, que será preceptivo en los siguientes supuestos:

   1.º Cuando así lo ordene el Presidente o cuando lo solicite un tercio de sus miembros con antelación suficiente a la celebración de la sesión en que el asunto hubiere de tratarse.

   2.º Siempre que se trate de asuntos sobre materias para las que se exija una mayoría especial.

   3.º Cuando una ley así lo exija en las materias de la competencia plenaria.

   4.º Cuando, en el ejercicio de la función de control y fiscalización de los órganos de gobierno, lo solicite el Presidente o la cuarta parte, al menos, de los Concejales.

Dichas funciones quedan reservadas a funcionarios de Administración local con habilitación de carácter nacional. Su nombramiento corresponderá al Presidente en los términos previstos en la disposición adicional octava, teniendo la misma equiparación que los órganos directivos previstos en el artículo 130 de esta ley, sin perjuicio de lo que determinen a este respecto las normas orgánicas que regulen el Pleno.

En cuanto a las atribuciones del Pleno, el **art. 123 LRL** dispone, al efecto, que:

1. Corresponden al Pleno las siguientes atribuciones:

   a) El control y la fiscalización de los órganos de gobierno.

   b) La votación de la moción de censura al Alcalde y de la cuestión de confianza planteada por este, que será pública y se realizará mediante llamamiento nominal en todo caso y se regirá en todos sus aspectos por lo dispuesto en la legislación electoral general.

   c) La aprobación y modificación de los reglamentos de naturaleza orgánica. Tendrán en todo caso naturaleza orgánica:

   – La regulación del Pleno.

   – La regulación del Consejo Social de la ciudad.

- La regulación de la Comisión Especial de Sugerencias y Reclamaciones.

- La regulación de los órganos complementarios y de los procedimientos de participación ciudadana.

- La división del municipio en distritos, y la determinación y regulación de los órganos de los distritos y de las competencias de sus órganos representativos y participativos, sin perjuicio de las atribuciones del Alcalde para determinar la organización y las competencias de su administración ejecutiva.

- La determinación de los niveles esenciales de la organización municipal, entendiendo por tales las grandes áreas de gobierno, los coordinadores generales, dependientes directamente de los miembros de la Junta de Gobierno Local, con funciones de coordinación de las distintas Direcciones Generales u órganos similares integradas en la misma área de gobierno, y de la gestión de los servicios comunes de estas u otras funciones análogas y las Direcciones Generales u órganos similares que culminen la organización administrativa, sin perjuicio de las atribuciones del Alcalde para determinar el número de cada uno de tales órganos y establecer niveles complementarios inferiores.

- La regulación del órgano para la resolución de las reclamaciones económico-administrativas.

d) La aprobación y modificación de las ordenanzas y reglamentos municipales.

e) Los acuerdos relativos a la delimitación y alteración del término municipal; la creación o supresión de las entidades a que se refiere el artículo 45 de esta ley; la alteración de la capitalidad del municipio y el cambio de denominación de este o de aquellas Entidades, y la adopción o modificación de su bandera, enseña o escudo.

f) Los acuerdos relativos a la participación en organizaciones supramunicipales.

g) La determinación de los recursos propios de carácter tributario.

h) La aprobación de los presupuestos, de la plantilla de personal, así como la autorización de gastos en las materias de su competencia. Asimismo, aprobará la cuenta general del ejercicio correspondiente.

i) La aprobación inicial del planeamiento general y la aprobación que ponga fin a la tramitación municipal de los planes y demás instrumentos de ordenación previstos en la legislación urbanística.

j) La transferencia de funciones o actividades a otras Administraciones públicas, así como la aceptación de las delegaciones o encomiendas de gestión realizadas por otras Administraciones, salvo que por ley se impongan obligatoriamente.

k) La determinación de las formas de gestión de los servicios, así como el acuerdo de creación de organismos autónomos, de entidades públicas empresariales y de sociedades mercantiles para la gestión de los servicios de competencia municipal, y la aprobación de los expedientes de municipalización.

l) Las facultades de revisión de oficio de sus propios actos y disposiciones de carácter general.

m) El ejercicio de acciones judiciales y administrativas y la defensa jurídica del Pleno en las materias de su competencia.

n) Establecer el régimen retributivo de los miembros del Pleno, de su secretario general, del Alcalde, de los miembros de la Junta de Gobierno Local y de los órganos directivos municipales.

ñ) El planteamiento de conflictos de competencia a otras entidades locales y otras Administraciones públicas.

o) Acordar la iniciativa prevista en el último inciso del artículo 121.1, para que el municipio pueda ser incluido en el ámbito de aplicación del título X de esta ley.

p) Las demás que expresamente le confieran las leyes.

2. Se requerirá el voto favorable de la mayoría absoluta del número legal de miembros del Pleno, para la adopción de los acuerdos referidos en los párrafos c), e), f), j) y o) y para los acuerdos que corresponda adoptar al Pleno en la tramitación de los instrumentos de planeamiento general previstos en la legislación urbanística.

Los demás acuerdos se adoptarán por mayoría simple de votos.

3. Únicamente pueden delegarse las competencias del Pleno referidas en los párrafos d), k), m) y ñ) a favor de las comisiones referidas en el apartado 4 del artículo anterior.

4.9.3. El Alcalde

Conforme al **art. 124 LRL**:

1. El Alcalde ostenta la máxima representación del municipio.

2. El Alcalde es responsable de su gestión política ante el Pleno.

3. El Alcalde tendrá el tratamiento de Excelencia.

4. En particular, corresponde al Alcalde el ejercicio de las siguientes funciones:

a) Representar al ayuntamiento.

b) Dirigir la política, el gobierno y la administración municipal, sin perjuicio de la acción colegiada de colaboración en la dirección política que, mediante el ejercicio de las funciones ejecutivas y administrativas que le son atribuidas por esta ley, realice la Junta de Gobierno Local.

c) Establecer directrices generales de la acción de gobierno municipal y asegurar su continuidad.

d) Convocar y presidir las sesiones del Pleno y las de la Junta de Gobierno Local y decidir los empates con voto de calidad.

e) Nombrar y cesar a los Tenientes de Alcalde y a los Presidentes de los Distritos.

f) Ordenar la publicación, ejecución y cumplimiento de los acuerdos de los órganos ejecutivos del Ayuntamiento.

g) Dictar bandos, decretos e instrucciones.

h) Adoptar las medidas necesarias y adecuadas en casos de extraordinaria y urgente necesidad, dando cuenta inmediata al Pleno.

i) Ejercer la superior dirección del personal al servicio de la Administración municipal.

j) La Jefatura de la Policía Municipal.

k) Establecer la organización y estructura de la Administración municipal ejecutiva, sin perjuicio de las competencias atribuidas al Pleno en materia de organización municipal, de acuerdo con lo dispuesto en el párrafo c) del apartado 1 del artículo 123.

l) El ejercicio de las acciones judiciales y administrativas en materia de su competencia y, en caso de urgencia, en materias de la competencia del Pleno, en este supuesto dando cuenta al mismo en la primera sesión que celebre para su ratificación.

m) Las facultades de revisión de oficio de sus propios actos.

n) La autorización y disposición de gastos en las materias de su competencia.

ñ) Las demás que le atribuyan expresamente las leyes y aquellas que la legislación del Estado o de las comunidades autónomas asignen al municipio y no se atribuyan a otros órganos municipales.

5. El Alcalde podrá delegar mediante decreto las competencias anteriores en la Junta de Gobierno Local, en sus miembros, en los demás concejales y, en su caso, en los coordinadores generales, directores generales u órganos similares, con excepción de las señaladas en los párrafos b), e), h) y j), así como la de convocar y presidir la Junta de Gobierno Local, decidir los empates con voto de calidad y la de dictar bandos. Las atribuciones previstas en los párrafos c) y k) solo serán delegables en la Junta de Gobierno Local.

4.9.4. Los Tenientes de Alcalde

A los mismos se refiere el **art. 125 LRL**, según el cual:

1. El Alcalde podrá nombrar entre los concejales que formen parte de la Junta de Gobierno Local a los Tenientes de Alcalde, que le sustituirán, por el orden de su nombramiento, en los casos de vacante, ausencia o enfermedad.

2. Los Tenientes de Alcalde tendrán el tratamiento de Ilustrísima.

4.9.5. La Junta de Gobierno Local

Conforme al **art. 126 LRL**, declarado parcialmente inconstitucional por Sentencia del Pleno del Tribunal Constitucional 103/2013, de 25 de abril de 2013, en Recurso de inconstitucionalidad 1523-2004, interpuesto por el Parlamento de Cataluña en relación con diversos preceptos de la Ley 57/2003, de 16 de diciembre, de medidas para la modernización del Gobierno Local, en cuanto al nombramiento como miembros de la Junta de Gobierno Local de personas que no ostenten la condición de concejales:

1. La Junta de Gobierno Local es el órgano que, bajo la presidencia del Alcalde, colabora de forma colegiada en la función de dirección política que a este corresponde y ejerce las funciones ejecutivas y administrativas que se señalan en el artículo 127 de esta ley.

2. Corresponde al Alcalde nombrar y separar libremente a los miembros de la Junta de Gobierno Local, cuyo número no podrá exceder de un tercio del número legal de miembros del Pleno, además del Alcalde.

   El Alcalde podrá nombrar como miembros de la Junta de Gobierno Local a personas que no ostenten la condición de concejales, siempre que su número no supere un tercio de sus miembros, excluido el Alcalde. Sus derechos económicos y prestaciones sociales serán los de los miembros electivos (esta previsión ha sido declarada inconstitucional y, por ende, derogada por la propia Constitución).

   En todo caso, para la válida constitución de la Junta de Gobierno Local se requiere que el número de miembros de la Junta de Gobierno Local que ostentan la condición de concejales presentes sea superior al número de aquellos miembros presentes que no ostentan dicha condición (al no poder existir miembros no electos, también deja de tener sentido esta previsión).

   Los miembros de la Junta de Gobierno Local podrán asistir a las sesiones del Pleno e intervenir en los debates, sin perjuicio de las facultades que corresponden a su Presidente.

3. La Junta de Gobierno Local responde políticamente ante el Pleno de su gestión de forma solidaria, sin perjuicio de la responsabilidad directa de cada uno de sus miembros por su gestión.

4. La Secretaría de la Junta de Gobierno Local corresponderá a uno de sus miembros que reúna la condición de concejal (como se ha apuntado, ya todos los miembros deben ser concejales), designado por el Alcalde, quien redactará las actas de las sesiones y certificará sobre sus acuerdos. Existirá un órgano de apoyo a la Junta de Gobierno Local y al concejal-secretario de la misma, cuyo titular será nombrado entre funcionarios de Administración local con habilitación de carácter nacional. Sus funciones serán las siguientes:

   a) La asistencia al concejal-secretario de la Junta de Gobierno Local.

   b) La remisión de las convocatorias a los miembros de la Junta de Gobierno Local.

   c) El archivo y custodia de las convocatorias, órdenes del día y actas de las reuniones.

   d) Velar por la correcta y fiel comunicación de sus acuerdos.

5. Las deliberaciones de la Junta de Gobierno Local son secretas. A sus sesiones podrán asistir los concejales no pertenecientes a la Junta y los titulares de los órganos directivos, en ambos supuestos cuando sean convocados expresamente por el Alcalde.

En cuanto a sus atribuciones, a tenor del **art. 127 LRL**, le corresponde:

a) La aprobación de los proyectos de ordenanzas y de los reglamentos, incluidos los orgánicos, con excepción de las normas reguladoras del Pleno y sus comisiones.

b) La aprobación del proyecto de presupuesto.

c) La aprobación de los proyectos de instrumentos de ordenación urbanística cuya aprobación definitiva o provisional corresponda al Pleno.

d) Las aprobaciones de los instrumentos de planeamiento de desarrollo del planeamiento general no atribuidas expresamente al Pleno, así como de los instrumentos de gestión urbanística y de los proyectos de urbanización.

e) La concesión de cualquier tipo de licencia, salvo que la legislación sectorial la atribuya expresamente a otro órgano.

f) (*Derogada* por Ley 30/2007, de 30 de octubre, de Contratos del Sector Público).

g) El desarrollo de la gestión económica, autorizar y disponer gastos en materia de su competencia, disponer gastos previamente autorizados por el Pleno, y la gestión del personal.

h) Aprobar la relación de puestos de trabajo, las retribuciones del personal de acuerdo con el presupuesto aprobado por el Pleno, la oferta de empleo público, las bases de las convocatorias de selección y provisión de puestos de trabajo, el número y régimen del personal eventual, la separación del servicio de los funcionarios del Ayuntamiento, sin perjuicio de lo dispuesto en el artículo 99 de esta ley, el despido del personal laboral, el régimen disciplinario y las demás decisiones en materia de personal que no estén expresamente atribuidas a otro órgano.

La composición de los tribunales de oposiciones será predominantemente técnica, debiendo poseer todos sus miembros un nivel de titulación igual o superior al exigido para el ingreso en las plazas convocadas. Su presidente podrá ser nombrado entre los miembros de la Corporación o entre el personal al servicio de las Administraciones públicas (esta previsión debe entenderse en el contexto del art. 60 del Texto Refundido de la Ley del Estatuto Básico del Empleado Público –TR-LEBEP, en lo sucesivo–, aprobado por el Real Decreto Legislativo 5/2015, de 30 de octubre, que impide al personal de elección o de designación política, a los funcionarios interinos y al personal eventual formar parte de los órganos de selección).

i) El nombramiento y el cese de los titulares de los órganos directivos de la Administración municipal, sin perjuicio de lo dispuesto en la disposición adicional octava para los funcionarios de Administración local con habilitación de carácter nacional.

j) El ejercicio de las acciones judiciales y administrativas en materia de su competencia.

k) Las facultades de revisión de oficio de sus propios actos.

l) Ejercer la potestad sancionadora salvo que por ley esté atribuida a otro órgano.

m) Designar a los representantes municipales en los órganos colegiados de gobierno o administración de los entes, fundaciones o sociedades, sea cual sea su naturaleza, en los que el Ayuntamiento sea partícipe.

n) Las demás que le correspondan, de acuerdo con las disposiciones legales vigentes.

La Junta de Gobierno Local podrá delegar en los Tenientes de Alcalde, en los demás miembros de la Junta de Gobierno Local, en su caso, en los demás concejales, en los coordinadores generales, directores generales u órganos similares, las funciones enumeradas en los párrafos e), f), g), h) con excepción de la aprobación de la relación de puestos de trabajo, de las retribuciones del personal, de la oferta de empleo público, de la determinación del número y del régimen del personal eventual y de la separación del servicio de los funcionarios, y l) antes examinadas.

4.9.6. Los Distritos

A los mismos se refiere el **art. 128 LRL**, según el cual:

1. Los ayuntamientos deberán crear distritos, como divisiones territoriales propias, dotadas de órganos de gestión desconcentrada, para impulsar y desarrollar la participación ciudadana en la gestión de los asuntos municipales y su mejora, sin perjuicio de la unidad de gobierno y gestión del municipio.

2. Corresponde al Pleno de la Corporación la creación de los distritos y su regulación, en los términos y con el alcance previsto en el artículo 123, así como determinar, en una norma de carácter orgánico, el porcentaje mínimo de los recursos presupuestarios de la corporación que deberán gestionarse por los distritos, en su conjunto.

3. La presidencia del distrito corresponderá en todo caso a un concejal.

Recuerda que...

Corresponde al Pleno de la Corporación la creación de los distritos y la presidencia del distrito corresponderá en todo caso a un concejal.

4.9.7. La Asesoría Jurídica

El **art. 129 LRL** dispone que:

1. Sin perjuicio de las funciones reservadas al secretario del Pleno por el párrafo e) del apartado 5) del artículo 122 de esta ley, existirá un órgano administrativo responsable de la asistencia jurídica al Alcalde, a la Junta de Gobierno Local y a los órganos directivos, comprensiva del asesoramiento jurídico y de la representación y defensa en juicio del ayuntamiento, sin perjuicio de lo dispuesto en el apartado segundo del artículo 447 de la Ley Orgánica 6/1985, de 1 de julio, del Poder Judicial (esta referencia al art. 447 debe entenderse hecha al art. 551 de dicha Ley Orgánica del Poder Judicial, reformada por la Ley Orgánica 19/2003, de 23 de diciembre).

2. Su titular será nombrado y separado por la Junta de Gobierno Local, entre personas que reúnan los siguientes requisitos:

    a) Estar en posesión del título de licenciado en derecho.

    b) Ostentar la condición de funcionario de administración local con habilitación de carácter nacional, o bien funcionario de carrera del Estado, de las comunidades autónomas o de las entidades locales, a los que se exija para su ingreso el título de doctor, licenciado, ingeniero, arquitecto o equivalente.

4.9.8. Órganos superiores y directivos

El **art. 130 LRL** (cuyo apartado 1.B debe interpretarse en el sentido de la Sentencia del Tribunal Constitucional 103/2013, de 25 de abril, según la cual "se limita a relacionar dentro de los órganos directivos, los titulares de órganos que pertenecen a la organización básica de los municipios de gran población," y "no impide a las leyes autonómicas que completen, dentro de su competencia para regular la organización complementaria, este elenco de órganos directivos", y cuyo apartado 3 ha sido redactado de nuevo por la LRSAL) establece que:

1. Son órganos superiores y directivos municipales los siguientes:

    A) Órganos superiores:

    a) El Alcalde.

    b) Los miembros de la Junta de Gobierno Local.

B) Órganos directivos:

    a) Los coordinadores generales de cada área o concejalía.

    b) Los directores generales u órganos similares que culminen la organización administrativa dentro de cada una de las grandes áreas o concejalías.

    c) El titular del órgano de apoyo a la Junta de Gobierno Local y al concejal-secretario de la misma.

    d) El titular de la asesoría jurídica.

    e) El Secretario general del Pleno.

    f) El interventor general municipal.

    g) En su caso, el titular del órgano de gestión tributaria.

2. Tendrán también la consideración de órganos directivos, los titulares de los máximos órganos de dirección de los organismos autónomos y de las entidades públicas empresariales locales, de conformidad con lo establecido en el artículo 85 bis, párrafo b).

3. El nombramiento de los coordinadores generales y de los directores generales, atendiendo a criterios de competencia profesional y experiencia deberá efectuarse entre funcionarios de carrera del Estado, de las Comunidades Autónomas, de las Entidades Locales o con habilitación de carácter nacional que pertenezcan a cuerpos o escalas clasificados en el subgrupo A1, salvo que el Reglamento Orgánico Municipal permita que, en atención a las características específicas de las funciones de tales órganos directivos, su titular no reúna dicha condición de funcionario.

4. Los órganos superiores y directivos quedan sometidos al régimen de incompatibilidades establecido en la Ley 53/1984, de 26 de diciembre, de Incompatibilidades del personal al servicio de las Administraciones públicas, y en otras normas estatales o autonómicas que resulten de aplicación.

 Actividad 5

Relaciona mediante flechas:

El titular de la asesoría jurídica

El Alcalde

El Secretario general del Pleno

El interventor general municipal   Órganos superiores

Los miembros de la Junta de Gobierno Local   Órganos directivos

El titular del órgano de apoyo a la Junta de Gobierno Local

4.9.9. El Consejo Social de la Ciudad

Al mismo se refiere el **art. 131 LRL**, conforme al cual, en los municipios señalados en este título, existirá un Consejo Social de la Ciudad, integrado por representantes de las organizaciones económicas, sociales, profesionales y de vecinos más representativas.

Corresponderá a este Consejo, además de las funciones que determine el Pleno mediante normas orgánicas, la emisión de informes, estudios y propuestas en materia de desarrollo económico local, planificación estratégica de la ciudad y grandes proyectos urbanos.

4.9.10. Comisión Especial de Sugerencias y Reclamaciones

Finalmente, con arreglo al **art. 132 LRL**:

1. Para la defensa de los derechos de los vecinos ante la Administración municipal, el Pleno creará una Comisión especial de Sugerencias y Reclamaciones, cuyo funcionamiento se regulará en normas de carácter orgánico.

2. La Comisión especial de Sugerencias y Reclamaciones estará formada por representantes de todos los grupos que integren el Pleno, de forma proporcional al número de miembros que tengan en el mismo.

3. La citada Comisión podrá supervisar la actividad de la Administración municipal, y deberá dar cuenta al Pleno, mediante un informe anual, de las quejas presentadas y de las deficiencias observadas en el funcionamiento de los servicios municipales, con especificación de las sugerencias o recomendaciones no admitidas por la Administración municipal. No obstante, también podrá realizar informes extraordinarios cuando la gravedad o la urgencia de los hechos lo aconsejen.

4. Para el desarrollo de sus funciones, todos los órganos de Gobierno y de la Administración municipal están obligados a colaborar con la Comisión de Sugerencias y Reclamaciones.

4.9.11. Criterios de la gestión económico-financiera

El **art. 133 LRL** (que hay que matizar respecto de las remisiones que efectúa a la antigua Ley de Haciendas Locales) establece los criterios de la gestión económico-financiera, disponiendo que la gestión económico-financiera se ajuste a los siguientes criterios:

a) Cumplimiento del objetivo de estabilidad presupuestaria, de acuerdo con lo dispuesto en la legislación que lo regule (la Ley Orgánica 2/2012, de 27 de abril, de Estabilidad Presupuestaria y Sostenibilidad Financiera).

b) Separación de las funciones de contabilidad y de fiscalización de la gestión económico-financiera.

c) La contabilidad se ajustará en todo caso a las previsiones que en esta materia contiene el TR-LHL.

d) El ámbito en el que se realizará la fiscalización y el control de legalidad presupuestaria será el presupuesto o el estado de previsión de ingresos y gastos, según proceda.

e) Introducción de la exigencia del seguimiento de los costes de los servicios.

f) La asignación de recursos, con arreglo a los principios de eficacia y eficiencia, se hará en función de la definición y el cumplimiento de objetivos.

g) La administración y rentabilización de los excedentes líquidos y la concertación de operaciones de tesorería se realizarán de acuerdo con las bases de ejecución del presupuesto y el plan financiero aprobado.

h) Todos los actos, documentos y expedientes de la Administración municipal y de todas las entidades dependientes de ella, sea cual fuere su naturaleza jurídica, de los que se deriven derechos y obligaciones de contenido económico estarán suje- tos al control y fiscalización interna por el órgano que se determina en esta ley, en los términos establecidos en los arts. 213 a 222 TR-LHL.

4.9.12. Órganos de gestión económico-financiera y presupuestaria

El **art. 134 LRL** se refiere al órgano u órganos de gestión económico-financiera y pre- supuestaria, estableciendo que:

1. Las funciones de presupuestación, contabilidad, tesorería y recaudación serán ejercidas por el órgano u órganos que se determinen en el Reglamento orgánico municipal.

2. El titular o titulares de dicho órgano u órganos deberá ser un funcionario de Ad- ministración local con habilitación de carácter nacional, salvo el del órgano que desarrolle las funciones de presupuestación.

4.9.13. Órgano de gestión tributaria

El **art. 135 LRL**, en este contexto, regula el órgano de gestión tributaria, prescribiendo que:

1. Para la consecución de una gestión integral del sistema tributario municipal, regido por los principios de eficiencia, suficiencia, agilidad y unidad en la gestión, se habili- ta al Pleno de los ayuntamientos de los municipios de gran población para crear un órgano de gestión tributaria, responsable de ejercer como propias las competen- cias que a la Administración Tributaria le atribuye la legislación tributaria.

2. Corresponderán a este órgano de gestión tributaria, al menos, las siguientes com- petencias:

   a) La gestión, liquidación, inspección, recaudación y revisión de los actos tributa- rios municipales.

   b) La recaudación en período ejecutivo de los demás ingresos de derecho público del ayuntamiento.

   c) La tramitación y resolución de los expedientes sancionadores tributarios relati- vos a los tributos cuya competencia gestora tenga atribuida.

   d) El análisis y diseño de la política global de ingresos públicos en lo relativo al sistema tributario municipal.

e) La propuesta, elaboración e interpretación de las normas tributarias propias del ayuntamiento.

f) El seguimiento y la ordenación de la ejecución del presupuesto de ingresos en lo relativo a ingresos tributarios.

3. En el caso de que el Pleno haga uso de la habilitación prevista en el apartado 1, la función de recaudación y su titular quedarán adscritos a este órgano, quedando sin efecto lo dispuesto en el artículo 134.1 en lo que respecta a la función de recaudación.

4.9.14. Órgano responsable del control y de la fiscalización interna

El **art. 136 LRL** se refiere al órgano responsable del control y de la fiscalización interna, disponiendo que:

1. La función pública de control y fiscalización interna de la gestión económico-financiera y presupuestaria, en su triple acepción de función interventora, función de control financiero y función de control de eficacia, corresponderá a un órgano administrativo, con la denominación de Intervención general municipal.

2. La Intervención general municipal ejercerá sus funciones con plena autonomía respecto de los órganos y entidades municipales y cargos directivos cuya gestión fiscalice, teniendo completo acceso a la contabilidad y a cuantos documentos sean necesarios para el ejercicio de sus funciones.

3. Su titular será nombrado entre funcionarios de Administración local con habilitación de carácter nacional.

4.9.15. Órgano para la resolución de las reclamaciones económico-administrativas

Finalmente, el **art. 137 LRL** regula el órgano para la resolución de las reclamaciones económico-administrativas, disponiendo que:

1. Existirá un órgano especializado en las siguientes funciones:

a) El conocimiento y resolución de las reclamaciones sobre actos de gestión, liquidación, recaudación e inspección de tributos e ingresos de derecho público, que sean de competencia municipal.

b) El dictamen sobre los proyectos de ordenanzas fiscales.

c) En el caso de ser requerido por los órganos municipales competentes en materia tributaria, la elaboración de estudios y propuestas en esta materia.

2. La resolución que se dicte pone fin a la vía administrativa y contra ella solo cabrá la interposición del recurso contencioso-administrativo.

3. No obstante, los interesados podrán, con carácter potestativo, presentar previamente contra los actos previstos en el apartado 1 a) el recurso de reposición regulado en el artículo 14 de la Ley 39/1988, de 28 de diciembre, reguladora de las Haciendas Locales (actualmente el art. 14 del TR-LHL). Contra la resolución, en su caso, del citado recurso de reposición, podrá interponerse reclamación económico-administrativa ante el órgano previsto en el presente artículo.

4. Estará constituido por un número impar de miembros, con un mínimo de tres, designados por el Pleno, con el voto favorable de la mayoría absoluta de los miembros que legalmente lo integren, de entre personas de reconocida competencia técnica, y cesarán por alguna de las siguientes causas:

a) A petición propia.

b) Cuando lo acuerde el Pleno con la misma mayoría que para su nombramiento.

c) Cuando sean condenados mediante sentencia firme por delito doloso.

d) Cuando sean sancionados mediante resolución firme por la comisión de una falta disciplinaria muy grave o grave.

Solamente el Pleno podrá acordar la incoación y la resolución del correspondiente expediente disciplinario, que se regirá, en todos sus aspectos, por la normativa aplicable en materia de régimen disciplinario a los funcionarios del ayuntamiento.

5. Su funcionamiento se basará en criterios de independencia técnica, celeridad y gratuidad. Su composición, competencias, organización y funcionamiento, así como el procedimiento de las reclamaciones se regulará por reglamento aprobado por el Pleno, de acuerdo en todo caso con lo establecido en la Ley General Tributaria y en la normativa estatal reguladora de las reclamaciones económico-administrativas, sin perjuicio de las adaptaciones necesarias en consideración al ámbito de actuación y funcionamiento del órgano.

6. La reclamación regulada en el presente artículo se entiende sin perjuicio de los supuestos en los que la ley prevé la reclamación económico-administrativa ante los Tribunales Económico-Administrativos del Estado.

4.10. Conflictos de atribuciones entre órganos

Hemos de señalar, con el art. 50 LRL y el art. 222 ROFRJEL, que los conflictos de atribuciones que surjan entre órganos y Entidades dependientes de una misma Corporación Local se resolverán:

a) Por el Pleno, cuando se trate de conflictos que afecten a órganos colegiados o miembros de estos o Entidades Locales de ámbito territorial inferior al Municipio.

b) Por el Presidente de la Corporación, en el resto de los supuestos.

Solución a las actividades

Actividad 1.

☐ a) Por Real Decreto del Consejo de Gobierno de la Comunidad Autónoma corres-pondiente, del que se dará traslado a la Administración del Estado.

☑ b) Por Decreto del Consejo de Gobierno de la Comunidad Autónoma correspon-diente, del que se dará traslado a la Administración del Estado.

☐ c) Por Ley de la Comunidad Autónoma correspondiente.

Actividad 2.

No constituye prueba de su residencia legal en España.

Actividad 3.

☐ a) Sexo.

☐ b) Lugar y fecha de nacimiento.

☑ c) Número de teléfono.

Actividad 4.

☐ a) A los efectos del ejercicio de todos sus derechos como vecino del municipio.

☐ b) Se considera vecino, pero sin derecho alguno.

☑ c) Únicamente a efectos del ejercicio del derecho de sufragio.

Actividad 5.

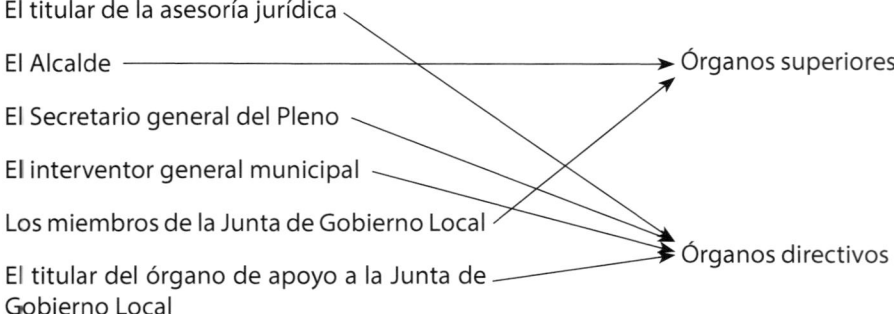

TEMA 2

Ordenanzas, reglamentos y bandos. Clases y procedimiento de elaboración y aprobación

Una buena planificación es imprescindible. Organízate con nuestros **recursos** y **consejos** de tu Curso MAD360.

Índice

1. Introducción

El art. 4 LRL, redactado *ex novo* por la Ley 57/2003, de 16 de diciembre, de medidas para la modernización del gobierno local (LMMGL, en otras llamadas), confiere a los Municipios, Provincias e Islas, en su calidad de Administraciones Públicas de carácter territorial, y dentro de la esfera de sus competencias, la potestad reglamentaria.

Esta potestad se manifiesta al exterior a través de la aprobación de Ordenanzas, Reglamentos y Bandos, que, a la luz del art. 84,1.º,a), LRL constituyen (las primeras y los últimos, dado que los Reglamentos suelen tener una vigencia *ad intra* de la Corporación) una forma de intervención de las Corporaciones Locales en la actividad de los ciudadanos.

2. Concepto

Son las normas jurídicas generales, obligatorias y permanentes, de carácter subordinado a la Ley y a otras normas de rango superior, dictadas por las Entidades Locales en ejercicio de la potestad que, para regir los intereses que les son propios y alcanzar los fines que les competen, les reconoce el ordenamiento jurídico.

En cuanto a la distinción entre unas y otras normas, suele emplearse el término Ordenanza para denominar a las normas locales que regulan las relaciones entre el Ente Local que las promulga y los ciudadanos a los que se dirigen, es decir, a las que tienen una vigencia o repercusión «ad extra» de la Corporación Local de la que emanan.

Por el contrario, la figura del Reglamento, que coincide con la anterior en la necesidad de su aprobación por el Pleno de la Corporación, se limita en su eficacia a las relaciones internas de la Corporación, por ejemplo para regular un Servicio de la misma, o la relación con sus trabajadores.

Por lo que se refiere a los Bandos, son las normas reglamentarias emanadas por los Alcaldes (exclusivamente ellos), en el ejercicio de sus competencias.

 Recuerda que...

- Ordenanzas: son normas locales que regulan las relaciones entre el Ente Local que las promulga y los ciudadanos a los que se dirigen.

- Reglamentos: su eficacia se limita a las relaciones internas de la Corporación.

- Bandos: son las normas reglamentarias emanadas por los Alcaldes, exclusivamente, en el ejercicio de sus competencias.

3. Clases

No puede realizarse una clasificación de las Ordenanzas, Reglamentos y Bandos, por cuando estas normas serán tan dispares como los asuntos o cuestiones que han de regular.

No obstante, se ha venido utilizando en la práctica municipal el criterio de distinguir entre las Ordenanzas de Policía y Buen Gobierno, que se dedican a regular las comunes relaciones vecinales, salvaguardando la convivencia y las más elementales normas de comportamiento, de las Ordenanzas reguladoras de un sector determinado de la actividad local, por ejemplo el tráfico, la circulación de vehículos a motor y la seguridad vial, a que se refiere el Texto Refundido de la Ley sobre Tráfico, Circulación de Vehículos a Motor y Seguridad Vial, aprobado por el Real Decreto Legislativo 6/2015, de 30 de octubre.

Sí podría intentarse una clasificación en función del procedimiento de elaboración y aprobación, toda vez que la Ley exige, respecto de algunas de estas normas, unos especiales requisitos en dicho procedimiento, en cuanto al quórum necesario para aprobarlas e, incluso, el órgano competente para ello, como luego examinaremos.

4. Bandos

4.1. Introducción

El art. 21,1.º,e), LRL, art. 124,4.º,g, respecto de los Municipios de gran población, así como el art. 41,13.º del Reglamento de Organización, Funcionamiento y Régimen Jurídico de las Entidades Locales, aprobado por el Real Decreto 2568/1986, de 28 de noviembre (ROFRJEL, en las siguientes citas), confieren a los Alcaldes la potestad de dictar Bandos, competencia esta típica de los mismos, a través de la cual imponen el cumplimiento general de las órdenes contenidas en los mismos para el buen funcionamiento y gobierno de la colectividad que dirigen.

4.2. Naturaleza

La generalidad de la Doctrina científica señala, respecto de los mismos, que son disposiciones adoptadas directamente por el Alcalde, que tienen por objeto recordar, aclarar y, en su caso, innovar el ordenamiento jurídico local, si bien se reserva la potestad innovadora, es decir, de creación de Derecho, para cuando el Alcalde haga uso de la atribución que le confiere el art. 21,1.º,m) LRL (art. 124,4.º,h, en cuanto a los Municipios de gran población), esto es, adoptar personalmente, y bajo su responsabilidad, en caso de catástrofe o de infortunios públicos y grave riesgo de los mismos, las medidas necesarias y adecuadas, dando cuenta inmediata al Pleno.

Se trata, pues, de lo que GARCÍA DE ENTERRÍA llama «reglamentos de necesidad», es decir, que excepcionan –y no derogan *ab aeterno*– una Ley previa.

4.3. Clases

La tipología de Bandos, al igual que ocurre con las Ordenanzas, es tan variada como materias regulen.

No obstante, es clásica la distinción entre:

a) Bandos periódicos, que se limitan a recordar el cumplimiento de disposiciones vigentes de carácter legal, publicándose en fechas fijadas de antemano por la Ley y en todos los Municipios.

b) Bandos de urgencia, dictados para hacer frente a situaciones imprevistas, sobre todo de carácter calamitoso o catastrófico, y que encuentran su apoyatura legal en el citado art. 21,1.º,m), LRL.

c) Bandos de Policía y Buen Gobierno, dictados en desarrollo de las atribuciones del Alcalde para mejor regir y gobernar la vida de la comunidad.

5. Procedimiento de elaboración y aprobación

5.1. Procedimiento común

A salvo de las singularidades a que después se hará referencia, el procedimiento común de elaboración y aprobación (que habrá de seguirse, también, para su modificación, conforme al art. 56 del Texto Refundido de las disposiciones legales vigentes en materia de Régimen Local, aprobado por el Real Decreto Legislativo 781/1986, de 18 de abril -TR/86, en adelante-), viene establecido en los arts. 49 (modificado por la Ley 11/1999) y 70,2.º LRL (redactado, en toda su extensión, por la LMMGL) básicamente, para las Ordenanzas y Reglamentos (de los Bandos se ha tratado antes), pudiendo distinguirse las siguientes fases:

5.1.1. Preparación

Por el Presidente de la Corporación, o por los órganos colegiados o unipersonales (delegados, en este caso, del primero) de la misma, se emanará la orden de redacción de la Ordenanza o Reglamento, que se dirigirá, en general, al Jefe administrativo de la Dependencia con competencia en la materia, salvo que específicamente se haya constituido en la Corporación un órgano al efecto, que desarrolle en ella competencias equivalentes a las que, en la Administración General del Estado y la Administración Autonómica, tienen las Secretarías Generales Técnicas de los Ministerios y Consejerías, respectivamente.

Una vez llevada a efecto la redacción del Borrador de la norma, se someterá a dictamen de la Comisión Informativa u órgano complementario que tenga atribuida la competencia en la materia de que se trate, como paso previo y preceptivo (art. 123 ROFRJEL) a su sometimiento al Pleno de la Corporación.

En los Municipios de gran población, compete a la Junta de Gobierno Local la aprobación de los proyectos de ordenanzas y reglamentos, incluidos los orgánicos, con excepción de las normas reguladoras del Pleno y de sus comisiones, reservándose para el Pleno
su aprobación definitiva (arts. 123 y 127 LRL).

5.1.2. Aprobación inicial

Por el Pleno de la Corporación se aprobará, en su caso, inicialmente, sin que, con las
salvedades que veremos, se requiera un quórum especial al efecto, bastando con el voto
de la mayoría de sus miembros, y sin que el Pleno pueda delegar esta potestad de aprobación en la Junta de Gobierno o en el Presidente de la Corporación (arts. 22,4.º, en cuanto a los Ayuntamientos, y 33,4.º, respecto de las Diputaciones Provinciales, LRL).

5.1.3. Información pública y audiencia de los interesados

Una vez aprobada inicialmente, se expondrá al público durante un plazo mínimo de
treinta días (que serán hábiles, ante la indeterminación de la Ley, en aplicación del art.
30,2.º LPACAP), mediante anuncios en el Boletín Oficial de la Provincia, Tablón de Edictos
de la Corporación y demás lugares de costumbre, para la presentación de reclamaciones
y sugerencias por los interesados.

A estos efectos, cualquier persona que ostente la condición de interesado podrá presentar estas reclamaciones y sugerencias.

5.1.4. Resolución de las reclamaciones y aprobación definitiva

En el caso de que no se hubiera presentado ninguna reclamación o sugerencia, se
entenderá definitivamente adoptado el acuerdo hasta entonces provisional.

Si se hubieren presentado reclamaciones dentro del plazo antes señalado, serán resueltas por el Pleno, previo informe de los órganos administrativos y corporativos aludidos en el apartado a), aceptándolas, total o parcialmente, y por lo tanto incorporándolas
al texto de la norma, o desestimándolas. Tras ello, se aprobará definitivamente la Ordenanza o Reglamento, sin que tampoco se requiera un quórum cualificado, bastando, por
tanto, con el voto favorable de la mayoría de los miembros presentes en la sesión de que
se trate.

5.1.5. Publicación

Una vez aprobada, se procederá a su publicación en el Boletín Oficial de la Provincia,
sin que entre en vigor hasta que se haya publicado completamente su texto y haya transcurrido el plazo previsto en el art. 65,2.º LRL (quince días hábiles desde la recepción por la
Administración del Estado y de la Comunidad Autónoma de la comunicación del acuerdo
aprobatorio y del texto de la Ordenanza), salvo los Presupuestos y las Ordenanzas Fisca-

les que se publican y entran en vigor en los términos establecidos en el Texto Refundido de la Ley Reguladora de las Haciendas Locales, aprobado por el Real Decreto Legislativo 2/2004, de 5 de marzo (TR-LHL, en lo sucesivo).

Al respecto, ha de hacerse mención a la reforma del art. 70,2.º LRL, que ya se efectuó por la Ley 39/1994, de 30 de diciembre, aunque se ha redactado de nuevo por la LMMGL, disponiendo en su actual redacción que los acuerdos que adopten las Corporaciones Locales se publican o notifican en la forma prevista por la Ley. Las Ordenanzas, incluidos el articulado de las normas de los planes urbanísticos, así como los acuerdos correspondientes a estos cuya aprobación definitiva sea competencia de los Entes locales, se publican en el Boletín Oficial de la Provincia y no entran en vigor hasta que se haya publicado completamente su texto y haya transcurrido el plazo previsto en el artículo 65,2.º, salvo los Presupuestos y las Ordenanzas Fiscales que se publican y entran en vigor en los términos establecidos en la Ley 39/1988, de 28 de diciembre, Reguladora de las Haciendas Locales (en el Real Decreto Legislativo 2/2004, de 5 de marzo, TR-LHL, en la actualidad). Las Administraciones Públicas con competencias urbanísticas deberán tener, a disposición de los ciudadanos que lo soliciten, copias completas del planeamiento vigente en su ámbito territorial.

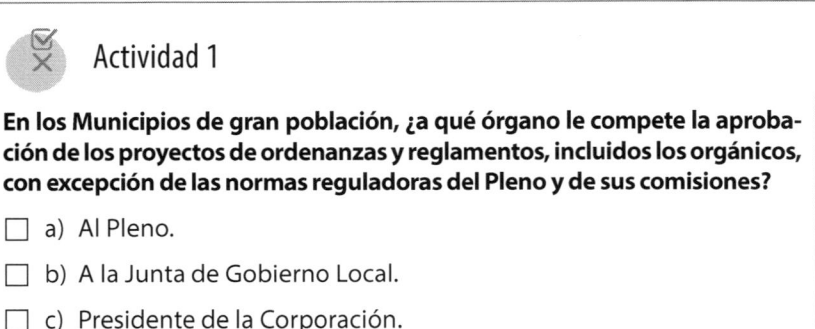

Actividad 1

En los Municipios de gran población, ¿a qué órgano le compete la aprobación de los proyectos de ordenanzas y reglamentos, incluidos los orgánicos, con excepción de las normas reguladoras del Pleno y de sus comisiones?

☐ a) Al Pleno.

☐ b) A la Junta de Gobierno Local.

☐ c) Presidente de la Corporación.

5.2. Procedimientos especiales

La legislación vigente contiene diversas especialidades respecto de determinadas Ordenanzas. Así, pueden citarse, como ejemplos, los siguientes:

5.2.1. Normas urbanísticas

La aprobación definitiva de las Normas Urbanísticas que acompañan a toda figura de planeamiento urbanístico, sigue el mismo régimen competencial que la propia figura de planeamiento a que se refieren, por lo que habrá que estar a lo dispuesto en la normativa urbanística en cada momento en vigor en la Comunidad Autónoma de que se trate.

Sobre estas normas, hay que tener en cuenta lo dispuesto en el art. 70 ter de la LRL, según el cual:

1. Las Administraciones Públicas con competencias de ordenación territorial y urbanística deberán tener, a disposición de los ciudadanos o ciudadanas que lo soliciten, copias completas de los instrumentos de ordenación territorial y urbanística vigentes en su ámbito territorial, de los documentos de gestión y de los convenios urbanísticos.

2. Las Administraciones Públicas con competencias en la materia, publicarán por medios telemáticos el contenido actualizado de los instrumentos de ordenación territorial y urbanística en vigor, del anuncio de su sometimiento a información pública y de cualesquiera actos de tramitación que sean relevantes para su aprobación o alteración.

    En los municipios menores de 5.000 habitantes, esta publicación podrá realizarse a través de los entes supramunicipales que tengan atribuida la función de asistencia y cooperación técnica con ellos, que deberán prestarles dicha cooperación.

3. Cuando una alteración de la ordenación urbanística, que no se efectúe en el marco de un ejercicio pleno de la potestad de ordenación, incremente la edificabilidad o la densidad o modifique los usos del suelo, deberá hacerse constar en el expediente la identidad de todos los propietarios o titulares de otros derechos reales sobre las fincas afectadas durante los cinco años anteriores a su iniciación, según conste en el registro o instrumento utilizado a efectos de notificaciones a los interesados de conformidad con la legislación en la materia.

5.2.2. Reglamento Orgánico propio de cada Corporación

A tenor del art. 47,2.º,f), LRL, es necesario el voto favorable de la mayoría absoluta del número legal de miembros de la Corporación para su aprobación o modificación.

5.2.3. Ordenanzas Fiscales

Presentan como particularidad que, conforme al art. 107,1.º LRL, modificado por la Disposición Adicional Primera, 1.º, de la citada Ley 39/1988 (art. 17 TR-LHL), entran en vigor en el momento de su publicación definitiva en el Boletín Oficial de la Provincia o, en su caso, de la Comunidad Autónoma uniprovincial, salvo que en las mismas se señale otra fecha.

5.2.4. Otras normas y otros procedimientos para instar su elaboración

El art. 70 bis,1.º, LRL obliga a los Ayuntamientos a establecer y regular en normas de carácter orgánico procedimientos y órganos adecuados para la efectiva participación de los vecinos en los asuntos de la vida pública local, tanto en el ámbito del Municipio en su conjunto como en el de los distritos, en el supuesto de que existan en el Municipio dichas divisiones territoriales.

Por su parte, el apartado 2.º de este art. 70 bis, dispone que los vecinos que gocen del derecho de sufragio activo en las elecciones municipales podrán ejercer la iniciativa popular, presentando propuestas de acuerdos o actuaciones o proyectos de reglamentos en materias de la competencia municipal. Dichas iniciativas deberán ir suscritas al menos por el siguiente porcentaje de vecinos del Municipio:

- Hasta 5.000 habitantes, el 20 por ciento.

- De 5001, a 20.000 habitantes, el 15 por ciento.

- A partir de 20.001 habitantes, el 10 por ciento.

Tales iniciativas deberán ser sometidas a debate y votación en el Pleno, sin perjuicio de que sean resueltas por el órgano competente por razón de la materia. En todo caso, se requerirá el previo informe de legalidad del Secretario del Ayuntamiento (en los Municipios de grandes poblaciones, a que se refiere el nuevo art. 121 LRL, será emitido por el Secretario General del Pleno), así como el informe del Interventor cuando la iniciativa afecte a derechos y obligaciones de contenido económico del Ayuntamiento.

Lo dispuesto en este apartado –continúa este artículo– se entiende sin perjuicio de la legislación autonómica en esta materia.

Finalmente, tales iniciativas pueden llevar incorporada una propuesta de consulta popular local, que será tramitada en tal caso por el procedimiento y con los requisitos previstos en el art. 71 LRL.

En este contexto, los apartados 3 y 4 de este art. 70 bis, disponen que:

3. Asimismo, las entidades locales y, especialmente, los municipios, deberán impulsar la utilización interactiva de las tecnologías de la información y la comunicación

para facilitar la participación y la comunicación con los vecinos, para la presentación de documentos y para la realización de trámites administrativos, de encuestas y, en su caso, de consultas ciudadanas.

Las Diputaciones provinciales, Cabildos y Consejos insulares colaborarán con los municipios que, por su insuficiente capacidad económica y de gestión, no puedan desarrollar en grado suficiente el deber establecido en este apartado.

4. Cuando se trate de procedimientos y trámites relativos a una actividad de servicios y a su ejercicio incluida en el ámbito de aplicación de la Ley 17/2009, de 23 de noviembre, sobre el libre acceso a las actividades de servicios y su ejercicio, los prestadores podrán realizarlos, por medio de una ventanilla única, por vía electrónica y a distancia, salvo que se trate de la inspección del lugar o del equipo que se utiliza en la prestación del servicio.

Asimismo, las Entidades locales garantizarán, dentro del ámbito de sus competencias, que los prestadores de servicios puedan a través de la ventanilla única obtener la información y formularios necesarios para el acceso a una actividad y su ejercicio, y conocer las resoluciones y resto de comunicaciones de las autoridades competentes en relación con sus solicitudes. Las Entidades Locales impulsarán la coordinación para la normalización de los formularios necesarios para el acceso a una actividad y su ejercicio.

 Actividad 2

¿Qué mayoría es necesaria para la aprobación o modificación del Reglamento Orgánico propio de cada Corporación?

---

6. Infracciones a Ordenanzas y Bandos

Esta materia, que venía regulada someramente en los arts. 57 a 59 TR/86, ha sido regulada por extenso en el nuevo Título XI LRL, incorporado por la LMMGL, disponiendo el art. 139 LRL que, para la adecuada ordenación de las relaciones de convivencia de interés local y del uso de sus servicios, equipamientos, infraestructuras, instalaciones y espacios públicos, los entes locales podrán, en defecto de normativa sectorial específica, establecer los tipos de las infracciones e imponer sanciones por el incumplimiento de deberes, prohibiciones o limitaciones contenidos en las correspondientes ordenanzas, de acuerdo con los criterios establecidos en los artículos siguientes.

El art. 140, a estos efectos, establece la clasificación de las infracciones, disponiendo que:

1. Las infracciones a las ordenanzas locales a que se refiere el artículo anterior se clasificarán en muy graves, graves y leves.

Serán muy graves las infracciones que supongan:

a) Una perturbación relevante de la convivencia que afecte de manera grave, inmediata y directa a la tranquilidad o al ejercicio de derechos legítimos de otras personas, al normal desarrollo de actividades de toda clase conformes con la normativa aplicable o a la salubridad u ornato públicos, siempre que se trate de conductas no subsumibles en los tipos previstos en el capítulo IV de la Ley 1/1992, de 21 de febrero, de Protección de la Seguridad Ciudadana (esta referencia debe entenderse hecha al Capítulo V de la Ley Orgánica 4/2015, de 30 de marzo, de protección de la seguridad ciudadana, que ha derogado a la anterior).

b) El impedimento del uso de un servicio público por otra u otras personas con derecho a su utilización.

c) El impedimento o la grave y relevante obstrucción al normal funcionamiento de un servicio público.

d) Los actos de deterioro grave y relevante de equipamientos, infraestructuras, instalaciones o elementos de un servicio público.

e) El impedimento del uso de un espacio público por otra u otras personas con derecho a su utilización.

f) Los actos de deterioro grave y relevante de espacios públicos o de cualquiera de sus instalaciones y elementos, sean muebles o inmuebles, no derivados de alteraciones de la seguridad ciudadana.

2. Las demás infracciones se clasificarán en graves y leves, de acuerdo con los siguientes criterios:

a) La intensidad de la perturbación ocasionada en la tranquilidad o en el pacífico ejercicio de los derechos de otras personas o actividades.

b) La intensidad de la perturbación causada a la salubridad u ornato públicos.

c) La intensidad de la perturbación ocasionada en el uso de un servicio o de un espacio público por parte de las personas con derecho a utilizarlos.

d) La intensidad de la perturbación ocasionada en el normal funcionamiento de un servicio público.

e) La intensidad de los daños ocasionados a los equipamientos, infraestructuras, instalaciones o elementos de un servicio o de un espacio público.

Finalmente, en cuanto a los límites de las sanciones económicas, prescribe el art. 141 que, salvo previsión legal distinta, las multas por infracción de Ordenanzas locales deberán respetar las siguientes cuantías:

– Infracciones muy graves: hasta 3.000 euros.

– Infracciones graves: hasta 1.500 euros.

– Infracciones leves: hasta 750 euros.

Por lo que se refiere a las previsiones de los arts. 57 a 59 TR/86, solo debe entenderse como subsistente el art. 58, al disponer que, "para la exacción de multas por infracción de Ordenanzas, en defecto de pago voluntario por el obligado a ello, se seguirá el procedimiento administrativo de apremio", de acuerdo con lo dispuesto por los arts. 160 a 177 de la Ley 58/2003, de 17 de diciembre, General Tributaria, y por el Reglamento General de Recaudación, aprobado por el Real Decreto 939/2005, de 29 de julio.

Finalmente, las cuantías que fija, por defecto, el art. 59 TR/86, deben entenderse sustituidas por las previstas en el nuevo art. 141 LRL.

Solución a las actividades

Actividad 1.

- ☐ a) Al Pleno.
- ☑ b) A la Junta de Gobierno Local.
- ☐ c) Presidente de la Corporación.

Actividad 2.

> Es necesario el voto favorable de la mayoría absoluta del número legal de miembros de la Corporación.

TEMA 3

La licencia municipal. Tipos. Actividades sometidas a licencia. Tramitación

Sigue nuestras **Técnicas de Memoria 360** y sácale el máximo rendimiento a tus horas de estudio.

Índice

1. Introducción

Para el logro de sus fines, tanto la Administración Local como la Estatal y la Autonómica, han de desarrollar una determinada actividad que, en cierta forma, supone una intervención en la actividad de los particulares.

Las formas tradicionales de la actividad de los Entes Locales se pueden sistematizar distinguiendo la siguiente tipología, que recoge GARRIDO FALLA:

A) Actividad de coacción

Es la que realiza la Administración Local para conseguir que los particulares ajusten obligatoriamente su conducta o su patrimonio al interés público municipal o provincial. En este supuesto, la actividad administrativa se encamina a que tal conducta se realice obligatoriamente, incluso bajo la amenaza de coacción. Es lo que se suele denominar como actividad de Policía, a la que se refiere genéricamente el Título I del Reglamento de Servicios de las Corporaciones Locales, de 17 de junio de 1955 (RSCL, en adelante).

B) Actividad de estímulo o persuasión

Aquí la actividad de los particulares es la que también va a satisfacer directamente las necesidades públicas. Ahora bien, la Administración, en este caso, en vez de obligar, incluso coactivamente, al administrado, lo que hace es estimularle o persuadirle para que actúe de una determinada manera que considera conveniente para el interés público. Es la actividad administrativa que, en nuestra Doctrina, se conoce con el nombre de Fomento, cuya regulación genérica para la esfera local se encuentra en el Título II RSCL, llamándola «acción de fomento».

C) Actividad de prestación

En este tipo de actividad las prestaciones necesarias para satisfacer las necesidades públicas locales son ofrecidas por la propia Administración o por persona que actúa por delegación suya. Se trata de la teoría del Servicio Público local, al que el RSCL dedica el Título III, que trata de los «servicios de las Corporaciones Locales».

 Recuerda que...

Las formas tradicionales de la actividad de los Entes Locales se pueden sistematizar en los tipos siguientes: actividad de coacción; actividad de estímulo o persuasión y actividad de prestación.

2. Concepto

GARRIDO FALLA define a la actividad de Policía como el conjunto de medidas coactivas utilizables por la Administración para que el particular ajuste su actividad a un fin de utilidad pública.

La nota de la coactividad aparece, así, como característica del concepto de Policía, mientras que la nota que caracteriza al Fomento es el estímulo. Así, se ha dicho que la Policía previene y reprime, y el Fomento protege y promueve.

3. El fundamento del poder de policía

Está en la situación general de supremacía en que la Administración Pública se encuentra y de la que deriva, correlativamente, la situación de sumisión de los administrados frente al ejercicio de la actividad de policía administrativa.

Con carácter general, viene recogida esta potestad en el art. 1 RSCL, al establecer que los Ayuntamientos podrán intervenir la actividad de sus administrados en los siguientes casos:

a) En el ejercicio de la función de policía, cuando existiere perturbación o peligro de perturbación grave de la tranquilidad, seguridad, salubridad o moralidad ciudadanas, con el fin de restablecerlas o conservarlas. A estos efectos, el art. 25 de la Ley 7/1985, de 2 de abril, reguladora de las Bases del Régimen Local (LRL, en lo sucesivo), señala como competencias municipales las de policía local, protección civil, prevención y extinción de incendios, tráfico, estacionamiento de vehículos y movilidad, transporte colectivo urbano y protección de la salubridad pública.

b) En materia de subsistencias, además, para asegurar el abasto de los artículos de consumo de primera necesidad, la calidad de los ofrecidos en venta, la fidelidad en el despacho de los que se expendan a peso o medida, la normalidad de los precios y la libre competencia entre los suministradores y vendedores. En particular, también el art. 25 LRL asigna como competencias municipales las de ferias, abastos, mercados, lonjas y comercio ambulante.

c) En el orden del urbanismo, también para velar por el cumplimiento de los Planes de Ordenación aprobados. Al efecto, el art. 25 LRL confiere competencias, dentro del urbanismo, de planeamiento, gestión, ejecución y disciplina urbanística; protección y gestión del Patrimonio histórico; promoción y gestión de la vivienda de protección pública con criterios de sostenibilidad financiera, y conservación y rehabilitación de la edificación. Asimismo, de infraestructura viaria y otros equipamientos de su titularidad, debiendo estarse sobre todo lo anterior a lo dispuesto en la legislación urbanística estatal y autonómica en cada momento en vigor.

d) En los servicios de particulares destinados al público mediante la utilización especial o privativa de bienes de dominio público, para imponer la prestación de aquellos debidamente y bajo tarifa.

e) En los demás casos autorizados legalmente y por los motivos y para los fines previstos. Por ejemplo, dentro del medio ambiente confiere competencias a los Municipios en materia de parques y jardines públicos, gestión de los residuos sólidos urbanos y protección contra la contaminación acústica, lumínica y atmosférica en las zonas urbanas. También, sobre abastecimiento de agua potable a domicilio y evacuación y tratamiento de aguas residuales.

f) Hemos de destacar el apartado o) añadido al artículo 25 LRL por el Real Decreto-ley 9/2018, de 3 de agosto, de medidas urgentes para el desarrollo del Pacto de Estado contra la violencia de género, por el que le da competencias al municipio para actuaciones en la promoción de la igualdad entre hombres y mujeres así como contra la violencia de género.

 Recuerda que...

La actividad de Policía se puede definir como el conjunto de medidas coactivas utilizables por la Administración para que el particular ajuste su actividad a un fin de utilidad pública.

4. Principios y límites que inspiran la actividad de policía

Partiendo del principio de legalidad consagrado en los arts. 9,3.º y 103,1.º de la Constitución vigente, de 27 de diciembre de 1978 (CE, en otras llamadas), ha de estarse a lo dispuesto en el art. 84 LRL, con arreglo al cual:

1. Las Entidades locales podrán intervenir la actividad de los ciudadanos a través de los siguientes medios:

   a) Ordenanzas y bandos.

   b) Sometimiento a previa licencia y otros actos de control preventivo. No obstante, cuando se trate del acceso y ejercicio de actividades de servicios incluidas en el ámbito de aplicación de la Ley 17/2009, de 23 de noviembre, sobre el libre acceso a las actividades de servicios y su ejercicio, se estará a lo dispuesto en la misma.

   c) Sometimiento a comunicación previa o a declaración responsable, de conformidad con lo establecido en el art. 69 de la Ley 39/2015, de 1 de octubre, del Procedimiento Administrativos Común de las Administraciones Públicas —LPACAP, en adelante—).

   d) Sometimiento a control posterior al inicio de la actividad, a efectos de verificar el cumplimiento de la normativa reguladora de la misma.

   e) Órdenes individuales constitutivas de mandato para la ejecución de un acto o la prohibición del mismo.

2. La actividad de intervención de las Entidades locales se ajustará, en todo caso, a los principios de igualdad de trato, necesidad y proporcionalidad con el objetivo que se persigue.

3. Las licencias o autorizaciones otorgadas por otras Administraciones Públicas no eximen a sus titulares de obtener las correspondientes licencias de las Entidades locales, respetándose en todo caso lo dispuesto en las correspondientes leyes sectoriales.

El art. 5 RSCL, a estos efectos, señala que la intervención de las Corporaciones Locales en la actividad de sus administrados se ejercerá por los medios y principios enunciados en la legislación básica en materia de régimen local, es decir, en la forma antes expuesta a la luz del art. 84 LRL.

En este contexto, el art. 84 bis de la LRL (Ley 7/1985, de 2 de abril), señala que:

1. Sin perjuicio de lo dispuesto en el artículo anterior, con carácter general, el ejercicio de actividades no se someterá a la obtención de licencia u otro medio de control preventivo.

   No obstante, podrá exigirse una licencia u otro medio de control preventivo respecto a aquellas actividades económicas:

   a) Cuando esté justificado por razones de orden público, seguridad pública, salud pública o protección del medio ambiente en el lugar concreto donde se realiza la actividad, y estas razones no puedan salvaguardarse mediante la presentación de una declaración responsable o de una comunicación.

   b) Cuando por la escasez de recursos naturales, la utilización de dominio público, la existencia de inequívocos impedimentos técnicos o en función de la existencia de servicios públicos sometidos a tarifas reguladas, el número de operadores económicos del mercado sea limitado.

2. Las instalaciones o infraestructuras físicas para el ejercicio de actividades económicas solo se someterán a un régimen de autorización cuando lo establezca una Ley que defina sus requisitos esenciales y las mismas sean susceptibles de generar daños sobre el medioambiente y el entorno urbano, la seguridad o la salud públicas y el patrimonio histórico y resulte proporcionado. La evaluación de este riesgo se determinará en función de las características de las instalaciones, entre las que estarán las siguientes:

   a) La potencia eléctrica o energética de la instalación.

   b) La capacidad o aforo de la instalación.

   c) La contaminación acústica.

   d) La composición de las aguas residuales que emita la instalación y su capacidad de depuración.

   e) La existencia de materiales inflamables o contaminantes.

   f) Las instalaciones que afecten a bienes declarados integrantes del patrimonio histórico.

3. En caso de existencia de licencias o autorizaciones concurrentes entre una Entidad Local y otra Administración, la Entidad Local deberá motivar expresamente en la justificación de la necesidad de la autorización o licencia el interés general concreto que se pretende proteger y que este no se encuentra ya cubierto mediante otra autorización ya existente.

Por su parte, el art. 84 ter, dispone que, cuando el ejercicio de actividades no precise autorización habilitante y previa, las Entidades locales deberán establecer y planificar los procedimientos de comunicación necesarios, así como los de verificación posterior del cumplimiento de los requisitos precisos para el ejercicio de la misma por los interesados previstos en la legislación sectorial.

5. Comunicación previa y declaración responsable

En cuanto a la comunicación previa y la declaración responsable a que se refiere el art. 84 LRL, a tenor del art. 69 LPACAP:

1. A los efectos de esta Ley, se entenderá por declaración responsable el documento suscrito por un interesado en el que este manifiesta, bajo su responsabilidad, que cumple con los requisitos establecidos en la normativa vigente para obtener el reconocimiento de un derecho o facultad o para su ejercicio, que dispone de la documentación que así lo acredita, que la pondrá a disposición de la Administración cuando le sea requerida, y que se compromete a mantener el cumplimiento de las anteriores obligaciones durante el período de tiempo inherente a dicho reconocimiento o ejercicio.

   Los requisitos a los que se refiere el párrafo anterior deberán estar recogidos de manera expresa, clara y precisa en la correspondiente declaración responsable. Las Administraciones podrán requerir en cualquier momento que se aporte la documentación que acredite el cumplimiento de los mencionados requisitos y el interesado deberá aportarla.

2. A los efectos de esta Ley, se entenderá por comunicación aquel documento mediante el que los interesados ponen en conocimiento de la Administración Pública competente sus datos identificativos o cualquier otro dato relevante para el inicio de una actividad o el ejercicio de un derecho.

3. Las declaraciones responsables y las comunicaciones permitirán, el reconocimiento o ejercicio de un derecho o bien el inicio de una actividad, desde el día de su presentación, sin perjuicio de las facultades de comprobación, control e inspección que tengan atribuidas las Administraciones Públicas.

   No obstante lo dispuesto en el párrafo anterior, la comunicación podrá presentarse dentro de un plazo posterior al inicio de la actividad cuando la legislación correspondiente lo prevea expresamente.

4. La inexactitud, falsedad u omisión, de carácter esencial, de cualquier dato o información que se incorpore a una declaración responsable o a una comunicación, o la no presentación ante la Administración competente de la declaración responsable, la documentación que sea en su caso requerida para acreditar el cumplimiento de lo declarado, o la comunicación, determinará la imposibilidad de continuar con el ejercicio del derecho o actividad afectada desde el momento en que se tenga constancia de tales hechos, sin perjuicio de las responsabilidades penales, civiles o administrativas a que hubiera lugar.

Asimismo, la resolución de la Administración Pública que declare tales circunstancias podrá determinar la obligación del interesado de restituir la situación jurídica al momento previo al reconocimiento o al ejercicio del derecho o al inicio de la actividad correspondiente, así como la imposibilidad de instar un nuevo procedimiento con el mismo objeto durante un período de tiempo determinado por la ley, todo ello conforme a los términos establecidos en las normas sectoriales de aplicación.

5. Las Administraciones Públicas tendrán permanentemente publicados y actualizados modelos de declaración responsable y de comunicación, fácilmente accesibles a los interesados.

6. Únicamente será exigible, bien una declaración responsable, bien una comunicación para iniciar una misma actividad u obtener el reconocimiento de un mismo derecho o facultad para su ejercicio, sin que sea posible la exigencia de ambas acumulativamente.

 Sabías que...

Las Ordenanzas y bandos son una forma de intervención de las Entidades locales en la actividad de los ciudadanos.

6. Las licencias. Tramitación

6.1. Concepto

SANTI ROMANO la define como «el acto administrativo en virtud del cual la Administración consiente el ejercicio por el peticionario de un derecho propio preexistente, pero que no puede ejercitarse sin el permiso de la autoridad competente, una vez contrastadas por la Administración las circunstancias que justifican ese ejercicio».

GARCÍA DE ENTERRÍA, por su parte, las define como un acto de la Administración por el que esta consiente a un particular el ejercicio de una actividad inicialmente prohibida constituyendo al propio tiempo la situación jurídica correspondiente.

6.2. Clases

Siguiendo el esquema que plantea este último autor respecto a las autorizaciones en general, podemos distinguir entre:

A) Simples y operativas

Las primeras se proponen únicamente controlar la actividad autorizada y, como mucho, acotarla negativamente dentro de unos límites determinados. Su ámbito más propio es por ello el del orden público y las zonas más o menos próximas al mismo (por ejemplo, las licencias de armas o los permisos de circulación).

Las operativas, en cambio, sin renunciar a la función primaria de control, que también canalizan, pretenden ir más allá de ella, encauzando y orientando positivamente la actividad de su titular en la dirección previamente definida por planes o programas sectoriales, o bien por la propia norma aplicable en cada caso (las licencias de establecimientos o actividades potencialmente nocivos o peligros para las personas o las cosas). En estos casos, suele ser frecuente que la norma reserve a la Administración facultades discrecionales en orden al otorgamiento de las licencias, posibilitando también su sujeción a determinadas condiciones cuyo incumplimiento puede dar lugar a la imposición de sanciones y a la propia revocación de la autorización otorgada, como señala el art. 16 RSCL.

B) Por operación y de funcionamiento

Esta distinción se basa en el hecho de que se refieran a una operación determinada (la edificación de un edificio) o al ejercicio de una actividad llamada a prolongarse indefinidamente en el tiempo (la instalación de una industria).

En el primer caso, la relación que se entabla entre la Administración y el sujeto autorizado es episódica y no crea vínculo estable entre ellos, mientras que en el segundo la licencia prolonga su vigencia tanto como dure la actividad autorizada (como señala el art. 15 RSCL: «las licencias relativas a las condiciones de una obra o instalación tendrán vigencia mientras subsistan aquellas»), haciendo surgir una relación permanente con el fin de proteger en todo caso el interés público frente a las vicisitudes y circunstancias que puedan darse a lo largo del tiempo.

C) Regladas y discrecionales

En las primeras, la Administración se limita a comprobar si se dan las circunstancias que posibilitan la expedición legal de la licencia, mientras que en las segundas se le reconoce unos poderes de decisión más amplios, permitiendo su condicionamiento.

D) Personales, reales y mixtas

Esta distinción, formulada por MAYER, se basa en el centro de interés en que se sitúa la norma aplicable.

Si el centro de atención se sitúa en la persona del peticionario, en sus cualidades personales, es natural que los efectos de la licencia se hagan depender de ese dato, exigiéndose que la actividad de que se trate se ejercite precisamente por el titular de la licencia (art. 14,1.º RSCL), debiendo ser expresamente aprobadas por la Administración las excepciones a esta regla, previa comprobación de la concurrencia en el representante de las mismas cualidades exigidas al titular (art. 14,2.º RSCL). Un ejemplo de las mismas es el permiso de conducir.

En las reales, lo decisivo son las condiciones del objeto (una licencia de obras).

En las mixtas, el centro de atención es doble, por lo que vienen a sumarse las limitaciones propias de los dos tipos anteriores.

Clases de Licencias		
Simples y operativas	**Simples**: controlar la actividad autorizada y acotarla negativamente dentro de unos límites determinados. Ej: licencias de armas, permisos de circulación.	
	Operativas: función de control pero también orienta positivamente la actividad de su titular en una dirección definida previamente. Ej: las licencias de establecimientos o actividades potencialmente nocivos o peligros para las personas o las cosas.	
Por operación y de funcionamiento	**Por operación**: operación específica y determinada, no crea vínculo entre la Administración y el sujeto autorizado. Ej: edificación de un edificio.	
	De funcionamiento: ejercicio de una actividad que se prolonga indefinidamente en el tiempo y que crea una relación permanente para proteger el interés público durante ese tiempo. Ej: instalación de una industria.	
Regladas y discrecionales	**Regladas**: la Administración se limita a comprobar si se dan las circunstancias que posibilitan la expedición legal de la licencia.	
	Discrecionales: se le reconoce unos poderes de decisión más amplios, permitiendo su condicionamiento.	
Personales, reales y mixtas	**Personales**: el centro de atención se sitúa en la persona del peticionario, en sus cualidades personales; los efectos de la licencia se hacen depender de ese dato, exigiéndose que la actividad de que se trate se ejercite por el titular de la licencia. Ej: permiso de conducir.	
	Reales: lo decisivo son las condiciones del objeto. Ej: una licencia de obras.	
	Mixtas: combinación de las anteriores.	

6.3. Actos sometidos a Licencia

No es posible establecer una relación exhaustiva de los mismos, pudiéndose señalar los siguientes:

A) En materia de urbanismo

La legislación urbanística viene exigiendo la preceptiva licencia municipal en todos los actos de uso del suelo y el subsuelo, tales como las parcelaciones urbanas, los movimientos de tierra, las obras de nueva planta, modificación de estructura o aspecto exterior de las edificaciones existentes, la primera utilización de los edificios y la modificación del uso de los mismos, la demolición de construcciones, la colocación de carteles de propaganda visibles desde la vía pública y los demás actos que señalaren los Planes. Cuando los actos de edificación y uso del suelo se realizaren por particulares en terrenos de dominio público, se exigirá también licencia, sin perjuicio de las autorizaciones o concesiones que sea pertinente otorgar por parte del Ente titular del dominio público.

B) En otras materias

El art. 22,1.º RSCL señala que "la apertura de establecimientos industriales y mercantiles podrá sujetarse a los medios de intervención municipal, en los términos previstos en la legislación básica de régimen local y en la Ley 17/2009, de 23 de noviembre, sobre el libre acceso a las actividades de servicios y su ejercicio".

6.4. Régimen jurídico de las Licencias

Sobre la duración de las licencias, el art. 15 RSCL, dispone que las licencias relativas a las condiciones de una obra o instalación tendrán vigencia mientras subsistan aquellas.

Respecto a su transmisibilidad, establece el art. 13 RSCL que:

1. Las licencias relativas a las condiciones de una obra, instalación o servicio serán transmisibles, pero el antiguo y nuevo constructor o empresario deberán comunicarlo por escrito a la Corporación, sin lo cual quedarán ambos sujetos a todas las responsabilidades que se derivaren para el titular.

2. Las licencias concernientes a las cualidades de un sujeto o al ejercicio de actividades sobre bienes de dominio público serán o no transmisibles, según se prevea reglamentariamente o, en su defecto, al otorgarlas.

3. No serán transmisibles las licencias cuando el número de las otorgables fuere limitado.

Con relación a las licencias personales, por lo demás, establece el art. 14 RSCL que habrán de ser desarrolladas personalmente por sus titulares y no mediante representación por un tercero, salvo disposición reglamentaria o acuerdo en contrario. Cuando se permitiere la representación, el que la ejerciere deberá reunir las cualidades necesarias para conseguir por sí mismo una licencia y obtener la aprobación del Organismo que la hubiere otorgado.

En cuando a sus efectos, según el art. 10 RSCL, las licencias producirán efectos entre la Corporación y el sujeto a cuya actividad se refieran, pero no alterarán las situaciones jurídicas privadas entre este y las demás personas. Por ello, conforme al art. 12 RSCL, se entenderán otorgadas salvo el derecho de propiedad y sin perjuicio del de terceros, sin que puedan ser invocadas para excluir o disminuir la responsabilidad civil o penal en la que hubieran incurrido los beneficiarios en el ejercicio de sus actividades.

Finalmente, las licencias quedarán sin efecto por:

a) Cumplimiento de plazo.

b) Incumplimiento de las condiciones.

c) Cambio de circunstancias.

d) Errónea otorgación y nuevos criterios de apreciación, en cuyos supuestos la Administración deberá resarcir daños y perjuicios.

 Actividad 1

- **¿Las licencias relativas a las condiciones de una obra, instalación o servicio pueden ser transmisibles?**

- **¿Las licencias concernientes a las cualidades de un sujeto o al ejercicio de actividades sobre bienes de dominio público pueden ser transmisibles?**

- **¿Serán transmisibles las licencias cuando el número de las otorgables fuere limitado?**

6.5. Procedimiento de otorgamiento

A salvo de regulación específica en la legislación urbanística de cada Comunidad Autónoma, así como en las normas urbanísticas de cada lugar, habrá que estar al regulado en el art. 9 RSCL, que dispone que:

1. Las solicitudes de licencias se resolverán con arreglo al siguiente procedimiento, cuando no exista otro especialmente ordenado por disposición de superior o igual jerarquía:

   1.º Se presentarán en el Registro General de la Corporación, y si se refieren a ejecución de obras o instalaciones, deberá acompañarse proyecto técnico con ejemplares para cada uno de los Organismos que hubieren de informar la petición.

2.º En el plazo de los cinco días siguientes a la fecha del registro, se remitirán los duplicados a cada uno de los aludidos Organismos.

3.º Los informes de estos deberán remitirse a la Corporación diez días antes, al menos, de la fecha en que terminen los plazos indicados en el número quinto, transcurridos los cuales se entenderán informadas favorablemente las solicitudes.

4.º Si resultaren deficiencias subsanables, se notificarán al peticionario antes de expirar el plazo a que se refiere el número quinto para que dentro de los quince días pueda subsanarlas.

5.º Las licencias para el ejercicio de actividades personales, parcelaciones en sectores para los que exista aprobado Plan de urbanismo, obras e instalaciones industriales menores y apertura de pequeños establecimientos habrán de otorgarse o denegarse en el plazo de un mes, y las de nueva construcción o reforma de edificios e industrias (regulándose las molestas, insalubres, nocivas y peligrosas por su normativa específica), apertura de mataderos, mercados particulares y, en general, grandes establecimientos, en el de dos, a contar de la fecha en que la solicitud hubiere ingresado en el Registro General.

6.º El cómputo de estos plazos quedará suspendido durante los quince días que señala el número 4.º, contados a partir de la notificación de la deficiencia.

7.º Si transcurrieran los plazos señalados en el número 5.º, con la prórroga del período de subsanación de deficiencias, en su caso, sin que se hubiere notificado resolución expresa:

a) El peticionario de licencia de parcelación, en el supuesto expresado, construcción de inmuebles o modificación de la estructura de los mismos, implantación de nuevas industrias o reformas mayores de las existentes, podrá acudir a la Comisión Provincial de Urbanismo (u órgano equivalente en cada Comunidad Autónoma) y, si en el plazo de un mes no se notificare al interesado acuerdo expreso, quedará otorgada la licencia por silencio administrativo (siempre, claro está, que la solicitud se ajuste al ordenamiento urbanístico en vigor, pues, como viene estableciéndose en la legislación urbanística, en ningún caso se entenderán adquiridas por silencio administrativo licencias en contra de la legislación o del planeamiento urbanístico).

b) Si la licencia solicitada se refiere a actividades en la vía pública o en bienes de dominio público o patrimoniales, se entenderá denegada por silencio administrativo (cuando transcurra un mes desde la solicitud sin recibir la notificación de la resolución expresa).

c) Si la licencia instada se refiere a obras o instalaciones menores, apertura de toda clase de establecimientos y, en general, a cualquier otro objeto no comprendido en los dos apartados precedentes, se entenderá otorgada por silencio administrativo.

2. Las Corporaciones Locales podrán reducir en cuanto a ellas afecte los plazos señalados en el párrafo anterior.

3. Los documentos en que se formalicen las licencias y sus posibles transmisiones serán expedidos por el Secretario de la Corporación.

El art. 24,1.º LPACAP consagra el silencio positivo como regla general, al disponer que en los procedimientos iniciados a solicitud del interesado, sin perjuicio de la resolución que la Administración debe dictar en la forma prevista en el apartado 3 de este artículo, el vencimiento del plazo máximo sin haberse notificado resolución expresa, legitima al interesado o interesados para entenderla estimada por silencio administrativo, excepto en los supuestos en los que una norma con rango de ley o una norma de Derecho de la Unión Europea o de Derecho internacional aplicable en España establezcan lo contrario. Cuando el procedimiento tenga por objeto el acceso a actividades o su ejercicio, la ley que disponga el carácter desestimatorio del silencio deberá fundarse en la concurrencia de razones imperiosas de interés general.

El silencio tendrá efecto desestimatorio en los procedimientos relativos al ejercicio del derecho de petición, a que se refiere el artículo 29 de la Constitución, aquellos cuya estimación tuviera como consecuencia que se transfirieran al solicitante o a terceros facultades relativas al dominio público o al servicio público, impliquen el ejercicio de actividades que puedan dañar el medio ambiente y en los procedimientos de responsabilidad patrimonial de las Administraciones Públicas.

El sentido del silencio también será desestimatorio en los procedimientos de impugnación de actos y disposiciones y en los de revisión de oficio iniciados a solicitud de los interesados. No obstante, cuando el recurso de alzada se haya interpuesto contra la desestimación por silencio administrativo de una solicitud por el transcurso del plazo, se entenderá estimado el mismo si, llegado el plazo de resolución, el órgano administrativo competente no dictase y notificase resolución expresa, siempre que no se refiera a las materias enumeradas en el párrafo anterior de este apartado.

 Actividad 2

Indica si las siguientes cuestiones son verdaderas o falsas:

- **Como regla general, el vencimiento del plazo máximo sin haber notificado resolución expresa, legítima al interesado o interesados, se entenderá estimada por silencio administrativo.**

    Verdadera ☐   Falsa ☐

- **El sentido del silencio es estimatorio en los procedimientos de impugnación de actos y disposiciones y en los de revisión de oficio iniciados a solicitud de los interesados.**

    Verdadera ☐   Falsa ☐

6.6. Órgano competente para otorgarlas

A falta de previsión legal en contrario, es el Alcalde a quien reconoce esta facultad el art. 21,1.º,q) LRL, , al disponer que le corresponde «el otorgamiento de las licencias, salvo que las Leyes sectoriales lo atribuyan expresamente al Pleno o a la Junta de Gobierno Local». En el caso de los Municipios de gran población esta competencia se atribuye a la Junta de Gobierno Local, al señalar el art. 127,1.º,e) LRL que le corresponde «la concesión de cualquier tipo de licencia, salvo que la legislación sectorial la atribuya expresamente a otro órgano».

 Recuerda que...

El otorgamiento de las licencias corresponde al Alcalde, salvo que las leyes sectoriales lo atribuyan expresamente al Pleno o a la Junta de Gobierno Local.

Solución a las actividades

Actividad 1.

Sí, pero el antiguo y nuevo constructor o empresario deberán comunicarlo por escrito a la Corporación.

Pueden serlo o no, según se prevea reglamentariamente o, en su defecto, al otorgarlas.

No serán transmisibles en estos casos.

Actividad 2.

- Verdadera.
- Falsa.

TEMA 4

Ley de coordinación de las policías locales de Galicia y normas de desarrollo. Régimen disciplinario: disposiciones generales y faltas disciplinarias

¿Conoces tu **curva del recuerdo**? Con Técnicas de Memoria 360 te explicamos cómo organizar los repasos.

Índice

1. Ley de coordinación de Policías Locales de Galicia y normas de desarrollo

1.1. Introducción

La Constitución española de 1978 (CE) determina, en su artículo 148.1.22.º como una de las competencias que podrán asumir las comunidades autónomas, la coordinación y demás facultades relacionadas con las policías locales, en los términos que establezca una ley orgánica. Esta ley es la Ley Orgánica 2/1986, de 13 de marzo, de Fuerzas y Cuerpos de Seguridad (LOFCS)[1], promulgada a raíz del mandato constitucional, señalando que corresponde a las comunidades autónomas, con arreglo a la misma ley y la de régimen local, coordinar las actuaciones de las policías locales dentro de su ámbito territorial.

Con tal motivo se promulgó la Ley 3/1992, de 23 de marzo, de coordinación de las policías locales de Galicia, que tenía como objetivo la coordinación de las policías locales de su territorio, en los términos establecidos en el artículo 39 de la Ley Orgánica de Fuerzas y Cuerpos de Seguridad, que señala lo siguiente:

"Corresponde a las Comunidades Autónomas, de conformidad con la presente Ley y con la de Bases de Régimen Local, coordinar la actuación de las Policías Locales en el ámbito territorial de la Comunidad, mediante el ejercicio de las siguientes funciones:

a) Establecimiento de las normas-marco a las que habrán de ajustarse los reglamentos de Policías Locales, de conformidad con lo dispuesto en la presente Ley y en la de Bases de Régimen Local.

b) Establecer o propiciar, según los casos, la homogeneización de los distintos Cuerpos de Policías Locales, en materia de medios técnicos para aumentar la eficacia y colaboración de éstos, de uniformes y de retribuciones.

c) Fijar los criterios de selección, formación, promoción y movilidad de las Policías Locales, determinando los distintos niveles educativos exigibles para cada categoría, sin que, en ningún caso, el nivel pueda ser inferior a Graduado Escolar.

d) Coordinar la formación profesional de las Policías Locales, mediante la creación de Escuelas de Formación de Mandos y de Formación Básica."

La evolución de los cuerpos de Policía local en Galicia corre pareja a la de las propias administraciones locales de que dependen, ya que los municipios desarrollan un importante papel en la vida del país gallego. Buen ejemplo de ello es que asumen un protagonismo cada vez más relevante en la lucha contra lo que podemos llamar la *delincuencia de proximidad*. Los ayuntamientos gallegos han ido adquiriendo, durante estos años, cada vez más competencias y responsabilidades, circunstancia en la que ha influido, además de otros factores, su condición de administración más próxima al ciudadano, y de la que la Policía local es un buen ejemplo.

---

[1] Ley Orgánica 2/1986, de 13 de marzo, de Fuerzas y Cuerpos de Seguridad. BOE de 14 marzo de 1986

A partir de unos cuerpos de Policía local muchas veces reducidos y dedicados a tareas de carácter muy básico se ha ido evolucionando a plantillas de personal cada vez más completas, profesionalizadas y preparadas para atender a un creciente número de actuaciones, que poco tienen que ver con los tradicionales cometidos y que, en muchas ocasiones, implican una considerable complejidad.

Los municipios gallegos han sido plenamente conscientes de esta evolución y de la necesidad de dar los pasos necesarios para adaptarse a la misma, dedicando cada vez un mayor número de recursos para proporcionar a sus vecinos un servicio de policía que, sin dejar de ser próximo, gane cada día en eficacia y eficiencia.

La Ley 4/2007, de 20 de abril, de coordinación de policías locales[2] viene a satisfacer las demandas de una seguridad pública municipal preparada para responder con garantías a las específicas condiciones de los municipios gallegos. Esta Ley ha sido desarrollada por el Decreto 15/2023, de 12 de enero.[3]

1.2. Estructura de la Ley 4/2007

La Ley 4/2007, de 20 de abril, de coordinación de policías locales se estructura además de una exposición de motivos, en 8 títulos, divididos algunos en capítulos, 96 artículos, 2 disposiciones adicionales y la disposición adicional 2.ª bis, 3 disposiciones transitorias, 1 disposición derogatoria y 3 disposiciones finales, que tienen el siguiente contenido:

– Exposición de motivos.

– Título I. Objeto y ámbito de aplicación. Artículos 1 a 3.

– Título II. De los cuerpos de la Policía local.

* Capítulo I. Finalidad, naturaleza y ámbito de actuación. Artículos 4 a 6.

* Capítulo II. Principios y funciones. Artículos 7 y 8.

* Capítulo III. Uniformidad, acreditación y medios técnicos. Artículos 9 a 11.

– Título III. De la coordinación de las policías locales. Artículos 12 a 21.

– Título IV. De la creación, estructura y organización. Artículos 22 a 31.

– Título V. Selección, promoción, movilidad y formación.

* Capítulo I. Ingreso, promoción y movilidad. Artículos 32 a 44.

* Capítulo II. La formación. Artículos 45 y 46.

---

2   Ley 4/2007, de 20 de abril, de coordinación de policías locales. Publicado en DOG núm. 85 de 3 de mayo de 2007 y BOE núm. 137 de 08 de junio de 2007.

3   Decreto 15/2023, de 12 de enero, por el que se desarrolla la Ley 4/2007, de 20 de abril, de coordinación de policías locales. Publicado en DOG núm. 30 de 13 de febrero de 2023.

- Título VI. Del régimen estatutario.

  * Capítulo I. Derechos y deberes. Artículos 47 a 59.

  * Capítulo II. Situaciones administrativas y jubilación. Artículos 60 y 61.

  * Capítulo III. Segunda actividad. Artículos 62 a 73.

  * Capítulo IV. Distinciones y recompensas. Artículo 74.

- Título VII. Del régimen disciplinario. Artículos 75 a 87.

- Título VIII. Vigilantes municipales y auxiliares de la Policía local. Artículos 88 a 96.

- 2 disposiciones adicionales y la disposición adicional segunda bis.

- 3 disposiciones transitorias.

- una disposición derogatoria única.

- 3 disposiciones finales.

1.3. Objeto y ámbito de aplicación

El objeto y ámbito de aplicación se regula en el título I de la Ley de coordinación de policías locales, artículos 1 a 3.

1.3.1. Objeto

El objeto de esta ley es regular la coordinación de las policías locales en el ámbito territorial de la Comunidad Autónoma de Galicia, sin perjuicio de su dependencia de las autoridades municipales, de conformidad con lo dispuesto en la legislación orgánica de fuerzas y cuerpos de seguridad, y con pleno respeto al principio de autonomía municipal.

1.3.2. Ámbito de aplicación

La Ley de coordinación de policías locales de Galicia es de aplicación a los cuerpos de Policía local de los diferentes municipios de la Comunidad Autónoma de Galicia y a su personal. En los municipios donde no exista cuerpo de Policía local, la coordinación se extenderá al personal que realice funciones propias de vigilantes municipales.

1.3.3. Formación

Constituyen objetivos básicos de la coordinación la formación homogénea y el adecuado perfeccionamiento de los miembros de los cuerpos de Policía local y de los vigilantes municipales.

1.4. Cuerpos de la Policía local

Los cuerpos de la Policía local se regulan en el título II de la Ley 4/2007, de 20 de abril, de coordinación de policías locales, que se divide en 3 capítulos. El capítulo I dedicado a la finalidad, naturaleza y ámbito de actuación (artículos 4 a 6), el capítulo II regula los principios y funciones (artículos 7 y 8) y el capítulo III está dedicado a la uniformidad, acreditación y medios técnicos (artículos 9 a 11).

1.4.1. Finalidad, naturaleza y ámbito de actuación

1.4.1.1. Finalidad

En el ejercicio de las competencias que corresponden a los ayuntamientos, los cuerpos de Policía local **protegerán el libre ejercicio de los derechos y libertades y contribuirán a garantizar la seguridad ciudadana y la consecución del bienestar social, cooperando con otros agentes sociales, especialmente en los ámbitos preventivo, asistencial y de rehabilitación**.

1.4.1.2. Naturaleza jurídica y denominación

Los cuerpos de Policía local **son institutos armados de naturaleza civil, con estructura y organización jerarquizada bajo la superior autoridad y dependencia directa del alcalde respectivo, o del concejal en que este delegue.**

En los municipios en que existan policías locales, estos se integrarán en un cuerpo propio y único, con la denominación genérica de **cuerpo de Policía local**. Sus dependencias se denominarán **Jefatura de la Policía local**. El mando inmediato y operativo de la Policía local corresponde al jefe del cuerpo.

En el ejercicio de sus funciones, los miembros de los cuerpos de Policía local tienen, a todos los efectos legales, el carácter de **agentes de la autoridad**. Los policías locales **son funcionarios de carrera de los respectivos ayuntamientos**. Queda expresamente prohibida cualquier otra relación de prestación de servicios con la Administración local, salvo lo dispuesto para la contratación de auxiliares de Policía local en los términos contemplados en el artículo 95 de la Ley de coordinación de policías locales.

Los ayuntamientos habrán de ejercer directamente las funciones en el ejercicio de sus competencias en materia de mantenimiento de la seguridad, sin que puedan constituir entidades ni órganos especiales de administración o gestión, ni quepa, en ningún caso, la prestación del servicio mediante sistemas de gestión indirecta.

 Sabías que...

Los cuerpos de Policía local son institutos armados de naturaleza civil, con estructura y organización jerarquizada bajo la superior autoridad y dependencia directa del alcalde respectivo, o del concejal en que este delegue.

1.4.1.3. Ámbito territorial de actuación

Los cuerpos de Policía local actuarán en el **ámbito territorial** de sus municipios. Sus miembros podrán actuar fuera de su término municipal cuando sean requeridos por la autoridad competente en situaciones de emergencia y previa autorización de los respectivos alcaldes. En estos casos, actuarán bajo la dependencia del alcalde del ayuntamiento que los requiera, y bajo el mandato del jefe del cuerpo de este municipio, sin perjuicio de las tareas de coordinación que correspondan a la consejería competente en materia de coordinación de policías locales y emergencias.

Cuando ejerzan funciones de protección de autoridades de las corporaciones locales, podrán actuar fuera del término municipal según lo dispuesto en la legislación vigente.

Eventualmente, cuando por la insuficiencia temporal de los servicios sea necesario reforzar la plantilla de personal del cuerpo de Policía local de algún ayuntamiento, su alcalde podrá llegar a acuerdos con otros ayuntamientos para que miembros de la Policía de estos últimos puedan actuar en el ámbito territorial del solicitante, por tiempo determinado y, si fuera preciso, en régimen de comisión de servicio, aceptado voluntariamente por el funcionario.

Podrá instarse la colaboración de la consejería competente en materia de seguridad, a la que, en todo caso, se dará cuenta de los acuerdos adoptados por los ayuntamientos, para su anotación en el Registro de Policías Locales de Galicia.

1.4.2. Principios y funciones

1.4.2.1. Principios básicos de actuación

Son **principios básicos de actuación** para los miembros de los cuerpos de Policía local, de acuerdo con el artículo 5 de la Ley orgánica 2/1986:

a) Adecuación al ordenamiento jurídico, especialmente:

1. Ejercer sus funciones con absoluto respeto a la Constitución, al Estatuto de autonomía y al resto del ordenamiento jurídico.

2. Actuar, en el cumplimiento de sus funciones, con absoluta neutralidad política e imparcialidad y, en consecuencia, sin discriminación alguna por razón de raza, etnia, nacionalidad, ideología, religión o creencias personales, opinión, sexo, orientación sexual, lengua, lugar de vecindad, lugar de nacimiento o cualquier otra condición o circunstancia personal o social.

3. Actuar con integridad y dignidad, absteniéndose de todo acto de corrupción y oponiéndose a él resueltamente.

4. Sujetarse, en su actuación profesional, a los principios de jerarquía y subordinación. En ningún caso la obediencia debida podrá amparar órdenes que entrañen la ejecución de actos que manifiestamente constituyan delitos o sean contrarios a la Constitución o a las leyes.

5. Colaborarán con la Administración de justicia y la auxiliarán en los términos establecidos legalmente.

b) En relación con la sociedad, singularmente:

1. Impedir, en el ejercicio de su actuación profesional, cualquier práctica abusiva, arbitraria o discriminatoria que entrañe violencia física o moral, con especial atención a las derivadas de las desigualdades por razón de género.

2. Observar en todo momento un trato correcto y esmerado en sus relaciones con los ciudadanos, a los cuales procurarán auxiliar y proteger, siempre que las circunstancias lo aconsejen o fuesen requeridos para ello, en especial en todos los supuestos y manifestaciones de violencia de género, y proporcionarles información cumplida, y tan amplia como sea posible, sobre las causas y finalidad de todas sus intervenciones.

3. En el ejercicio de sus funciones, actuar con la decisión necesaria y sin demora cuando de ello dependa evitar un daño grave, inmediato o irreparable, rigiéndose, al hacerlo, por los principios de congruencia, oportunidad y proporcionalidad en la utilización de los medios a su alcance.

4. Usar armas solamente en las situaciones en que exista un riesgo racionalmente grave para su vida, su integridad física o las de terceras personas, o en aquellas circunstancias que puedan suponer un grave riesgo para la seguridad ciudadana, rigiéndose, al hacerlo, por los principios a que se refiere el apartado 3.º de esta letra.

c) En relación con el tratamiento de detenidos, especialmente:

1. Los miembros de los cuerpos de la Policía local de la Comunidad Autónoma de Galicia deberán identificarse debidamente como tales en el momento de efectuar una detención.

2. Velarán por la vida y la integridad física de las personas a quienes detuviesen o que se encuentren bajo su custodia, respetando sus derechos, su honor y su dignidad.

3. Cumplirán y observarán con la debida diligencia los trámites, plazos y requisitos exigidos por el ordenamiento jurídico, cuando se proceda a la detención de una persona.

d) En cuanto a la dedicación profesional, el deber de realizar sus funciones con total dedicación. Intervendrán siempre, en cualquier tiempo y lugar, estén o no de servicio, en defensa de la ley y la seguridad ciudadana.

e) En relación con el secreto profesional, el deber de guardar riguroso secreto respecto a todas las informaciones que conozcan por razón o con ocasión del desempeño de sus funciones. No estarán obligados a revelar las fuentes de información, salvo que se lo imponga el ejercicio de sus funciones o las disposiciones legales.

f) Respecto a la responsabilidad, serán responsables, personal y directamente, por los actos que en su actuación profesional llevasen a cabo infringiendo o vulnerando las normas legales o reglamentarias y los principios enunciados anteriormente, sin perjuicio de la responsabilidad patrimonial que pueda corresponder a las administraciones públicas de que dependan.

Recuerda que...

Los cuerpos de Policía local colaborarán con la Administración de Justicia.

1.4.2.2. Funciones de los cuerpos de Policía local

De acuerdo con lo dispuesto en el artículo 53 de la Ley orgánica de fuerzas y cuerpos de seguridad, **son funciones de los cuerpos de la Policía local** las que se indican:

a) Proteger a las autoridades de las corporaciones locales y vigilar o custodiar sus edificios e instalaciones.

b) Ordenar, regular, señalizar, denunciar infracciones y dirigir el tráfico en el ámbito de su competencia en el suelo urbano legalmente delimitado, de acuerdo con lo establecido en las normas de tráfico y seguridad viaria.

c) Instruir atestados por accidentes de circulación en el ámbito de su competencia dentro del suelo urbano legalmente delimitado.

d) Policía administrativa, en lo relativo a las ordenanzas, bandos y demás disposiciones municipales dentro del ámbito de su competencia.

e) Participar en las funciones de la Policía judicial, en la forma establecida en la normativa vigente.

f) La prestación de auxilio, en los casos de accidentes, catástrofe o calamidad pública, participando, en la forma prevista en las leyes, en cuanto a la ejecución de los planes de protección civil.

g) Efectuar diligencias de prevención y cuantas actuaciones tiendan a evitar la comisión de actos delictivos en el marco de colaboración establecido en las juntas de seguridad.

h) Vigilar los espacios públicos y colaborar con las fuerzas y cuerpos de seguridad del Estado y con la Policía de Galicia en la protección de las manifestaciones y el mantenimiento del orden en grandes concentraciones humanas, cuando sean requeridos para ello.

i) Cooperar en la resolución de los conflictos privados cuando sean requeridos para ello.

j) Cualesquiera otras funciones en materia de seguridad pública que, de acuerdo con la legislación vigente, les sean encomendadas.

Las actuaciones que practiquen los cuerpos de Policía local en el ejercicio de las funciones contempladas en los apartados c) y g) deberán ser comunicadas a las fuerzas y cuerpos de seguridad del Estado y a la Policía de Galicia según corresponda, de conformidad con la legislación orgánica de fuerzas y cuerpos de seguridad.

En virtud de convenio entre la Xunta de Galicia y los ayuntamientos, en el marco de las competencias de la Policía de Galicia, los cuerpos de Policía local también podrán ejercer, dentro de su término municipal, las siguientes funciones:

– Velar por el cumplimento de las disposiciones y órdenes singulares dictadas por los órganos de la comunidad autónoma, con especial atención a las materias relativas a la protección del menor, el medio ambiente, la salud y la mujer, sobre todo en el ámbito de la violencia de género.

– La vigilancia y protección de personas, órganos, edificios, establecimientos y dependencias de la comunidad autónoma y de sus entes instrumentales, garantizando el normal funcionamiento de las instalaciones y la seguridad de los usuarios de los servicios.

– La inspección de las actividades sometidas a la ordenación y disciplina de la comunidad autónoma, denunciando toda actividad ilícita.

– El uso de la coacción para la ejecución forzosa de los actos o disposiciones de la propia comunidad autónoma.

1.4.3. Uniformidad, acreditación y medios técnicos

1.4.3.1. Uniformidad

La **uniformidad** será común para todos los cuerpos de Policía local de Galicia e incorporará preceptivamente el escudo de Galicia, el del ayuntamiento respectivo y el número de identificación profesional del funcionario.

Todos los miembros de los cuerpos de Policía local vestirán el uniforme reglamentario cuando estén de servicio, salvo en los casos de dispensa previstos en la Ley orgánica de cuerpos y fuerzas de seguridad y en aquellos casos excepcionales en que por órgano competente se autorice en contrario. En este supuesto deberán identificarse con el documento de acreditación profesional.

El uso del uniforme y del material complementario está prohibido cuando se encuentren fuera de servicio, salvo en los casos excepcionales que, legal o reglamentariamente, se establezcan.

Esta materia se desarrolla en el título IX del Decreto 15/2023, de 12 enero. Reglamentariamente se establecerán las prendas que constituyen el uniforme necesario para el desempeño de las diferentes funciones. La norma que la regula es la Orden de 22 de julio de 2010 por la que se establece la descripción y características de las distintas prendas de uniformidad de los cuerpos de policía local, vigilantes municipales y auxiliares de policía local de Galicia, así como la imagen corporativa de los cuerpos de Policía local mantendrá su vigencia en las materias que no se opongan a este Decreto 15/2023[4]. Por ejemplo, el escudo de brazo de Galicia para los cuerpos de policía local.

---

[4] Orden de 22 de julio de 2010 por la que se establece la descripción y características de las distintas piezas de uniformidad de los cuerpos de policía local, vigilantes municipales y auxiliares de policía local de Galicia, así como la imagen corporativa de los cuerpos de policía local. DOG n.º 144, de 29 de julio de 2010.

Ningún policía local uniformado podrá exhibir públicamente otros distintivos que no sean los fijados reglamentariamente.

Para ocasiones especiales, cuando sea necesario por motivos de protocolo, representación o solemnidad, los miembros de los cuerpos de la Policía local podrán vestir el uniforme de gala que se determine reglamentariamente.

 Actividad 1

Indica si el uso del uniforme y del material complementario está prohibido cuando se encuentren fuera de servicio:

☐ a) No.

☐ b) Sí.

☐ c) Es discrecional.

1.4.3.2. Acreditación profesional

La **acreditación profesional** será común para todos los cuerpos y se establecerá reglamentariamente.

Todos los miembros de los cuerpos de Policía local de Galicia estarán provistos del documento de acreditación profesional y la placa emblema, que expedirá el ayuntamiento respectivo, según modelo homologado por la Xunta de Galicia, previo informe de la Comisión de Coordinación de las Policías Locales.

En este documento constará al menos el nombre del ayuntamiento, el nombre y los apellidos y la fotografía del funcionario, su categoría, el número de identificación profesional, que será el mismo de la placa emblema, y el número del documento nacional de identidad, firmado por el alcalde respectivo y con el sello del ayuntamiento.

Tendrán la obligación de identificarse ante los ciudadanos o ciudadanas que así lo exijan, en caso de las actuaciones que les afectasen, directa o indirectamente.

1.4.3.3. Medios técnicos

Los **medios técnicos** son los elementos, aparatos y sistemas que los cuerpos de la Policía local utilizan para poder cumplir con sus obligaciones. Las administraciones locales competentes tienen la obligación de proporcionárselos. Estos medios técnicos serán homogéneos para todos los cuerpos, según se establezca legal y reglamentariamente.

Los policías locales, como integrantes de un instituto armado, llevarán el armamento reglamentario que se les asigne, de acuerdo con la normativa vigente en materia de armamento.

El alcalde podrá decidir, de forma motivada, los servicios que se presten sin armas, siempre que no conlleven un riesgo racionalmente grave para la vida o la integridad física del funcionario o de terceras personas. Los servicios en la vía pública y los de custodia se prestarán siempre con armas.

Los ayuntamientos que lo deseen podrán asociarse para construir y equipar una galería de tiro, a fin de hacer un uso conjunto de la misma. Los ayuntamientos habrán de disponer de lugares adecuados para la custodia del armamento asignado, con las condiciones que prevea la normativa aplicable. Los miembros de los cuerpos de Policía local, bajo su responsabilidad, podrán custodiar el armamento asignado.

Los vigilantes municipales y los auxiliares de policía no podrán llevar armas.

1.5. De la coordinación de las policías locales

La coordinación de las policías locales se regula en el título III de la Ley de coordinación de policías locales de Galicia, artículos 12 a 21.

1.5.1. Concepto, funciones, órganos y competencias

1.5.1.1. Concepto y funciones

A) Concepto

Se entiende **por coordinación** el conjunto de técnicas y medidas que posibiliten la unificación de los criterios de organización y actuación, la formación y perfeccionamiento uniforme del personal y la homogeneización de los recursos técnicos y materiales a su disposición, así como el establecimiento de información recíproca, asesoramiento y colaboración. Dichas técnicas y medidas irán dirigidas a obtener el funcionamiento homogéneo e integrado de los cuerpos de Policía local de Galicia, en orden a alcanzar una acción conjunta y eficaz en el sistema de seguridad pública. En los ayuntamientos donde no exista cuerpo de Policía local, la coordinación se hará extensiva a los vigilantes municipales.

B) Funciones

La coordinación de la actuación de las policías locales de Galicia se hará respetando la autonomía local reconocida por la Constitución, así como las competencias estatales en materia de seguridad, y comprenderá el ejercicio de las siguientes **funciones**:

- Determinar las normas marco o criterios generales a que tendrán que ajustarse los reglamentos de las policías locales de Galicia.

- Establecer la homogeneización en materia de medios técnicos y de los distintivos externos de identificación y uniformidad, respetando en todo caso los emblemas propios de cada entidad local conforme a lo establecido en la Ley 4/2007 y, en su norma de desarrollo, el Decreto 15/2023.

- Propiciar la homogeneización en materia de retribuciones.

- Fijar los criterios básicos de selección, formación, promoción y movilidad de los miembros de los cuerpos de las policías locales, atendiendo a lo dispuesto en el título VI (sobre el acceso al empleo público gallego), de la Ley 7/2023, de 30 de noviembre, para la igualdad efectiva de mujeres y hombres de Galicia.

- Coordinar la formación profesional de los policías locales, a través de la Academia Gallega de Seguridad Pública.

- Propiciar la homogeneización de la estructura, plantillas de personal, organización y funcionamiento de los cuerpos de la Policía local.

- Fijar el régimen jurídico (derechos, deberes y régimen disciplinario) de los miembros de los cuerpos de Policía local en el marco de la normativa aplicable.

- Proporcionar a los ayuntamientos que lo soliciten la información y asesoramiento necesarios en materia de seguridad pública.

- Disponer los instrumentos y medios materiales que posibiliten un sistema de información recíproca y de actuación conjunta y coordinada, en los términos que reglamentariamente se establezcan.

- Disponer los medios de información necesarios para garantizar la efectividad de la coordinación, mediante el establecimiento de una red de transmisiones que enlace los diferentes cuerpos de la Policía local y mediante la creación de un centro de coordinación y de un banco de datos, en los términos que reglamentariamente se establezcan.

- Regular la colaboración eventual entre los diversos ayuntamientos al objeto de atender sus necesidades en situaciones especiales o extraordinarias.

– Establecer planes conjuntos de actuación policial en previsión de circunstancias extraordinarias que así lo requieran.

– Cualesquiera otras que legalmente se les encomienden.

1.5.1.2. Órganos y sus competencias

Las competencias en materia de coordinación de las policías locales se ejercerán por los siguientes **órganos**:

a) El Consello de la Xunta de Galicia.

b) La consejería competente en materia de seguridad.

c) La Comisión de Coordinación de las Policías Locales de Galicia.

Podrán constituirse otros con carácter asesor, de preparación o de ejecución de los trabajos que por éstos les sean encomendados.

Las funciones a que se refiere la Ley de coordinación de policías locales de Galicia se realizarán, en todo caso, teniendo en cuenta las normas y procedimientos de colaboración entre las fuerzas y cuerpos de seguridad que se adopten en el seno de los distintos órganos de coordinación, en especial en las juntas locales de seguridad.

A) Consello de la Xunta de Galicia

Corresponde al **Consello de la Xunta de Galicia**, a propuesta de la consejería competente en materia de seguridad, dictar las normas generales de coordinación en el marco de la Ley 4/2007, previo informe de la Comisión de Coordinación de las Policías Locales de la Comunidad Autónoma de Galicia.

B) Consejería competente en materia de seguridad.

Corresponde a la **consejería competente en materia de seguridad**:

– Establecer las medidas de control y seguimiento necesarias para garantizar que los ayuntamientos apliquen las normas de coordinación, así como determinar el sistema de información que asegure la efectividad de las mismas.

– Aprobar la programación de los cursos básicos, de promoción interna y de formación que se desarrollen en la Academia Gallega de Seguridad Pública.

– Prestar a los ayuntamientos la asistencia necesaria para la elaboración de los planes municipales de seguridad, cuando le sea solicitada por estos.

C) Comisión de Coordinación de las Policías Locales

La **Comisión de Coordinación de las Policías Locales**, como órgano consultivo y de participación en materia de coordinación, tendrá, entre otras, las siguientes funciones, que tienen carácter no vinculante para los órganos de resolución, excepto en los casos en que la legislación aplicable lo contemple expresamente:

– Emitir informe sobre los proyectos de disposiciones generales que, en materia de policía local, dicten los distintos órganos de la Xunta de Galicia y las corporaciones locales.

– Proponer a los órganos competentes en materia de policía local de las distintas administraciones públicas la adopción de cuantas medidas estime oportunas para mejorar la prestación de los servicios policiales, la formación y el perfeccionamiento uniforme del personal y la homogeneización de los recursos técnicos y materiales a su disposición.

– Emitir informe sobre la homogeneización en materia de medios técnicos y distintivos externos de identificación y uniformidad.

– Emitir informe sobre criterios básicos de selección, formación, promoción y movilidad de los miembros de las policías locales, atendiendo a lo dispuesto en la Ley 7/2023, de 30 de noviembre, para la igualdad efectiva de mujeres y hombres de Galicia.

– Emitir informes sobre materias de retribución económica y homogeneización de retribuciones.

– Asesorar a la consejería competente en las materias objeto de coordinación, con los informes técnicos que le solicite, sobre la estructura, organización, funcionamiento y medios técnicos de la policía local, o sobre cualquier otra materia relacionada.

– Emitir informe sobre la programación y homologación de los cursos básicos, de promoción interna y de formación que se realicen en la Academia Gallega de Seguridad Pública, a los efectos de la oportuna aprobación por la consejería competente.

– Emitir informe sobre los planes municipales de seguridad pública.

– Las demás que le atribuyan las disposiciones vigentes.

Los informes no tendrán carácter vinculante para los órganos de resolución, salvo en los casos en que la legislación aplicable lo contemple expresamente.

1.5.1.3. Composición y régimen de funcionamiento de la Comisión de Coordinación de las Policías Locales de Galicia

A) Composición

La **Comisión de Coordinación de las Policías Locales de Galicia**, adscrita a la consejería competente en materia de seguridad, estará constituida por los siguientes miembros:

a) Presidente: el/la consejero/a competente en materia de seguridad.

b) Vicepresidente: el/la director/a general con competencia en materia de seguridad.

c) Vocales:

1. Cinco representantes de la Xunta de Galicia, designados por el consejero competente en materia de seguridad.

2. Cinco representantes de los ayuntamientos de más de 50.000 habitantes.

3. Cinco representantes de los ayuntamientos de menos de 50.000 habitantes.

   Los representantes de los ayuntamientos serán designados por la federación o federaciones de ayuntamientos gallegos legalmente constituidas.

4. Cuatro representantes de los miembros de los cuerpos de las policías locales designados por los sindicatos más representativos en el sector de la Administración local en el ámbito de la Comunidad Autónoma gallega.

5. Un representante de los miembros de los cuerpos de las policías locales designado por la asociación profesional de jefes de los cuerpos de Policía local que ostente la mayor representación de ellos.

6. Un representante designado por la asociación profesional de Policía local que acredite la mayor representación del personal funcionario de los cuerpos de Policía local.

d) Secretario: un funcionario de la consejería competente en materia de seguridad, con categoría mínima de jefe de servicio, que actuará con voz pero sin voto.

El presidente de la comisión podrá convocar, con voz y sin voto, a las reuniones de dicha comisión a representantes de otras administraciones públicas, a los efectos de facilitar las acciones de coordinación, así como a técnicos especialistas o asesores.

La condición de los vocales representantes de los ayuntamientos y de los sindicatos policiales estará ligada a la representatividad que se ostente, perdiéndose al desaparecer ésta, por lo que deberán ser designados nuevamente después de cada proceso electoral, en función de los resultados. Esta circunstancia se notificará, en el plazo de un mes, al presidente de la comisión, sin perjuicio de que pueda proponerse su sustitución en otro momento y por otras razones.

B) Régimen de funcionamiento

La comisión se reunirá preceptivamente, con carácter ordinario, dos veces al año, y de forma extraordinaria a petición de un tercio de las personas que la integran o por disposición de la Presidencia.

El quórum necesario para la constitución válida de la comisión será el de mayoría absoluta de sus miembros en primera convocatoria. En segunda convocatoria, que tendrá lugar media hora después, será suficiente la asistencia de un vocal por cada representación, además del presidente o vicepresidente (que lo sustituirá, en su caso) y el secretario.

Los acuerdos se adoptarán por mayoría de los miembros presentes. Cuando en las votaciones se produzca un empate, decidirá el voto de calidad del presidente.

En el seno de la comisión se podrán constituir grupos técnicos de trabajo con carácter permanente o puntual para un mejor desarrollo de sus funciones.

En el primer trimestre de cada año, la comisión elevará a la Xunta de Galicia la memoria de las actividades de coordinación realizadas durante el ejercicio anterior.

La Comisión de Coordinación se regirá en su funcionamiento, en lo no previsto en la Ley 4/2007, por lo dispuesto en el título I, capítulo I, sección 3.ª de la Ley 16/2010, de 17 de diciembre, de organización y funcionamiento de la administración general y del sector público autonómico de Galicia (Lofasga) y por el título preliminar, capítulo II, sección 3, de la Ley 40/2015, de 1 de octubre, de régimen jurídico del sector público, sobre órganos colegiados.

 Sabías que...

La **Comisión de Coordinación de las Policías Locales** es un órgano consultivo y de participación.

1.5.2. Gabinete Técnico

El artículo 14 de la Ley 4/2007 recoge como órganos de coordinación de las policías locales, el Consello de la Xunta de Galicia, la consejería competente en materia de seguridad y la Comisión de Coordinación de las Policías Locales de Galicia; estableciendo además que se podrán constituir otros de carácter asesor, de preparación o de ejecución de los trabajos que por estos les sean encomendados. Así se crea en su artículo 20 el Gabinete Técnico como un órgano adscrito a la consejería competente en materia de seguridad que intervendrá preceptivamente en la realización de los trabajos de documentación, preparación, asesoramiento, propuesta y demás actividades que se le encomienden por la consejería o por la Comisión de Coordinación. Su composición y régimen de funcionamiento se determinará por orden del consejero competente en esta materia, a quien corresponde la facultad de disponer el nombramiento y cese de sus miembros, de conformidad con lo previsto en la normativa aplicable en materia de función pública. Esta norma reglamentaria es la Orden de 9 de enero de 2008[5] que fija su composición y funcionamiento.

El Gabinete Técnico estará formado por 5 miembros, que serán designados por el titular de la consejería competente en materia de seguridad, con la siguiente composición:

a) Tres funcionarios de la Xunta de Galicia con rango mínimo de jefatura de servicio, pertenecientes a las siguientes unidades directivas de la consejería competente

---

5 Orden de 9 de enero de 2008 por la que se regula la composición y el funcionamiento del gabinete técnico en materia de coordinación de las policías locales. DOG n.º 11 de 16 de enero de 2008.

en materia de seguridad con presencia en la Comisión de Coordinación de las Policías Locales de Galicia:

1.º La dirección general competente en materia de interior.

2.º La dirección general competente en materia de administración local.

3.º La Academia Gallega de Seguridad Pública.

b) La persona titular del Servicio Técnico Jurídico en representación de la Secretaría General Técnica de la Consejería de Presidencia, Justicia y Deportes.

c) Un miembro de un cuerpo de Policía local de la Comunidad Autónoma de Galicia con reconocida experiencia, que sea propuesto conjuntamente por la dirección general competente en materia de interior y la Academia Gallega de Seguridad Pública.

Presidirá las reuniones el funcionario que representa a la dirección general competente en materia de interior y a las reuniones asistirá como secretario un funcionario de esta dirección general.

Los integrantes del Gabinete Técnico podrán asistir a las reuniones acompañados de otros técnicos o de personal asesor cuando lo estimen preciso para la toma de decisión sobre las propuestas a formular a la consejería competente en materia de seguridad o a la Comisión de Coordinación de las Policías Locales de Galicia.

El Gabinete Técnico se reunirá preceptivamente con carácter previo a las reuniones de la Comisión de Coordinación de las Policías Locales, a los efectos de preparar las propuestas y demás actividades que por esta le fueran encomendadas, y siempre que lo solicite cualquiera de los miembros que integran el propio Gabinete Técnico. Las convocatorias de las reuniones se efectuarán con una antelación mínima de 48 horas.

El Gabinete Técnico se entenderá válidamente constituido cuando estén presentes por lo menos la mitad de los funcionarios que lo integren, siendo necesario la presencia de los que realicen las funciones de la presidencia y secretaría. En cuanto a lo no previsto en la orden que lo regula, con respecto al régimen de funcionamiento, se estará a lo dispuesto en el título I, capítulo I, sección 3.ª de la Ley 16/2010, de 17 de diciembre, de organización y funcionamiento de la administración general y del sector público autonómico de Galicia y en el título preliminar, capítulo II, sección 3, de la Ley 40/2015, de 1 de octubre, de régimen jurídico del sector público, sobre órganos colegiados.

De cada reunión del Gabinete Técnico el secretario levantará acta, en la que se especificará la relación de asistentes, el orden del día de la reunión, los puntos principales de las deliberaciones, así como el contenido de los acuerdos adoptados. Una copia del acta se hará llegar a la persona titular de la dirección general de competente en materia de interior y a los miembros de la Comisión de Coordinación de las Policías Locales de Galicia.

1.5.3. El Registro de las Policías Locales de Galicia

El artículo 21 de la Ley 4/2007, de 20 de abril, de coordinación de policías locales señala que como instrumento a disposición de la consejería competente en materia de coordinación de policías locales para garantizar el cumplimento de las funciones de coordinación desarrolladas en esta ley, se creará el Registro de miembros de los cuerpos de las policías locales de Galicia. En él se inscribirán preceptivamente todos los miembros pertenecientes a los cuerpos de Policía local y los vigilantes municipales. Reglamentariamente se determinará la información que habrá de figurar en él, referida exclusivamente a los datos profesionales, así como las cautelas necesarias para garantizar la confidencialidad de los datos en los términos que establece la normativa vigente sobre la materia.

 Recuerda que...

El Gabinete Técnico es un órgano adscrito a la consejería competente en materia de seguridad.

El Decreto 105/2008, de 8 de mayo, crea y regula el Registro de las Policías Locales de Galicia[6]. Este Decreto se estructura en una introducción, 19 artículos, 2 disposiciones adicionales, 4 disposiciones transitorias, 1 disposición derogatoria, 2 disposiciones finales y 5 anexos.

El registro permitirá un más adecuado ejercicio de las competencias en materia de coordinación de policías locales y el tratamiento de la información registral servirá como indicador para la toma de decisiones por la Xunta de Galicia. Dado que el carácter del registro es únicamente a efectos estadísticos e informativos, no sustituye a los registros con los que deben contar los ayuntamientos de Galicia.

El objeto de la creación del Registro de las Policías Locales de Galicia es la determinación de la información que en el deberá figurar, que se referirá exclusivamente a los datos profesionales del personal que debe inscribirse en el registro, y la adopción de las cautelas necesarias para garantizar la confidencialidad de los datos en los términos que establece la normativa vigente sobre la materia. En el registro se inscribirán preceptivamente todos los miembros pertenecientes a los cuerpos de policía local, entendiéndose incluidos las personas auxiliares de policía local, así como las personas vigilantes municipales de los ayuntamientos sin cuerpo.

El registro tiene por objeto disponer a efectos estadísticos e informativos de un censo de todos los miembros que integran los cuerpos de policía local y las personas vigilantes

---

[6]   Decreto 105/2008, de 8 de mayo, por el que se crea y regula el Registro de las Policías Locales de Galicia. Publicado en DOG núm. 100 de 26 de mayo de 2008.

municipales, en el que se anotarán las circunstancias y resoluciones que afecten a su situación profesional, así como disponer de información de los distintos cuerpos de policía local que permitan un mejor ejercicio de las funciones de coordinación.

El registro no tiene carácter público, pudiendo tener conocimiento de sus datos exclusivamente los ayuntamientos respecto del personal a su servicio y los miembros pertenecientes a los cuerpos de policía local y las/los vigilantes municipales respecto de sus datos personales.

El Registro de las Policías Locales de Galicia dependerá de la consejería competente en materia de seguridad y queda encuadrado orgánica y funcionalmente en la unidad directiva competente en materia de coordinación de policías locales, que será también la responsable de los ficheros.

Los ayuntamientos de Galicia en los que no exista cuerpo de policía local pero cuenten con vigilantes municipales están obligados a facilitar al Registro de las Policías Locales de Galicia los datos recogidos en el artículo 7.º del Decreto 105/2008 y los ayuntamientos con cuerpo de policía local deberán además facilitar los datos incluidos en el artículo 13.º del citado Decreto, de manera que se pueda contar con un registro permanentemente actualizado y con una información veraz que permita un eficaz y eficiente ejercicio de las funciones de coordinación.

El Registro de las Policías Locales de Galicia constará de 2 secciones complementarias y automatizadas. En la sección primera figurará información de los miembros pertenecientes a los cuerpos de policía local y de las personas vigilantes municipales. Y en la sección segunda figurará información de los cuerpos de policía local que pueda ser relevante para el ejercicio de las funciones de coordinación.

La unidad directiva competente en materia de coordinación asignará un número de registro a cada miembro de los cuerpos de las Policías locales y a cada vigilante municipal. Este número de registro constará de 6 dígitos, los 3 primeros hacen referencia al número del ayuntamiento al que pertenecen según la codificación que figura en el anexo I del Decreto 105/2008, y los 3 restantes corresponderán al número que se asigne a cada miembro de los cuerpos de policía local y a las personas vigilantes municipales. Este número es único y válido para toda la vida profesional de los miembros de los cuerpos de policías locales y vigilantes municipales.

El número de registro será el mismo que el número de identificación profesional, que en el caso de las personas auxiliares de policía local irá precedido de una <A> mayúscula y en los de las personas vigilantes municipales de una <V> mayúscula.

Por Orden de 27 de enero de 2009 se desarrolla el Decreto 105/2008, siendo su objeto el establecimiento de los criterios técnicos para que todas las comunicaciones entre los diferentes ayuntamientos y la unidad encargada del Registro de Policías Locales de Galicia se realicen a través de la aplicación informática creada para la tramitación por medios electrónicos de los procedimientos registrales. Se aplica a los ayuntamientos de Galicia con policía local y a los que, no habiendo creado tal cuerpo, cuenten con vigilantes municipales, para dar cumplimiento a las obligaciones de comunicación de datos para su registro, conforme a lo previsto en el artículo 4 del Decreto 105/2008.

> ☑ **Actividad 2**
> ✗
>
> **Indica cuál es el carácter del Registro de las Policías Locales de Galicia:**
>
> ☐ a) Público.
>
> ☐ b) No público.
>
> ☐ c) Oficial.

1.6. De la creación, estructura y organización

La creación, estructura y organización de las policías locales de Galicia se regula en el título IV de la Ley de coordinación de policías locales de Galicia, artículos 22 a 31.

1.6.1. Creación del cuerpo de la Policía local

Los ayuntamientos de la Comunidad Autónoma de Galicia **podrán crear** cuerpos de Policía local propios, siempre que lo estimen oportuno en función de sus necesidades, de acuerdo con lo previsto en la Ley orgánica de fuerzas y cuerpos de seguridad, la Ley reguladora de las bases de régimen local, la Ley de Administración local de Galicia, la Ley de coordinación de policías locales y otras disposiciones que sean de aplicación.

En los ayuntamientos de más de 5.000 habitantes, la creación de este cuerpo corresponderá al pleno de la corporación. En los ayuntamientos de población inferior a 5.000, además del acuerdo de la corporación local, será necesario el informe preceptivo de la persona titular de la consejería competente en materia de seguridad.

Los municipios que creen el cuerpo de Policía local, con independencia de otras limitaciones legales, habrán de cumplir las siguientes condiciones mínimas:

a) Disponer de dependencias específicas y adecuadas a sus funciones, medios técnicos idóneos y suficiente dotación presupuestaria.

b) Disponer de los medios humanos y materiales necesarios para garantizar la prestación de sus funciones de forma adecuada.

Cuando dos o más ayuntamientos gallegos limítrofes, cuya población no sobrepase en conjunto los 40.000 habitantes, no dispongan separadamente de recursos suficientes para prestar los servicios de policía local, podrán asociarse para la prestación de estos servicios, de acuerdo con lo establecido en la disposición adicional quinta de la Ley orgánica 2/1986, de 13 de marzo, y normativa que la desarrolle. Los ayuntamientos interesados habrán de establecer un **acuerdo de colaboración**, en el cual constarán todos los aspectos determinados en la normativa de desarrollo de la citada ley orgánica, y con carácter previo a la celebración de este acuerdo, habrán de solicitar y obtener la autorización correspondiente del órgano competente.

1.6.2. Estructura y organización

1.6.2.1. Organización

La Policía local de cada ayuntamiento **se integrará en un cuerpo único**, sin perjuicio de la organización interna que se adopte por reglamento, ajustándose a lo establecido en la Ley de coordinación de policías locales de Galicia y a las disposiciones reglamentarias que la desarrollen.

 Recuerda que...

La Policía local de cada ayuntamiento se integrará en un cuerpo único.

1.6.2.2. Escalas y categorías: su creación. Funciones

A) Escalas y categorías.

Los cuerpos de Policía local de Galicia **se estructuran jerárquicamente** en las siguientes escalas y categorías:

- – Escala superior, que comprende la categoría de superintendente.
- – Escala técnica, que comprende las categorías de intendente principal e intendente.
- – Escala ejecutiva, que comprende las categorías de inspector principal e inspector.
- – Escala básica, que comprende la categoría de oficial y policía.

Cada escala se corresponde con los siguientes grupos de clasificación:

- – A las escalas superior y técnica, grupo A, subgrupo A1.
- – A la escala ejecutiva, grupo A, subgrupo A2.
- – A la escala básica, grupo C, subgrupo C1.

La titulación exigible para cada grupo o subgrupo será la establecida en la legislación general sobre función pública.

No se podrá crear una categoría sin que existan todas las inferiores y no podrá haber en la estructura de cada escala tres o más puestos de la misma categoría sin que exista la inmediata superior, aunque ésta esté compuesta por un solo integrante.

La **categoría de superintendente** se podrá crear en los ayuntamientos de población superior a 75.000 habitantes y, asimismo, en los de inferior población si el número de miembros excede de 150, siendo obligatoria en los ayuntamientos de más de 150.000 habitantes o que cuenten con más de 200 efectivos en su plantilla de personal.

La **categoría de intendente principal** se podrá crear en los ayuntamientos de población superior a 50.000 habitantes y, asimismo, en los de inferior población si el número de miembros del cuerpo excede de 100, siendo obligatoria en los ayuntamientos de más de 75.000 habitantes o que cuenten con más de 150 efectivos en su plantilla de personal.

La **categoría de intendente** se podrá crear en los ayuntamientos de población superior a 25.000 habitantes y en los de inferior población si el número de miembros del cuerpo excede de 50, siendo obligatoria en los ayuntamientos con más de 50.000 habitantes o que cuenten con más de 100 efectivos en su plantilla de personal.

La **categoría de inspector principal** se podrá crear en los ayuntamientos de población superior a 15.000 habitantes y en los de inferior población si el número de miembros del cuerpo excede de 25, siendo obligatoria en los ayuntamientos con más de 25.000 habitantes o que cuenten con más de 50 efectivos en su plantilla de personal.

La **categoría de inspector** se podrá crear en los ayuntamientos de población superior a 10.000 habitantes y en los de inferior población si el número de miembros del cuerpo excede de 10, siendo obligatoria en los ayuntamientos con más de 15.000 habitantes o que cuenten con más de 25 efectivos en su plantilla de personal.

Las **categorías de oficial y policía** serán obligatorias cuando esté creado el respectivo cuerpo de Policía local.

B) Funciones

Sin perjuicio de otras funciones que se les atribuyan, de acuerdo con las disposiciones vigentes, **corresponderá a los funcionarios de cada escala, con carácter general, las siguientes**:

- Escala superior: la organización, dirección, coordinación y supervisión de las distintas unidades y servicios del cuerpo.
- Escala técnica: la responsabilidad inmediata en la planificación y ejecución de los servicios.
- Escala ejecutiva: el mando operativo y la supervisión de las tareas ejecutivas de las unidades a su cargo.
- Escala básica: el cumplimiento de las funciones policiales propias del servicio. La realización de funciones planificadas por sus superiores.

Corresponderá, en todo caso, al jefe del cuerpo las funciones atribuidas a la escala superior, que deberán adecuarse a las particularidades de organización y dimensionamiento de la plantilla de personal respectiva.

1.6.2.3. Subescala facultativa

Los ayuntamientos **podrán crear la subescala facultativa**, a la cual corresponderá desempeñar tareas de cobertura y apoyo a las funciones policiales en las especialidades que se estimen oportunas, según sus peculiaridades propias de organización y funcionamiento.

La provisión de estas plazas, en las diferentes categorías señaladas en el párrafo 1 del artículo 24 de la Ley de coordinación de policías locales de Galicia, se producirá por el sistema de oposición libre, exigiéndose como requisitos de acceso, además de los genéricos para cada categoría, estar en posesión de la titulación académica o profesional exigible en cada caso. Los aspirantes que superen la oposición seguirán un curso en la Academia Gallega de Seguridad Pública, con la duración y contenido que reglamentariamente se determine y, que, en todo caso, tendrá por objeto el conocimiento de la estructura, funciones y régimen estatutario de los cuerpos de Policía local de la Comunidad Autónoma de Galicia, así como la adecuación de los conocimientos propios de la especialidad de que se trate a las necesidades de la función policial.

En cada convocatoria se reservará hasta un 25% de las plazas convocadas para su provisión por el sistema de concurso - oposición entre los miembros de los cuerpos de la Policía local de Galicia, siempre que cuenten con la titulación necesaria y con una experiencia de al menos 5 años en el ejercicio de la función policial. En este caso, los aspirantes que superen el concurso - oposición seguirán un curso en la Academia Gallega de Seguridad Pública, con la duración y contenido que reglamentariamente se determine y que, en todo caso, tendrá por objeto la adecuación de los conocimientos propios de la especialidad de que se trate a las necesidades de la función policial.

1.6.2.4. Jefe del cuerpo de Policía local

El nombramiento del **jefe del cuerpo de Policía local** será efectuado por el alcalde por el sistema de libre designación, de acuerdo con los principios de igualdad, mérito y capacidad, previa convocatoria pública en que podrán participar funcionarios de carrera que tengan la máxima categoría de la plantilla de personal del cuerpo de Policía del ayuntamiento, o entre funcionarios de carrera de los cuerpos de Policía local de otros ayuntamientos de la Comunidad Autónoma de Galicia o de la Policía de Galicia, siempre y cuando pertenezcan a una categoría igual a la de la plaza que se va a proceder a cubrir y cumplan los requisitos del puesto de trabajo.

El puesto de jefatura ejerce la máxima responsabilidad en la Policía local y ostenta el mando inmediato sobre todas las unidades, secciones y servicios en que se organiza el cuerpo, bajo la superior autoridad del alcalde o del concejal en quien delegue. Corresponde al jefe del cuerpo:

a) Transformar en órdenes concretas las directrices recibidas del alcalde o del miembro de la corporación en quien aquel delegue.

b) Dirigir, coordinar y supervisar los servicios operativos del cuerpo, así como las actividades administrativas relacionadas directamente con sus funciones, para asegurar su eficacia.

c) Evaluar las necesidades de recursos humanos y materiales y formular las correspondientes propuestas.

d) Informar al alcalde, o al cargo en quien este delegue, del funcionamiento del servicio y del cumplimiento de los objetivos y órdenes recibidas.

e) Cumplir cualquier otra función que le atribuya el reglamento del cuerpo de la Policía local.

En casos de ausencia o enfermedad del funcionario titular, el alcalde podrá sustituirlo por otro funcionario del cuerpo de la misma categoría o, si no lo hay, de la inmediata inferior, atendiendo a los criterios de mérito y capacidad. Esta sustitución será siempre temporal.

En caso de vacante, el alcalde cubrirá el puesto de forma inmediata por el procedimiento anterior y, en todo caso, en el plazo máximo de 12 meses publicará la convocatoria pública del puesto.

1.6.2.5. Plantillas de personal y número mínimo de miembros

Corresponde a cada ayuntamiento aprobar la plantilla de personal del respectivo cuerpo de Policía local, en el cual se integrarán todos los puestos de trabajo correspondientes a cada escala y categorías previstas en la Ley de coordinación de policías locales de Galicia, con la determinación de los niveles respectivos. La aprobación de las plantillas de personal será comunicada a la consejería competente en materia de seguridad.

El número mínimo de efectivos con que contarán los cuerpos de Policía local será de dos policías y un oficial. El número máximo de vigilantes municipales que podrán tener los ayuntamientos que no tengan creado el cuerpo de Policía local será de dos.

1.6.2.6. Dispensa de requisitos

La consejería competente en materia de seguridad, con carácter excepcional, podrá dispensar de los requisitos mínimos contemplados anteriormente, en cuanto a la estructura del respectivo cuerpo de Policía local, a aquellos ayuntamientos que lo solicitasen y justificasen la imposibilidad de su cumplimento, previo informe de la Comisión de Coordinación de las Policías Locales.

Estos ayuntamientos, en el plazo máximo de 2 años desde la declaración de dispensa de requisitos, buscarán la fórmula de asociación para la prestación del servicio con ayuntamientos limítrofes para poder alcanzar los mínimos exigidos en la Ley de coordinación de policías locales de Galicia, contando a tal efecto con la asistencia de la consejería competente en materia de seguridad.

 Recuerda que...

Las **categorías de oficial y policía** serán obligatorias cuando esté creado el respectivo cuerpo de Policía local.

1.7. Selección, promoción, movilidad y formación

La selección, promoción, movilidad y formación se regula en el título V de la Ley de coordinación de policías locales de Galicia, que se divide en 2 capítulos. El capítulo I está dedicado al ingreso, promoción y movilidad (artículos 32 a 44) y el capítulo II está dedicado a la formación (artículos 45 y 46). Este título es desarrollado por los títulos III, IV y VII del Decreto 15/2023.

1.7.1. Ingreso, promoción y movilidad

1.7.1.1. Principios del sistema de selección

Los sistemas de selección para el acceso a las diferentes categorías de los cuerpos de Policía local serán acordes con los siguientes principios:

a) Igualdad, con especial atención a la igualdad de oportunidades entre mujeres y hombres.

b) Mérito y capacidad.

c) Publicidad de las convocatorias y de sus bases.

d) Transparencia y objetividad en el desarrollo de los procesos selectivos y en el funcionamiento de los órganos de selección.

e) Imparcialidad y profesionalidad de los miembros de los órganos de selección.

f) Independencia, confidencialidad y discrecionalidad técnica en la actuación de los órganos de selección.

g) Adecuación entre el contenido de los procesos selectivos y las funciones o tareas a desarrollar.

h) Eficacia, eficiencia y agilidad, sin perjuicio de la objetividad, en el desarrollo de los procesos selectivos.

Los procesos selectivos se iniciarán mediante convocatoria pública. Las bases de la convocatoria tendrán, como mínimo, el siguiente contenido:

a) El número de plazas, el subgrupo o grupo de clasificación profesional, en caso de que este no tenga subgrupo, el cuerpo y, en su caso, la escala o categoría laboral.

b) Las condiciones y requisitos que deben reunir las personas aspirantes.

c) El sistema selectivo de aplicación, con indicación del tipo de pruebas concretas y los sistemas de calificación de los ejercicios o, en su caso, los baremos de puntuación de los méritos.

d) El programa de las pruebas selectivas o la referencia de su publicación oficial.

e) El orden de actuación de las personas aspirantes.

f) El régimen de aplicación al órgano de selección.

g) Las características, efectos y duración de los cursos y/o del periodo de prácticas que deban de realizar, en su caso, las personas seleccionadas.

A los efectos de lo previsto en el artículo 16.a) de la Ley de coordinación de policías locales de Galicia, los ayuntamientos remitirán las bases de las convocatorias, con carácter previo a su aprobación definitiva, al centro directivo competente en materia de coordinación de policías locales para la emisión del correspondiente informe, que tendrá carácter preceptivo y será emitido en un plazo de 10 días, a contar desde el día siguiente al de la recepción de las bases por el centro directivo competente en materia de coordinación de policías locales.

Las convocatorias y sus bases se publicarán en el boletín oficial de la provincia, así como un anuncio de las mismas en el Diario Oficial de Galicia y en el Boletín Oficial del Estado, en que aparecerá, en todo caso, el ayuntamiento convocante, el número de plazas que se convocan, la escala y categoría a que pertenecen, el sistema de acceso y una cita de los boletines oficiales en que figuren las bases correspondientes, que serán vinculantes para la Administración, los tribunales que evalúen las pruebas selectivas y las personas participantes.

Las pruebas selectivas para ingresar en las escalas y categorías de los cuerpos de la Policía local de Galicia son de carácter teórico y práctico, pudiendo incluir pruebas de capacidad física, psicotécnicas, médicas y de conocimientos, que se fijarán en las bases de la convocatoria. Asimismo, se incluirá un examen de gallego, salvo para aquellas personas que acrediten el conocimiento de la lengua gallega con arreglo a la normativa vigente.

Por vía reglamentaria se fijarán los programas de los temarios para el ingreso en la categoría de policía, los baremos de los concursos de méritos y los programas de los cursos selectivos que se desarrollen en la Academia Gallega de Seguridad Pública.

Los ayuntamientos podrán solicitar a la consejería competente en materia de seguridad la colaboración en la realización de las pruebas de selección para el ingreso, ascenso o promoción a los cuerpos de Policía local en la forma que reglamentariamente se establezca.

La Xunta de Galicia podrá asumir la convocatoria de las plazas vacantes y, en su caso, la formación y el periodo de prácticas en aquellos ayuntamientos que así lo acuerden mediante los oportunos convenios de colaboración.

Esto se materializa con la aprobación del Decreto 115/2017, de 17 de noviembre, por el que se regula la cooperación de la Administración general de la Comunidad Autónoma de Galicia con los ayuntamientos en la selección de los miembros de los cuerpos de policía local, vigilantes municipales y auxiliares de policía local[7]. Este Decreto 115/2017 es modificado por el Decreto 15/2023.

Pueden convocarse procesos selectivos conjuntos para el ingreso en diversos cuerpos o escalas del personal funcionario.

 ## Actividad 3

¿Pueden convocarse procesos selectivos conjuntos para el ingreso en diversos cuerpos o escalas del personal funcionario de la Policía local de Galicia?

☐ a) Sí.

☐ b) No.

☐ c) Sólo en las 7 grandes ciudades.

---

[7]   Decreto 115/2017, de 17 de noviembre. Publicado en DOG núm. 222 de 22 de noviembre de 2017.

1.7.1.2. Requisitos para el acceso

Sin perjuicio de lo establecido en los artículos 37 a 42 de la Ley 4/2007, ambos incluidos, los requisitos para el acceso a los cuerpos de policía local son los siguientes:

a) Tener nacionalidad española.

b) Tener cumplidos los 18 años y no exceder, en su caso, de la edad de jubilación forzosa.

c) Estar en posesión de la titulación exigida o estar en condiciones de obtenerla.

d) No padecer enfermedad o defecto físico que impida el desempeño de las correspondientes funciones.

e) No haber sido separado mediante expediente disciplinario del servicio de cualquiera de las administraciones públicas o de los órganos constitucionales o estatutarios de las comunidades autónomas, ni hallarse en inhabilitación absoluta o especial para empleos o cargos públicos por resolución judicial, cuando se trate de acceder al cuerpo o escala de personal funcionario del que la persona hubiese sido separada o inhabilitada.

f) Carecer de antecedentes penales por delito doloso.

g) Cualquier otro requisito específico de acceso que guarde relación objetiva y proporcionada con las funciones y tareas a desarrollar.

Para el acceso a las categorías de policía, oficial, inspector, inspector principal, intendente, intendente principal y superintendente, reguladas en el artículo 35 y en los artículos 37 a 42, ambos incluidos, de la Ley 4/2007 será condición necesaria la superación de los correspondientes cursos selectivos de carácter obligatorio en la Academia Gallega de Seguridad Pública.

A los efectos de lo previsto en los artículos 37.a), 38.a), 39.a), 40.a), 41.a) y 42.a) de la Ley 4/2007 sobre el acceso mediante promoción interna, se exigirá que, además de los requisitos establecidos en los artículos referidos, el personal funcionario se encuentre en situación de servicio activo en el mismo cuerpo de Policía local. En estos supuestos, los 3 años de antigüedad mínima exigida en cada caso en la categoría inmediata inferior deben ser continuados y para su cómputo se tendrán en cuenta los períodos durante los cuales la persona funcionaria haya tenido la consideración de personal funcionario en prácticas, así como los períodos durante los cuales se hubiese encontrado en situación de segunda actividad por causa de embarazo o lactancia.

Del mismo modo, en los supuestos previstos en los artículos 38.c), 39.c) y 40.c) de la Ley 4/2007, para el cómputo de los 6 años de antigüedad mínima exigidos en cada caso en las categorías establecidas en los referidos artículos, se tendrán en cuenta los períodos durante los cuales la persona funcionaria haya tenido la consideración de personal funcionario en prácticas, así como los períodos durante los cuales se hubiese encontrado en situación de segunda actividad por causa de embarazo o lactancia.

1.7.1.3. Tribunales de selección

Los órganos de selección serán designados por la alcaldía correspondiente de acuerdo con los siguientes principios:

1. Los órganos de selección serán colegiados y su composición habrá de ajustarse a los principios de imparcialidad y profesionalidad de las personas que los integren, tendiéndose, asimismo, a la paridad entre mujer y hombre.

2. No podrá formar parte de los órganos de selección el personal de elección o de designación política, el personal interino o personal laboral temporal y el personal eventual, ni tampoco las personas que en los 5 años anteriores a la publicación de la convocatoria hubiesen realizado tareas de preparación de aspirantes a pruebas selectivas o hubiesen colaborado durante ese periodo con centros de preparación de opositores.

3. La pertenencia a los órganos de selección será siempre a título individual, sin que pueda ostentarse esta en representación o por cuenta de nadie.

4. Los órganos de selección estarán constituidos por 5 personas titulares y 5 suplentes, presidente/a, 3 vocales y secretario/a.

5. Los miembros de los órganos de selección deben pertenecer a un cuerpo, escala o categoría profesional para el ingreso en el cual se requiera una titulación de nivel igual o superior al exigido para participar en el proceso selectivo.

 Sabías que...

Para el acceso a las categorías de policía, oficial, inspector, inspector principal, intendente, intendente principal y superintendente, reguladas en el artículo 35 y en los artículos 37 a 42, ambos incluidos, de la Ley 4/2007, será condición necesaria la superación de los correspondientes cursos selectivos de carácter obligatorio en la Academia Gallega de Seguridad Pública.

1.7.1.4. Ingreso y acceso a las distintas categorías

A) Ingreso en la categoría de policía

El **ingreso en la categoría de policía** se realiza por el sistema de oposición libre. El modo de ingreso por oposición libre requiere, además de la superación de las pruebas selectivas que establezca la convocatoria, aprobar un curso de formación en la Academia Gallega de Seguridad Pública y superar un periodo de prácticas. La evaluación del curso de formación y el periodo de prácticas debe restringirse a los méritos y capacidades profesionales.

Las pruebas selectivas de ingreso en la categoría de policía serán de carácter teórico y práctico. En ellas se incluirá, en todo caso, un reconocimiento médico, un examen psicotécnico, pruebas de aptitud física y pruebas de capacitación de conocimientos, tanto generales como específicos, en materias relacionadas con el ejercicio profesional, así como la demostración del conocimiento de la lengua gallega, a través de la celebración de un examen, salvo para aquellas personas que acrediten el conocimiento de la lengua gallega conforme a la normativa vigente.

Una vez superadas las pruebas selectivas, el curso de formación y el periodo de prácticas, los aspirantes serán nombrados funcionarios de carrera de la escala y categoría correspondiente.

B) Funcionario en prácticas

Durante el curso de formación y el periodo de prácticas, los aspirantes que no procedan de otros cuerpos de seguridad de la Comunidad Autónoma tendrán la consideración **de funcionarios en prácticas**. Durante este periodo los aspirantes percibirán las retribuciones que les correspondan de acuerdo con la legislación vigente. El nombramiento como funcionario de carrera se efectuará únicamente tras la superación del curso y el período de prácticas, de acuerdo con lo que se establezca en la correspondiente convocatoria.

Con independencia de la prueba de reconocimiento médico que pueda establecer dicha convocatoria, en cualquier momento anterior a ser nombrados funcionarios de carrera los aspirantes podrán ser sometidos a las pruebas médicas que sean precisas para comprobar su idoneidad, de acuerdo con el cuadro de exclusiones médicas que se determinará reglamentariamente. Si de las pruebas practicadas se deduce la existencia de alguna de ellas, el órgano responsable podrá proponer la exclusión de la persona aspirante del proceso selectivo. En dicho caso, corresponde al órgano competente para efectuar el nombramiento adoptar la resolución que proceda, sin que en ningún caso se tenga derecho a indemnización. Si esta causa de exclusión a que se hace referencia en el párrafo anterior sobrevino como consecuencia de lesiones sufridas en el ejercicio de sus cometidos como funcionario en prácticas, el órgano responsable propondrá su nombramiento como funcionario de carrera al órgano competente. En tal caso, debe asignarse a dicho funcionario un puesto de trabajo adecuado a sus capacidades.

C) Acceso a la categoría de oficial

El **acceso a la categoría de oficial** se realizará:

- Por promoción interna, mediante concurso-oposición, entre el personal del cuerpo que tenga un mínimo de 3 años de antigüedad en la categoría de policía y esté en posesión de la titulación académica de acceso a la categoría.
- De no cubrirse la plaza o plazas a través de la convocatoria establecida en la letra a) del artículo 37 de la Ley 4/2007 y de no cubrirse mediante el procedimiento de provisión previsto en el artículo 43 de esta misma Ley, podrán ser cubiertas, mediante concurso-oposición, por personal funcionario de otros cuerpos de policía local de Galicia con la categoría de policía, en posesión de la titulación académica de acceso y una antigüedad de 5 años en la categoría.

D) Acceso a la categoría inspector

El **acceso a la categoría de inspector** se realizará:

- Por promoción interna, mediante concurso-oposición, entre el personal del cuerpo que tenga un mínimo de 3 años de antigüedad en la categoría de oficial y posea la titulación académica de acceso a la categoría.

- De no cubrirse la plaza o plazas a través de la convocatoria establecida en la letra a) del artículo 38 de la Ley 4/2007 y de no cubrirse mediante el procedimiento de provisión previsto en el artículo 43 de esta misma Ley, podrán ser cubiertas mediante concurso-oposición, por promoción interna, entre el personal del cuerpo con la categoría de oficial y policía, en posesión de la titulación académica de acceso a la categoría y una antigüedad de 6 años de servicio como personal funcionario de policía.

- De no cubrirse la plaza o plazas a través del sistema anterior, podrá ser cubierta o podrán ser cubiertas, mediante concurso-oposición, por personal funcionario de otros cuerpos de Policía local de Galicia con la categoría de oficial, en posesión de la titulación académica de acceso y una antigüedad de 6 años de servicio como personal funcionario de policía.

E) Acceso a la categoría de inspector principal

El **acceso a la categoría de inspector principal** se realizará:

- Por promoción interna, mediante concurso-oposición, entre el personal del cuerpo que tenga un mínimo de 3 años de antigüedad en la categoría de inspector o inspectora y posea la titulación académica de acceso a la categoría.

- De no cubrirse la plaza o plazas a través de la convocatoria establecida en la letra a) del artículo 39 de la Ley 4/2007 y de no cubrirse mediante el procedimiento de provisión previsto en el artículo 43 de esta misma Ley, podrán ser cubiertas mediante concurso-oposición, por promoción interna, entre el personal del cuerpo con la categoría de inspector o inspectora y oficial, en posesión de la titulación académica de acceso a la categoría y una antigüedad de 6 años de servicio como personal funcionario de policía.

- De no cubrirse la plaza o plazas a través del sistema anterior, podrá ser cubierta o podrán ser cubiertas, mediante concurso-oposición, por personal funcionario de otros cuerpos de Policía local de Galicia con la categoría de inspector o inspectora, en posesión de la titulación académica de acceso y una antigüedad de 6 años de servicio como personal funcionario de policía.

F) Acceso a la categoría de intendente

El **acceso a la categoría de intendente** se realizará:

- Por promoción interna, mediante concurso-oposición, entre el personal del cuerpo que tenga un mínimo de 3 años de antigüedad en la categoría de inspector o inspectora principal y posea la titulación académica de acceso a la categoría.

– De no cubrirse la plaza o plazas a través de la convocatoria establecida en la letra a) del artículo 40 de la Ley 4/2007 y de no cubrirse mediante el procedimiento de provisión previsto en el artículo 43 de esta misma Ley, podrán ser cubiertas mediante concurso-oposición, por promoción interna, entre el personal del cuerpo con la categoría de inspector o inspectora principal e inspector o inspectora, en posesión de la titulación académica de acceso a la categoría y una antigüedad de 6 años de servicio como personal funcionario de policía.

– De no cubrirse la plaza o plazas a través del sistema anterior, podrá ser cubierta o podrán ser cubiertas, mediante concurso-oposición, por personal funcionario de otros cuerpos de Policía local de Galicia con la categoría de inspector o inspectora principal, en posesión de la titulación académica de acceso a la categoría y una antigüedad de 6 años de servicio como personal funcionario de policía.

G) Acceso a la categoría de intendente principal

El acceso a la categoría de intendente principal se realizará por promoción interna, mediante concurso, entre miembros del cuerpo que tengan un mínimo de 3 años de antigüedad en la categoría de intendente.

H) Acceso a la categoría de superintendente

El acceso a la categoría de superintendente se realizará por promoción interna, mediante concurso, entre miembros del cuerpo que tengan un mínimo de 3 años de antigüedad en la categoría de intendente principal.

1.7.1.5. Movilidad. Permutas

El personal funcionario de carrera de los cuerpos de policía local de Galicia perteneciente a las categorías de policía, oficial, inspector, inspector principal, intendente, intendente principal y superintendente podrá participar en los procesos de provisión de puestos vacantes de su misma categoría en otros cuerpos de policía local de la comunidad autónoma.

A estos efectos, los ayuntamientos reservarán, como mínimo, un 25% de las plazas vacantes que se oferten para su cobertura por movilidad. Cuando no fuese posible cubrir las vacantes con el porcentaje señalado, las fracciones sobrantes se acumularán a la siguiente o siguientes convocatorias.

La provisión por movilidad de puestos correspondientes a las distintas categorías de los cuerpos de Policía local de Galicia se llevará a cabo mediante el procedimiento de concurso, de acuerdo con el baremo establecido por el centro directivo competente en materia de coordinación de policías locales. En estos supuestos, el personal funcionario de carrera que ocupe con carácter definitivo un puesto por el sistema de movilidad debe permanecer en él un mínimo de 3 años para poder participar en los concursos regulados en el artículo 43 de la Ley 4/2007.

Para participar en los procesos de movilidad a las plazas vacantes ofertadas, será necesario reunir los siguientes requisitos:

a) Encontrarse en la situación administrativa de servicio activo en la categoría de la plaza ofertada.

b) Tener una antigüedad mínima de 3 años en la misma categoría.

c) Llevar más de 3 años de tiempo efectivo y continuado en el actual destino.

d) No encontrarse en situación administrativa de segunda actividad, salvo los casos de segunda actividad por embarazo o lactancia.

e) Estar en posesión de la titulación académica exigida para la categoría o estar en condiciones de obtenerla.

f) Cualquier otro requisito específico que guarde relación objetiva y proporcionada con las funciones y tareas a desarrollar.

A efectos de lo previsto en el artículo 16.a) de la Ley 4/2007 los ayuntamientos remitirán las bases de las convocatorias, con carácter previo a su aprobación definitiva, al centro directivo competente en materia de coordinación de policías locales para la emisión del correspondiente informe, que tendrá carácter preceptivo y será emitido en un plazo de 10 días, a contar desde el día siguiente al de la recepción de las bases por el centro directivo competente en materia de coordinación de policías locales.

Los destinos adjudicados en el concurso serán irrenunciables, salvo que con anterioridad a la finalización del plazo posesorio se haya obtenido otro destino mediante convocatoria pública. En este caso, se deberá optar y comunicar la opción elegida.

El personal funcionario que ocupe plazas ofertadas por movilidad horizontal quedará en su administración de origen en la situación de servicios en otras administraciones públicas.

La Xunta de Galicia podrá asumir la convocatoria de las plazas vacantes que se vayan a cubrir por el sistema de movilidad en aquellos ayuntamientos que así lo acuerden mediante los oportunos convenios de colaboración.

Los alcaldes, previo informe de los respectivos jefes de la Policía local, podrán autorizar la **permuta** de destinos entre los miembros correspondientes de los cuerpos de Policía local o agentes de policía en activo que sirvan en diferentes ayuntamientos, siempre y cuando cumplan los siguientes requisitos:

a) Que ambos sean funcionarios de los cuerpos de Policía local.

b) Que pertenezcan a la misma escala y categoría.

c) Que a ninguna de las personas que pretendan la permuta le falten menos de 5 años para cumplir la edad de jubilación forzosa.

d) Que a ninguno de los solicitantes se le esté incoando un expediente disciplinario.

e) No podrá solicitar una nueva permuta ninguno de los permutantes hasta que transcurriesen 5 años desde la obtención de una anterior.

Recuerda que...

Los destinos adjudicados en el concurso serán irrenunciables, salvo que con anterioridad a la finalización del plazo posesorio se haya obtenido otro destino mediante convocatoria pública. En este caso, se deberá optar y comunicar la opción elegida.

1.7.2. Formación

Los miembros de los cuerpos de la Policía local de Galicia recibirán una **formación y capacitación profesional** con carácter permanente que garantice el apropiado cumplimiento de sus funciones y asegure el mantenimiento y mejora de sus aptitudes y capacidad profesional, que comprenda necesariamente cursos de formación en igualdad de género y sobre la violencia contra las mujeres.

La Academia Gallega de Seguridad Pública elaborará un plan de carrera profesional que incluya los cursos de ingreso, perfeccionamiento, especialización y promoción de los miembros de los cuerpos de la Policía local de Galicia. En su caso, para conseguir adecuadamente tales objetivos, la academia puede celebrar acuerdos o convenios con instituciones análogas o de otra naturaleza. Además, la Academia Gallega de Seguridad Pública procurará la convalidación, por la administración competente, de los cursos que se impartan en sus centros y convalidará, a su vez, aquellos que hayan sido superados en otros centros oficiales, en la forma que se determine reglamentariamente.

La duración y contenido de los **cursos y programas formativos** se determinará reglamentariamente. La asistencia por parte de los miembros de las policías locales a cursos de formación y capacitación profesional habrá de ser autorizada por el alcalde, quien solo podrá denegar la solicitud de forma motivada y por exigencia del servicio público. Durante su permanencia en la Academia Gallega de Seguridad Pública, los alumnos estarán sujetos a la Ley de coordinación de policías locales y al reglamento de funcionamiento de esta institución.

1.8. Del régimen estatutario

El régimen estatutario se regula en el título VI de la Ley de coordinación de policías locales de Galicia, que se divide en 4 capítulos. El capítulo I regula los derechos y deberes (artículos 47 a 59), el capítulo II está dedicado a las situaciones administrativas y jubilación (artículos 60 y 61), el capítulo III trata de la segunda actividad (artículos 62 a 73) y, por último, el capítulo IV establece la regulación de las distinciones y recompensas en el artículo 74. Este título se desarrolla por el título VIII del Decreto 15/2023.

1.8.1. Derechos y deberes

1.8.1.1. Principios generales

Los miembros de los cuerpos de la Policía local de Galicia y los vigilantes municipales tienen los derechos y deberes que les corresponden como funcionarios de la administración del ayuntamiento a que pertenezcan, en el marco de la especificidad de su función, de acuerdo con la legislación vigente. Los ayuntamientos protegerán a los funcionarios de los cuerpos de Policía local en el ejercicio de sus funciones, otorgándoles la consideración social debida a su jerarquía y a la dignidad del servicio policial.

1.8.1.2. Retribuciones

Los funcionarios de los cuerpos de la Policía local **tendrán derecho a una remuneración justa**, que comprenderá las retribuciones básicas y las complementarias en el marco de la legislación de la función pública de Galicia.

Las retribuciones básicas tendrán idéntica cuantía para todos los miembros de un mismo grupo.

Las retribuciones complementarias se fijarán reglamentariamente, dentro de los límites fijados por la legislación vigente, de acuerdo con los siguientes criterios:

a) Nivel de formación.

b) Régimen de incompatibilidades.

c) Movilidad por razón de servicio.

d) Dedicación.

e) Riesgo que conlleva su misión.

f) Especificidad de los horarios de trabajo.

g) Peculiar estructura.

En el marco de la Comisión de Coordinación de Policías Locales de Galicia, se determinarán los conceptos retributivos que puedan ser comunes a todos los ayuntamientos, respetando la necesaria independencia de los entes locales.

1.8.1.3. Seguridad social. Salud y seguridad laboral

Los funcionarios de los cuerpos de la Policía local de la Comunidad Autónoma de Galicia **están acogidos al régimen general de la Seguridad Social**, sin perjuicio de otros regímenes que les sean de aplicación y que se regirán por su normativa específica.

Tendrán derecho a la **promoción de la seguridad y a la salud** en el desarrollo de su función y a la prevención de riesgos laborales en los términos que establezca la legislación específica para el ámbito de las funciones públicas de policía y seguridad.

1.8.1.4. Asistencia jurídica. Derechos sindicales. Limitación del derecho de huelga

Los miembros de los cuerpos de la Policía local **recibirán asesoramiento jurídico** en aquellas situaciones derivadas del servicio en que lo necesiten. Tendrán derecho a ser representados y defendidos por los profesionales designados por el ayuntamiento de que dependen, y a cargo del mismo, en todas las actuaciones judiciales en que se les exijan responsabilidades por hechos cometidos en el ejercicio de sus funciones. En ningún caso tendrá derecho a la asistencia jurídica el funcionario que hubiese incurrido en dolo, negligencia grave o abuso de funciones.

Para la representación, defensa y promoción de sus intereses profesionales, económicos y sociales, los funcionarios de los cuerpos de la Policía local de Galicia **podrán integrarse libremente en las organizaciones sindicales**, separarse de ellas y constituir otras organizaciones, de acuerdo con el marco legal de aplicación.

Los funcionarios de los cuerpos de la Policía local, de acuerdo con lo establecido por la legislación orgánica de fuerzas y cuerpos de seguridad, **no podrán ejercer en ningún caso el derecho de huelga** ni acciones sustitutivas de éste o concertadas a fin de alterar el normal funcionamiento de los servicios.

1.8.1.5. Deber de residencia. Jornada laboral y horario

Los miembros de los cuerpos de la Policía local **podrán residir fuera de la localidad donde trabajan**, exceptuados los casos en que por razón del servicio sea necesario el deber de residencia en la propia localidad. Se determinará reglamentariamente la distancia máxima en kilómetros, respecto a la localidad de destino, a que están obligados a residir los miembros de los cuerpos de la Policía local.

Los miembros de los cuerpos de la Policía local cumplirán estrictamente la jornada y el horario de trabajo que se determinen por el órgano competente. En situaciones excepcionales, cuando se produzcan hechos o emergencias que así lo exijan, los funcionarios podrán ser requeridos para el servicio fuera de su jornada de trabajo. En caso de que las necesidades extraordinarias del servicio obligaran a prolongar su prestación, tendrán que cumplimentarse las órdenes referidas al respecto, sin perjuicio de la compensación que proceda por el exceso de jornada realizado en la forma que se determine reglamentariamente.

1.8.1.6. Revisiones médicas. Consumo de drogas, estupefacientes y sustancias psicotrópicas

Los miembros de los cuerpos de la Policía local **tienen derecho a una revisión médica anual**. Reglamentariamente se determinarán las pruebas médicas que hayan de incluirse en la revisión anual.

Estos no **podrán consumir bebidas alcohólicas ni cualquier otra droga tóxica, estupefaciente o sustancia psicotrópica** mientras estén de servicio o se encuentren en alguna dependencia policial. Tampoco podrán estar de servicio bajo la influencia de cualquiera de estas sustancias. Para verificar que un funcionario policial está bajo los efectos del alcohol o de alguna de estas sustancias, podrán realizarse pruebas técnicas de comprobación. Tales pruebas deberán ser ordenadas de forma expresa por el superior responsable.

A fin de adecuar el régimen de los servicios que se les asignen, los funcionarios que estén bajo tratamiento médico con alguna de las sustancias mencionadas estarán obligados a advertirlo, por escrito y con los oportunos informes médicos.

1.8.1.7. Medios e instalaciones

Los miembros de los cuerpos de la Policía local dispondrán de los **medios e instalaciones** apropiados para el cumplimento de sus funciones y para la atención adecuada a la ciudadanía.

1.8.1.8. Incompatibilidades

Los miembros de los cuerpos de la Policía local no podrán ejercer ninguna otra actividad pública o privada, salvo las exceptuadas en el **régimen general de incompatibilidades**.

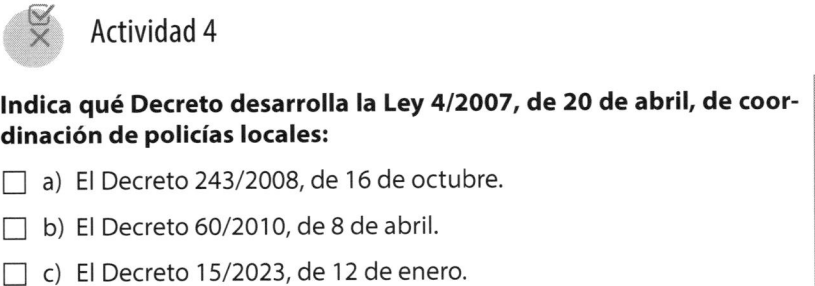

Actividad 4

Indica qué Decreto desarrolla la Ley 4/2007, de 20 de abril, de coordinación de policías locales:

☐ a) El Decreto 243/2008, de 16 de octubre.

☐ b) El Decreto 60/2010, de 8 de abril.

☐ c) El Decreto 15/2023, de 12 de enero.

1.8.2. Situaciones administrativas y jubilación

Los funcionarios de los cuerpos de la Policía local de Galicia podrán encontrarse, además de en las situaciones contempladas en la legislación básica de la función pública, en la **situación administrativa de segunda actividad**. Dichas situaciones se regirán por lo dispuesto en la Ley de coordinación de policías locales de Galicia y en las normas que la desarrollen y, supletoriamente, por lo previsto en la legislación vigente en materia de función pública.

La jubilación forzosa del personal de los cuerpos de Policía local de Galicia se declarará de oficio al cumplir la edad legalmente establecida en el régimen de la Seguridad Social de aplicación para el acceso a la pensión de jubilación en su modalidad contributiva sin coeficiente reductor por razón de edad, siempre de acuerdo con lo que se disponga en la indicada legislación.

1.8.3. Segunda actividad

La **segunda actividad** es una situación administrativa especial que tiene como objeto garantizar una adecuada aptitud psicofísica de los integrantes de los cuerpos de la Policía local de Galicia en tanto permanezcan en servicio activo, asegurando la eficacia del servicio.

1.8.3.1. Causas

Las **causas** por las que se podrá pasar a la segunda actividad son las siguientes:

a) **Cumplimiento de las edades que se determinan para cada escala.**

   Por razón de edad el pase a la segunda actividad tendrá lugar al cumplirse las siguientes edades:

   – Escala superior y técnica: a los 62 años de edad.

   – Escala ejecutiva: a los 60 años de edad.

   – Escala básica: a los 58 años de edad.

   Una vez oída la junta de personal, el ayuntamiento, motivadamente, a fin de optimizar sus recursos, y previo informe a la consejería competente en materia de seguridad, podrá limitar por cada año natural y categoría el número de funcionarios que puedan acceder a la situación de segunda actividad por razón de edad, prorrogando la permanencia en el servicio activo de los que, en el orden inverso a la fecha en que cumplan la edad, excedan del cupo así fijado. El ayuntamiento, previa comunicación a la consejería competente en materia de seguridad, podrá aplazar el pase a la situación de segunda actividad, por sucesivos periodos de un año, cuando exista solicitud expresa de la persona interesada, y siempre que se aportase informe médico favorable.

b) **Disminución de las condiciones psicofísicas para el desempeño de la función policial.**

   Por disminución de aptitudes psicofísicas pasará a la situación de segunda actividad, sin la limitación de las edades determinadas anteriormente, el personal funcionario de los cuerpos de la Policía local que tenga **disminuidas las aptitudes físicas, psíquicas o sensoriales** necesarias para el desempeño de la función policial, bien por incapacidad temporal, enfermedad o accidente, de origen común o laboral, y siempre que no constituya causa de incapacidad permanente absoluta. Dicho procedimiento podrá iniciarse de oficio o a solicitud de la persona interesada. La evaluación de la disminución habrá de ser dictaminada por el tribunal médico a que se refiere el artículo 73 de la Ley de coordinación de policías locales de Galicia.

   Podrá acordarse, de oficio o a solicitud del interesado, el reingreso en el servicio activo en caso de que hubieran desaparecido las causas que motivaron la disminución de aptitudes físicas, psíquicas o sensoriales, previo dictamen médico.

   En caso de que el pase a la segunda actividad **sea motivado por accidente laboral o enfermedad profesional**, el funcionario percibirá el 100% de las retribuciones que venía percibiendo en el momento de producirse el hecho causante del referido pase.

Reglamentariamente se establecerá, para cada escala, el cuadro de causas de disminución de las aptitudes físicas, psíquicas o sensoriales que originen el pase a la situación de segunda actividad.

La composición de los tribunales médicos que dictaminarán si las afecciones o enfermedades físicas o psíquicas están incursas o no en el cuadro de incompatibilidades médicas para la prestación del servicio ordinario se determinara reglamentariamente. El tribunal emitirá un dictamen médico y lo dirigirá al órgano competente para su resolución, en el cual propondrá el pase a la segunda actividad o que se tramite el correspondiente expediente de incapacidad o, si procede, de jubilación forzosa.

c) **Embarazo y lactancia.**

Por razón de embarazo o lactancia las funcionarias de los cuerpos de Policía local podrán solicitar el pase a la segunda actividad en el destino más acorde con la situación de su **embarazo**, previo informe facultativo que lo acredite. Igualmente pueden permanecer en la segunda actividad durante el **periodo de lactancia**, previa solicitud y siempre que, según el informe facultativo, las condiciones de su puesto habitual de trabajo no sean las más adecuadas a su situación.

En la situación de segunda actividad se permanecerá hasta el pase a la jubilación o a otra situación que no podrá ser la de servicio activo, salvo que la causa del pase a la situación de segunda actividad fuese por embarazo, lactancia o insuficiencia de las aptitudes psicofísicas y que tales circunstancias hubieran desaparecido. En el supuesto de disminución de las condiciones psicofísicas será el tribunal médico a que se refiere el artículo 73 de la Ley de coordinación de policías locales de Galicia el que aprecie que tal insuficiencia ha desaparecido.

1.8.3.2. Razones excepcionales. Puestos de trabajo. Catálogo de puestos de trabajo. Retribuciones en la segunda actividad

El alcalde podrá requerir, motivadamente, dando cuenta al responsable de la consejería en materia de seguridad, a los funcionarios de los cuerpos de la Policía local en situación de segunda actividad para el cumplimiento de funciones policiales, cuando concurran **razones excepcionales** de seguridad ciudadana que reglamentariamente se determinarán.

La situación administrativa de segunda actividad **se declarará con indicación de destino.** A los funcionarios que pasen a dicha situación se les asignarán puestos de trabajo de esta naturaleza, bien dentro del mismo cuerpo policial o bien en otro puesto del ayuntamiento, que se corresponda con la categoría que se tenga, preferentemente en el área de seguridad y adecuado a su experiencia y capacidad.

El **catálogo de puestos de trabajo de segunda actividad** precisará los que pueden ser cubiertos con personal en esta situación. Este catálogo determinará para cada puesto la función, el horario, la situación, el perfil necesario, la formación adecuada y cualquier otra circunstancia adecuada. Estas definiciones podrán cambiarse y adaptarse en función de las necesidades. Y se aprobará con la relación de puestos de trabajo del ayuntamiento.

El pase a la segunda actividad **no supondrá disminución de las retribuciones básicas y complementarias fijas y periódicas**. El tiempo de permanencia en la situación de segunda actividad es computable a los efectos de perfeccionamiento de trienios y de derechos pasivos.

1.8.3.3. Régimen jurídico

El pase a la situación de segunda actividad no conllevará la pérdida de la condición de agente de la autoridad. Los funcionarios en situación de segunda actividad estarán sujetos a idéntico régimen disciplinario y de incompatibilidad que en el servicio activo, salvo que desempeñen puestos de trabajo distintos a los de los cuerpos de Policía local. En este caso estarán sometidos al régimen general disciplinario de los funcionarios de la Administración local o al específico de aplicación al puesto que ocupen.

En la situación de segunda actividad no se podrá participar en procedimientos de promoción interna o concursos de traslados, salvo cuando se hubiera accedido por causa de embarazo o lactancia.

1.8.4. Distinciones y recompensas

Los miembros de los cuerpos de Policía local de Galicia pueden ser distinguidos o recompensados de acuerdo con lo que se determine reglamentariamente. Así el título VIII, capítulo III, artículos 93 a 112 del Decreto 15/2023, de 12 de enero, que se desarrolla por la Orden de 24 de noviembre de 2025, por la que se describen las distinciones que la Xunta de Galicia podrá otorgar al personal de los cuerpos de Policía local y al personal vigilante municipal, así como aquellas personas o entidades públicas y privadas que destaquen por su conducta a favor de las policías locales y de sus competencias.

Todas las distinciones y las recompensas otorgadas a los miembros de los cuerpos de Policía local de Galicia constarán en sus expedientes personales, valorándose como mérito en los concursos de provisión de puestos de trabajo. También podrán tenerse en cuenta en los procesos de provisión por el sistema de libre designación.

Ejemplo de esto sería la placa individual al mérito de la policía local.

1.9. Vigilantes municipales y auxiliares de la Policía local

Los vigilantes municipales y auxiliares de la Policía local se regulan en el título VIII de la Ley de coordinación de policías locales de Galicia, artículos 88 a 96 y se desarrollan en los títulos V y VI del Decreto 15/2023.

1.9.1. Vigilantes municipales

De acuerdo con lo dispuesto en la Ley orgánica de fuerzas y cuerpos de seguridad, en los ayuntamientos que no dispongan de cuerpo de Policía local podrán realizarse las funciones de custodia y vigilancia de bienes, servicios e instalaciones con personal funcionario de carrera, que recibirá la denominación de **vigilantes municipales**.

Los ayuntamientos podrán crear un máximo de 2 puestos de trabajo de vigilantes municipales. Si las necesidades del servicio demandasen un número mayor, los ayuntamientos podrán iniciar la creación del cuerpo de Policía local tal y como se establece en la Ley de coordinación de policías locales de Galicia. En los ayuntamientos en que ya exista el cuerpo de Policía local no podrán crearse plazas de vigilantes municipales.

Sin perjuicio de otras que puedan tener asignadas en los respectivos ayuntamientos, las **funciones de carácter policial** que podrán desempeñar los vigilantes municipales son las siguientes:

a) Custodiar y vigilar bienes, servicios, instalaciones y dependencias municipales.

b) Ordenar, señalizar y dirigir el tráfico en el suelo urbano legalmente delimitado, de acuerdo con las normas de circulación.

c) Velar por el cumplimiento de las ordenanzas, bandos y demás disposiciones y actos municipales dentro de su ámbito de competencia.

d) Participar en las tareas de auxilio al ciudadano y de protección civil, de acuerdo con lo dispuesto en las leyes.

El ejercicio de las funciones de los apartados b y c anteriores habrá de ajustarse a los principios básicos de actuación establecidos en la Ley orgánica de fuerzas y cuerpos de seguridad, y contemplados en el artículo 7 de la Ley de coordinación de policías locales de Galicia, ostentando en el ejercicio de sus competencias la condición de agentes de la autoridad.

El **ámbito de actuación** de los vigilantes municipales será el del ayuntamiento a que pertenezcan, sin perjuicio de lo dispuesto en la legislación vigente en cada caso para los supuestos de catástrofe o calamidad pública.

Los ayuntamientos que solo dispongan de vigilantes municipales podrán acogerse a lo dispuesto en el artículo 6 de la Ley de coordinación de policías locales de Galicia, de modo que en fechas determinadas puedan atender las necesidades del servicio de seguridad del ayuntamiento con la actuación de miembros de las policías locales, o vigilantes municipales, en su caso, de otros ayuntamientos con los que previamente se hubiese celebrado el convenio oportuno.

Con carácter general, los vigilantes municipales estarán sometidos a las mismas normas de **organización y funcionamiento** que el resto de funcionarios del ayuntamiento. Donde exista cuerpo de Policía local y, por tanto, los vigilantes municipales sean una clase a extinguir, dependerán orgánica y funcionalmente del mismo, siéndoles de aplicación las normas comunes de funcionamiento y, asimismo, los deberes y derechos que no sean exclusivos del personal sometido al estatuto policial establecido por el propio reglamento.

Las plazas de vigilante municipal **serán ocupadas por funcionarios de carrera**. La **selección** se hará por el procedimiento de oposición, siguiendo criterios semejantes a los fijados para los integrantes de los cuerpos de la Policía local, contemplados en el artículo 33 de la Ley de coordinación de policías locales de Galicia, adaptando las pruebas de conocimientos a la titulación correspondiente, siempre de acuerdo con la normativa aplicable a la selección de los funcionarios de la Administración local. Para el acceso a vigilante municipal se requerirá la certificación de haber superado la educación secundaria obligatoria, título de graduado escolar o equivalente, correspondiente al grupo C, subgrupo C2, del Estatuto básico del empleado público.

El acceso a la condición de vigilante municipal requerirá inexcusablemente que los aspirantes realicen y superen previamente un curso de formación programado por la Academia Gallega de Seguridad Pública y adaptado a las características de su función.

Sin perjuicio de lo dispuesto en la Ley de coordinación de policías locales de Galicia, los vigilantes municipales **se regirán** por el estatuto aplicable a los funcionarios de la Administración local.

Los vigilantes municipales actuarán con el **uniforme y distintivos propios de su clase**, de conformidad con lo que se disponga reglamentariamente por la Xunta de Galicia en desarrollo de la Ley de coordinación de policías locales. En todo caso, la uniformidad de los vigilantes municipales habrá de diferenciarse claramente de la que sea propia de los cuerpos de la Policía local. Los vigilantes municipales **no podrán portar armas de fuego**.

 Sabías que...

Los vigilantes municipales no podrán portar armas de fuego.

1.9.2. Auxiliares de Policía local

En los ayuntamientos con aumento notorio de población en temporadas determinadas, podrá incrementarse transitoriamente su plantilla de personal mediante la contratación de **personal con funciones de auxiliar de policía**. Dicho incremento no superará el 50% del personal funcionario de la Policía local, no pudiendo tampoco tener una duración de más de 4 meses en periodo anual.

El establecimiento de este personal requerirá la tramitación por los respectivos ayuntamientos de un expediente motivado, del cual habrá de darse cuenta a la consejería competente en materia de seguridad de la Xunta de Galicia.

Los auxiliares de Policía local desempeñarán las funciones de apoyo y de auxilio a los miembros del cuerpo de Policía local en el marco de lo dispuesto en la legislación de cuerpos y fuerzas de seguridad.

La selección se hará siguiendo criterios semejantes a los fijados para los integrantes de los cuerpos de la Policía local, contemplados en el artículo 35 de la Ley de coordinación de policías locales de Galicia.

Para la contratación como personal auxiliar de la Policía local se requerirá la certificación de haber superado la educación secundaria obligatoria, título de graduado escolar o equivalente, correspondiente al grupo C, subgrupo C2, del Estatuto básico del empleado público.

Para poder ejercer estas funciones, los auxiliares tendrán que superar previamente un curso teórico práctico en la Academia Gallega de Seguridad Pública.

En determinados casos, debida y objetivamente justificados a la consejería competente, podrá permitirse la contratación a los ayuntamientos de un número de auxiliares superior al mencionado anteriormente, o por plazo de tiempo superior que no excederá, en todo caso, de los 6 meses dentro del año natural.

Para el desempeño de sus funciones, los auxiliares de Policía local deberán vestir el uniforme correspondiente al cuerpo de Policía local en que presten temporalmente sus servicios, diferenciándose de aquellos en las siguientes particularidades:

a) No llevarán placa emblema ni distintivo alguno en las hombreras y harán constar su condición con la leyenda de *Auxiliar de policía local*.

b) Irán provistos de un documento de acreditación semejante al de los miembros de los cuerpos de Policía local, en el cual se sustituirá la categoría de policía por *auxiliar de Policía local*, y su número de identificación, dado por el ayuntamiento, irá precedido de una *A* mayúscula.

1.10. Decreto 15/2023, de 12 de enero, de desarrollo de la Ley 4/2007, de 20 de abril, de coordinación de policías locales

El Decreto 15/2023, de 12 de enero, desarrolla la Ley 4/2007, de 20 de abril, de coordinación de policías locales.

La Constitución Española, en su artículo 148.1.22, establece, como una de las competencias que podrán asumir las comunidades autónomas, la coordinación y demás facultades relacionadas con las policías locales, en los términos que establezca una ley orgánica.

La Ley orgánica 2/1986, de 13 de marzo, de fuerzas y cuerpos de seguridad, determina que corresponde a las comunidades autónomas, de acuerdo con esta ley y con la de bases de régimen local, coordinar las actuaciones de las policías locales dentro de su ámbito territorial.

Teniendo en cuenta este marco normativo, la Ley 4/2007, de 20 de abril, de coordinación de policías locales, define el marco regulador de la competencia de coordinación de policías locales en la Comunidad Autónoma de Galicia. Dentro del título III «De la coordinación de las policías locales», el artículo 12 entiende por *coordinación* el conjunto de técnicas y medidas que posibiliten la unificación de los criterios de organización y actuación, la formación y el perfeccionamiento uniforme del personal, y la homogeneización de los recursos técnicos y materiales a su disposición, así como el establecimiento de información recíproca, asesoramiento y colaboración.

Asimismo, el artículo 13 de la Ley 4/2007, de 20 de abril, establece que, respetando la autonomía local y las competencias estatales en materia de seguridad, la coordinación comprenderá el ejercicio de distintas funciones, entre las que se incluyen:

– determinar las normas marco o criterios generales a que tendrán que ajustarse los reglamentos de las policías locales de Galicia;

– propiciar la homogeneización de las retribuciones del personal;

– fijar criterios básicos de selección, formación, promoción y movilidad del personal de los cuerpos;

– coordinar su formación profesional a través de la Academia Gallega de Seguridad Pública;

– propiciar la homogeneización de la estructura, plantillas de personal y funcionamiento de las policías locales, así como fijar el régimen jurídico: derechos, deberes y régimen disciplinario del personal de los cuerpos de policía local en el marco de la normativa aplicable.

A consecuencia de la necesidad de modificar determinados aspectos que aparecían recogidos en la Ley 4/2007, de 20 de abril, fue aprobada la Ley 9/2016, de 8 de julio. Las modificaciones que recoge este nuevo texto derivan en buena parte de un obligado ajuste a las diversas resoluciones de órganos jurisdiccionales, pero también a la normativa básica de aplicación a los cuerpos de la Policía local, singularmente la Ley orgánica 4/2010, de 20 de mayo, del régimen disciplinario del Cuerpo Nacional de Policía, así como la Ley 2/2015, de 29 de abril, del empleo público de Galicia, y el Estatuto básico del empleado público. En este sentido, en esa modificación de la Ley 4/2007, de 20 de abril, se acometieron otros cambios normativos, referidos a aspectos muy diversos que van desde la movilidad del personal de los distintos cuerpos, hasta la posibilidad de acuerdos entre ayuntamientos limítrofes para prestación del servicio policial, sin olvidar otras cuestiones que en el transcurso del tiempo se evaluaron como de interés.

Una de las modificaciones más demandadas, tanto desde los ayuntamientos como desde las asociaciones profesionales y las organizaciones sindicales, es una nueva regulación de los procesos de movilidad del personal de los cuerpos de la policía local. La Ley 4/2007, de 20 de abril, recogía únicamente la movilidad horizontal, estableciendo el concurso como procedimiento de selección para la provisión de plazas vacantes en estos cuerpos, para facilitar a los ayuntamientos la pronta cobertura de las plazas ofertadas, ya que el procedimiento de concurso resulta más ágil que el de oposición libre o el de concurso-oposición, cuando además se trata de movilidad para plazas de la misma categoría con la que ya debe contar el personal funcionario participante.

De este modo, la movilidad pretendía originariamente convertirse en un procedimiento que permitiera a los ayuntamientos una mayor facilidad en la cobertura de plazas vacantes, pero al mismo tiempo se establecía también una obligación para ellos, ya que la misma Ley 4/2007, de 20 de abril, en su artículo 43, en relación con los artículos 35 y 37 al 42, recoge la movilidad como un derecho del personal funcionario de los cuerpos de la Policía local.

Por esta razón, una de las modificaciones de más interés operada por la Ley 9/2016, de 8 de julio, fue la ampliación de las opciones para la promoción y la movilidad del personal, incorporadas en los artículos 35 y 37 a 42 de la Ley 4/2007, de 20 de abril, permitiendo así en determinados supuestos tanto la promoción interna desde la segunda categoría inmediata inferior, como la movilidad con ascenso desde la categoría inmediata inferior, en este último caso empleando el procedimiento de concurso-oposición, en los supuestos en los que las plazas ofertadas no se cubrieran por promoción interna o por movilidad horizontal.

En este mismo ámbito, debemos tener en cuenta la modificación de la Ley 4/2007, de 20 de abril, realizada por la Ley 18/2021, de 27 de diciembre, de medidas fiscales y administrativas, cuya principal novedad consiste en la regulación de la movilidad horizontal, que pasa de configurarse como un sistema de acceso a las diferentes categorías de los cuerpos de la Policía local a configurarse como un sistema de provisión de plazas vacantes. También cabe destacar la regulación específica del informe que debe emitir la dirección general competente en materia de coordinación de policías locales, sobre las bases de las convocatorias de los distintos sistemas de acceso y provisión previstos en la norma y los requisitos exigidos para el acceso a los cuerpos de policías locales.

 ### Recuerda que...

El Decreto 15/2023, de 12 de enero, desarrolla la Ley 4/2007, de 20 de abril, de coordinación de policías locales.

Ante este escenario legislativo, se hace necesaria la aprobación de este decreto que desarrolle todos los aspectos tratados por la Ley 9/2016, de 8 de julio, así como las modificaciones introducidas por la Ley 18/2021, de 27 de diciembre, de medidas fiscales y administrativas, además de regular el sistema de movilidad en un título específico, recogiendo en él todos aquellos aspectos que precisasen de un mejor desarrollo.

Asimismo, este decreto tiene por objeto sistematizar e integrar la normativa dispersa en materia de coordinación de policías locales, recogida fundamentalmente en el Decreto 243/2008, de 16 de octubre, de desarrollo de la Ley 4/2007, de 20 de abril, de coordinación de policías locales, modificado por el Decreto 77/2010, de 29 de abril, y en el Decreto

60/2010, de 8 de abril, de acreditación, uniformidad y medios técnicos a disposición de las policías locales, procediendo así a una actualización en determinados aspectos de esta normativa y finalmente a la derogación de estos tres decretos citados.

Así, en este decreto se regula la creación y estructura de los cuerpos de la Policía local y sus relaciones intermunicipales, los procedimientos para el ingreso y acceso a las distintas escalas y categorías de los cuerpos policiales, la movilidad, los cursos selectivos de formación y los cursos de formación permanente, el régimen estatutario y la acreditación, uniformidad y los medios técnicos de las policías locales, el personal vigilante municipal y el personal de auxiliares de policía local.

Se exceptúa, sin embargo, de esta refundición el Decreto 115/2017, de 17 de noviembre, por el que se regula la cooperación de la Administración general de la Comunidad Autónoma de Galicia con los ayuntamientos en la selección del personal de los cuerpos de la Policía local, vigilantes municipales y auxiliares de policía local, por el hecho de operar en un ámbito muy específico, aunque de mucha importancia, recogido en los números 6 y 7 del artículo 32 de la Ley 4/2007, de 20 de abril, como es la posible colaboración de la Xunta de Galicia en las pruebas selectivas que desarrollen los propios ayuntamientos, mediante convenio previo, así como la posibilidad de desarrollar por parte de la Xunta de Galicia, a través de la Academia Gallega de Seguridad Pública, procesos selectivos unitarios para los cuerpos de Policía local y vigilantes municipales, también a través de un convenio. No obstante, la disposición final primera efectúa las modificaciones oportunas para la necesaria actualización de las referencias contenidas en el Decreto 115/2017, de 17 de noviembre, relativas al Decreto 243/2008, de 16 de octubre.

Este decreto se ajusta a los principios de buena regulación contenidos en el artículo 129 de la Ley 39/2015, de 1 de octubre, del procedimiento administrativo común de las administraciones públicas, y a los principios establecidos en el artículo 37.a) de la Ley 14/2013, de 26 de diciembre, de racionalización del sector público autonómico.

Por lo tanto, los principios de necesidad, simplicidad y eficacia se reflejan en la integración de la normativa dispersa en materia de coordinación de policías locales, siendo este decreto un instrumento adecuado para garantizar la consecución de los fines antes citados. En virtud del principio de proporcionalidad, la iniciativa contiene la regulación imprescindible para garantizar la correcta coordinación de los cuerpos de Policía local de Galicia, y en aplicación del principio de eficiencia el decreto no introduce cargas administrativas. Con el objeto de garantizar el principio de seguridad jurídica, este decreto es coherente con el resto del ordenamiento jurídico y se estructura como sigue:

El título I se refiere al objeto y ámbito de aplicación de este decreto a través de los artículos 1 y 2.

El título II establece las disposiciones relativas a los cuerpos de Policía local, regulando la naturaleza, estructura y creación de los cuerpos de policía, así como los convenios de colaboración policial intermunicipal y de la asociación de ayuntamientos para la prestación del servicio policial, artículos 3 a 10.

El título III regula las disposiciones generales y los sistemas y procedimientos para el acceso a distintas escalas y categorías en los cuerpos de Policía local, introduciendo la novedad de la regulación de la movilidad con ascenso como un procedimiento de acceso a una determinada categoría desde la categoría inmediata inferior, en este caso empleando el sistema de concurso-oposición, en los supuestos en los que las plazas ofertadas no se cubran por promoción interna o por el procedimiento de provisión por movilidad, artículos 11 a 37.

Entre los requisitos exigidos para el ingreso en la categoría de policía procede destacar la eliminación del requisito de tener un límite inferior de estatura, tanto para los hombres como para las mujeres, que estaba establecido en el Decreto 243/2008, de 16 de octubre. Este requisito se suprime al considerar que las pruebas físicas y médicas previstas en los procedimientos de ingreso en los cuerpos de policía local son suficientes para garantizar la aptitud física adecuada para el desempeño de la función policial en el ámbito local. Este requisito se suprime también para el acceso a la condición de personal vigilante municipal y de auxiliares de policía local.

El título IV, dedicado a la movilidad, la configura como un procedimiento de provisión de plazas vacantes, a través del sistema de concurso, para la cobertura por el personal de otros cuerpos de Policía local que tengan la misma categoría que la de las plazas ofertadas, estableciendo los requisitos, las obligaciones y los efectos de la participación en este procedimiento, artículos 38 a 42.

El título V se refiere al personal vigilante municipal, artículos 43 a 45.

El título VI hace referencia al personal auxiliar de policía local, artículos 46 a 50.

El título VII regula los cursos selectivos de ingreso y acceso a las distintas escalas y categorías de los cuerpos de la Policía local y los cursos de ingreso en la subescala facultativa de los cuerpos de la Policía local, que se configuran como obligatorios dentro del procedimiento selectivo, artículo 51 a 70. En este título también se regulan los cursos de formación permanente para la actualización y especialización del personal de los cuerpos de la Policía local.

El título VIII regula las cuestiones generales en relación al régimen estatutario, la regulación de la segunda actividad y las disposiciones sobre distinciones y recompensas, artículos 71 a 112.

El título IX se refiere a los sistemas de acreditación, a las modalidades de uniformidad y a los medios técnicos a disposición de las policías locales y del personal vigilante municipal y del personal auxiliar de policía local, artículos 113 a 136.

Una disposición adicional única, trata sobre el procedimiento para la determinación de la representatividad de las asociaciones profesionales de policías locales en la Comisión de Coordinación de las Policías Locales; una disposición transitoria única hace referencia a los procesos selectivos para el acceso y provisión de plazas vacantes a los cuerpos de policía local, vigilantes municipales y auxiliares de policía local en curso en el momento de la publicación de este decreto. Hay además una disposición derogatoria y cuatro disposiciones finales. La primera trata sobre modificación del Decreto 115/2017, de 17 de noviembre, por el que se regula la cooperación de la Administración general de la Comunidad Autónoma de Galicia con los ayuntamientos en la selección de los miembros de los cuerpos de la Policía local, vigilantes municipales y auxiliares de policía local; la segunda, sobre el plazo para la adaptación de los reglamentos internos de los cuerpos de la Policía local a lo previsto en este decreto, o para la aprobación de los mismos; la tercera, de habilitación para el desarrollo de este decreto, y la cuarta, sobre su entrada en vigor.

En la elaboración de esta norma se cumplieron las exigencias establecidas en la Ley 16/2010, de 17 de diciembre, de organización y funcionamiento de la administración general y del sector público autonómico de Galicia, y en la Ley 1/2016, de 18 de enero, de transparencia y buen gobierno. Fue sometida a consulta pública previa la propuesta presentada y a información pública el anteproyecto del decreto, mediante su exposición en el portal de transparencia y gobierno abierto de la Xunta de Galicia, y fueron solicitados, entre otros, los informes del Servicio Técnico-Jurídico de la Vicepresidencia y Consejería de Presidencia, Administraciones Públicas y Justicia, de la Federación Gallega de Municipios y Provincias, de la Secretaría General de Igualdad, de la Dirección General de Evaluación y Reforma Administrativa, de la Dirección General de Planificación y Presupuestos, de la Dirección General de la Función Pública, de la Comisión de Coordinación de Policías Locales según lo establecido en el artículo 17.1.a) de la Ley 4/2007, de 20 de abril, y de la Asesoría Jurídica General de la Xunta de Galicia.

Este decreto también se sometió a dictamen del Consello Consultivo de Galicia, que fue emitido con fecha de 30 de noviembre de 2022.

Actividad 5

Indica en qué título del Decreto 15/2023 se regula al personal vigilante municipal:

- ☐ a) I.
- ☐ b) III.
- ☐ c) V.

---

2. Régimen disciplinario: disposiciones generales y faltas disciplinarias

2.1. Disposiciones generales

El régimen disciplinario de las policías locales de Galicia y sus faltas disciplinarias se regula en el título VII de la Ley de coordinación de policías locales, artículos 75 a 87.

Este régimen disciplinario, sin perjuicio de la observancia de las garantías reconocidas en el ordenamiento jurídico, se inspirará en los principios básicos de actuación que se establecen en el capítulo II del título II de la Ley 4/2007. Sin perjuicio de las responsabilidades civiles y penales que pudiesen proceder, el régimen disciplinario de aplicación al personal de los cuerpos de la Policía local será el que se establece en la Ley 4/2007, en la Ley orgánica 4/2010, de 20 de mayo, del régimen disciplinario del Cuerpo Nacional de Policía, en la Ley orgánica 2/1986, de 13 de marzo, de fuerzas y cuerpos de seguridad y, en su defecto, en la legislación vigente en materia de función pública.

La Ley 4/2007 es de aplicación al personal funcionario de los cuerpos de Policía local que se halle en las situaciones de servicio activo y de segunda actividad ocupando destino en el cuerpo de Policía local. El personal funcionario en situación de segunda actividad sin ocupar destino en el cuerpo de Policía local estará sometido al régimen general disciplinario de la función pública. Aquel personal que se halle en situación distinta de las mencionadas incurrirá en responsabilidad disciplinaria por las faltas previstas en esta ley que pudiera cometer dentro de sus peculiares situaciones administrativas en razón de su pertenencia a un cuerpo de Policía local, siempre que no le sea de aplicación otro régimen disciplinario o que, de serlo, no estuviera prevista en el mismo aquella conducta.

El personal en prácticas queda sometido a las normas de régimen disciplinario establecidas en el Reglamento de régimen interior de la Academia Gallega de Seguridad Pública y, con carácter supletorio para aquellos supuestos en que el hecho no constituyese falta de disciplina docente, a las normas de la Ley 4/2007 que le sean de aplicación, sin perjuicio de las normas específicas que regulen su procedimiento de selección.

El personal de los cuerpos de la Policía local puede incurrir en responsabilidad disciplinaria por la comisión de las faltas que se tipifican en el título VII de la Ley 4/2007, desde el momento de la toma de posesión hasta el de jubilación o pérdida de la condición de personal funcionario. Tendrá la obligación de comunicar por escrito al mando superior inmediato los hechos de que tuviera conocimiento que estime constitutivos de faltas graves y muy graves, salvo cuando este mando superior sea la persona a denunciar, en cuyo caso la comunicación se efectuará al mando superior inmediato de aquella.

Incurrirán en la misma responsabilidad prevista para las personas autoras de una falta aquellas que indujesen a su comisión. Asimismo, incurrirán en falta de inferior grado las personas que hayan encubierto la comisión de una falta muy grave o grave y los mandos que la tolerasen. Se entenderá por encubrimiento no dar cuenta al mando superior jerárquico competente, de forma inmediata, de los hechos constitutivos de falta muy grave o grave de que se tuviera conocimiento.

 Sabías que...

El personal en prácticas queda sometido a las normas de régimen disciplinario establecidas en el Reglamento de régimen interior de la Academia Gallega de Seguridad Pública y, con carácter supletorio para aquellos supuestos en que el hecho no constituyese falta de disciplina docente, a las normas de la Ley 4/2007 que le sean de aplicación, sin perjuicio de las normas específicas que regulen su procedimiento de selección.

2.2. Faltas disciplinarias

Las faltas disciplinarias en que puede incurrir el personal de los cuerpos de Policía local podrán ser **muy graves, graves o leves.**

2.2.1. Faltas muy graves

Son faltas muy graves:

a) El incumplimiento del deber de fidelidad a la Constitución y al Estatuto de autonomía en el ejercicio de sus funciones.

b) Haber sido condenado o condenada en virtud de sentencia firme por un delito doloso relacionado con el servicio o que causase grave daño a la Administración o a las personas.

c) El abuso de atribuciones que causase grave daño a la ciudadanía, al personal subordinado, a la Administración o a las entidades con personalidad jurídica.

d) La práctica de tratos inhumanos, degradantes, discriminatorios o vejatorios a la ciudadanía que se encuentre bajo custodia policial.

e) La insubordinación individual o colectiva, respecto a las autoridades o mandos de que dependan.

f) El abandono de servicio, salvo que exista causa de fuerza mayor que impida comunicar al mando superior dicho abandono.

g) La publicación o la utilización indebida de secretos oficiales, declarados así conforme a la legislación específica en la materia.

h) La violación del secreto profesional cuando perjudicase el desarrollo de la labor policial, a la ciudadanía o a las entidades con personalidad jurídica.

i) El incumplimiento de las normas sobre incompatibilidades cuando ello diese lugar a una situación de incompatibilidad.

j) La participación en huelgas, en acciones sustitutivas de estas o en actuaciones concertadas con el fin de alterar el normal funcionamiento de los servicios.

k) La falta de colaboración manifiesta con otro personal de las fuerzas y cuerpos de seguridad, cuando resultase perjudicado gravemente el servicio o se derivasen consecuencias graves para la seguridad ciudadana.

l) Embriagarse o consumir drogas tóxicas, estupefacientes o sustancias psicotrópicas durante el servicio o realizarlo en estado de embriaguez o bajo los efectos manifiestos de los productos citados.

m) La negativa injustificada a someterse a reconocimiento médico o a prueba de alcoholemia o de detección de drogas tóxicas, estupefacientes o sustancias psicotrópicas, legítimamente ordenados, con el fin de constatar la capacidad psicofísica para prestar el servicio.

n) Toda actuación que suponga discriminación por razón de origen racial o étnico, religión o convicciones, discapacidad, edad u orientación sexual, sexo, lengua, opinión, lugar de nacimiento o vecindad, o cualquier otra condición o circunstancia personal o social.

ñ) El acoso sexual y el acoso laboral, consistente este último en la realización reiterada, en el marco de una relación de servicio, de actos de acoso psicológico u hostilidad.

o) La obstaculización grave al ejercicio de las libertades públicas y derechos sindicales.

p) Las infracciones tipificadas como muy graves en la legislación sobre utilización de videocámaras por las fuerzas y cuerpos de seguridad en lugares públicos.

2.2.2. Faltas graves

Son faltas graves:

a) La grave desconsideración con el personal de pertenencia al cuerpo o con la ciudadanía, en el ejercicio de sus funciones o cuando causase descrédito notorio a la institución policial.

b) La desobediencia a los mandos superiores jerárquicos o responsables del servicio con motivo de las órdenes o instrucciones legítimas dadas por aquellos, salvo que constituyesen infracción manifiesta del ordenamiento jurídico.

c) La omisión de la obligación de informar a la superioridad con la debida diligencia de todo asunto que, por su entidad, requiera su conocimiento o decisión urgente.

d) La falta de presentación o puesta a disposición inmediata en la dependencia de destino o en la más próxima, en los casos de declaración de los estados de alarma, excepción o sitio o cuando así se disponga, en caso de alteración grave de la seguridad ciudadana.

e) La tercera falta injustificada de asistencia al servicio en un periodo de 3 meses cuando las dos anteriores hubiesen sido objeto de sanción firme por falta leve.

f) No prestar servicio alegando supuesta enfermedad.

g) La falta de rendimiento reiterada que ocasionase un perjuicio a la ciudadanía, a las entidades con personalidad jurídica o a la eficacia de los servicios.

h) El abuso de atribuciones cuando no constituya infracción muy grave.

i) La emisión de informes sobre asuntos de servicio que, sin faltar abiertamente a la verdad, la desnaturalicen, valiéndose de términos ambiguos, confusos o tendenciosos, o la alteren mediante inexactitudes, cuando se causase perjuicio a la Administración o a la ciudadanía, siempre que el hecho no constituyese delito o falta muy grave.

j) La intervención en un procedimiento administrativo cuando concurra alguna de las causas legales de abstención.

k) No portar durante el servicio el uniforme reglamentario, cuando su uso sea preceptivo, los distintivos de la categoría o cargo, el arma reglamentaria o los medios de protección o acción que se determinen, siempre que no mediase autorización en contra.

l) Exhibir armas sin causa que lo justifique, así como utilizarlas en acto de servicio o fuera del mismo infringiendo las normas que regulan su empleo.

m) Dar lugar al extravío, pérdida o sustracción por negligencia inexcusable de los distintivos de identificación o del arma reglamentaria.

n) Asistir de uniforme a cualquier manifestación o reunión pública, salvo que se trate de actos de servicio u actos oficiales en que la asistencia de uniforme estuviera indicada o hubiese sido autorizada.

ñ) Causar, por negligencia inexcusable, daños graves en la conservación de los locales, del material o de los demás elementos relacionados con el servicio o dar lugar al extravío, pérdida o sustracción de los mismos.

o) Impedir, limitar u obstaculizar al personal subordinado el ejercicio de los derechos que tenga reconocidos, siempre que no constituyese falta muy grave.

p) Embriagarse o consumir drogas tóxicas, estupefacientes o sustancias psicotrópicas fuera del servicio, cuando tales circunstancias tuvieran carácter habitual o afectasen a la imagen del cuerpo policial. Se entenderá que existe habitualidad cuando estuviesen acreditados 3 o más episodios de embriaguez o consumo de las sustancias referidas en un periodo de un año.

q) La tenencia de drogas tóxicas, estupefacientes o sustancias psicotrópicas, salvo que esa tenencia se derivase de actuaciones propias del servicio.

r) Solicitar y obtener cambios de destino mediando cualquier recompensa o ánimo de lucro o falseando las condiciones que los regulan.

s) Emplear o autorizar la utilización para usos no relacionados con el servicio o con ocasión del mismo, o sin que mediase causa justificada, de medios o recursos inherentes a la función policial.

t) Las infracciones a lo dispuesto en la legislación sobre utilización de videocámaras por las fuerzas y cuerpos de seguridad en lugares públicos no constitutivas de falta muy grave.

u) El incumplimiento de los plazos u otras disposiciones de procedimiento en materia de incompatibilidades, cuando no supongan mantenimiento de una situación de incompatibilidad.

v) La violación del secreto profesional cuando no perjudicase el desarrollo de la labor policial, a las entidades con personalidad jurídica o a la ciudadanía.

w) La falta de colaboración manifiesta con otro personal de los cuerpos y fuerzas de seguridad, siempre que no merezca la calificación de falta muy grave.

x) La infracción de deberes u obligaciones legales inherentes al cargo o a la función policial, cuando se produzcan de forma grave y manifiesta.

y) Haber sido condenado o condenada en virtud de sentencia firme por un delito doloso, siempre que no constituya infracción muy grave, o por una falta dolosa cuando la infracción penal cometida estuviera relacionada con el servicio.

z) La no prestación de auxilio con urgencia en aquellos hechos o circunstancias graves en que sea obligada su actuación, salvo que constituya delito.

z bis) La infracción de las normas de prevención de riesgos laborales que pusiera en grave riesgo la vida, la salud o la integridad física, propia o del demás personal del cuerpo de pertenencia.

z ter) La negativa reiterada a tramitar cualquier solicitud, reclamación o queja relacionada con el servicio, siempre que no constituya falta leve.

z quáter) Aquellas acciones u omisiones tipificadas como faltas muy graves que, de acuerdo con los criterios que se establecen en el artículo 82 de la Ley 4/2007, merezcan la calificación de graves, y sin que estas, a su vez, puedan ser calificadas como faltas leves.

2.2.3. Faltas leves

Son faltas leves:

a) El retraso o la negligencia en el cumplimiento de las funciones y órdenes recibidas.

b) La incorrección con la ciudadanía, o con otro personal de los cuerpos y fuerzas de seguridad, siempre que no merezca una calificación más grave.

c) La inasistencia al servicio que no constituya falta de mayor gravedad y el incumplimiento de la jornada de trabajo, así como las faltas repetidas de puntualidad, en los 30 días precedentes.

d) El mal uso o el descuido en la conservación de los locales, del material o de los demás elementos de los servicios, así como el incumplimiento de las normas dadas en esta materia, cuando no constituya falta más grave.

e) Dar lugar al extravío, pérdida o sustracción, por simple negligencia, de los distintivos de identificación, el arma reglamentaria u otros medios o recursos destinados a la función policial.

f) La exhibición de los distintivos de identificación sin causa justificada.

g) Prescindir del conducto reglamentario para formular cualquier solicitud, reclamación o queja relacionada con el servicio, así como no tramitarlas. Quedan exceptuadas del conducto reglamentario aquellas que sean formuladas por la representación de las organizaciones sindicales en el ejercicio de su actividad sindical.

h) El descuido en el aseo personal y el incumplimiento de las normas sobre la uniformidad, siempre que no constituya falta grave.

i) La ausencia injustificada de cualquier servicio, cuando no merezca calificación más grave.

j) La omisión intencionada de saludo a un superior, que este no lo devuelva o infringir de otro modo las normas que lo regulan.

k) Cualquier clase de juego que se lleve a cabo en las dependencias policiales, siempre que perjudicase la prestación del servicio o menoscabase la imagen policial.

l) Portar insignias, condecoraciones u otros distintivos sin estar autorizado para ello, siempre que no merezca una calificación más grave.

m) Haber sido condenado o condenada en virtud de sentencia firme por una falta dolosa cuando la infracción penal cometida causase daño a la Administración o a la ciudadanía.

n) Aquellas acciones u omisiones tipificadas como faltas graves que, de acuerdo con los criterios que se establecen en el artículo 82 de la Ley 4/2007, merezcan la calificación de leves.

 Recuerda que...

Las faltas disciplinarias en que puede incurrir el personal de los cuerpos de Policía local podrán ser muy graves, graves o leves.

2.3. Criterios de graduación de sanciones

Para la graduación de la sanción a imponer, y actuando bajo el principio de proporcionalidad, se tendrán en cuenta los siguientes criterios:

a) La intencionalidad.

b) La reincidencia. Existe reincidencia cuando la persona, al cometer la falta, ya hubiese sido anteriormente sancionada en resolución firme por otra falta de mayor gravedad o por 2 de gravedad igual o inferior y que no hubiesen sido canceladas. A los efectos de la reincidencia, no se computarán los antecedentes disciplinarios cancelados o que hubieran debido serlo.

c) El historial profesional, a estos efectos, solo podrá valorarse como circunstancia atenuante.

d) La incidencia sobre la seguridad ciudadana.

e) La perturbación en el normal funcionamiento de la Administración o de los servicios que le estuvieran encomendados.

f) El grado de afectación a los principios de disciplina, jerarquía y subordinación.

g) En el caso de los artículos 79.b) y 80.y) de la Ley 4/2007 se valorará específicamente la cuantía o entidad de la pena impuesta en virtud de sentencia firme, así como la relación de la conducta delictiva con las funciones policiales.

2.4. Sanciones

Las sanciones que pueden imponerse por la comisión de faltas muy graves son:

a) La separación del servicio.

b) La suspensión de funciones desde 3 meses y un día hasta un máximo de 6 años.

Por faltas graves podrá imponerse la sanción de suspensión de funciones desde 5 días a 3 meses.

Las sanciones que pueden imponerse por la comisión de faltas leves son:

a) La suspensión de funciones de 1 a 4 días, que no supondrá la pérdida de antigüedad ni implicará la inmovilización en el escalafón.

b) El apercibimiento.

2.5. Prescripción de las faltas y sanciones

Las **faltas** muy graves prescribirán a los 3 años; las graves, a los 2 años; y las leves, al mes. El plazo de prescripción comenzará a contarse desde que la falta se haya cometido, salvo que esta se derivase de hechos que fueran objeto de condena por delito doloso, en cuyo caso el plazo comenzará a contar desde la fecha de firmeza de la sentencia condenatoria.

La prescripción se interrumpirá por la iniciación del procedimiento; a estos efectos, la resolución por la que se acuerde su incoación deberá ser debidamente registrada y notificada a la persona expedientada o publicada, siempre que esta no fuese hallada. El plazo de prescripción se reanudará si el procedimiento hubiera permanecido paralizado durante más de 6 meses por causa no imputable a la persona sometida a expediente.

Cuando se inicie un procedimiento penal contra personal funcionario de policía, la prescripción de las infracciones disciplinarias que de los hechos pudiesen derivarse quedará suspendida por la incoación de aquel procedimiento, incluso cuando no se haya procedido disciplinariamente. En estos supuestos, el plazo volverá a contar desde la fecha de firmeza de la resolución judicial.

Las **sanciones** muy graves prescribirán a los 3 años; las graves, a los 2 años; y las leves, al mes. El plazo de prescripción de las sanciones comenzará a contarse desde el día siguiente a aquel en que adquiriesen firmeza.

En el supuesto de suspensión de sanciones, si estas son firmes, el plazo de prescripción se computará desde el día siguiente a aquel en que se llevó a efecto la suspensión.

En caso de concurrencia de varias sanciones, el plazo de prescripción de las sanciones que sean firmes y estén pendientes de cumplimiento comenzará a contarse desde el día siguiente a aquel en que quedase extinguida la sanción que la preceda en el orden de cumplimiento o, en su caso, desde la fecha en que haya surtido eficacia la inejecución de la sanción.

El cumplimiento de los plazos de prescripción de la sanción supone la cancelación de las correspondientes anotaciones en el expediente personal.

Transcurrido el plazo para la prescripción de la sanción, el órgano competente lo acordará de oficio, notificándolo a las personas interesadas.

Actividad 6

Indica qué plazo de prescripción tienen las faltas muy graves:

☐ a) 3 años.

☐ b) 2 años.

☐ c) Un mes.

2.6. Cancelación

Las sanciones disciplinarias se anotarán en el registro de personal, con indicación de las faltas que las motivan. Transcurridos 6 meses desde el cumplimiento de la sanción si se tratase de faltas leves, o 2 y 3 años, respectivamente, según se trate de faltas graves o muy graves no sancionadas con separación del servicio, se acordará de oficio la cancelación de aquellas anotaciones, siempre que durante aquel tiempo no hubiese sido sancionada la persona expedientada por hechos cometidos en esos mismos periodos. La cancelación surtirá el efecto de anular la anotación sin que pueda certificarse sobre ella, salvo cuando lo solicitasen las autoridades competentes para ello, haciéndose constar expresamente la cancelación, y a los solos efectos de su expediente personal.

2.7. Procedimiento

El procedimiento sancionador del personal de los cuerpos de Policía local se ajustará a los principios de legalidad, impulso de oficio, imparcialidad, agilidad, eficacia, publicidad, contradicción, irretroactividad, tipicidad, responsabilidad, proporcionalidad y concurrencia de sanciones, comprendiendo esencialmente los derechos a la presunción de inocencia, información, defensa y audiencia.

Únicamente podrán imponerse sanciones disciplinarias en virtud de procedimiento disciplinario instruido al efecto, de acuerdo con lo que se determine reglamentariamente según la tipología de las faltas.

La iniciación de un procedimiento penal contra el personal de los cuerpos de Policía local no impedirá la incoación de procedimientos disciplinarios por los mismos hechos. No obstante, su resolución definitiva solo podrá producirse cuando la sentencia dictada en el ámbito penal sea firme, vinculando la declaración de hechos probados que contenga a la Administración.

Solo podrá recaer sanción penal y administrativa sobre los mismos hechos cuando no hubiese identidad de fundamento jurídico y bien jurídico protegido.

En la resolución por la que se incoe el procedimiento sancionador se nombrará una persona instructora y una persona secretaria, a cuyo cargo estará la tramitación. El nombramiento de la persona instructora recaerá en personal funcionario perteneciente a la categoría o escala igual o superior al de la persona presuntamente infractora, y, en el supuesto de que sea igual, deberá ocupar un número anterior en el escalafón. En el supuesto de que exista personal funcionario de las escalas superior y técnica, se procurará que el nombramiento recaiga en personal funcionario perteneciente a las citadas escalas. En defecto de personal funcionario de categoría o escala igual o superior, se nombrará una persona funcionaria de la Administración local, de igual o superior grupo de clasificación. Podrá nombrarse como persona secretaria a cualquier personal funcionario municipal con la formación adecuada.

Solución a las actividades

Actividad 1.

- ☐ a) No.
- ☑ b) Sí.
- ☐ c) Es discrecional.

Actividad 2.

- ☐ a) Público.
- ☑ b) No público.
- ☐ c) Oficial.

Actividad 3.

- ☑ a) Sí.
- ☐ b) No.
- ☐ c) Sólo en las 7 grandes ciudades.

Actividad 4.

- ☐ a) El Decreto 243/2008, de 16 de octubre.
- ☐ b) El Decreto 60/2010, de 8 de abril.
- ☑ c) El Decreto 15/2023, de 12 de enero.

Actividad 5.

- ☐ a) I.
- ☐ b) III.
- ☑ c) V.

Actividad 6.

- ☑ a) 3 años.
- ☐ b) 2 años.
- ☐ c) Un mes.

TEMA 5

La actividad de la policía local como policía administrativa I: consumo. Abastos. Mercados. Venta ambulante. Espectáculos y establecimientos públicos

¿Sabes cómo retener más información en tu **memoria**? Con las Técnicas de Memoria 360 te explicamos todos los detalles.

Índice

1. La actividad de la Policía Local como policía administrativa I. Consumo, abastos, mercados

1.1. Introducción

Tal y como establece el art. 53 de la Ley Orgánica 2/1986, de 13 de marzo, de Fuerzas y Cuerpos de Seguridad (LOFCS, en adelante), entre las funciones de la Policía Local, se encuentra la de policía administrativa, en lo relativo a las Ordenanzas, Bandos y demás disposiciones municipales dentro del ámbito de su competencia, dictadas en cualquier caso en desarrollo y aplicación de la normativa estatal y autonómica que habilite en cada caso para el ejercicio de estas competencias.

En el ámbito de sus competencias, la Policía de Galicia tiene como misión esencial proteger el libre ejercicio de los derechos y libertades y garantizar la seguridad ciudadana. Con arreglo a lo anterior, regulado en el artículo 5 de la Ley 8/2007, se establecen las funciones de la Policía, en el ámbito de la policía administrativa.

En concreto, establece el artículo 15 de la Ley 8/2007, lo siguiente:

En el ámbito de policía administrativa, ejercerá las siguientes funciones:

a) Velar por el cumplimento de las Leyes y disposiciones del Estado aplicables en Galicia y garantizar el funcionamiento de los servicios públicos esenciales.

b) Velar por el cumplimiento de las Leyes de Galicia y de las normas, disposiciones y actos emanados de las demás instituciones y órganos de la Comunidad Autónoma, mediante las actividades de investigación, inspección y denuncia, y la ejecución forzosa de sus resoluciones.

c) La inspección de las actividades sometidas a la ordenación o disciplina de la Comunidad Autónoma de Galicia, denunciando toda actividad ilícita.

En la ejecución de este tipo de funciones, se prestará especial atención a:

– Velar por el cumplimiento de la normativa vigente sobre medio ambiente, recursos marinos, caza, ganadería, salud pública, incendios forestales, pesca fluvial, ordenación urbanística, protección de caminos, costas y asuntos marítimos, transporte y contaminación acústica.

– Velar por el cumplimiento de la normativa sobre el patrimonio histórico y cultural gallego para evitar su expolio o destrucción y para garantizar su salvaguardia y protección.

– En el marco de las funciones que le atribuya la normativa específica, vigilar y controlar el cumplimiento de la legislación vigente en materia de juego y de espectáculos.

d) Vigilancia y control del tráfico en las vías interurbanas del territorio de la Comunidad Autónoma de Galicia.

e) Vigilar, inspeccionar y controlar las empresas de seguridad privada, sus servicios y actuaciones y los medios y personal a su cargo, en los términos establecidos en la legislación vigente.

f) Informar, asistir y orientar a los ciudadanos.

g) Colaborar con las instituciones públicas de protección y tutela de menores en la consecución de sus objetivos, de conformidad con la legislación civil, penal y penitenciaria del Estado.

h) Colaborar con las instituciones públicas y privadas de protección y tutela de la inmigración y con aquellas otras que tengan como objetivo prevenir y evitar cualquier forma de marginación.

i) Colaborar con las instituciones públicas de protección y asistencia a las víctimas de violencia de género.

j) Las demás funciones que le atribuya la legislación vigente.

La Policía Local, por lo tanto, ha de ejercer esta actividad de policía administrativa tanto en cumplimiento de la normativa local y en ejercicio de las competencias locales, en el marco de la legislación estatal y autonómica, como previo convenio de los Municipios con la Xunta de Galicia, en cumplimiento de la normativa autonómica y en ejercicio de las competencias estrictamente autonómicas.

1.2. Consumo, abastos y mercados

1.2.1. Regulación estatal

Dentro de la denominada actividad de Policía administrativa de las Entidades Locales, tiene un papel cada vez más acusado la política de abastos, cuya razón debe buscarse en la defensa de los derechos de los consumidores.

A este respecto, hay que hacer alusión obligadamente a los artículos 43 y 51 de la Constitución Española que establecen lo siguiente:

El art. 43 dispone que "se reconoce el derecho a la protección de la salud", correspondiendo "a los poderes públicos organizar y tutelar la salud pública a través de medidas preventivas y de las prestaciones y servicios necesarios" (art. 43.2.º CE).

Por su parte, el art. 51 dispone que:

– Los poderes públicos garantizarán la defensa de los consumidores y usuarios, protegiendo, mediante procedimientos eficaces, la seguridad, la salud y los legítimos intereses económicos de los mismos.

– Los poderes públicos promoverán la información y la educación de los consumidores y usuarios, fomentarán sus organizaciones y oirá a estas en las cuestiones que puedan afectar a aquellos, en los términos que la Ley establezca.

– En el marco de lo dispuesto en los apartados anteriores, la Ley regulará el comercio interior y el régimen de autorización de productos comerciales.

Dichos mandatos constitucionales se han cumplido, con la promulgación de la Ley 14/1986, de 25 de abril, General de Sanidad, que, en su art. 42,3.º,d), dispone que los Ayuntamientos, sin perjuicio de las competencias de las demás Administraciones Públicas, tendrán como responsabilidad mínima –con relación al obligado cumplimiento de las normas y planes sanitarios– la del control sanitario de la distribución y suministro de alimentos, bebidas y demás productos, directa o indirectamente relacionados con el uso o consumo humanos, así como los medios de su transporte.

El Texto Refundido de la Ley General para la Defensa de los Consumidores y Usuarios, (Real Decreto Legislativo 1/2007, de 16 de noviembre), se refiere a las actuaciones administrativas en su art. 15, según el cual:

"Ante situaciones de riesgo para la salud y seguridad de los consumidores y usuarios, las Administraciones públicas competentes podrán adoptar las medidas que resulten necesarias y proporcionadas para la desaparición del riesgo, incluida la intervención directa sobre las cosas y la compulsión directa sobre las personas. En estos supuestos, todos los gastos que se generen serán a cargo de quien con su conducta los hubiera originado, con independencia de las sanciones que, en su caso, puedan imponerse. La exacción de tales gastos y sanciones podrá llevarse a cabo por el procedimiento administrativo de apremio.

Las Administraciones públicas, atendiendo a la naturaleza y gravedad de los riesgos detectados, podrán informar a los consumidores y usuarios afectados por los medios más apropiados en cada caso sobre los riesgos o irregularidades existentes, el bien o servicio afectado y, en su caso, las medidas adoptadas, así como de las precauciones procedentes, tanto para protegerse del riesgo, como para conseguir su colaboración en la eliminación de sus causas.

Los responsables de la coordinación de los sistemas estatales de intercambio de información integrados en los sistemas europeos de alertas, trasladarán las comunicaciones que reciban a las autoridades aduaneras cuando, conforme a la información facilitada en las comunicaciones, los productos o servicios alertados procedan de terceros países."

Por su parte, el art. 16 prescribe que, "con carácter excepcional, ante situaciones de extrema gravedad que determinen una agresión indiscriminada a la salud y seguridad de los consumidores y usuarios en más de una comunidad autónoma, el Gobierno podrá constituir, durante el tiempo imprescindible para hacer cesar la situación, un órgano en el que se integrarán y participarán activamente las comunidades autónomas afectadas, que asumirá, las facultades administrativas que se le encomienden para garantizar la salud y seguridad de las personas, sus intereses económicos y sociales, la reparación de los daños sufridos, la exigencia de responsabilidades y la publicación de los resultados."

En otros artículos de esta norma se contienen otras previsiones como la obligación de los poderes públicos, en el ámbito de sus respectivas competencias, de fomentar la formación y educación de los consumidores y usuarios, asegurar que estos dispongan de la información precisa para el eficaz ejercicio de sus derechos y velar para que se les preste la información comprensible sobre el adecuado uso y consumo de los bienes y servicios puestos a su disposición en el mercado (art. 17,1.º), o el ejercicio de la potestad sancionadora por las Administraciones Públicas (arts. 46 y siguientes), el Sistema Arbitral de Consumo (arts. 57 y 58).

1.3. Regulación autonómica

1.3.1. Normativa básica

- Artículo 30 de la Ley Orgánica 1/1981, de 6 de abril, Estatuto de Autonomía de Galicia.

- Ley 8/2007, de 13 de junio, de Policía de Galicia.

- Ley 8/2008, de 10 de julio, de Salud de Galicia.

- Ley 13/2010, de 17 de diciembre, del comercio interior de Galicia.

- Decreto 118/2016, de 4 de agosto, se crea el Instituto Gallego del Consumo y de la Competencia y se aprueban sus estatutos.

- Ley 2/2012, de 28 de marzo, gallega de protección general de las personas consumidoras y usuarias.

- Decreto 127/1998, de 23 de abril, por el que se crea el Consello Gallego de Consumidores y Usuarios.

1.3.2. Competencias generales

De acuerdo con las bases y la ordenación de la actuación económica general y la política monetaria del Estado, corresponde a la Comunidad Autónoma gallega en los términos de lo dispuesto en los artículos 38, 131 y 149. 1. 11 y 13 de la Constitución la competencia exclusiva de las siguientes materias (Estatuto de Autonomía):

- Fomento y planificación de la actividad económica en Galicia.

- Industria, sin perjuicio de lo que determinen las normas del Estado por razones de seguridad, sanitarias o de interés militar y las normas relacionadas con las industrias que estén sujetas a la legislación de minas, hidrocarburos y energía nuclear. Queda reservada a la competencia exclusiva del Estado la autorización para transferencia de tecnología extranjera.

- Agricultura y ganadería.

- Comercio interior, defensa del consumidor y del usuario sin perjuicio de la política general de precios y de la legislación sobre la defensa de la competencia. Denominaciones de origen en colaboración con el Estado.

- Instituciones de crédito corporativo, público y territorial y Cajas de Ahorro.

- Sector público económico de Galicia, en cuanto no esté contemplado por otras normas de este Estatuto.

- El desarrollo y ejecución en Galicia de:

    a) Los planes establecidos por el Estado para la reestructuración de sectores económicos.

b) Programas genéricos para Galicia estimuladores de la ampliación de actividades productivas e implantación de nuevas empresas.

c) Programas de actuación referidos a comarcas deprimidas o en crisis.

La Comunidad Autónoma gallega participará, asimismo, en la gestión del sector público económico estatal, en los casos y actividades que procedan.

1.3.3. Competencias en materia de salud

Por su parte, la Ley 8/2008, de 10 de julio, de Salud de Galicia, establece las competencias de la Administración Local, regulando lo siguiente, en su artículo 80:

"Las entidades locales participarán en el Sistema Público de Salud de Galicia en los términos previstos en la presente ley y disposiciones que la desarrollen, en la Ley general de sanidad y demás legislación específica.

Las entidades locales ejercerán las competencias que en materia sanitaria les atribuye la legislación de régimen local y las restantes que les confiere el ordenamiento jurídico.

Los municipios, sin perjuicio de las competencias de las demás administraciones públicas, tendrán con relación al obligado cumplimiento de las normas y planes sanitarios las siguientes obligaciones derivadas de sus competencias:

a) La prestación de los servicios mínimos obligatorios determinados en la legislación de régimen local en lo referente a los servicios de salud y a los regulados en la presente ley.

b) El control sanitario del medio natural, y, en especial, la contaminación atmosférica, ruidos y vibraciones, abastecimiento y saneamiento de aguas, residuos urbanos.

c) El control sanitario de industrias, actividades, servicios y transportes que impacten en la salud de su ciudadanía.

d) El control sanitario de edificios y lugares de vivienda y convivencia humana, especialmente de los centros de alimentación, peluquerías, saunas y centros de higiene personal, hoteles y centros residenciales, escuelas, campamentos turísticos y áreas de actividad física, deportiva y de recreo.

e) El control sanitario de la distribución y suministro de alimentos, bebidas y demás productos relacionados con el uso o consumo humano, así como de los medios para su transporte que estén dirigidos a los ciudadanos y ciudadanas del municipio.

f) El control sanitario de los cementerios y policía sanitaria mortuoria.

g) El desarrollo de programas de promoción de la salud, educación sanitaria y protección de grupos sociales con riesgos específicos que se prevean en los planes de salud.

h) La participación en órganos de dirección y/o participación de las organizaciones públicas de salud en la forma que reglamentariamente se determine.

i) La colaboración, en los términos en que se acuerde en cada caso, en la construcción, reforma y/o equipación de centros y servicios sanitarios.

Además, los municipios podrán realizar actividades complementarias de las que sean propias de otras administraciones públicas en las materias objeto de la presente ley, en los términos establecidos en la legislación reguladora del régimen local.

Igualmente, los municipios podrán prestar los servicios relacionados con las materias objeto de la presente ley que se deriven de las competencias que en los mismos delegue la Xunta de Galicia al amparo de la legislación de régimen local y en aplicación del Plan de acción local de Galicia."

1.3.4. Competencias en materia de consumo

La Ley 13/2010, de 17 de diciembre, del comercio interior de Galicia, tiene por objeto el establecimiento de un marco jurídico para el desarrollo de la actividad comercial en Galicia con la finalidad de fomentar, ordenar administrativamente, racionalizar, modernizar y mejorar la actividad del sector. Será de aplicación a las actividades comerciales realizadas por comerciantes en el ámbito territorial de la Comunidad Autónoma de Galicia.

Quedan excluidas del ámbito de aplicación de la presente Ley aquellas actividades comerciales que, en razón a su objeto o naturaleza, estén sometidas a un control específico por parte de los poderes públicos o a una reglamentación específica, sin perjuicio de la aplicación supletoria de esta Ley. En todo caso, quedan excluidos de su ámbito de aplicación:

a) Los servicios de carácter financiero, de transporte y de seguros.

b) Los servicios de alojamiento, cafeterías, bares, restaurantes y hostelería, en general.

c) Los servicios de reparación, mantenimiento y asistencia técnica, siempre que no vayan asociados a la venta, con carácter ordinario o habitual.

d) El ejercicio de profesiones liberales y colegiadas.

e) Los servicios prestados por empresas de ocio y espectáculos, tales como cines, teatros, circos, ludotecas, parques infantiles o similares. Lo dicho anteriormente no obsta a la sujeción a la presente Ley de las ventas realizadas en sus instalaciones o anexos, siempre que estas se celebren en zonas de libre acceso.

1.3.4.1. Concepto y clases de actividades comerciales

A los efectos de la Ley 13/2010, artículo 4, se entiende por:

a) **Actividad comercial**: la realizada por comerciantes, ya sea por cuenta propia o ajena, consistente en el ofrecimiento o la colocación en el mercado de productos, naturales o elaborados, susceptibles de tránsito comercial, así como los servicios que de tal actividad se derivasen.

b) **Actividad comercial minorista o al por menor**: la adquisición de productos o mercancías y su venta al consumidor final, incluyendo la prestación de aquellos servicios derivados de tal actividad. Igualmente, ostentará este carácter la venta realizada por los artesanos respecto a sus productos en su propio taller.

c) **Actividad comercial mayorista o al por mayor**: la adquisición de productos o mercancías y su venta a otros comerciantes o empresarios, industriales, empresarios que no constituyan consumidores finales, incluyendo la prestación de aquellos servicios que se derivasen de tal actividad.

No se modificarán las calificaciones de actividad comercial mayorista o minorista anteriormente descritas por concurrir un eventual sometimiento de la mercancía a procesos de transformación, manipulación, tratamiento o acondicionamiento que sean habituales en el comercio.

1.3.4.2. Condiciones generales para el ejercicio de la actividad comercial

Podrán ejercer la actividad comercial las personas físicas y jurídicas que, conforme a la legislación vigente, posean la capacidad jurídica precisa y la condición de comerciante que establece la legislación mercantil y cumplan con los requisitos contenidos en la presente Ley.

Solo podrá realizarse, simultáneamente, la actividad comercial mayorista y minorista en un mismo local si ambas actividades fueran llevadas a cabo en secciones diferenciadas, adecuadamente señalizadas y rotuladas, para público y notorio conocimiento de las personas consumidoras, y con observancia de las normas aplicables, relativas a cada una de estas modalidades de distribución.

Para el ejercicio de cualquier actividad comercial son elementos necesarios:

a) Acreditar, en su caso, el cumplimiento de los requisitos específicos y de las garantías que fueran exigidas por la legislación vigente, para la venta de determinados productos o prestación de determinados servicios.

b) Haber cumplido las obligaciones correspondientes, en su caso, en materia de Seguridad Social y en materia tributaria.

c) Estar dado o dada de alta en el epígrafe o epígrafes del impuesto de actividades económicas que corresponda con la actividad comercial que se desarrolla.

d) Disponer de las autorizaciones, permisos o licencias o hacer las comunicaciones previas o declaraciones responsables establecidas legalmente por cualquier administración pública que tenga atribuida tal competencia.

e) En caso de extranjeros, no nacionales de otro Estado miembro de la Unión Europea, acreditar el cumplimiento de la normativa específica vigente.

El ejercicio de la actividad comercial se llevará a cabo con riguroso respeto a los derechos lingüísticos recogidos en el artículo 5 del Estatuto de autonomía para Galicia. Nadie podrá ser discriminado o atendido incorrectamente en razón a la lengua empleada. Los poderes públicos de Galicia garantizarán el uso normal de los dos idiomas.

Recuerda que...

La lengua propia de Galicia es el gallego.

Los idiomas gallego y castellano son oficiales en Galicia y todos tienen el derecho de conocerlos y usarlos.

Los poderes públicos de Galicia garantizaran el uso normal y oficial de los dos idiomas y potenciaran la utilización del gallego en todos los órdenes de la vida pública, cultural e informativa, y, dispondrán los medios necesarios para facilitar su conocimiento.

Nadie podrá ser discriminado por razón de la lengua.

1.3.4.3. Prohibiciones y restricciones al ejercicio de la actividad comercial

No podrán ejercer la actividad comercial las personas físicas y jurídicas a quienes les esté específicamente prohibido por la normativa vigente.

Se prohíbe expresamente la exposición y venta de mercancías a la persona consumidora cuando estas provengan de personas físicas y jurídicas cuya actividad sea distinta a la comercial. Dicha prohibición será especialmente de aplicación a aquellas entidades que, como consecuencia de la actividad que les es propia, tengan como finalidad principal la realización de préstamos, depósitos u operaciones de análoga naturaleza, adheridas a la oferta comercial de la mercancía, de tal forma que una no se pudiera hacer efectiva sin la otra.

En todo caso, se presumirá la existencia de estas actuaciones en el supuesto de que la persona consumidora pudiera realizar pedidos o adquirir mercancías en los establecimientos de aquellas.

La infracción a lo dispuesto en el apartado anterior será sancionable conforme a lo establecido en la presente Ley, independientemente de las responsabilidades derivadas, en su caso, de la respectiva legislación especial y sin perjuicio de la improcedencia de que un mismo hecho sea objeto de una doble sanción administrativa.

1.3.4.4. Ordenación administrativa de la actividad comercial

La ordenación administrativa de la actividad comercial tendrá por objeto:

a) El régimen de los horarios comerciales.

b) La autorización comercial previa de aquellos establecimientos cuya implantación tenga una incidencia supramunicipal por sus repercusiones urbanísticas, medioambientales y territoriales.

c) El régimen de las actividades promocionales.

d) El régimen de la autorización de ventas especiales.

e) La inspección, información y vigilancia sobre la actividad y los establecimientos comerciales de Galicia.

f) Cualesquiera otras actividades que legalmente puedan establecerse.

El Gobierno gallego, a través de la consejería competente en materia de comercio, desarrollará una política de reforma de las estructuras comerciales encaminada a la modernización y racionalización del sector.

1.3.4.5. Observatorio del comercio de Galicia

El Observatorio de Comercio de Galicia constituye el instrumento del órgano directivo competente en materia de comercio para la creación, gestión, evaluación y difusión del conocimiento de interés comercial, con el objetivo de disponer de información permanente y actualizada de la situación, la evolución y las tendencias del sector en Galicia y para la detección de sus necesidades y demandas.

El Observatorio del Comercio de Galicia tendrá las siguientes finalidades:

a) La recopilación, el análisis y el intercambio de la información disponible en diferentes fuentes autonómicas, estatales e internacionales sobre el comercio, así como de los principales indicadores del comercio interior en Galicia.

b) La identificación de las principales tendencias derivadas de la innovación y de la transformación digital y sustentable del sector comercial.

c) La evaluación de la ejecución de los planes y estrategias comerciales y del impacto de las ayudas y políticas desarrolladas por los distintos departamentos de las administraciones en la situación del comercio gallego.

d) La elaboración del mapa de comercio de Galicia.

e) La realización y difusión de encuestas, estudios, investigaciones e informes técnicos.

f) El intercambio de experiencias de éxito, buenas prácticas, investigaciones y trabajos entre profesionales y personas expertas en el ámbito comercial.

1.3.4.6. Mesa del Comercio de Galicia

Se crea la Mesa del Comercio de Galicia como órgano colegiado consultivo de participación, asesoramiento y colaboración con la Administración autonómica en el fomento y ordenación de la actividad comercial.

La Mesa del Comercio de Galicia se adscribe a la consejería competente en materia de comercio.

La Mesa del Comercio de Galicia ejercerá las siguientes funciones:

a) Formular propuestas y sugerencias para la mejora de la planificación, gestión y evaluación de las políticas públicas en el ámbito del comercio.

b) Formular propuestas y sugerencias sobre líneas estratégicas y prioridades de actuación que se estimen convenientes para el fomento y mejora del tejido comercial gallego.

c) Diseñar y proponer programas formativos para el incremento de la capacitación y la profesionalidad del sector comercial.

d) Cualquier otra actuación necesaria para el ejercicio de sus funciones o que le sea atribuida legal o reglamentariamente.

El Pleno de la Mesa del Comercio de Galicia tendrá la siguiente composición:

a) La Presidencia, que corresponderá a la persona titular de la consejería competente en materia de comercio.

b) La Vicepresidencia, que corresponderá a la persona titular del órgano directivo o superior competente en materia de comercio.

c) Trece vocalías, que corresponderán a:

1.º Dos personas representantes del órgano directivo competente en materia de comercio.

2.º Una persona en representación de la administración local, a propuesta de la Federación Gallega de Municipios y Provincias.

3.º Una persona en representación de las cámaras oficiales de comercio, industria, servicios y navegación de Galicia.

4.º Una persona representante de las personas consumidoras, propuesta por el Consejo Gallego de Consumidores y Usuarios.

5.º Una persona en representación de las organizaciones empresariales más representativas del sector comercial.

6.º Una persona en representación de las federaciones de comerciantes más representativas de ámbito autonómico.

7.º Una persona en representación de las asociaciones de comerciantes más representativas que tengan la consideración de centro comercial abierto.

8.º Una persona en representación de las asociaciones de personas vendedoras de las plazas de abastos y mercados.

9.º Una persona en representación de las asociaciones de personas vendedoras ambulantes.

10.º Una persona representante de la asociación más representativa de grandes empresas de distribución del sector comercial.

11.º Una persona representante de la asociación más representativa de grandes empresas de supermercados y distribución alimentaria.

12.º Una persona en representación de las organizaciones sindicales más representativas del sector comercial gallego.

d) La Secretaría, que corresponderá a una persona funcionaria del órgano directivo competente en materia de comercio, que ejercerá la secretaría con voz pero sin voto.

1.3.4.7. Establecimientos comerciales

A) Concepto general de establecimiento comercial

La actividad comercial definida anteriormente habrá de ejercerse en establecimiento comercial, salvo las excepciones previstas en los capítulos II, III, IV y V del título V y en el título VII de esta Ley 13/2010.

Se consideran establecimientos comerciales los locales y las construcciones o instalaciones de carácter fijo y permanente, cubiertos o sin cubrir, interiores o exteriores a una edificación, con o sin escaparates, destinados al ejercicio regular de actividades comerciales, ya sea de forma individual o en un espacio colectivo, e independientemente de que se realice de forma continuada o en días o temporadas determinadas.

Quedan incluidos en la definición anterior los quioscos y, en general, las instalaciones de cualquier clase que cumplan la finalidad señalada en la misma, siempre que tengan el carácter de inmuebles de acuerdo con el artículo 334 del Código Civil.

B) Clases de establecimientos comerciales

Los establecimientos comerciales podrán tener carácter individual o colectivo.

Son establecimientos comerciales de carácter colectivo los integrados por un conjunto de establecimientos comerciales individuales o de puntos de venta diferenciados, ubicados en uno o varios edificios, comunicados o no, que se hayan proyectado de modo conjunto con independencia de que las respectivas actividades comerciales se desarrollen de forma empresarialmente independiente, en los que concurran tres de los elementos siguientes:

a) Acceso común desde la vía pública, de uso exclusivo o preferente de los clientes.

b) Áreas de estacionamiento comunes o contiguas a los diferentes establecimientos para uso preferente de los clientes y que no prohíban la circulación peatonal entre ellos.

c) Servicios comunes para los comerciantes o la clientela, como la gestión común de ciertos elementos de su explotación; concretamente, la creación de servicios colectivos o la celebración de actividades o campañas de comunicación, promoción y de publicidad comercial conjunta.

d) Denominación o imagen común.

C) Centros comerciales abiertos

Son centros comerciales abiertos aquellas agrupaciones de establecimientos comerciales legalmente constituidas representativas del pequeño comercio o comercio tradicional, ubicados en las calles de un determinado entorno urbano delimitado y con tradición comercial, que ofrecen una imagen y estrategia unitaria de la oferta global y se rigen por criterios de gestión integral o de conjunto en el ofrecimiento de servicios comunes, la creación de servicios colectivos o la celebración de actividades, comunicaciones o campañas de promoción.

La Administración autonómica impulsará y potenciará la creación y mantenimiento de los centros comerciales abiertos colaborando con la correspondiente Administración local.

D) Centros de fabricantes u *outlets*

A los efectos de la presente Ley 13/2010, se entiende por centros de fabricantes u *outlet*s:

a) El establecimiento comercial individual o colectivo dedicado de forma exclusiva y permanentemente a la venta de saldos. Este tipo de establecimientos no podrá anunciarse únicamente con la denominación de *outlet* sino que deberá añadir el término *saldos*.

b) El establecimiento comercial individual o colectivo dedicado de forma permanente y exclusiva a la venta de excesos de producto o de temporada. Los productos deberán haber sido ofertados en condiciones normales en establecimientos comerciales carentes de esta denominación.

c) La venta efectuada directamente por el fabricante al consumidor final en establecimientos comerciales individuales o colectivos, no pudiendo realizarse en el propio recinto fabril o en almacenes.

En los supuestos regulados en la letra b del apartado anterior no podrán ser ofertados productos de fabricación de la temporada en curso hasta un mes después de haber finalizado el periodo oficial de rebajas de la temporada de que se trate.

A los supuestos regulados en la letra a del apartado 1 de este artículo les será de aplicación lo dispuesto en el capítulo III del título IV de la presente Ley 13/2010.

Salvo en los supuestos previstos en la letra c del apartado 1 de este artículo, en los productos ofertados en el *outlet* deberán figurar con claridad, en cada uno de ellos, el precio anterior de venta en establecimiento comercial ordinario junto al precio actual de venta en establecimiento comercial *outlet*; este último precio deberá ser inferior al fijado en establecimiento ordinario.

 Sabías que...

En el ámbito de la Comunidad Autónoma de Galicia se suprime con carácter general la necesidad de obtención de licencia municipal de actividad, apertura o funcionamiento para la instalación, implantación o ejercicio de cualquier actividad económica, empresarial, profesional, industrial o comercial.

Los ayuntamientos velarán por el cumplimiento de los requisitos aplicables según la legislación correspondiente, para lo cual comprobarán, controlarán e inspeccionarán las actividades.

1.3.4.8. Órganos gallegos en materia de consumo

A) Instituto Gallego del Consumo y de la Competencia

Por Decreto 118/2016, de 4 de agosto, se crea el Instituto Gallego del Consumo y de la Competencia y se aprueban sus estatutos.

El Instituto Gallego de Consumo y el Consejo Gallego de la Competencia quedan integrados dentro del Instituto Gallego del Consumo y de la Competencia que, de acuerdo con el establecido en el apartado 2 del artículo 38 de la Ley 14/2013, de 26 de diciembre, de racionalización del sector público autonómico, asumirá los medios personales y materiales y las competencias que en la actualidad corresponden al Instituto Gallego de Consumo y al Consejo Gallego de la Competencia, que se suprimirán en el momento de su entrada en funcionamiento, sin que suponga incremento de gasto público.

Naturaleza y adscripción

El Instituto Gallego del Consumo y de la Competencia es un organismo autónomo creado al amparo del artículo 38 de la Ley 14/2013, de 26 de diciembre, de racionalización del sector público autonómico, y que se encuadra dentro de las entidades públicas instrumentales reguladas en el título III de la Ley 16/2010, de 17 de diciembre, de organización y funcionamiento de la Administración general y del sector público autonómico de Galicia.

El Instituto Gallego del Consumo y de la Competencia está adscrito a la consellería competente en materia de consumo.

Personalidad jurídica

El Instituto Gallego del Consumo y de la Competencia tiene personalidad jurídica propia diferenciada respeto de la Administración general de la Comunidad Autónoma de Galicia, patrimonio y tesorería propios, así como autonomía de gestión, dentro de los límites que establezcan la normativa vigente y este estatuto.

Fines y objetivos

El Instituto Gallego del Consumo y de la Competencia tendrá como fines generales y objetivos básicos la defensa, protección, promoción e información de los derechos de las personas consumidoras y usuarias, y la garantía, promoción y preservación de una competencia efectiva en los mercados en el ámbito de la Comunidad Autónoma de Galicia, en la perspectiva de conseguir la máxima eficiencia económica y la protección y el aumento del bienestar de las personas consumidoras y usuarias.

Funciones y competencias

Las funciones del Instituto Gallego del Consumo y de la Competencia serán las siguientes:

a) Orientar, formar e informar a las personas consumidoras y usuarias sobre sus derechos y la forma de ejercerlos y de difundir su conocimiento, con el fin de que se tengan en cuenta y se respeten por todos aquellos que intervengan en el mercado y por aquellos a los que pueda afectar directa o indirectamente en relación con los bienes y servicios.

b) Potenciar el establecimiento y desarrollo de las organizaciones de personas consumidoras y usuarias.

c) Promover y llevar a cabo los estudios que permitan una idónea prognosis de la problemática del consumo, así como llevar a cabo ensayos comparativos, análisis de laboratorio y, en general, todos los procedimientos técnicos que se precisen para el mejor conocimiento de los bienes, productos y servicios que se oferten al consumidor y usuario.

d) Elaborar y difundir información para facilitar a las personas consumidoras y usuarias la elección, con criterios de racionalidad, de los bienes, productos y servicios genéricos más adecuados a sus necesidades.

e) Impulsar la formación de la ciudadanía, como personas consumidoras y usuarias, proponiendo a los organismos competentes la adopción de programas de educación para el consumo en los distintos grados de la enseñanza y realizar las actuaciones necesarias para asegurar que dicha formación sea permanente.

f) Cooperar y colaborar con las administraciones públicas y otras instituciones públicas o privadas, a través de acuerdos y convenios de colaboración, en el ámbito de los objetivos de este organismo.

g) Potenciar la mediación y el arbitraje para la resolución de los conflictos en materia de consumo, organizando y gestionando el funcionamiento de la Xunta Arbitral de Consumo de Galicia.

h) Realizar actuaciones de inspección y sanción en el ámbito de protección de las personas consumidoras, de acuerdo con las disposiciones vigentes.

i) Velar para que los productos y servicios puestos a disposición de las personas consumidoras y usuarias incorporen la información y los niveles de seguridad legalmente exigibles, y realizar campañas de control en los diferentes sectores del mercado gallego, de manera especial las dirigidas a evitar el fraude, la publicidad engañosa o la utilización de cláusulas abusivas.

j) Poner en conocimiento de los organismos competentes de la Administración propuestas e iniciativas en relación con las funciones y competencias del instituto.

k) Las que de acuerdo con lo establecido en la disposición adicional segunda de la Ley 2/2012, de 28 de marzo, gallega de protección general de las personas consumidoras y usuarias, corresponden al Instituto Gallego de Consumo.

l) La aplicación en la Comunidad Autónoma de Galicia de la Ley 15/2007, de 3 de julio, de defensa de la competencia, según los criterios establecidos por la Ley 1/2002, de 21 de febrero, de coordinación de competencias entre el Estado y las comunidades autónomas en materia de defensa de la competencia.

m) Preservar, garantizar y promover la existencia de una competencia efectiva en los mercados, en el ámbito de la Comunidad Autónoma de Galicia.

n) Ejercer todas las funciones, competencias y potestades que sean precisas para el desarrollo y ejercicio de las competencias de la Comunidad Autónoma de Galicia de protección de las personas consumidoras y defensa de la competencia.

Sede

El Instituto Gallego del Consumo y de la Competencia tiene su sede institucional en Santiago de Compostela.

Potestades

Corresponde al Instituto Gallego del Consumo y de la Competencia, dentro de la esfera de su competencia, el ejercicio de todas las potestades administrativas precisas para el cumplimiento de sus fines y funciones, en los términos establecidos en los presentes estatutos y de acuerdo con la legislación aplicable.

B) El Consello Gallego de Consumidores y Usuarios

Tras la aprobación de la Ley 2/2012, de 28 de marzo, gallega de protección general de las personas consumidoras y usuarias, quedó sin vigor la Ley 12/1984, del Estatuto Gallego de los consumidores y usuarios, que reconocía el derecho de los consumidores de ser consultados en las materias que le afectaran. Por ello, el artículo 54 de esta Ley especifica que reglamentariamente se creará un órgano autonómico de representación y consulta de las organizaciones de consumidores a fin de garantizar su representación institucional ante la Administración autonómica y demás administraciones, entidades y organismos. En la composición de este órgano se procurará el respecto del reparto equilibrado de los géneros.

A efectos de dar cumplimiento a este derecho de representación, consulta y participación se constituye en abril de 1998, por Decreto 127/1998, de 23 de abril, el Consello Gallego de Consumidores e Usuarios.

ÓRGANOS GALLEGOS EN MATERIA DE CONSUMO			
ÓRGANO	**REGULACIÓN**	**DEFINICIÓN**	**FUNCIÓN PRINCIPAL**
INSTITUTO GALLEGO DE CONSUMO Y DE LA COMPETENCIA	Decreto118/2016, de 4 de agosto	Organismo autónomo creado al amparo del artículo 38 de la Ley 14/2013, de 26 de diciembre, y que se encuadra dentro de las entidades públicas instrumentales reguladas en el título III de la Ley 16/2010, de 17 de diciembre, de organización y funcionamiento de la Administración general y del sector público autonómico de Galicia.	Ostenta la representación institucional de las organizaciones y asociaciones de consumidores y usuarios, ante la Administración autonómica u otras entidades y organismos de carácter autonómico.
CONSEJO GALLEGO DE CONSUMIDORES Y USUARIOS	Decreto127/1998, de 23 de abril.	Ostenta la representación institucional de las organizaciones y asociaciones de consumidores y usuarios, ante la Administración autonómica u otras entidades y organismos de carácter autonómico.	Conocer y emitir informes sobre los proyectos de disposición de carácter general que afecten directa o indirectamente a los consumidores y usuarios, salvo que las asociaciones de consumidores y usuarios estén representadas en los órganos colegiados de elaboración de ellos.

El Consello Gallego de Consumidores y Usuarios ostenta la representación institucional de las organizaciones y asociaciones de consumidores y usuarios, ante la Administración autonómica u otras entidades y organismos de carácter autonómico.

Sus funciones son las siguientes:

a) Conocer y emitir informes sobre los proyectos de disposición de carácter general que afecten directa o indirectamente a los consumidores y usuarios, salvo que las asociaciones de consumidores y usuarios estén representadas en los órganos colegiados de elaboración de ellos.

b) Presentar propuestas y sugerencias al Instituto Gallego de Consumo, en materia de defensa del consumidor y usuario.

c) Promover estudios y trabajos de investigación en materia de consumo.

d) Proponer a los representantes de las asociaciones o federaciones de consumidores y usuarios integradas en el consejo, para que participen en el Consejo de Dirección del Instituto Gallego de Consumo y en los demás órganos colegiados de organismos y entidades públicas o privadas de ámbito autonómico, en los que deban estar representados los consumidores y usuarios.

e) Elaborar la memoria anual de su actividad.

f) Ostentar la representación institucional de las organizaciones de consumidores y usuarios.

g) Las demás que le sean encomendadas por otras disposiciones.

1.4. Regulación y régimen específicamente local

En cuanto a la regulación y régimen específicamente local, hay que partir del art. 25, 2.º, i) y j) de la Ley 7/1985, de 2 de abril, Reguladora de las Bases del Régimen Local (LRL, en lo sucesivo), que señala que el Municipio ejercerá en todo caso competencias, en los términos de la legislación del Estado y de las Comunidades Autónomas, en las siguientes materias:

a) Ferias, abastos, mercados, lonjas y comercio ambulante.

b) Protección de la salubridad pública.

En este contexto, el art. 86 LRL prevé que las Entidades Locales podrán ejercer la iniciativa pública para el desarrollo de actividades económicas, siempre que esté garantizado el cumplimiento del objetivo de estabilidad presupuestaria y de la sostenibilidad financiera del ejercicio de sus competencias. En el expediente acreditativo de la conveniencia y oportunidad de la medida habrá de justificarse que la iniciativa no genera riesgo para la sostenibilidad financiera del conjunto de la Hacienda municipal debiendo contener un análisis del mercado, relativo a la oferta y a la demanda existente, a la rentabilidad y a los posibles efectos de la actividad local sobre la concurrencia empresarial.

En el nivel reglamentario, el art. 1 del Reglamento de Servicios de las Corporaciones Locales, aprobado por Decreto de 17 de junio de 1955 (RSCL, en otras citas), faculta a los Ayuntamientos para intervenir la actividad de sus administrados en materia de salubridad y de subsistencias, además, para asegurar el abastecimiento de los artículos de consumo de primera necesidad, la calidad de los ofrecidos en venta, la fidelidad en el despacho de los que se expendan a peso o medida, la normalidad de los precios y la libre competencia entre los suministradores y vendedores.

Esta intervención, propia de la policía administrativa se ejercerá por los medios y principios enunciados en la legislación básica en materia de régimen local (art. 5 RSCL).

Concretamente, en materia de abastos, la intervención se dirigirá a asegurar la libre competencia como medio de procurar la economía en los precios, sancionando cualesquiera formas de actuación encaminadas a impedir o dificultar la libertad de tráfico (art. 18 RSCL).

2. Venta ambulante

2.1. Aspectos generales

De conformidad con el artículo 30.1.4. del Estatuto de autonomía de Galicia, corresponde a la Comunidad Autónoma de Galicia la competencia exclusiva en materia de comercio interior, en la que se incluye la venta ambulante, sin perjuicio de la política general de precios y de la legislación sobre la defensa de la competencia, en los términos de lo dispuesto en los artículos 38, 131 y 149.1.º, 11.º y 13.º, así como el respeto a la autonomía municipal consagrada por el artículo 140, todos ellos de la Constitución Española.

La Ley 13/2010, de 17 de diciembre, del comercio interior de Galicia, regula la venta ambulante en el capítulo V de su título V. Por su parte, los artículos 53, 54 y 55 de la Ley estatal 7/1996, de 15 de enero, de ordenación de comercio minorista, establece, con carácter de legislación civil y mercantil, el concepto de venta ambulante.

Según la misma, se considera venta ambulante o no sedentaria la realizada por comerciantes, fuera de un establecimiento comercial permanente.

Corresponderá a los Ayuntamientos otorgar las autorizaciones para el ejercicio de la venta ambulante en sus respectivos términos municipales, de acuerdo con sus normas específicas y las contenidas en la legislación vigente, de acuerdo con el marco respectivo de competencias.

Quienes ejerzan el comercio ambulante deberán tener expuesto en forma fácilmente visible para el público sus datos personales y el documento en el que conste la correspondiente autorización municipal, así como una dirección para la recepción de las posibles reclamaciones.

La venta ambulante tiene en Galicia, por la típica dispersión de su población y agrupamiento en una gran cantidad de pequeños núcleos a menudo carentes de estructura comercial alguna, una importancia muy considerable; y asimismo comporta múltiples implicaciones tanto para los consumidores y usuarios como para el comercio sedentario y para las corporaciones locales. Por lo que se hace necesario el desarrollo legal de esta materia, para establecer un sistema de registro e identificación de los vendedores ambulantes y facilitar que los consumidores sepan con quien tratan; para que las obligaciones de los comerciantes se establezcan y cumplan por igual por unos y por otros, ambulantes y sedentarios; y para que el ejercicio de sus competencias sea más sencillo para las corporaciones locales.

2.2. Concepto

Tal y como establece el artículo 70 de la Ley 13/2010, de 17 de diciembre, se considera venta ambulante o no sedentaria la realizada por personas comerciantes, fuera de un establecimiento comercial permanente de forma habitual, ocasional, periódica o continuada, en los perímetros o lugares debidamente autorizados en instalaciones comerciales desmontables o transportables, incluyendo los camiones tienda.

Las ventas efectuadas dentro de los locales o recintos ocupados por un certamen ferial no tendrán la consideración de ambulante.

2.3. Tipología de venta ambulante o no sedentaria

A los efectos de la presente Ley, se entiende por (artículo 71):

a) Venta ambulante en mercados periódicos: aquella autorizada en los mercados ubicados en poblaciones, en lugares y espacios determinados, con una periodicidad habitual establecida. Dentro de este epígrafe están encuadradas, entre otras, las realizadas en ferias populares, mercadillos y rastros.

b) Venta ambulante en mercados fijos: aquella autorizada en lugares anexos a los mercados municipales o de abastos, con instalaciones permanentes en las poblaciones.

c) Venta ambulante en puestos desmontables instalados en la vía pública: aquella autorizada para un número de puestos, situaciones y periodos determinados.

d) Venta ambulante en mercados ocasionales: aquella autorizada en mercados esporádicos, que se celebren con motivo de ferias, fiestas o acontecimientos populares.

e) Venta ambulante mediante camiones o vehículos tienda: aquella realizada en los citados medios y autorizada en zonas o lugares determinados.

2.4. Condiciones

El ejercicio de la venta ambulante, con las tipologías establecidas anteriormente, estará sujeta a la obtención de **licencia municipal**, correspondiendo a los ayuntamientos su autorización, conforme a lo dispuesto en la presente Ley y en sus disposiciones de desarrollo. A tal fin, los ayuntamientos aprobarán las correspondientes ordenanzas municipales de venta ambulante, en las que se determinarán, como mínimo:

a) Los lugares y periodos en que pueda celebrarse la venta ambulante, así como la tipología admitida, habida cuenta de las características y necesidades de cada municipio y, especialmente, de los indicadores siguientes:

   – Densidad de tránsito y circulación.

   – Acceso a los locales comerciales o industriales, a sus escaparates o exposiciones.

   – Acceso a los edificios de uso público.

   – Condiciones para garantizar la adecuada sanidad e higiene.

   – Interés de las personas consumidoras.

   – Tradición y raigambre en el municipio de esta modalidad de venta.

b) Los requisitos para el ejercicio de la venta ambulante.

c) El régimen de autorizaciones.

d) La previsión del número de puestos o licencias.

e) Los productos que podrán ser ofrecidos a la venta.

f) La tasa a pagar por la concesión de la licencia.

g) El régimen interno de funcionamiento del mercado, en su caso.

h) La previsión del régimen sancionador.

i) La relación de derechos y deberes de las personas comerciantes ambulantes.

Serán requisitos inexcusables para la concesión de la mencionada autorización de venta ambulante los siguientes:

a) Estar dado o dada de alta en el régimen correspondiente de la Seguridad Social y, en su caso, en el impuesto de actividades económicas.

b) Cumplir con los requisitos de las reglamentaciones de cada tipo de productos.

c) Estar en posesión, en su caso, del certificado acreditativo de haber recibido formación en materia de manipulación de alimentos.

d) Satisfacer las tasas y los tributos fijados en la correspondiente ordenanza municipal.

e) Disponer de los permisos de residencia y trabajo que, en cada caso, fuesen exigibles, si se tratara de personas extranjeras.

f) Las personas jurídicas deberán acreditar los siguientes extremos: el CIF, acta de constitución, estatutos y escritura de poder otorgada a la persona que firma la solicitud de autorización en representación de la empresa.

g) Disponer de seguro de responsabilidad civil.

2.5. Productos objeto de la venta ambulante

En ningún caso podrán ser objeto de venta ambulante o no sedentaria los bienes o productos cuya propia normativa lo prohíba y aquellos otros que, en razón a su presentación u otros motivos, no cumplan la normativa técnico- sanitaria y de seguridad.

En todo caso, no se podrán vender alimentos o productos alimentarios no envasados por quien carezca del certificado acreditativo de haber recibido formación en materia de manipulación de los mismos. Tampoco se permitirá la venta ambulante ilegal de objetos en un establecimiento, considerándose falta leve según la Ley 7/2011, de 27 de octubre, del Turismo de Galicia.

Los ayuntamientos determinarán, dentro de los lugares señalados, los productos objeto de comercialización (artículo 74 Ley 13/2010, de 17 de diciembre).

2.6. Lugares destinados a la venta ambulante

Los ayuntamientos cuidarán de que los lugares destinados al ejercicio de la venta ambulante se hallen en idóneas condiciones de limpieza y salubridad, debiendo ejercer el debido control higiénico y sanitario, en especial de los productos perecederos y de alimentación, de acuerdo con la legislación y las ordenanzas vigentes.

Por razones de protección del patrimonio cultural, en las rutas de los Caminos de Santiago la venta ambulante solo podrá desarrollarse en los tramos urbanos de la traza de dichos Caminos o en el marco de las tipologías previstas en las letras a), b) y d) del artículo 71 de la presente ley 13/2010, vistos anteriormente, en los tramos no urbanos, debiendo respetarse en todo caso lo establecido en la Ley 5/2016, de 4 de mayo , del patrimonio cultural de Galicia.

2.7. Régimen de autorización

Las autorizaciones se concederán en condiciones no discriminatorias y el procedimiento habrá de garantizar la transparencia e imparcialidad y, en concreto, la publicidad adecuada de inicio, desarrollo y fin del proceso.

Puesto que el número de autorizaciones disponibles es limitado debido a la escasez de suelo público habilitado a tal efecto, la duración de las mismas no podrá ser por tiempo indefinido, debiendo permitir, en todo caso, la amortización de las inversiones y una remuneración equitativa de los capitales invertidos.

Las autorizaciones se otorgarán por tiempo determinado, siendo su plazo máximo de duración de cinco años prorrogables de forma expresa por idénticos periodos.

Las licencias podrán concederse tanto a personas físicas como a personas jurídicas, sean sociedades mercantiles o cooperativas, y serán transferibles a otras personas físicas o jurídicas que cumplan los requisitos establecidos en el artículo 72.2 de la presente Ley 13/2010, previa comunicación a la administración competente. La transmisión de una autorización no afectará a su periodo de vigencia, que se mantendrá por el tiempo que reste hasta la finalización del plazo de duración.

En este sentido, la Ley 9/2013, de 19 de diciembre, del emprendimiento y de la competitividad económica de Galicia, desarrolla en los artículos 43 y siguientes, el contenido, vigencia, extinción, revocación y caducidad de las licencias, en los términos siguientes.

2.7.1. Contenido de las licencias

Las licencias deberán mostrar, como mínimo, los siguientes datos:

a) El nombre, razón social, número o código de identificación fiscal de quien ostente la titularidad.

b) La denominación del establecimiento.

c) El domicilio y emplazamiento.

d) La fecha de otorgamiento de la licencia.

e) El tipo de establecimiento, actividad recreativa o espectáculos públicos autorizados.

f) El aforo máximo permitido.

g) Cualquier otro dato que se considere oportuno en función de la normativa de aplicación y/o de las condiciones singulares en función de la tipología de la actividad o del establecimiento.

La licencia otorgada por el ayuntamiento será suficiente para acreditar la actividad, condiciones y características del establecimiento público y deberá exponerse en un lugar visible y de fácil acceso.

2.7.2. Vigencia de las licencias

Las licencias de los establecimientos abiertos al público se conceden por tiempo indefinido, salvo que un reglamento o las propias licencias establezcan expresamente lo contrario. Todo ello sin perjuicio de los efectos de los controles y de las revisiones periódicas a que fueran sometidas.

Las autorizaciones de espectáculos públicos y actividades recreativas tendrán la misma vigencia que la de los espectáculos y actividades autorizados.

2.7.3. Extinción de las licencias

Las licencias se extinguen por los siguientes motivos:

a) Por haber finalizado el espectáculo público o la actividad recreativa.

b) Por cumplimiento del plazo al que está sometida la actividad o espectáculo público para el que se solicitó la licencia, en los casos en que proceda.

c) Por caducidad.

d) Por revocación.

e) Por renuncia de quien ostente su titularidad.

2.7.4. Revocación y caducidad

Las licencias pueden revocarse en los siguientes supuestos:

a) Por haberse modificado sustancialmente o haber desaparecido las circunstancias que determinaron el otorgamiento, o haber sobrevenido otras nuevas que, en caso de haber existido, habrían comportado su denegación.

b) Por incumplimiento por parte de quien ostente la titularidad de las licencias de los requisitos o condiciones en virtud de los cuales les fueron otorgadas.

c) Por sanción de conformidad con lo dispuesto en la presente ley.

d) Por falta de adaptaciones a los nuevos requerimientos establecidos por las normas dentro de los plazos contemplados con esta finalidad.

La no realización de la actividad para la que fue concedida la licencia durante un periodo ininterrumpido de un año facultará a la Administración para declarar la caducidad de las licencias. Este periodo podrá ser ampliado hasta un máximo de dos años, en el caso de espectáculos o actividades que para su normal desarrollo precisen de periodos de interrupción o inactividad, debiendo fijar el plazo a aplicar en la resolución por la que se otorgó la licencia.

La revocación y la declaración de caducidad se tramitarán de oficio dando audiencia a las personas interesadas, y deberán realizarse dentro del plazo de seis meses de haberles notificado la apertura del expediente. El procedimiento podrá ser sobreseído en el caso de que se subsanara la irregularidad que motivó la apertura del expediente, salvo que se apreciara reiteración o reincidencia en el incumplimiento. Tanto la revocación como la declaración de caducidad no generan derecho a indemnización.

2.8. Información al público

Las personas que ejerzan el comercio ambulante deberán tener expuesto en forma fácilmente visible y legible para el público sus datos personales y el documento en el que conste la correspondiente autorización municipal, así como una dirección para la recepción de las posibles reclamaciones.

2.9. Facultades de inspección y sanción

Corresponde a los ayuntamientos la inspección y sanción en materia de venta ambulante, sin perjuicio de las competencias atribuidas a otras administraciones.

2.10. Infracciones establecidas en la Ley 13/2010, de 17 de diciembre, del comercio interior de Galicia

Sin perjuicio de las responsabilidades que de otro orden puedan derivarse, constituyen infracciones administrativas en materia de ordenación de la actividad comercial, así como de las instituciones y actividades feriales, las acciones u omisiones tipificadas en la presente ley, las cuales serán objeto de sanciones administrativas, previa instrucción del correspondiente procedimiento sancionador.

Las infracciones se clasifican en leves, graves y muy graves.

2.10.1. Responsabilidad

Son responsables por las infracciones tipificadas en la presente ley las personas físicas o jurídicas titulares de las empresas, establecimientos y actividades comerciales de que se trate.

2.10.2. Infracciones leves

Tendrán la consideración de infracciones leves:

a) Las simples inobservancias de las disposiciones establecidas en la presente Ley que no tengan repercusiones económicas ni perjuicio para las personas consumidoras.

b) No exhibir la necesaria autorización, homologación o comunicación en la forma legal o reglamentariamente establecida.

c) En general, incumplir las obligaciones establecidas en la presente ley que no sean objeto de sanción específica.

2.10.3. Infracciones graves

Tendrán la consideración de infracciones graves:

a) Con relación al ejercicio de la actividad comercial:

1.º Ejercer una actividad comercial sin previa autorización en caso de que esta fuese preceptiva, no realizar las comunicaciones o notificaciones a la Administración comercial exigidas por la normativa vigente, incumplir los requisitos establecidos en el artículo 5 o incurrir en alguna de las prohibiciones establecidas en el artículo 6.

2.º Ejercer simultáneamente en un mismo establecimiento actividades comerciales mayorista y minorista sin mantenerlas debidamente diferenciadas o sin respetar las normas específicas aplicables a cada una de estas modalidades de distribución.

3.º Realizar ventas con pérdida, a excepción de las autorizadas por la presente Ley, e incumplir las normas sobre facturas que recoge el artículo 12.

4.º Ejercer la actividad de venta fuera de un establecimiento comercial incumpliendo lo dispuesto en el artículo 22.

b) En cuanto a las actividades comerciales de promoción de ventas:

1.º Utilizar las denominaciones recogidas en el artículo 36.2, u otras semejantes, para anunciar ventas que no respondan al correspondiente concepto legal o generen confusión con otra distinta, así como no observar las características legales definidoras de cada una de ellas.

2.º Vender artículos defectuosos, excepto en la venta en saldos.

3.º Vender artículos o productos bajo la denominación de saldos cuando aquellos no se ajustasen a lo establecido en la presente Ley y cuando los artículos en saldo no se encontraran debidamente separados del resto de los productos no saldados.

4.º Incumplir lo preceptuado en el artículo 40.1, en cuanto a la prohibición de simultanear la venta en rebajas con otras ventas promocionales.

5.º Realizar la venta en rebajas, en liquidación o con descuento de artículos adquiridos expresamente con tal finalidad.

6.º Incumplir lo dispuesto en la presente ley para la venta en rebajas.

7.º Falsear, en las ventas promocionales, la publicidad de su oferta.

8.º Incumplir el régimen establecido sobre entrega y canje de los obsequios promocionales.

9.º Modificar durante el periodo de duración de la oferta de ventas con obsequio el precio o la calidad del producto.

10.º Vender bajo el anuncio de venta en liquidación o realizar la liquidación que no responda a lo establecido en la presente Ley y la venta efectuada sin la comunicación previa exigida.

c) En lo que concierne a las modalidades y prácticas especiales de venta:

1.º Realizar ventas a distancia incumpliendo las condiciones y limitaciones que para dichas ventas establece la presente Ley.

2.º Anunciar ventas como directas de fabricante o mayorista incumpliendo lo preceptuado por la presente Ley.

3.º Incumplir el régimen establecido legalmente para las ventas domiciliarias.

4.º Incumplir lo dispuesto en el artículo 69 respecto a la recuperación del importe en la venta realizada a través de mecanismos o máquinas de venta.

5.º Incumplir la prohibición de venta realizada por el procedimiento llamado «en cadena o piramidal», de acuerdo lo establecido en el artículo 90 de la presente Ley.

6.º Incumplir los requisitos legales para la venta en subasta pública.

d) En lo referente a la venta ambulante o no sedentaria:

1.º Practicar la venta fuera de los perímetros y/o lugares autorizados o con trasgresión de los días y horarios establecidos.

2.º Practicar la venta cualquier persona no autorizada o comerciantes que incumplan los requisitos establecidos en la presente ley, en los reglamentos u ordenanzas reguladoras.

3.º Practicar la venta en lugares que no reúnan las condiciones establecidas en la presente Ley, en los reglamentos u ordenanzas reguladoras.

e) Negarse o resistirse a suministrar datos o a facilitar la información requerida por las autoridades o su funcionariado y agentes de la Administración comercial en el ejercicio de sus funciones de comprobación, y el suministro de información inexacta o incompleta.

f) Incumplir las disposiciones administrativas relativas a la prohibición de comercializar o distribuir determinados productos.

g) Exigir precios superiores a aquellos que hubiesen sido objeto de fijación administrativa.

h) Incumplir los plazos máximos de pago que contempla el apartado 3 del artículo 15, así como no entregar las personas comerciantes a sus personas proveedoras un documento que lleve aparejada la ejecución cambiaria, y faltar la entrega de un efecto endosable a la orden en los supuestos y plazos previstos en el apartado 4 del artículo 15.

i) (Derogada).

j) No dejar constancia documental de la fecha de entrega de mercancías por los proveedores o falsear este dato.

k) Cursar información errónea o claramente insuficiente cuando esta se haya solicitado en conformidad con la normativa de aplicación y tenga carácter esencial, se generen graves daños o exista intencionalidad.

l) Reincidir en la comisión de infracciones leves.

2.10.4. Infracciones muy graves

Tendrán la consideración de infracciones muy graves:

a) Ejercer actividades comerciales en establecimientos comerciales individuales o colectivos que no hayan obtenido la autorización autonómica a que se refiere el artículo 29 cuando esta fuera preceptiva.

b) Negarse o resistirse a suministrar datos o a facilitar la información requerida por las autoridades y sus agentes en el ejercicio de sus funciones de inspección, cuando se efectuase a través de violencia física o verbal o cualquier otra forma de presión.

c) Cometer las infracciones calificadas como graves, siempre que hubieran supuesto una facturación, afectada por la infracción, superior a un millón de euros.

d) Reincidir en la comisión de infracciones graves.

2.10.5. Reincidencia

Se entenderá por reincidencia la comisión, en el período de dos años, de más de una infracción de la misma naturaleza, cuando así haya sido declarado por resolución firme.

Pese a lo señalado en el apartado anterior, para calificar una infracción como muy grave solo se atenderá a la reincidencia en infracciones graves, y la reincidencia en infracciones leves solo determinará que una infracción de este tipo sea calificada como grave cuando se haya incurrido en más de dos infracciones de carácter leve, cuando así hubiese sido declarado por resolución firme.

2.10.6. Prescripción de las infracciones

Las infracciones reguladas en la presente ley prescribirán a los tres años las calificadas de muy graves, a los dos años las calificadas de graves y a los seis meses las calificadas de leves.

Estos plazos se contarán a partir de la realización del acto sancionable o de la terminación del periodo de comisión si se tratase de infracciones continuadas.

Interrumpirá la prescripción la iniciación, con conocimiento de la persona interesada, del procedimiento sancionador. El plazo de prescripción volverá a correr en caso de que el expediente sancionador esté paralizado durante más de un mes por causa no imputable a la persona presuntamente infractora.

2.10.7. Tipología de las sanciones

Las infracciones señaladas en la presente Ley darán lugar a las sanciones siguientes:

a) Apercibimiento a la persona infractora.

b) Multa.

c) Incautación y pérdida de la mercancía.

d) Cierre del establecimiento o suspensión de la actividad comercial de que se trate por plazo no superior a un año.

No tendrá carácter de sanción la clausura o cierre de establecimientos que no cuenten con las autorizaciones preceptivas o la suspensión de su funcionamiento durante el tiempo preciso para su regularización. Tales medidas se acordarán por el Consello de la Xunta de Galicia a propuesta de la consejería competente en materia de comercio. Tampoco tendrán carácter sancionador las multas coercitivas que eventualmente hubieran podido imponerse, de conformidad con lo previsto en la presente Ley.

Actividad 1

Indica si las siguientes cuestiones son verdaderas o falsas:

- **En cualquier caso podrán ser objeto de venta ambulante o no sedentaria los bienes o productos cuya propia normativa lo prohíba y aquellos otros que, en razón a su presentación u otros motivos, no cumplan la normativa técnico- sanitaria y de seguridad.**

Verdadera ☐   Falsa ☐

- **Las autorizaciones se otorgarán por tiempo determinado, siendo su plazo máximo de duración de cinco años prorrogables de forma expresa por idénticos periodos.**

Verdadera ☐   Falsa ☐

3. Espectáculos y establecimientos públicos

3.1. Regulación estatal de espectáculos y establecimientos públicos

3.1.1. Ley de Protección de la Seguridad Ciudadana

La **Ley Orgánica 4/2015, de 30 de marzo, de Protección de la Seguridad Ciudadana** tiene por objeto la regulación de un conjunto plural y diversificado de actuaciones de distinta naturaleza orientadas a la tutela de la seguridad ciudadana, mediante la protección de personas y bienes y el mantenimiento de la tranquilidad de los ciudadanos.

El artículo 27 de esta Ley Orgánica trata los espectáculos y actividades recreativas estableciendo lo siguiente

Artículo 27: Espectáculos y actividades recreativas

1. El Estado podrá dictar normas de seguridad pública para los edificios e instalaciones en los que se celebren espectáculos y actividades recreativas.

2. Las autoridades a las que se refiere esta Ley adoptarán las medidas necesarias para preservar la pacífica celebración de espectáculos públicos. En particular, podrán prohibir y, en caso de estar celebrándose, suspender los espectáculos y actividades recreativas cuando exista un peligro cierto para personas y bienes, o acaecieran o se previeran graves alteraciones de la seguridad ciudadana.

3. La normativa específica determinará los supuestos en los que los delegados de la autoridad deban estar presentes en la celebración de los espectáculos y actividades recreativas, los cuales podrán proceder, previo aviso a los organizadores, a la suspensión de los mismos por razones de máxima urgencia en los supuestos previstos en el apartado anterior.

4. Los espectáculos deportivos quedarán, en todo caso, sujetos a las medidas de prevención de la violencia dispuestas en la legislación específica contra la violencia, el racismo, la xenofobia y la intolerancia en el deporte.

3.1.2. Ley contra la violencia, el racismo, la xenofobia y la intolerancia en el deporte

La **Ley 19/2007, de 11 de julio, contra la violencia, el racismo, la xenofobia y la intolerancia en el deporte**, tiene como objeto, según su artículo 1, entre otros, mantener la seguridad ciudadana y el orden público en los espectáculos deportivos con ocasión de la celebración de competiciones y espectáculos deportivos, así como determinar el régimen administrativo sancionador contra los actos de violencia, racismo, xenofobia o intolerancia en todas sus formas vinculados a la celebración de competiciones y espectáculos deportivos.

Debido a la amplitud de la Ley desarrollamos a continuación los artículos 3, 4, 5, 6 y 7, relativos a las responsabilidades y obligaciones de personas organizadoras de competiciones y espectáculos deportivos (artículos 3, 4 y 5), así como las obligaciones de las personas espectadoras y asistentes a las competiciones y espectáculos deportivos (artículos 6 y 7).

3.1.2.1. Medidas para evitar actos violentos, racistas, xenófobos o intolerantes en el ámbito de aplicación de la presente Ley (artículo 3)

Con carácter general, las personas organizadoras de competiciones y espectáculos deportivos deberán adoptar medidas adecuadas para evitar la realización de las conductas descritas en los apartados primero y segundo del artículo 2 (actos o conductas violentas o que incitan a la violencia en el deporte y actos racistas, xenófobos o intolerantes en el deporte), así como para garantizar el cumplimiento por parte de los espectadores de las condiciones de acceso y permanencia en el recinto que se establecen en el capítulo segundo de este título.

Corresponde, en particular, a las personas organizadoras de competiciones y espectáculos deportivos:

a) Adoptar las medidas de seguridad establecidas en esta Ley y en sus disposiciones de desarrollo.

b) Velar por el respeto de las obligaciones de los espectadores de acceso y permanencia en el recinto, mediante los oportunos instrumentos de control.

c) Adoptar las medidas necesarias para el cese inmediato de las actuaciones prohibidas, cuando las medidas de seguridad y control no hayan logrado evitar o impedir la realización de tales conductas.

d) Prestar la máxima colaboración a las autoridades gubernativas para la prevención de la violencia, el racismo, la xenofobia y la intolerancia en el deporte, y de aquellos actos que atenten contra los derechos, libertades y valores de la Constitución, poniendo a disposición del Coordinador de Seguridad los elementos materiales y humanos necesarios y adoptando las medidas de prevención y control establecidas en la presente Ley y en sus disposiciones de desarrollo.

e) Facilitar a la autoridad gubernativa y en especial al Coordinador de Seguridad toda la información disponible sobre los grupos de seguidores, en cuanto se refiere a composición, organización, comportamiento y evolución, así como los planes de desplazamiento de estos grupos, agencias de viaje que utilicen, medios de transporte, localidades vendidas y espacios reservados en el recinto deportivo.

f) Dotar a las instalaciones deportivas donde se celebren espectáculos de un sistema eficaz de comunicación con el público, y usarlo eficientemente.

g) Colaborar activamente en la localización e identificación de los infractores y autores de las conductas prohibidas por la presente Ley.

h) No proporcionar ni facilitar a las personas o grupos de seguidores que hayan incurrido en las conductas definidas en los apartados primero y segundo del artículo 2 de la presente Ley, medios de transporte, locales, subvenciones, entradas gratuitas, descuentos, publicidad o difusión o cualquier otro tipo de promoción o apoyo de sus actividades.

i) Cualquier otra obligación que se determine reglamentariamente con los mismos objetivos anteriores, y en particular garantizar que los espectáculos que organicen no sean utilizados para difundir o transmitir mensajes o simbología que, pese a ser ajenas al deporte, puedan incidir, negativamente, en el desarrollo de las competiciones.

Las causas de prohibición de acceso a los recintos deportivos se incorporarán a las disposiciones reglamentarias de todas las entidades deportivas y se harán constar también, de forma visible, en las taquillas y en los lugares de acceso al recinto.

Asimismo, las citadas disposiciones establecerán expresamente la posibilidad de privar de los abonos vigentes y de la inhabilitación para obtenerlos durante el tiempo que se determine reglamentariamente a las personas que sean sancionadas con carácter firme por conductas violentas, racistas, xenófobas o intolerantes.

3.1.2.2. Consumo y venta de bebidas alcohólicas y de otro tipo de productos (artículo 4)

Queda prohibida en las instalaciones en las que se celebren competiciones deportivas la introducción, venta y consumo de toda clase de bebidas alcohólicas y de drogas tóxicas, estupefacientes o sustancias psicotrópicas.

Los envases de las bebidas que se expendan o introduzcan en las instalaciones en que se celebren espectáculos deportivos deberán reunir las condiciones de rigidez y capacidad que reglamentariamente se establezca, oída la Comisión Estatal contra la Violencia, el Racismo, la Xenofobia y la Intolerancia en el Deporte.

En las instalaciones donde se celebren competiciones deportivas queda prohibida la venta de productos que, en el caso de ser arrojados, puedan producir daños a los participantes en la competición o a los espectadores por su peso, tamaño, envase o demás características. Reglamentariamente se determinarán los grupos de productos que son incluidos en esta prohibición.

3.1.2.3. Responsabilidad de las personas organizadoras de pruebas o espectáculos deportivos (artículo 5)

Las personas físicas o jurídicas que organicen cualquier prueba, competición o espectáculo deportivo a los que se refiere el artículo 1 de esta Ley o los acontecimientos que constituyan o formen parte de dichas competiciones serán, patrimonial y administrativamente, responsables de los daños y desórdenes que pudieran producirse por su falta de diligencia o prevención o cuando no hubieran adoptado las medidas de prevención establecidas en la presente Ley, todo ello de conformidad y con el alcance que se prevé en los Convenios Internacionales contra la violencia en el deporte ratificados por España.

Cuando, de conformidad con lo dispuesto por el artículo 2.4 de la presente Ley (personas organizadoras de competiciones y espectáculos deportivos), varias personas o entidades sean consideradas organizadores, todas ellas responderán de forma solidaria del cumplimiento de las obligaciones previstas en esta Ley.

Esta responsabilidad es independiente de la que pudieran haber incurrido en el ámbito penal o en el disciplinario deportivo como consecuencia de su comportamiento en la propia competición.

3.1.2.4. Obligaciones de las personas espectadoras y asistentes a las competiciones y espectáculos deportivos

Condiciones de acceso al recinto (artículo 6)

Queda prohibido:

a) Introducir, portar o utilizar cualquier clase de armas o de objetos que pudieran producir los mismos efectos, así como bengalas, petardos, explosivos o, en general, productos inflamables, fumíferos o corrosivos.

b) Introducir, exhibir o elaborar pancartas, banderas, símbolos u otras señales con mensajes que inciten a la violencia o en cuya virtud una persona o grupo de ellas sea amenazada, insultada o vejada por razón de su origen racial o étnico, su religión o convicciones, su discapacidad, edad, sexo o la orientación e identidad sexual, expresión de género o características sexuales.

c) Incurrir en las conductas descritas como violentas, racistas, xenófobas o intolerantes en los apartados primero y segundo del artículo 2.

d) Acceder al recinto deportivo bajo los efectos de bebidas alcohólicas, drogas tóxicas, estupefacientes o sustancias psicotrópicas.

e) Acceder al recinto sin título válido de ingreso en el mismo.

f) Cualquier otra conducta que, reglamentariamente, se determine, siempre que pueda contribuir a fomentar conductas violentas, racistas, xenófobas o intolerantes.

Las personas espectadoras y asistentes a las competiciones y espectáculos deportivos, quedan obligadas a someterse a los controles pertinentes para la verificación de las condiciones referidas en el apartado anterior, y en particular:

Ser grabados mediante circuitos cerrados de televisión en los aledaños del recinto deportivo, en sus accesos y en el interior de los mismos.

Someterse a registros personales dirigidos a verificar las obligaciones contenidas en los literales a) y b) del apartado anterior.

Será impedida la entrada a toda persona que incurra en cualquiera de las conductas señaladas en el apartado anterior, en tanto no deponga su actitud o esté incursa en alguno de los motivos de exclusión.

Condiciones de permanencia en el recinto (artículo 7)

Es condición de permanencia de las personas espectadoras en el recinto deportivo, en las celebraciones deportivas, el no practicar actos violentos, racistas, xenófobos o intolerantes, o que inciten a ellos, conforme a lo definido en los apartados primero y segundo del artículo 2 de la presente Ley; en particular:

a) No agredir ni alterar el orden público.

b) No entonar cánticos, sonidos o consignas racistas o xenófobos, de carácter intolerante, o que inciten a la violencia o al terrorismo o supongan cualquier otra violación constitucional.

c) No exhibir pancartas, banderas, símbolos u otras señales que inciten a la violencia o al terrorismo o que incluyan mensajes de carácter racista, xenófobo o intolerante.

d) No lanzar ninguna clase de objetos.

e) No irrumpir sin autorización en los terrenos de juego.

f) No tener, activar o lanzar, en las instalaciones o recintos en las que se celebren o desarrollen espectáculos deportivos, cualquier clase de armas o de objetos que pudieran producir los mismos efectos, así como bengalas, petardos, explosivos o, en general, productos inflamables, fumíferos o corrosivos.

g) Observar las condiciones de seguridad oportunamente previstas y las que reglamentariamente se determinen.

Asimismo, son condiciones de permanencia de las personas espectadoras:

a) No consumir bebidas alcohólicas, ni drogas tóxicas, estupefacientes o sustancias psicotrópicas.

b) Ocupar las localidades de la clase y lugar que correspondan al título de acceso al recinto de que dispongan, así como mostrar dicho título a requerimiento de los cuerpos y fuerzas de seguridad y de cualquier empleado o colaborador del organizador.

c) Cumplir los reglamentos internos del recinto deportivo.

El incumplimiento de las obligaciones descritas en los apartados anteriores implicará la expulsión inmediata del recinto deportivo por parte de las fuerzas de seguridad, sin perjuicio de la posterior imposición de las sanciones eventualmente aplicables.

Las personas espectadoras y asistentes a las competiciones y espectáculos deportivos vendrán obligados a desalojar pacíficamente el recinto deportivo y abandonar sus aledaños cuando sean requeridos para ello por razones de seguridad o por incumplimiento de las condiciones de permanencia referidas en el apartado primero.

3.1.3. Reglamento General de Policía de Espectáculos Públicos y Actividades Recreativas

El Real Decreto 2816/1982, de 27 de agosto, por el que se aprueba el Reglamento General de Policía de Espectáculos Públicos y Actividades Recreativas regula lo relativo a Espectáculos y Establecimientos Públicos a nivel estatal.

Según dicha normativa, serán aplicable este Reglamento a los espectáculos, deportes, juegos, recreos y establecimientos destinados al público, y a las demás actividades de análogas características, con independencia de que sean de titularidad pública o privada y de que se propongan o no finalidades lucrativas.

Los preceptos dedicados específicamente a regular los requisitos de construcción o transformación de los locales para destinarlos a espectáculos propiamente dichos, serán adaptados a las exigencias de los establecimientos públicos y restantes actividades recreativas mediante Reglamentos especiales, con sujeción a análogos principios y finalidades.

La aplicación del presente Reglamento tendrá carácter supletorio respecto de las disposiciones especiales dictadas, para garantizar la higiene y sanidad pública y la seguridad ciudadana, proteger a la infancia y a la juventud y defender los intereses del público en general, así como para la prevención de incendios y otros riesgos colectivos.

Los requisitos establecidos en este Reglamento, para los lugares, recintos e instalaciones destinados a espectáculos y recreos públicos, serán exigidos sin perjuicio de los que puedan establecer en el ejercicio de sus competencias, los distintos Departamentos ministeriales, las Comunidades Autónomas y las Corporaciones locales.

3.2. Regulación autonómica de espectáculos y establecimientos públicos

La Comunidad Autónoma de Galicia tiene competencia exclusiva en materia de espectáculos públicos, conforme a lo establecido en la Ley Orgánica 16/1995, de 27 de diciembre, de transferencia de competencias a la Comunidad Autónoma de Galicia, que mantiene la reserva para el Estado de las competencias relativas a la seguridad pública y la facultad de dictar normas que regulen los espectáculos taurinos.

Para el pleno ejercicio de esta competencia, el Real decreto 1640/1996, de 5 de julio, regula el traspaso de funciones y servicios de la Administración del Estado a la Comunidad Autónoma de Galicia en dicha materia, y mediante el Decreto 336/1996, de 13 de septiembre, se asumieron las funciones y los servicios transferidos.

Teniendo en cuenta el tiempo transcurrido desde dicha transferencia, es preciso establecer una legislación propia que se adapte a las especiales circunstancias de la Comunidad gallega y homogenice los distintos aspectos dispersos en diversos reglamentos, así como en la Ley Orgánica 4/2015, de 30 de marzo, de protección de la seguridad ciudadana.

La **Ley 10/2017, de 27 de diciembre, de espectáculos públicos y actividades recreativas de Galicia**, se fundamenta en dichas competencias para establecer el régimen jurídico de los espectáculos públicos y las actividades recreativas que se celebren en establecimientos o espacios abiertos al público, siempre que se desarrollen íntegramente en el territorio de la Comunidad Autónoma de Galicia.

Además de esta Ley de espectáculos públicos y actividades recreativas de Galicia, debemos tener en cuenta el siguiente régimen jurídico, al que iremos haciendo mención a lo largo del tema:

– Ley 9/2013, de 19 de diciembre, del emprendimiento y de la competitividad económica de Galicia.

– Ley 2/2012, de 28 de marzo, gallega de protección general de las personas consumidoras y usuarias.

– Decreto 124/2019, de 5 de septiembre, por el que se aprueba el Catálogo de espectáculos públicos, actividades recreativas y establecimientos abiertos al público de la Comunidad Autónoma de Galicia y se establecen determinadas disposiciones generales de aplicación en la materia.

– Orden de 23 de octubre de 2020 por la que se determina el horario de apertura y cierre de los establecimientos abiertos al público y de inicio y finalización de los espectáculos públicos y de las actividades recreativas.

3.2.1. Objeto

La presente ley tiene por objeto establecer, en el marco de las competencias de la Comunidad Autónoma de Galicia, el régimen jurídico de los espectáculos públicos y actividades recreativas que se celebren en establecimientos o espacios abiertos al público, siempre que se desarrollen íntegramente en el territorio de la Comunidad Autónoma.

3.2.2. Ámbito de aplicación

Quedan sometidos a la presente ley todo tipo de espectáculos públicos y actividades recreativas que se celebren en establecimientos y espacios abiertos al público, con independencia del carácter público o privado de quienes los organicen, de la titularidad pública o privada del establecimiento o espacio abierto al público en que se desarrollen, de su finalidad lucrativa o no lucrativa y de su carácter esporádico o habitual.

Quedan excluidos del ámbito de aplicación de la presente ley:

a) Los actos y celebraciones de carácter privado o familiar que no se efectúen en establecimientos abiertos al público y que, por sus características, no supongan ningún riesgo para la integridad de los espacios públicos, para la convivencia entre la ciudadanía o para los derechos de terceros.

b) Las actividades efectuadas en ejercicio de los derechos fundamentales de reunión y manifestación.

Las disposiciones de la presente ley se aplicarán con carácter supletorio a aquellos espectáculos públicos y actividades recreativas que cuenten con regulación sectorial propia.

3.2.3. Definiciones

A efectos de la presente ley, se entenderá por:

a) **Espectáculos públicos**: las representaciones, exhibiciones, actuaciones, proyecciones, competiciones o audiciones de concurrencia pública de carácter artístico, cultural, deportivo o análogo.

b) **Actividades recreativas**: aquellas que ofrecen al público, personas espectadoras o participantes actividades, productos o servicios con fines de recreo, entretenimiento u ocio.

c) **Espectáculos públicos y actividades recreativas de carácter extraordinario**: aquellos que se desarrollan esporádicamente en establecimientos abiertos al público legalmente habilitados para celebrar un espectáculo público o actividad recreativa distinta de la actividad propia del establecimiento.

d) **Establecimientos abiertos al público**: locales, instalaciones o recintos dedicados a llevar a cabo en ellos espectáculos públicos o actividades recreativas. Pueden ser de los siguientes tipos:

1.º Locales cerrados, permanentes no desmontables, cubiertos total o parcialmente.

2.º Locales no permanentes desmontables, cubiertos total o parcialmente, o instalaciones fijas portátiles o desmontables cerradas.

3.º Recintos que unen varios locales o instalaciones, constituidos en complejos o infraestructuras de ocio.

e) **Espacios abiertos al público**: lugares de titularidad pública, incluida la vía pública, o de propiedad privada, donde ocasionalmente se llevan a cabo espectáculos públicos o actividades recreativas y que no disponen de infraestructuras ni instalaciones fijas para hacerlo.

f) **Instalaciones portátiles o desmontables**: aquellas estructuras móviles provisionales y eventuales o aquellos recintos aptos para el desarrollo de espectáculos públicos o actividades recreativas cuyo conjunto se encuentre conformado por elementos desmontables o portátiles constituidos por módulos o componentes metálicos, de madera o de cualquier otro material que permita operaciones de montaje o desmontaje sin necesidad de construir o demoler alguna obra de fábrica.

g) **Titulares**: personas físicas o jurídicas, públicas o privadas, que, en calidad de propietarios/as, arrendatarios/as o en virtud de cualquier otro título jurídico, tienen el derecho de uso de los establecimientos o espacios abiertos al público previstos en la presente ley para el desarrollo en ellos de espectáculos públicos o actividades recreativas.

h) **Organizadores/as**: personas físicas o jurídicas, públicas o privadas, que, con ánimo de lucro o sin él, son responsables de la organización, producción o promoción de espectáculos públicos o actividades recreativas.

i) **Artistas, intérpretes o ejecutantes**: personas, con independencia de su carácter profesional o aficionado, que intervienen en los espectáculos públicos o actividades recreativas ante el público, con o sin retribución.

3.2.4. Competencias autonómicas

Corresponde a la consejería competente en materia de espectáculos públicos y actividades recreativas:

a) Autorizar la celebración de los espectáculos públicos y actividades recreativas que se desarrollen en más de un término municipal de la Comunidad Autónoma, con arreglo al procedimiento que habrá de ser aprobado en el plazo máximo de un año desde la entrada en vigor de la ley.

b) Autorizar la celebración de los espectáculos y festejos taurinos, que se regirán por su normativa específica.

c) Determinar el horario general de apertura y cierre de los establecimientos abiertos al público y de inicio y finalización de los espectáculos públicos y actividades recreativas.

d) Ejercer las funciones de inspección y control en los términos previstos en el título IV.

e) Incoar, instruir y resolver los expedientes sancionadores relacionados con los espectáculos públicos y actividades recreativas previstos en los apartados a) y b) de este artículo.

f) Adoptar las medidas provisionales previas al inicio del expediente sancionador en los supuestos previstos en los apartados 1 y 2 del artículo 28.

g) Cualesquiera otras que le otorgue la normativa específica de los espectáculos públicos y actividades recreativas.

3.2.5. Competencias municipales

Corresponde a los ayuntamientos:

a) Recibir y comprobar las declaraciones responsables, así como otorgar las licencias que correspondan en relación con los espectáculos públicos y las actividades recreativas que se desarrollen dentro del término municipal, incluidas las de carácter extraordinario.

b) Recibir y comprobar las declaraciones responsables, así como otorgar las licencias que correspondan en relación con la apertura de establecimientos abiertos al público.

c) Adoptar las medidas que sean necesarias para el desarrollo ordenado de los espectáculos públicos y actividades recreativas de su competencia, sin perjuicio de las competencias estatales en materia de seguridad pública.

d) Ejercer las funciones de inspección y control en los términos previstos en el título IV.

e) Incoar, instruir y resolver los expedientes sancionadores por infracciones cometidas en materia de espectáculos públicos y actividades recreativas que no sean de competencia autonómica conforme a lo dispuesto en el artículo 4.

f) Autorizar las ampliaciones o reducciones sobre el horario general, en atención a los criterios, supuestos y circunstancias que, en su caso, figuren en la orden de horarios prevista en el artículo 17.

g) Añadir, dentro de sus competencias y sin perjuicio de las que correspondan a la Administración de la Comunidad Autónoma de Galicia, los requisitos, condiciones o límites para la apertura de establecimientos públicos y la celebración de espectáculos públicos y actividades recreativas en el seno de sus ordenanzas municipales.

h) Adoptar las medidas provisionales previas al inicio del expediente sancionador en los supuestos previstos en el apartado 1 del artículo 28.

i) La realización de todas las actuaciones precisas para el adecuado desarrollo de las competencias previstas en los apartados anteriores.

3.2.6. Prohibiciones

Quedan prohibidos los espectáculos públicos y las actividades recreativas siguientes:

a) Los que inciten a la violencia, racismo, xenofobia, sexismo, negacionismo, discriminación por identidad de género y orientación sexual o cualquier otro tipo de discriminación, así como aquellos que atenten contra la dignidad humana y contra los derechos fundamentales y libertades públicas reconocidos en la Constitución Española.

b) Los que conlleven un riesgo fundado de producción de desórdenes públicos.

c) Los que vulneren la normativa sobre protección de animales.

d) Los que sean constitutivos de delito.

e) Los que se desarrollen sin que esté garantizada la indemnidad de los bienes, cualquiera que sea su titularidad y, en especial, cuando se trate de espacios abiertos o que formen parte del patrimonio cultural y natural de Galicia.

 Recuerda que...

Los derechos fundamentales y libertades públicas se regulan en la Sección Primera del Capítulo II del Título I de la Constitución Española.

3.2.7. Condiciones técnicas y de seguridad

Los establecimientos o espacios abiertos al público, los espectáculos públicos y las actividades recreativas sometidas a la presente ley habrán de reunir las condiciones de seguridad, calidad, comodidad, accesibilidad, salubridad e higiene apropiadas para garantizar los derechos del público asistente y de terceras personas afectadas, la convivencia vecinal y la integridad de los espacios públicos, atendiendo, como mínimo, a la normativa reguladora de los siguientes aspectos:

a) Seguridad para artistas, intérpretes o ejecutantes, público asistente, personal técnico, terceras personas afectadas y bienes.

b) Solidez de las estructuras y funcionamiento de las instalaciones.

c) Garantías de las instalaciones eléctricas.

d) Prevención y protección de incendios y otros riesgos inherentes a la actividad, facilitando la accesibilidad de los medios de auxilio externo.

e) Salubridad, higiene y acústica.

f) Protección del entorno urbano, del medio ambiente y del patrimonio cultural y natural.

g) Accesibilidad y supresión de barreras.

h) Plan de autoprotección, cuando así lo exija la normativa de aplicación.

3.2.8. Seguros

Están obligadas a disponer de una póliza de seguro de responsabilidad civil las personas titulares de establecimientos abiertos al público u organizadoras de espectáculos públicos y actividades recreativas, según el caso.

Las personas organizadoras de espectáculos públicos y actividades recreativas de carácter extraordinario deben contratar la póliza de responsabilidad civil, independientemente de la que también tengan contratada las personas titulares de los establecimientos o espacios abiertos al público donde se lleven a cabo los espectáculos públicos o actividades recreativas.

El seguro habrá de cubrir la responsabilidad civil que sea imputable, directa, solidaria o subsidiariamente, a las personas titulares de los establecimientos abiertos al público o a las personas organizadoras de los espectáculos públicos o actividades recreativas, de manera tal que cubra los daños personales y materiales y los perjuicios consecutivos ocasionados a las personas usuarias o asistentes y a terceras personas y sus bienes, siempre que dichos daños y perjuicios sean producidos como consecuencia de la gestión y explotación del establecimiento o de la realización del espectáculo público o actividad recreativa, así como de la actividad del personal a su servicio o de las empresas subcontratadas.

A los efectos de lo establecido en el párrafo anterior, se entiende por perjuicios consecutivos las pérdidas económicas que se deriven directamente de los daños personales y materiales sufridos por la persona reclamante y que están amparados por la póliza de seguro.

Quedan excluidos de la cobertura de los contratos de seguros regulados por la presente ley los daños y perjuicios sufridos por las personas que, directa o indirectamente, dependan empresarialmente de las personas titulares o de las personas organizadoras, que deben disponer de un contrato de seguro específico. También quedan excluidos los daños que sufran los bienes destinados al uso del establecimiento abierto al público o al desarrollo del espectáculo público o actividad recreativa.

3.2.9. Cooperación y colaboración administrativa

En el ejercicio de sus propias competencias, la Administración general de la Comunidad Autónoma y los ayuntamientos se facilitarán la información que precisen en materia de espectáculos públicos y actividades recreativas y se prestarán recíprocamente la cooperación y la asistencia activa para el eficaz ejercicio de aquellas.

Los órganos competentes de la Administración autonómica y de la local, en el marco de sus respectivas competencias y de acuerdo con los principios de eficacia, coordinación, colaboración y lealtad institucional, velarán por la observancia de la normativa de espectáculos públicos y actividades recreativas, ejerciendo las oportunas funciones de inspección, control y sanción, de conformidad con lo dispuesto en la presente ley y demás normativa vigente.

Los ayuntamientos podrán solicitar la colaboración y el apoyo técnico que precisen de la Administración general de la Comunidad Autónoma y de las diputaciones provinciales para la ejecución de la presente ley. A este efecto, podrán celebrarse los oportunos convenios de colaboración.

Cuando no se hayan celebrado los convenios a que se refiere el apartado 3, la Administración general de la Comunidad Autónoma, en función de sus recursos, podrá prestar apoyo a los ayuntamientos cuando estos se lo soliciten expresamente, con motivación de la concurrencia de circunstancias de carácter extraordinario que puntualmente sobrepasen la capacidad municipal.

3.2.10. Comisión de Espectáculos Públicos y Actividades Recreativas de Galicia

Se crea la Comisión de Espectáculos Públicos y Actividades Recreativas de Galicia como órgano consultivo de estudio, coordinación, seguimiento y asesoramiento de las administraciones autonómica y local en las materias reguladas por la presente ley. Su regulación se desarrolla por Decreto 82/2018, de 2 de agosto.

Esta comisión tendrá las siguientes funciones:

a) La audiencia en el procedimiento de elaboración de las disposiciones de carácter general específicas que tengan que dictarse en desarrollo de la presente ley y en su modificación.

b) La formulación de propuestas sobre la interpretación, aplicación y modificación de las disposiciones que regulan los espectáculos públicos y las actividades recreativas y los establecimientos o espacios abiertos al público.

c) La emisión de los informes que se le soliciten con carácter facultativo sobre la interpretación, aplicación y modificación de las disposiciones que regulan los espectáculos públicos y las actividades recreativas y los establecimientos o espacios abiertos al público.

d) La elaboración de recomendaciones para mejorar la actuación y promover la coordinación de las administraciones autonómica y local en las materias reguladas por la presente ley.

e) Cualesquiera otras que se le atribuyan reglamentariamente.

Esta comisión estará adscrita a la consejería competente en materia de espectáculos públicos y actividades recreativas.

Su composición, estructura y funcionamiento será determinada reglamentariamente. En todo caso, habrán de estar representados, al menos, la Administración general de la Comunidad Autónoma de Galicia, la Federación Gallega de Municipios y Provincias y las entidades representativas del sector de los espectáculos públicos y actividades recreativas. En la composición de este órgano habrá de procurarse una presencia equilibrada entre mujeres y hombres.

La Comisión de Espectáculos Públicos y Actividades Recreativas de Galicia se reunirá como mínimo una vez al año y siempre que fuera necesario.

3.2.11. Registro de empresas y establecimientos

La Administración autonómica constituirá un registro público de empresas y estable-cimientos dedicados a la realización de espectáculos públicos y actividades recreativas, que gestionará la consejería competente en esta materia, así como aquellas instalaciones de titularidad pública que sean susceptibles de ser utilizadas para el desarrollo de espec-táculos públicos y/o actividades recreativas.

Reglamentariamente se determinarán los datos que deben figurar en el registro, los cuales se obtendrán de las autorizaciones autonómicas, las licencias municipales y las declaraciones responsables realizadas. A tal fin, los ayuntamientos habrán de remitir a la consejería la información relativa a las licencias y declaraciones responsables, así como sus modificaciones, en la forma y en los plazos que se establezcan reglamentariamente.

En ningún caso será necesaria la respuesta, confirmación o inscripción efectiva en el registro para poder ejercer la actividad.

El acceso a este registro será público y las consultas del mismo serán gratuitas, sin perjuicio de la aplicación de la normativa en materia de protección de datos de carácter personal y las previsiones legales en materia de tasas y precios públicos en otros trámites distintos de la mera consulta.

3.2.12. Régimen de intervención administrativa

El régimen de intervención administrativa en materia de espectáculos públicos y ac-tividades recreativas es el previsto en la Ley 9/2013, de 19 de diciembre, del emprendi-miento y de la competitividad económica de Galicia.

3.2.13. Organización y desarrollo de los espectáculos públicos y actividades recreativas

3.2.13.1. Aspectos generales de la organización y desarrollo

A) Derecho de admisión

A los efectos de lo previsto en la presente ley, se entiende el derecho de admisión como la facultad de los/las titulares de establecimientos abiertos al público y de los/las organizadores/as de espectáculos públicos y actividades recreativas para determinar las condiciones de acceso y permanencia en los mismos, en base a criterios vinculados al normal desarrollo del espectáculo o actividad y al cumplimiento de las disposiciones es-tablecidas legal y reglamentariamente.

El ejercicio del derecho de admisión no puede suponer, en caso alguno, discrimina-ción por razón de raza, identidad de género, orientación sexual, religión, opinión, disca-pacidad o cualquier otra condición o circunstancia personal o social, ni atentado a los derechos fundamentales y libertades públicas de las personas usuarias de los estableci-mientos o espacios abiertos al público, tanto en lo relativo a las condiciones de acceso y permanencia como al uso de los servicios que se prestan en ellos.

En caso de que se ofrezcan bebida y comida en los espectáculos públicos o actividades recreativas en aquellos establecimientos en que su actividad comercial principal no sea la hostelería y no pudiera garantizarse la oferta de productos para personas con intolerancias o alergias alimentarias, o la contaminación cruzada de los alimentos disponibles para la venta, no podrá impedirse el acceso con el mismo tipo de alimentos especiales para estas personas.

B) Servicio de control de acceso

Los establecimientos abiertos al público, los espectáculos públicos y las actividades recreativas que dispongan de servicio de control de acceso habrán de contar con personal habilitado, de conformidad con lo dispuesto en la normativa reguladora de la actividad de control de acceso a espectáculos públicos y actividades recreativas. Queda exceptuado de esta habilitación el personal cuya función se limite a la constatación del pago efectivo de la entrada.

Reglamentariamente la Administración general de la Comunidad Autónoma determinará los establecimientos abiertos al público, los espectáculos públicos y las actividades recreativas que hayan de tener servicio de control de acceso con personal habilitado.

El personal de control de acceso, bajo la directa dependencia de los/las titulares o de los/las organizadores/as, se encargará de las funciones de admisión y control de permanencia del público en los espectáculos públicos, las actividades recreativas y los establecimientos abiertos al público. Asumirá las funciones que tiene establecidas en la normativa autonómica de aplicación y cuantas otras se deriven de la normativa específica sobre admisión y control de acceso, sin que pueda desarrollar en caso alguno las funciones del servicio de vigilancia y seguridad.

C) Servicios de vigilancia y seguridad propios

Los/Las organizadores/as de espectáculos públicos y actividades recreativas, así como, en su caso, los/las titulares de los establecimientos abiertos al público en que se desarrollen los mismos, habrán de disponer de personal encargado de la vigilancia y seguridad, al cual encomendarán el buen orden en el desarrollo del espectáculo o la actividad cuando tal obligación viniera establecida en la legislación vigente de seguridad privada.

D) Protección de las personas menores de edad

Con carácter general, el acceso de las personas menores de edad a establecimientos abiertos al público, espectáculos públicos y actividades recreativas, así como las condiciones para poder participar en los mismos, están sujetos a las limitaciones y prohibiciones previstas en la normativa reguladora de la protección integral de la infancia y adolescencia y demás legislación aplicable por razón de la materia y, en particular, a las reguladas en la normativa vigente en materia de prevención del consumo de bebidas alcohólicas, tabaco y sustancias ilegales en personas menores de edad, siendo aplicable el régimen sancionador que, en cada caso, resulte de aplicación.

En todo caso, queda prohibido el acceso a los espectáculos taurinos en recintos cerrados a las personas menores de 12 años.

E) Horarios

Mediante orden de la persona titular de la consejería competente en la materia, y previo informe de la Comisión de Espectáculos Públicos y Actividades Recreativas de Galicia, se determinará el horario general de apertura y cierre de los establecimientos abiertos al público y de inicio y finalización de los espectáculos públicos y actividades recreativas.

La orden que determine los horarios de apertura y cierre de los establecimientos abiertos al público y de inicio y finalización de los espectáculos públicos o actividades recreativas (Orden de 23 de octubre de 2020) podrá establecer los criterios, supuestos y circunstancias que permitan a los ayuntamientos autorizar, de forma motivada, ampliaciones o reducciones sobre el horario general.

F) Entradas

Las entradas que expidan para la venta los/las organizadores/as de espectáculos públicos y actividades recreativas habrán de contener, como mínimo, la siguiente información:

a) El número de orden.

b) La identificación del/de la organizador/a y de su domicilio.

c) El espectáculo público o actividad recreativa.

d) El lugar, fecha y hora de celebración, los precios de las entradas y los lugares de venta.

e) La clase de localidad y el número, en sesiones numeradas.

Los/Las organizadores/as de espectáculos públicos y actividades recreativas deberán poner a disposición del público, directamente o mediante venta comisionada, en los lugares de venta, que habrán de indicar en su publicidad, el porcentaje mínimo de las localidades que se haya indicado en aquella. Si no se indicó un porcentaje mínimo, se entenderá que este es del 70 % de las localidades.

En los supuestos de venta por abonos o cuando trate de espectáculos públicos o actividades recreativas organizados por clubs o asociaciones, el porcentaje a que se refiere el apartado anterior se determinará en relación con las entradas no incluidas en abonos o con las no reservadas previamente a los/las socios/as o asociados/as.

Se prohíbe la reventa de entradas en papel o en cualquier medio o soporte electrónico.

A estos efectos, se entiende por reventa de entradas la venta de las adquiridas con la finalidad de obtener beneficio económico. En todo caso, se entenderá que existe esta finalidad cuando el precio de reventa sea superior al de adquisición. No se entenderá como reventa la venta comisionada, efectuada previa cesión acreditada por parte del/de la organizador/a del espectáculo público o actividad recreativa y que se efectúe por el/la cesionario/a por el precio y en los lugares indicados en la publicidad.

G) Información al público en caso de establecimientos públicos

En los establecimientos abiertos al público deberá disponerse en un lugar visible al público y perfectamente legible, en los dos idiomas oficiales de Galicia, la siguiente información:

a) El número de teléfono, número de fax, dirección postal o correo electrónico a efectos de reclamaciones o peticiones de información.

b) El horario de apertura y cierre.

c) La copia de la licencia municipal de apertura, en caso de que esta fuese exigible.

d) El aforo máximo.

e) La existencia de hojas de reclamación.

f) Las limitaciones de entrada y la prohibición de consumo de alcohol y tabaco a personas menores de edad, de conformidad con la legislación vigente.

g) Las condiciones de admisión determinadas de acuerdo con lo previsto en el artículo 13, en caso de que existan.

h) Las normas particulares o instrucciones elaboradas por el/la titular del establecimiento para el normal desarrollo del espectáculo o actividad.

H) Publicidad

La publicidad de la celebración de espectáculos públicos o actividades recreativas tendrá que ajustarse a los principios de veracidad, transparencia y suficiencia. En ningún caso podrá contener informaciones que induzcan al equívoco o puedan distorsionar la capacidad electiva de los/las espectadores/as.

La publicidad de espectáculos públicos o actividades recreativas habrá de contemplar, al menos, los siguientes contenidos:

a) La clase de espectáculo o actividad.

b) La fecha, horario y lugar de las actuaciones, los precios de las entradas y los lugares de venta, así como, en su caso, las condiciones de admisión, las normas particulares o las instrucciones para el normal desarrollo del espectáculo o actividad.

c) La denominación, domicilio, teléfono y correo electrónico del organizador u organizadora.

Se prohíbe cualquier forma de promoción o publicidad que incite a la violencia, racismo, machismo, negacionismo, discriminación por razón de identidad de género u opción sexual, consumo irresponsable de alcohol o que atente contra el bienestar animal o haga apología de actividades contrarias a los derechos fundamentales y libertades públicas reconocidos por la Constitución y por tratados internacionales ratificados por el Estado español.

Las empresas de publicidad o de artes gráficas que intervengan en la confección de publicidad deberán justificar ante la Administración, cuando fuesen requeridas para ello, los datos identificativos de las empresas contratantes de la publicidad.

La publicidad de los espectáculos públicos y actividades recreativas deberá respetar los principios y normas contenidos en la normativa vigente en materia de drogodependencia, trastornos adictivos y consumo de sustancias estupefacientes.

La Administración general de la Comunidad Autónoma promoverá el uso de la lengua gallega y el respeto por la normativa en materia de toponimia en la publicidad de los espectáculos públicos y actividades recreativas.

3.2.13.2. Derechos y obligaciones del público, artistas, intérpretes o ejecutantes y de los/las organizadores/as

A) Público

Además de los que tenga reconocidos en la correspondiente normativa, especialmente en materia de defensa de las personas consumidoras y usuarias, el público tendrá los siguientes derechos:

a) A que el espectáculo o actividad recreativa se desarrolle, ofrezca y reciba en las condiciones y forma en que se anuncie por la empresa, salvo por causa legítima acreditada o por razones de fuerza mayor o de caso fortuito debidamente justificadas.

b) A que se le facilite la utilización de las hojas de reclamaciones, de acuerdo con los requisitos y condiciones exigibles en la normativa de aplicación en razón de la materia de que se trate.

En este sentido, la **Ley 2/2012, de 28 de marzo, gallega de protección general de las personas consumidoras y usuarias**, establece en su artículo 32 que reglamentariamente se regularán las hojas de reclamaciones y los supuestos concretos de su entrega, los requisitos y los procedimientos que se exijan para la presentación y tramitación de una reclamación de un consumidor frente a una empresa. Hasta la fecha sigue vigente el Decreto 375/1998, de 23 de diciembre, por el que se regulan las hojas de reclamaciones de los consumidores y usuarios.

En todo caso, todo establecimiento abierto al público deberá disponer de las hojas de reclamaciones establecidas reglamentariamente y del cartel anunciador de la existencia de las mismas. Estas hojas podrán utilizarse tanto para presentar una reclamación frente al titular del establecimiento como respecto a otras empresas, siempre que la contratación de servicios o la adquisición de productos de estos últimos se realice en dicho establecimiento. Ambas empresas serán responsables del cumplimiento de lo establecido en el presente artículo.

Cuando el establecimiento no disponga de hojas de reclamaciones o exista negativa a facilitarlas, el consumidor o usuario podrá presentar la reclamación por el medio que considere más adecuado, haciendo constar en ella tales circunstancias (artículo 4 Decreto 375/1998).

Todas aquellas manifestaciones relativas al hecho objeto de reclamación que, pudiendo ser realizadas por la empresa o el consumidor en el momento de cubrir la hoja, no lo sean, podrán no ser tenidas en cuenta por la administración en la tramitación de un procedimiento sancionador que, en su caso, proceda, salvo prueba en contrario y sin perjuicio del derecho de defensa en el procedimiento y de las facultades de inspección, investigación y verificación de la administración.

Con independencia de la forma de presentación de la reclamación, las empresas deberán dar respuesta adecuada a las reclamaciones de los consumidores en el plazo más breve posible y, en todo caso, en el plazo de **un mes** desde la presentación de la reclamación, salvo en el supuesto de prestación de servicios de carácter continuado, en el que la respuesta habrá de darse en el plazo máximo de **dos horas** para los supuestos relativos a la continuidad del servicio o las incidencias relativas a dicha continuidad, como el corte o la suspensión del servicio, aplicándose el plazo anterior de un mes para el resto de los supuestos.

En el supuesto de servicios de carácter continuado, no podrá suspenderse el servicio con posterioridad a la presentación de la reclamación hasta que la empresa dé respuesta a la reclamación presentada si esta está relacionada con el motivo de la suspensión.

Las empresas deben actuar diligentemente para encontrar una solución satisfactoria a las reclamaciones presentadas. A estos efectos, la respuesta que por parte de las empresas se le dé al consumidor, además de tener que realizarse en el plazo establecido para ello y una vez presentada la reclamación, deberá, en todo caso, realizarse en papel u otro soporte duradero y dar contestación a todas las cuestiones expuestas por el consumidor, así como incorporar una motivación precisa y completa respecto de ellas en el caso de no acceder a las pretensiones del consumidor, sin que quepan contestaciones genéricas.

Además de lo anterior, las empresas deberán cumplir con los requisitos de información establecidos por la normativa que resulte de aplicación y, en especial, las exigidas en la Ley 7/2017, de 2 de noviembre, por la que se incorpora al ordenamiento jurídico español la Directiva 2013/11/UE, del Parlamento Europeo y del Consejo, de 21 de mayo de 2013, relativa a la resolución alternativa de litigios en materia de consumo.

La empresa deberá asignar un número de reclamación y acusar recibo de la misma de modo que el consumidor tenga constancia de la interposición de la reclamación en el momento de su presentación, salvo que reglamentariamente se establezca un procedimiento específico con esta finalidad, al que habrá de estarse.

La presentación de una reclamación por parte de un consumidor no podrá causar ningún tipo de perjuicio al mismo, directo ni indirecto, y, en caso de producirse, deberá ser asumido por la empresa reclamada.

La acreditación del cumplimiento de las obligaciones establecidas en este artículo incumbirá a la empresa y de no hacerlo supondrá infracción leve tal y como establece el artículo 81 de esta Ley 2/2012, de 28 de marzo, en su punto 11: No disponer de las hojas de reclamaciones establecidas normativamente, o no exhibir de modo visible el cartel anunciador de su existencia, así como negar la entrega de las mismas a los consumidores que lo soliciten.

c) A recibir un trato respetuoso y no discriminatorio ni sexista.

d) A ser admitido en el establecimiento o espacio abierto al público en las mismas condiciones objetivas que cualquier otra persona usuaria, siempre que el aforo del local lo permita y no concurra ninguna causa de exclusión por razones de seguridad o alteración del orden público.

e) A que la empresa respete los términos contractuales derivados de la adquisición de las correspondientes localidades.

f) A que la publicidad de los espectáculos públicos y actividades recreativas se ajuste a los principios de veracidad, transparencia y suficiencia y no contenga informaciones que puedan inducir al equívoco o puedan distorsionar la capacidad electiva de los/las espectadores/as.

El público tendrá las siguientes obligaciones:

a) Ocupar sus localidades y permanecer en las zonas que señale en cada caso la empresa para el público, sin invadir los espacios destinados a otros fines, salvo que esté previsto en el desarrollo del espectáculo o que sea inherente a la naturaleza de la actividad.

b) Cumplir los requisitos y las condiciones de seguridad que establezcan los/las titulares o los/las organizadores/as para que el espectáculo o actividad se desarrolle con normalidad y seguir las instrucciones del personal técnico y del personal de vigilancia y de seguridad, tanto en el interior como en la entrada y salida del establecimiento o espacio abierto al público.

c) No portar armas u objetos que puedan usarse como tales, así como no exhibir símbolos, ropa u objetos que inciten a la violencia, puedan ser constitutivos de alguno de los delitos de apología establecidos por el Código penal o inciten a realizar actividades contrarias a los derechos fundamentales y libertades públicas reconocidos por la Constitución, especialmente cuando inciten al racismo, sexismo y discriminación por razón de identidad de género u opción sexual.

d) Respetar a los/las artistas, intérpretes o ejecutantes y demás personal técnico al servicio de los establecimientos o espacios abiertos al público, de los espectáculos públicos o de las actividades recreativas.

e) Cumplir las normas reguladoras del suministro y consumo de tabaco y bebidas alcohólicas y las normas que establecen la edad mínima para poder acceder a los establecimientos o espacios abiertos al público.

f) Cumplir los requisitos y las normas de acceso y de admisión establecidos con carácter general por los/las titulares de los establecimientos o espacios abiertos al público o por los/las organizadores/as de espectáculos públicos y actividades recreativas. Dichos criterios de admisión deben estar colocados en un lugar visible y perfectamente legible para el público.

g) Respetar el horario de apertura y cierre de los establecimientos abiertos al público y los horarios de inicio y finalización de los espectáculos públicos y actividades recreativas.

h) Evitar acciones que puedan generar situaciones de peligro o incomodidad para el público o para el personal técnico al servicio del establecimiento o espacio abierto al público o que puedan impedir o dificultar el desarrollo del espectáculo o actividad.

i) Adoptar una conducta, a la entrada y salida del establecimiento abierto al público, que garantice la convivencia entre la ciudadanía, no perturbe el descanso de los/las vecinos/as y no dañe el mobiliario urbano del entorno donde se lleve a cabo el espectáculo o actividad.

B) Artistas

Los/Las artistas, intérpretes o ejecutantes tendrán, entre otros, los siguientes derechos:

a) Ser tratados/as con respeto por los/las titulares, organizadores/as y público asistente.

b) Recibir la protección necesaria para ejecutar el espectáculo público o la actividad recreativa, así como para acceder al establecimiento o espacio abierto al público y para abandonarlo.

c) Actuar, salvo por causa legítima acreditada o por razones de fuerza mayor o de caso fortuito debidamente justificadas. Se considera causa legítima, entre otras, la carencia o insuficiencia de las medidas de seguridad y de higiene requeridas, cuyo estado pueden comprobar los/las artistas antes del comienzo del espectáculo o actividad. Para acreditar estas carencias o deficiencias deben estar certificadas por un informe de un técnico o técnica competentes en la materia.

Los/Las artistas, intérpretes o ejecutantes tendrán las siguientes obligaciones:

a) Guardar el debido respeto al público.

b) Actuar, salvo por causa legítima acreditada o por razones de fuerza mayor o de caso fortuito debidamente justificadas. Se considera causa legítima la establecida en el apartado 1.c).

c) Evitar cualquier tipo de comportamiento que pueda poner en peligro la seguridad del público asistente o la indemnidad de los bienes.

La intervención de artistas, intérpretes o ejecutantes menores de edad estará sometida a las condiciones y permisos que establezca la legislación laboral y de protección de la persona menor.

La intervención de artistas, intérpretes o ejecutantes con derecho a retribución, en cuanto trabajadores/as por cuenta del/de la organizador/a del espectáculo público o de la actividad recreativa o del/de la titular del establecimiento o espacio abierto al público, estará sometida a las condiciones y permisos que establezca la legislación laboral y de la Seguridad Social.

C) Titulares y organizadores

Los/Las titulares de establecimientos o espacios abiertos al público y los/las organizadores/as de espectáculos públicos o actividades recreativas tendrán, entre otros, los siguientes derechos:

a) Que el espectáculo público o actividad recreativa se desarrolle de conformidad con lo dispuesto en la correspondiente autorización autonómica, declaración responsable o licencia, salvo que exista causa legítima acreditada o concurran razones de fuerza mayor o de caso fortuito debidamente justificadas que lo impidan.

b) Fijar los precios que estimen pertinentes.

c) Adoptar las medidas que estimen pertinentes para garantizar el funcionamiento del establecimiento abierto al público, espectáculo o actividad en condiciones de seguridad y calidad.

d) Recibir el apoyo de las fuerzas y cuerpos de seguridad para garantizar el orden en el exterior del establecimiento o espacio abierto al público, en caso de que se produjesen incidentes que puedan poner en peligro la seguridad de las personas, y también en el interior del establecimiento o espacio.

Los/Las titulares de establecimientos o espacios abiertos al público y los/las organizadores/as de espectáculos públicos o actividades recreativas tendrán las siguientes obligaciones:

a) Llevar a cabo el espectáculo público o actividad recreativa de acuerdo con lo anunciado y en las condiciones ofrecidas al público, salvo por causa legítima acreditada o por razones de fuerza mayor o de caso fortuito debidamente justificadas.

b) En el supuesto de que se produjesen variaciones del orden, fecha o contenido del espectáculo o actividad, deberá informarse de ellas con la antelación suficiente en los lugares donde habitualmente se fija la propaganda o en los espacios de venta de localidades.

c) Devolver al público el importe abonado en caso de que el espectáculo o actividad se suspenda o modifique de forma esencial y atender las reclamaciones que por este motivo sean procedentes, de acuerdo con la legislación aplicable, salvo en los supuestos en que se hubiese anunciado al público, de forma expresa y clara, que los/las organizadores/as o titulares se reservan el derecho de modificar la programación y las condiciones en que se efectuará dicha modificación o en los supuestos en que la suspensión o modificación se produjese una vez iniciado el espectáculo o actividad y sean debidas a causas fortuitas o de fuerza mayor, ajenas a las personas titulares u organizadoras del espectáculo o actividad.

d) Realizar los controles técnicos obligatorios de acuerdo con la normativa vigente y adoptar las medidas de seguridad, higiene y salubridad establecidas con carácter general, o especificadas en la declaración responsable, licencia municipal o autorización autonómica cuando sea exigible, manteniendo en todo momento los establecimientos abiertos al público en adecuado estado de funcionamiento.

e) Permitir la entrada al público, salvo en los casos establecidos por ley o reglamento, en particular los derivados del legítimo ejercicio del derecho de admisión.

f) Respetar el aforo máximo y abstenerse de vender entradas y abonos en un número que lo sobrepase.

g) No cobrar por las entradas un precio superior al que se anunció en la correspondiente publicidad y comunicar o denunciar su reventa.

h) Cumplir los horarios de apertura y cierre de los establecimientos abiertos al público y los de inicio y finalización de los espectáculos públicos y actividades recreativas.

i) Establecer los servicios de vigilancia y seguridad, cuando estos fueran obligatorios con arreglo a lo dispuesto en la legislación vigente de seguridad privada, y cumplir lo dispuesto en la presente ley y en la normativa autonómica en materia de servicios de control de acceso, en caso de disponer de tales servicios.

j) Informar al personal de control de acceso y al de servicios de vigilancia y seguridad sobre las funciones y obligaciones que les atribuye la normativa específica.

k) Velar por la adecuada conservación de los espacios que puedan verse afectados por los espectáculos públicos o actividades recreativas y cumplir la normativa en materia de protección del medio ambiente.

l) Comunicar a las administraciones competentes las modificaciones no sustanciales en los términos y con las consecuencias sancionadoras previstas en la Ley 9/2013, de 19 de diciembre, del emprendimiento y de la competitividad económica de Galicia.

m) Facilitar el acceso a las fuerzas y cuerpos de seguridad, servicios de protección civil, servicios de sanidad, agentes de la autoridad y personal funcionario, así como a las entidades de certificación de conformidad municipal que desarrollen actuaciones de certificación, verificación, inspección y control en los términos establecidos en la Ley 9/2013, de 19 de diciembre, del emprendimiento y de la competitividad económica de Galicia.

n) Permitir y facilitar las inspecciones que acuerden las autoridades y realizar las inspecciones periódicas que sean obligatorias de acuerdo con la normativa vigente.

ñ) Tener a disposición de los agentes de la autoridad y servicios de inspección, en los establecimientos abiertos al público, toda la documentación que se establezca reglamentariamente.

o) Cumplir la normativa vigente sobre accesibilidad y supresión de barreras arquitectónicas, seguridad y prevención de riesgos laborales y propiedad intelectual y demás normativa que sea de aplicación.

p) Colocar en un lugar visible y perfectamente legible la información al público regulada en el artículo 19.

q) Responder de los daños y perjuicios que puedan producirse como consecuencia de las características del establecimiento abierto al público o de la organización y desarrollo del espectáculo o actividad, así como constituir las garantías y concertar y mantener vigentes los correspondientes contratos de seguro exigidos por la presente ley.

Cuando el/la organizador/a del espectáculo público o actividad recreativa sea distinto/a del/de la titular del establecimiento público o instalación en que se desarrolla, responderán ambos solidariamente del cumplimiento de las obligaciones establecidas en el apartado 2 que les correspondan conjuntamente en atención a las circunstancias concretas en que tuviera lugar el espectáculo o actividad, sin perjuicio de lo establecido en el inciso final del artículo 28.3 de la Ley 40/2015, de 1 de octubre, de régimen jurídico del sector público.

3.2.14. Vigilancia e inspección de los establecimientos abiertos al público, los espectáculos públicos y las actividades recreativas. Régimen sancionador

3.2.14.1. Administraciones competentes

La Administración general de la Comunidad Autónoma y los ayuntamientos, en el ámbito de sus respectivas competencias, velarán por el cumplimiento de la legislación reguladora de los espectáculos públicos y actividades recreativas, disponiendo, a tal efecto, de las facultades siguientes:

a) Inspección de los establecimientos abiertos al público.

b) Control de la celebración de espectáculos públicos y actividades recreativas.

c) Prohibición, suspensión, clausura y adopción de las medidas provisionales previas a la incoación del expediente sancionador que se estimen necesarias.

d) Adopción de las oportunas medidas cautelares y sanción de las infracciones tipificadas en la presente ley.

3.2.14.2. Vigilancia e inspección

A) Facultades inspectoras

Los/Las titulares y los/las organizadores/as habrán de permitir y facilitar las inspecciones que acuerde la autoridad competente. El personal de inspección podrá acceder a cualquier lugar, instalación o dependencia, de titularidad pública o privada, con el límite constitucional de entrada en el domicilio y restantes lugares cuyo acceso requiera el consentimiento de la persona titular.

Podrán realizar inspecciones los miembros de los cuerpos y fuerzas de seguridad y el personal funcionario de los órganos y unidades administrativas con competencia en materia de espectáculos públicos y actividades recreativas, sin perjuicio de las que pueda realizar el personal funcionario de otros órganos y unidades administrativas en el ejercicio de sus competencias. En los términos y con las consecuencias que establece la Ley 39/2015, de 1 de octubre, del procedimiento administrativo común de las administraciones públicas, dicho personal funcionario, en el ejercicio de sus funciones, tendrá la condición de autoridad. En la inspección también podrán colaborar las entidades de certificación de conformidad municipal en los términos establecidos en la Ley 9/2013, de 19 de diciembre, del emprendimiento y de la competitividad económica de Galicia.

El personal encargado de tareas de inspección procurará no alterar el normal funcionamiento del establecimiento abierto al público ni dificultar el desarrollo del espectáculo público o actividad recreativa.

Las administraciones públicas, en el ejercicio de la potestad inspectora, están facultadas para recabar la información o los datos necesarios para confeccionar estadísticas o memorias para utilizarlas en el diseño de programas de intervención en los sectores objeto de regulación en la presente ley.

Sabías que...

Las Entidades de Certificación de Conformidad Municipal (ECCOM) son entidades privadas que, previa autorización e inscripción en el registro correspondiente por parte de la Administración autonómica, y actuando bajo su responsabilidad, tienen por finalidad desarrollar en todo el territorio de la Comunidad Autónoma de Galicia actuaciones de certificación, verificación, inspección y control de conformidad respecto de obras, instalaciones, establecimientos y actividades, comprobando su adecuación a la normativa de aplicación en el ámbito municipal.

Para ello deberán disponer de los recursos humanos, materiales, técnicos y financieros necesarios para el ejercicio de sus funciones, de conformidad con la normativa vigente y con lo que se establezca reglamentariamente, especialmente en el Decreto 60/2025, de 21 de julio, por el que se regulan las entidades de certificación de conformidad municipal en Galicia y su registro.

Las ECCOM actuarán conforme a los principios de:

imparcialidad, confidencialidad, independencia, objetividad, y responsabilidad técnica.

Sus funciones no sustituyen en ningún caso las potestades de comprobación, inspección, control o sanción propias de la Administración pública, que conservará íntegramente sus competencias.

Las ECCOM serán responsables frente a las administraciones públicas del contenido de sus certificaciones, verificaciones, inspecciones y controles de conformidad, sin perjuicio de la responsabilidad que pueda corresponder a promotores, titulares, técnicos competentes y demás sujetos obligados conforme a la legislación aplicable.

B) Actas

Las actuaciones realizadas en el ejercicio de la facultad inspectora deberán reflejarse en un acta en que las personas interesadas podrán hacer constar su disconformidad y sus observaciones. El acta habrá de ser notificada a las personas interesadas y al órgano administrativo competente para acordar la inspección.

En caso de que las personas interesadas negasen los hechos, será necesaria la ratificación del personal funcionario actuante respecto a los hechos referidos en el acta, durante la tramitación del correspondiente procedimiento sancionador.

Cuando la actuación inspectora se derive de la presentación de una denuncia que vaya acompañada de una solicitud de iniciación, habrá de notificarse a la persona denunciante la iniciación o no del procedimiento sancionador, todo ello sin perjuicio de los derechos que le correspondan, en su caso, como interesada.

3.2.14.3. Medidas provisionales previas

A) Medidas provisionales previas a la apertura del expediente sancionador

Los órganos competentes de la Administración autonómica o de los ayuntamientos, previamente a la apertura del expediente sancionador que corresponda, podrán adoptar, por razones de urgencia inaplazable y para la protección provisional de los intereses implicados, medidas provisionales previas en los supuestos siguientes:

a) La celebración de espectáculos públicos o actividades recreativas prohibidos por la presente ley. En caso de que estos espectáculos o actividades puedan ser constitutivos de delito, el órgano que acuerde la medida provisional habrá de comunicarlo al Ministerio Fiscal o a la autoridad judicial competente dentro de las cuarenta y ocho horas siguientes.

b) Cuando exista riesgo grave o peligro inminente para la seguridad de las personas, los animales o los bienes o cuando se incumplan gravemente las condiciones sanitarias, de salubridad y de higiene.

c) La apertura o funcionamiento de un establecimiento abierto al público sin contar con la licencia municipal o declaración responsable cuando sea exigible.

d) Cuando se celebren espectáculos públicos y actividades recreativas en establecimientos o espacios abiertos al público sin contar con licencia municipal o con autorización autonómica o declaración responsable cuando sea exigible.

e) El incumplimiento de la prohibición de admitir a personas menores en los establecimientos abiertos al público, en los espectáculos públicos o en las actividades recreativas en que tengan prohibida la entrada.

f) La reventa de localidades.

g) Cuando se carezca del seguro exigido de acuerdo con lo dispuesto en la presente ley.

h) Cuando en el desarrollo de los espectáculos públicos o actividades recreativas se produjesen alteraciones del orden público con peligro para las personas y los bienes.

i) Cuando se incumplan los horarios establecidos de acuerdo con lo previsto en el artículo 17.

En caso de darse alguno de los supuestos previstos en el apartado anterior, los órganos competentes podrán adoptar alguna o algunas de las siguientes medidas:

a) La suspensión del espectáculo público o actividad recreativa.

b) El desalojo, clausura y precinto del establecimiento abierto al público.

c) El depósito, retención o inmovilización de los bienes, efectos o animales relacionados con el espectáculo o actividad.

En el supuesto previsto en el apartado f) del número 1, podrá adoptarse la medida de intervención y depósito de las entradas e ingresos procedentes de la reventa.

Las medidas se adoptarán mediante resolución motivada, respetando siempre el principio de proporcionalidad y previa audiencia a las personas interesadas. El trámite de audiencia podrá omitirse en casos de extraordinaria urgencia debidamente justificados en la resolución.

Las medidas provisionales adoptadas deberán ser confirmadas, modificadas o levantadas en el acuerdo de iniciación del procedimiento sancionador, que habrá de efectuarse dentro de los quince días siguientes al de su adopción, el cual podrá ser objeto del recurso que proceda.

En todo caso, dichas medidas quedarán sin efecto si no se inicia el procedimiento en dicho plazo o cuando el acuerdo de iniciación no contenga un pronunciamiento expreso sobre las mismas.

B) Órganos competentes

Establece el artículo 28 de la Ley 10/2017, de 27 de diciembre, que:

1. La Administración competente para adoptar las medidas previstas anteriormente será la misma que tiene atribuida la competencia para recibir la declaración responsable o para otorgar la licencia o autorización. En los supuestos previstos en el artículo 41 bis de la Ley 9/2013, de 19 de diciembre, del emprendimiento y de la competitividad económica de Galicia, que más adelante veremos, la Administración competente será el respectivo ayuntamiento, sin perjuicio de lo dispuesto en el apartado 2.

   El órgano competente de la Administración general de la Comunidad Autónoma de Galicia para adoptar dichas medidas será el órgano que tenga atribuida la competencia para incoar el correspondiente procedimiento sancionador o el órgano instructor.

2. Teniendo en cuenta la afectación a las competencias autonómicas, la Administración autonómica podrá adoptar las medidas provisionales previas en supuestos de competencia de los ayuntamientos, de acuerdo con lo previsto en el apartado 1, a costa y en sustitución de estos, en caso de inhibición de la entidad local, previo requerimiento a esta que no sea atendido en el plazo indicado al efecto, que en ningún caso podrá ser inferior a un mes. La no atención del requerimiento por la entidad local exigirá la alegación de una causa justificada y debidamente motivada. También podrá adoptar las citadas medidas por razones de urgencia inaplazable y extraordinaria que así lo justifiquen, y, en este caso, las medidas deberán ser puestas en conocimiento inmediato del ayuntamiento respectivo. El órgano competente de la Administración general de la Comunidad Autónoma de Galicia para adoptar las medidas provisionales previas, en los supuestos previstos en este apartado, será el que tenga atribuida la competencia para la incoación o instrucción de expedientes sancionadores de competencia autonómica.

3. Lo dispuesto en los apartados 1 y 2 de este artículo se entiende sin perjuicio de las medidas que puedan adoptarse por la Administración general del Estado en ejercicio de sus competencias.

En este sentido, el artículo 41 de la **Ley 9/2013, de 19 de diciembre**, establece que, en atención a la concurrencia de razones de orden público, seguridad pública, salud pública y protección del medio ambiente, será precisa la obtención de licencia municipal o autorización autonómica para:

a) La apertura de establecimientos abiertos al público con un **aforo superior a 500 personas**, o que presenten una especial situación de riesgo, de conformidad con lo dispuesto en la normativa técnica en vigor.

b) La instalación de terrazas al aire libre o en la vía pública anexas al establecimiento abierto al público.

c) La celebración de espectáculos públicos y actividades recreativas de carácter extraordinario, siempre que requieran de plan de autoprotección o de un plan o estudio específico según la normativa sectorial de aplicación.

d) El montaje de instalaciones para la celebración de espectáculos públicos y actividades recreativas y la celebración de espectáculos públicos y actividades recreativas que hayan de disponer de plan de autoprotección o de un plan o estudio específico según la normativa sectorial de aplicación.

e) La celebración de los espectáculos públicos y actividades recreativas que se desarrollen en más de un término municipal de la Comunidad Autónoma, conforme al procedimiento que reglamentariamente se establezca.

f) La celebración de los espectáculos y festejos taurinos, que se regirán por su normativa específica.

g) La apertura de establecimientos abiertos al público y la celebración de espectáculos públicos o actividades recreativas cuya normativa específica exija la concesión de licencia o autorización.

No obstante, lo dispuesto anteriormente y salvo que las ordenanzas municipales, en supuestos excepcionales expresamente justificados, establezcan un régimen de declaración responsable, quedan **exentos**, tal y como establece el artículo 41 bis de esta Ley 9/2013, de declaración responsable, licencia y autorización autonómica, sin perjuicio del cumplimiento de los requisitos que sean de aplicación:

a) La apertura de establecimientos abiertos al público que sean de titularidad del propio ayuntamiento.

b) Los espectáculos públicos y actividades recreativas organizados por los ayuntamientos con motivo de fiestas y verbenas populares, con independencia de la titularidad del establecimiento o espacio abierto al público donde se lleven a cabo.

Las ordenanzas municipales podrán establecer justificadamente supuestos concretos de espectáculos públicos y actividades recreativas exceptuados del régimen de declaración responsable cuando por su escasa entidad o incidencia no fuese precisa la indicada declaración para la protección del orden público, seguridad pública, salud pública y medio ambiente.

C) Medidas de adopción directa por los agentes de las fuerzas y cuerpos de seguridad

En casos de espectáculos públicos y actividades recreativas que conlleven un riesgo grave o peligro inminente para las personas y los bienes o la convivencia entre la ciudadanía, los agentes de los cuerpos y fuerzas de seguridad podrán adoptar de forma directa, previo requerimiento a las personas responsables de la celebración de aquellos y en caso de que este no fuese atendido, las siguientes medidas:

a) La suspensión inmediata del espectáculo o actividad y el desalojo y precinto de los establecimientos abiertos al público y el depósito, retención o inmovilización de los bienes, efectos o animales relacionados con el espectáculo o actividad.

b) Aquellas otras medidas que se estimen necesarias, en atención a las circunstancias concurrentes en cada caso, para garantizar la seguridad de las personas y los bienes y la convivencia entre la ciudadanía, y que guarden la debida proporción en atención a los bienes y derechos objeto de protección.

En caso en que los agentes adoptasen las medidas indicadas en el apartado anterior, deberán proceder a su comunicación inmediata al órgano competente de acuerdo con el artículo 28 para adoptar las medidas provisionales previas pertinentes, que habrá de confirmarlas, modificarlas o levantarlas en el plazo de cuarenta y ocho horas desde la indicada comunicación. El incumplimiento de dicho plazo conlleva automáticamente el levantamiento de las medidas inmediatas adoptadas.

Si el órgano indicado en el apartado anterior ratificase las medidas adoptadas, el régimen de confirmación, modificación o levantamiento posterior se regirá por lo que dispone el artículo 27.4.

Lo dispuesto en los apartados anteriores se entiende sin perjuicio de las medidas que puedan adoptarse por la Administración general del Estado en ejercicio de sus competencias.

3.2.14.4. Régimen sancionador

En el ámbito de la presente ley, el ejercicio de la potestad sancionadora se regirá por lo dispuesto en la Ley 39/2015, de 1 de octubre, del procedimiento administrativo común de las administraciones públicas, y en la Ley 40/2015, de 1 de octubre, de régimen jurídico del sector público, y por lo previsto en la presente ley y demás normativa de aplicación por razón de la materia.

A) Infracciones

Constituyen infracciones a lo previsto en la presente ley las acciones u omisiones tipificadas en el presente capítulo, sin perjuicio del régimen sancionador previsto en la Ley 9/2013, de 19 de diciembre, del emprendimiento y de la competitividad económica de Galicia, y de las responsabilidades civiles, penales o de otro orden que puedan derivarse de ellas.

Las infracciones administrativas reguladas en la presente ley se clasifican en muy graves, graves y leves.

Se consideran infracciones **muy graves** las siguientes:

a) Superar el aforo máximo cuando conlleve un riesgo grave para la seguridad de personas o bienes.

b) No permitir el acceso al establecimiento abierto al público a los/las agentes de la autoridad o al personal inspector que esté en el ejercicio de su cargo.

c) Celebrar espectáculos públicos o actividades recreativas expresamente prohibidos en la presente ley o incumpliendo las resoluciones por las que se prohíbe su celebración.

d) Incumplir la obligación de tener suscrito y en vigor el contrato de seguro de acuerdo con lo dispuesto en la presente ley.

e) Cometer una infracción grave cuando, en el plazo de un año, el mismo sujeto fuera sancionado por la comisión de dos o más infracciones graves y la resolución o resoluciones sancionadoras fueran firmes en vía administrativa.

Se consideran infracciones **graves** las siguientes:

a) Superar el aforo máximo cuando no conlleve un riesgo grave para la seguridad de personas o bienes.

b) Ejercer el derecho de admisión en contra de lo dispuesto en el artículo 13.2.

c) Admitir el acceso a espectáculos taurinos en recintos cerrados a las personas menores de 12 años.

d) Incumplir los horarios establecidos de acuerdo con lo previsto en el artículo 17.

e) La suspensión o modificación esencial del contenido de los espectáculos públicos o actividades recreativas sin causa justificada.

f) La publicidad y promoción de los espectáculos públicos y actividades recreativas que contravengan lo dispuesto en la presente ley.

g) Incumplir las disposiciones contempladas en el artículo 15 referentes a la obligación de disponer de servicios de vigilancia y seguridad propios cuando sean obligatorios.

h) El incumplimiento por parte de la persona titular del establecimiento abierto al público o por parte del/de la organizador/a del espectáculo público o actividad recreativa de la obligación de contar con personal habilitado encargado del control de acceso en caso de disponer de servicio de control de acceso.

i) La negativa a actuar por parte del/de la artista, intérprete o ejecutante sin causa justificada.

j) Los comportamientos que puedan producir alteraciones del orden o crear situaciones de peligro para el público asistente, participantes, personas organizadoras y trabajadoras, artistas, fuerzas y cuerpos de seguridad, terceros afectados y bienes, así como su permisividad.

k) La perturbación grave del normal desarrollo del espectáculo público o actividad recreativa.

l) No colaborar en el ejercicio de las funciones de inspección siempre que no constituya infracción muy grave.

m) La comisión de una infracción leve cuando, en el plazo de un año, el mismo sujeto fuera sancionado por la comisión de dos o más infracciones leves y la resolución o resoluciones sancionadoras fueran firmes en la vía administrativa.

n) Incumplir lo dispuesto en la presente ley sobre la venta de entradas o practicar su reventa.

Se consideran como infracciones **leves** las siguientes:

a) Incumplir la obligación de información al público en los términos establecidos en el artículo 19.

b) Cualquier otra acción u omisión que constituya incumplimiento de las obligaciones establecidas en la presente ley o vulneración de las prohibiciones previstas en la misma cuando no proceda su calificación como infracción muy grave o grave.

B) Responsabilidad

Podrán ser sancionadas por hechos constitutivos de infracción administrativa de acuerdo con la presente ley las personas físicas y jurídicas que resulten responsables de los mismos.

A estos efectos, los/las titulares de los establecimientos abiertos al público y los/las organizadores/as de espectáculos públicos y actividades recreativas serán responsables solidarios/as de las infracciones administrativas reguladas en la presente ley que sean cometidas por los/las que intervengan en el espectáculo o actividad cuando incumplan el deber de prevenir la infracción.

Cuando exista una pluralidad de responsables a título individual y no sea posible determinar el grado de participación de cada uno/a en la comisión de la infracción, responderán todos/as ellos/as de forma solidaria.

C) Sanciones

Las infracciones leves serán sancionadas con multa de hasta 300 euros.

Por la comisión de infracciones graves podrán imponerse las siguientes sanciones:

a) Multa de 301 a 30.000 euros.

b) Suspensión o prohibición de la actividad por un periodo máximo de un año.

c) Clausura del establecimiento abierto al público por un periodo máximo de un año.

d) Inhabilitación para la organización o promoción de espectáculos públicos y actividades recreativas por un periodo máximo de un año.

e) Incautación de los instrumentos, efectos o animales utilizados para la comisión de las infracciones. Los gastos de almacenamiento, transporte, distribución, destrucción o cualquier otro derivado de la incautación correrán a cargo de quien cometa la infracción.

Las sanciones indicadas podrán imponerse de manera acumulativa, salvo que resulten incompatibles.

Por la comisión de infracciones muy graves podrán imponerse las siguientes sanciones:

a) Multa de 30.001 hasta 600.000 euros.

b) Clausura del establecimiento abierto al público por un periodo máximo de tres años.

c) Suspensión o prohibición de la actividad hasta tres años.

d) Inhabilitación para la organización o promoción de espectáculos públicos y actividades recreativas hasta tres años.

e) Incautación de los instrumentos, efectos o animales utilizados para la comisión de las infracciones. Los gastos de almacenamiento, transporte, distribución, destrucción o cualquier otro derivado de la incautación correrán a cargo de quien cometa la infracción.

f) Cierre definitivo del establecimiento abierto al público, que conllevará para el/la infractor/a la revocación de la licencia, la declaración de ineficacia de la comunicación previa o declaración responsable o la revocación de la autorización autonómica, así como la prohibición de presentar declaración responsable o de obtener licencia municipal o autorización autonómica en el territorio de la Comunidad Autónoma de Galicia para igual actividad durante un tiempo máximo de diez años.

Las sanciones indicadas podrán imponerse de manera acumulativa, salvo que resulten incompatibles.

D) Graduación

Las sanciones deberán guardar proporcionalidad con la gravedad de los hechos constitutivos de la infracción, graduándose en atención a los siguientes criterios:

a) El grado de culpabilidad o la existencia de intencionalidad.

b) La continuidad o persistencia en la conducta infractora.

c) La naturaleza de los perjuicios causados.

d) La reincidencia por comisión, en el término de un año, de más de una infracción de la misma naturaleza cuando así fuera declarado por resolución firme en vía administrativa.

e) La reiteración.

f) La situación de predominio en el mercado de quien cometa la infracción.

g) La conducta observada por quien cometa la infracción respecto al cumplimiento de las disposiciones legales.

h) La trascendencia social de la infracción.

A efectos de la presente ley, se entenderá como reiteración la comisión de más de una infracción de distinta naturaleza en el término de un año desde la comisión de la primera, cuando así fuera declarado por resolución que ponga fin a la vía administrativa.

La toma en consideración de la reiteración y reincidencia solo será posible si estas circunstancias no se tuviesen en cuenta para determinar la infracción sancionable.

Para la aplicación de los criterios de graduación de las sanciones, respetando los límites establecidos en el artículo anterior, el órgano competente para sancionar deberá ponderar que la comisión de la infracción no resulte más beneficiosa para quien cometa la infracción que el cumplimiento de las normas infringidas, sin que en caso alguno la comisión de la infracción resulte más beneficiosa para el infractor. Cuando, como consecuencia de la comisión de la infracción, la persona infractora obtuviera un beneficio cuantificable, podrá sobrepasarse el límite superior de las multas previstas en el artículo anterior hasta alcanzar la cuantía del beneficio obtenido.

La imposición acumulativa de sanciones en los términos previstos en el artículo anterior se acordará, en todo caso, en aquellos supuestos que impliquen alteración grave de la seguridad.

E) Prescripción

Las infracciones tipificadas como leves en la presente ley prescribirán en el plazo de **seis meses**; las tipificadas como graves, en el de **dos años**; y las tipificadas como muy graves, en el plazo de **tres años**.

El plazo de prescripción de las infracciones comenzará a contarse desde el día en que la infracción se hubiese cometido. En caso de infracciones continuadas o permanentes, el plazo comenzará a correr desde que finalizó la conducta infractora.

Interrumpirá la prescripción la iniciación, con conocimiento de la persona interesada, del procedimiento sancionador, reanudándose el plazo de prescripción si el expediente sancionador está paralizado durante más de un mes por causa no imputable al/a la presunto/a responsable.

Prescribirán **al año** las sanciones impuestas por infracciones leves a la presente ley; a los **dos años**, las impuestas por infracciones graves; y a los **tres años**, las impuestas por infracciones muy graves.

El plazo de prescripción de las sanciones comenzará a contarse desde el día siguiente a aquel en que sea ejecutable la resolución por la que se impone la sanción o haya transcurrido el plazo para impugnarla. En caso de desestimación presunta del recurso de alzada interpuesto contra la resolución por la cual se impone la sanción, el plazo de prescripción de la sanción comenzará a contar desde el día siguiente a aquel en que finalice el plazo legalmente previsto para la resolución de dicho recurso.

Interrumpirá la prescripción la iniciación, con conocimiento de la persona interesada, del procedimiento de ejecución, reanudándose el plazo si aquel está paralizado durante más de un mes por causa no imputable al/a la infractor/a.

3.2.15. Horarios de apertura y cierre de espectáculos y establecimientos públicos en la Comunidad Autónoma de Galicia

La Orden de 23 de octubre de 2020 determina el horario de apertura y cierre de los establecimientos abiertos al público y de inicio y finalización de los espectáculos públicos y de las actividades recreativas.

Constituye, asimismo, objeto de esta orden establecer los criterios, supuestos y circunstancias que permitan a los ayuntamientos autorizar, de forma motivada, ampliaciones o reducciones sobre el horario general.

3.2.15.1. Ámbito de aplicación

Esta Orden será de aplicación a todo tipo de espectáculos públicos y actividades recreativas incluidos en el ámbito de aplicación de la Ley 10/2017, de 27 de diciembre, de espectáculos públicos y actividades recreativas de Galicia, y a los establecimientos y espacios abiertos al público en los que se celebren, de conformidad con las tipologías establecidas en el Decreto 124/2019, de 5 de septiembre, por el que se aprueba el Catálogo de espectáculos públicos, actividades recreativas y establecimientos abiertos al público de la Comunidad Autónoma de Galicia y se establecen determinadas disposiciones generales de aplicación en la materia.

3.2.15.2. Normas generales

Se entenderá por horario de apertura el momento a partir del cual se permitirá el acceso a las personas usuarias del establecimiento abierto al público o a las personas asistentes al espectáculo público o actividad recreativa.

A partir de la hora de cierre no se permitirá el acceso de ninguna persona como usuaria o asistente, respectivamente, al establecimiento o al espectáculo público o actividad recreativa, y no se ofrecerá o servirá consumición alguna. Sin perjuicio de las disposiciones que al respecto puedan ser adoptadas, conforme a la normativa especial en materia de protección medioambiental, deberán, en su caso, quedar fuera de funcionamiento, a partir de dicho momento, la ambientación musical, las máquinas y demás aparatos de juego, vídeo o semejantes, las señales luminosas, localizadas en el exterior del establecimiento o del espectáculo público o actividad recreativa, y cesar las actuaciones que se celebren, con independencia de las tareas propias de recogida y limpieza que desarrollen el personal.

Será de aplicación a las instalaciones eventuales, portátiles o desmontables el mismo régimen de horario que el fijado para las instalaciones permanentes, en función del espectáculo público o actividad recreativa que se esté desarrollando.

En todo caso y para todos los establecimientos regulados en esta orden, entre su cierre y la apertura siguiente, deberá transcurrir un período mínimo de 4 horas.

Cuando coincidan el horario especial de cierre y el tiempo máximo de desalojo junto con una ampliación de 2 horas autorizada por el ayuntamiento y no sea posible compatibilizar el cierre y la apertura siguiente con lo dispuesto en este número, el establecimiento en el que concurran dichas circunstancias deberá, en todo caso, retrasar el horario general de apertura que le corresponda durante el tiempo necesario para que transcurra un período mínimo de 4 horas.

3.2.15.3. Horario de apertura de los establecimientos abiertos al público y de inicio de los espectáculos públicos y actividades recreativas

Los establecimientos abiertos al público incluidos en el número III.2.7. *Establecimientos de ocio y entretenimiento*, del Decreto 124/2019, de 5 de septiembre, no podrán abrir antes de las 12.00 horas de la mañana.

El resto de establecimientos abiertos al público, así como los espectáculos públicos y las actividades recreativas, no podrán abrir antes de las 6.00 horas de la mañana.

3.2.15.4. Horario de cierre de los establecimientos abiertos al público y de finalización de los espectáculos públicos y actividades recreativas

El horario general de cierre de los establecimientos abiertos al público y el horario general de finalización de los espectáculos públicos y de las actividades recreativas se puede observar en la tabla de la página siguiente.

HORARIO ESPECTÁCULOS PÚBLICOS
I.1. Espectáculos cinematográficos: 2.00 horas.
I.2. Espectáculos teatrales y musicales: 4.00 horas.
I.3. Espectáculos taurinos: 22.00 horas.
I.4. Espectáculos circenses: 1.00 horas.
I.5. Espectáculos deportivos: 2.00 horas.
I.6. Espectáculos feriales y de exhibición: 1.00 horas.
I.7. Espectáculos pirotécnicos: 1.00 horas.

HORARIO ACTIVIDADES RECREATIVAS
II.1. Actividades culturales y sociales: 3.00 horas.
II.2. Actividades deportivas: 2.00 horas.
II.3. Actividades de ocio y entretenimiento: 2.00 horas.
II.4. Atracciones recreativas: 2.00 horas.
II.5. Fiestas y verbenas populares: 4.00 horas.
II.6. Juegos de suerte, envite o azar: 4.00 horas.
II.7. Actividades de restauración: 3.30 horas.
II.8. Actividades zoológicas, botánicas y geológicas: 00.00 horas.

HORARIO ESTABLECIMIENTOS ABIERTOS AL PÚBLICO	
III.1. Establecimientos de espectáculos públicos.	III.2.3.1. Parques de atracciones y temáticos: 2.00 horas.
III.1.1 Cines: 2.00 horas.	III.2.3.2. Parques acuáticos: 2.00 horas.
III.1.2 Teatros: 2.00 horas.	III.2.3.3. Salones recreativos: 00.00 horas.
III.1.3 Auditorios: 2.00 horas.	III.2.3.4. Parques multiocio: 00.00 horas.
III.1.4 Circos: 1.00 horas.	III.2.4. Establecimientos para actividades culturales y sociales.
III.1.5 Plazas de toros: 22.00 horas.	III.2.4.1. Museos: 00.00 horas.
III.1.6 Establecimientos de espectáculos deportivos: 2.00 horas.	III.2.4.2. Bibliotecas: 4.00 horas.
III.1.7 Recintos feriales: 1.00 horas.	III.2.4.3. Salas de conferencias: 1.00 horas.
III.2. Establecimientos de actividades recreativas.	III.2.4.4. Salas polivalentes: 2.00 horas.
III.2.1. Establecimientos de juego.	III.2.4.5. Salas de conciertos: 4.30 horas.
III.2.1.1. Casinos: 4.00 horas.	III.2.5. Establecimientos de restauración.
III.2.1.2. Bingos: 4.00 horas.	III.2.5.1. Restaurantes: 2.00 horas.
III.2.1.3. Salones de juego: 2.30 horas.	III.2.5.1.1. Salones de banquetes: 3.30 horas.
III.2.1.4. Tiendas de apuestas: 2.30 horas.	III.2.5.2. Cafeterías: 2.30 horas.
III.2.2. Establecimientos para actividades deportivas.	III.2.5.3. Bares: 2.30 horas.
III.2.2.1. Estadios deportivos: 2.00 horas.	III.2.6. Establecimientos para actividades zoológicas, botánicas y geológicas: 00.00 horas.
III.2.2.2. Pabellones deportivos: 2.00 horas.	III.2.7. Establecimientos de ocio y entretenimiento.
III.2.2.3. Recintos deportivos: 2.00 horas.	III.2.7.1. Salas de fiestas: 6.00 horas.
III.2.2.4. Pistas de patinaje: 2.00 horas.	III.2.7.2. Discotecas: 6.00 horas.
III.2.2.5. Gimnasios: 2.00 horas.	III.2.7.3. Pubs: 4.00 horas.
III.2.2.6. Piscinas de competición: 2.00 horas.	III.2.7.4. Cafés: espectáculo: 4.30 horas.
III.2.2.7. Piscinas recreativas de uso colectivo: 2.00 horas.	III.2.7.5. Furanchos: 2.00 horas.
III.2.3. Establecimientos para atracciones y juegos recreativos.	III.2.8. Centros de ocio infantil 22.00 horas.

3.2.15.5. Tiempo de desalojo

A la hora de cierre establecida se encenderán las luces generales del establecimiento y las puertas de entrada y salida quedarán expeditas y abiertas para que se pueda producir el completo y ordenado desalojo. Sin perjuicio de los límites que vengan impuestos por la normativa sectorial o de seguridad y orden público, el desalojo de los establecimientos se practicará en los siguientes períodos de tiempo, atendiendo a su aforo:

a) Hasta 500 personas: en el tempo máximo de 30 minutos, desde la hora de cierre.

b) Desde 501 hasta 2.999 personas: en el tempo máximo de 45 minutos, desde la hora de cierre.

c) Desde 3.000 personas o más: en el tiempo máximo de 1 hora, desde la hora de cierre.

3.2.15.6. Ampliación de horario máximo

El horario de cierre de los establecimientos abiertos al público y de finalización de los espectáculos públicos y de las actividades recreativas a los que se refiere esta orden se ampliará con carácter general:

– Media hora las noches que van del viernes al sábado, del sábado al domingo y del domingo al lunes, así como las noches de las vísperas de los días festivos y las propias noches de los días festivos.

3.2.15.7. Modificaciones de horarios

De acuerdo con el artículo 17.2 de la Ley 10/2017, de 27 de diciembre, los horarios generales podrán ser ampliados o reducidos en los supuestos que se establecen en los artículos 9 y 10 de esta orden.

Corresponderá a los respectivos ayuntamientos, según lo dispuesto en el artículo 5.f) de la Ley 10/2017, de 27 de diciembre, la ampliación o reducción de los horarios generales.

3.2.15.8. Ampliaciones de horarios

Al amparo de lo dispuesto en el artículo 5.f) de la Ley 10/2017, de 27 de diciembre, los ayuntamientos podrán ampliar para todo su término municipal o para zonas concretas del mismo los horarios generales de cierre de los establecimientos abiertos al público así como de finalización de los espectáculos públicos y de las actividades recreativas, durante la celebración de las fiestas y verbenas populares, del Carnaval, de la Semana Santa y de la Navidad, haciendo compatible, en todo caso, su desarrollo con la aplicación de las normas vigentes en materia de contaminación acústica.

Los ayuntamientos, mediante acuerdo del órgano competente, establecerán el número máximo de días naturales al año en que podrán ampliar los horarios de cierre de los establecimientos abiertos al público, de los espectáculos públicos y de las actividades recreativas.

A efectos de esta orden, se entenderá por Carnaval el período comprendido entre el Jueves de Carnaval y el Miércoles de Ceniza, ambos incluidos, por Semana Santa el período comprendido entre el Domingo de Ramos y el Domingo de Resurrección, ambos incluidos, y por Navidad el período comprendido entre el 22 de diciembre y el 6 de enero, ambos incluidos.

En todos los supuestos anteriores, las ampliaciones de horario no podrán superar, en ningún caso, en 2 horas los horarios generales de cierre de los establecimientos abiertos al público, de los espectáculos públicos y de las actividades recreativas.

Los ayuntamientos también podrán ampliar el horario general de determinados espectáculos públicos musicales de características específicas o excepcionales hasta un máximo de 2 horas.

3.2.15.9. Reducciones de horarios

Al amparo de lo dispuesto en el artículo 5.f) de la Ley 10/2017, de 27 de diciembre, los ayuntamientos podrán reducir para todo su término municipal o para zonas concretas del mismo, el horario general de los establecimientos abiertos al público o de los espectáculos públicos y de las actividades recreativas regulados en esta orden por las causas que a continuación se relacionan y de conformidad con el procedimiento que se determine.

Serán causas de reducción del horario la localización de los establecimientos o de los espectáculos públicos y actividades recreativas en áreas o zonas de alta concentración de los mismos o las que se encuentren calificadas y delimitadas como residenciales, medioambientales protegidas o saturadas y cuando la actividad que en ellos se desarrolle impida el derecho al descanso del vecindario.

En las zonas o áreas previstas anteriormente y cuando concurran las circunstancias mencionadas en él, se podrá reducir el horario general de cierre de los establecimientos abiertos al público o de los espectáculos públicos y de las actividades recreativas en 2 horas.

3.2.15.10. Apertura de puertas de los establecimientos abiertos al público, de los espectáculos públicos y de las actividades recreativas

Todos los establecimientos abiertos al público, los espectáculos públicos y las actividades recreativas comenzarán a la hora anunciada y durarán el tiempo previsto en los carteles o, en su caso, en la correspondiente autorización.

3.2.15.11. Régimen especial de horarios para determinadas actividades de restauración

Podrán acogerse a un régimen especial de horarios las actividades de restauración situadas en los siguientes lugares:

a) Áreas de servicio de carreteras, aeropuertos, puertos, estaciones de ferrocarril y estaciones de autobuses.

b) Establecimientos de hospedaje.

c) Polígonos industriales.

d) Centros sanitarios y tanatorios.

En estos supuestos, podrán tener, como máximo, el horario fijado para el propio establecimiento donde se desarrolle la actividad, siempre que dichas actividades de restauración vayan destinadas a satisfacer las necesidades de las personas profesionales y usuarias del establecimiento y que en ellos se ofrezcan exclusivamente bebidas y alimentos para el consumo inmediato, sin que, en ningún caso, puedan disponer de espacios específicos para la celebración de bailes o medios de reproducción de música de ningún tipo.

3.2.15.12. Régimen especial de horarios de cierre de determinados establecimientos abiertos al público

Los ayuntamientos que hayan obtenido la declaración de zona de gran afluencia turística a efectos de horarios comerciales, de acuerdo con la vigente normativa de comercio interior de Galicia, en los términos y con los límites temporales establecidos en la correspondiente declaración, podrán autorizar, previa petición de las personas titulares de las actividades de restauración, ocio y entretenimiento, horarios especiales, que supongan una ampliación de los horarios generales de cierre, para dichos establecimientos.

En estos supuestos, las ampliaciones de horario no podrán superar, en ningún caso, en 2 horas los horarios generales de cierre de los establecimientos abiertos al público.

Los ayuntamientos podrán autorizar, previa petición de los organismos o entidades titulares de la actividad, la ampliación de los horarios generales de cierre de los museos y de las bibliotecas en más de 2 horas, cuando concurran circunstancias excepcionales que resulten acreditadas.

El ayuntamiento resolverá el expediente de manera motivada, haciendo constar de forma expresa el período de vigencia de la ampliación acordada. Transcurrido este, regirá de nuevo el horario general.

Asimismo, los ayuntamientos podrán autorizar, previa petición de los organismos o entidades titulares de la actividad, la ampliación de los horarios generales de cierre de los establecimientos para actividades deportivas en más de 2 horas, cuando concurran circunstancias excepcionales que resulten acreditadas.

El ayuntamiento resolverá el expediente de manera motivada, haciendo constar de forma expresa el período de vigencia de la ampliación acordada. Transcurrido este, regirá de nuevo el horario general.

3.3. Catálogo de espectáculos públicos, actividades recreativas y establecimientos abiertos al público de la Comunidad Autónoma de Galicia

La Comunidad Autónoma de Galicia tiene competencia exclusiva en materia de espectáculos públicos, conforme a lo establecido en la Ley orgánica 16/1995, de 27 de diciembre, de transferencia de competencias a la Comunidad Autónoma de Galicia, que mantiene la reserva para el Estado de las competencias relativas a la seguridad pública y la facultad de dictar normas que regulen los espectáculos taurinos. La materia de espectáculos públicos abarca las actividades recreativas, tal y como señaló el Tribunal Constitucional en el Auto 46/2001, de 27 de febrero.

Para el pleno ejercicio de esta competencia, el Real Decreto 1640/1996, de 5 de julio, reguló el traspaso de funciones y servicios de la Administración del Estado a la Comunidad Autónoma de Galicia en dicha materia, y mediante el Decreto 336/1996, de 13 de septiembre, se asumieron las funciones y los servicios transferidos.

En base a dicha atribución competencial se promulgó la Ley 10/2017, de 27 de diciembre, de espectáculos públicos y actividades recreativas de Galicia. La disposición final quinta de esta norma legal autoriza al Consello de la Xunta de Galicia a dictar las disposiciones necesarias para su desarrollo reglamentario.

Este **Decreto 124/2019, de 5 de septiembre**, tiene por objeto aprobar, en el marco del desarrollo normativo de la Ley 10/2017, de 27 de diciembre, un nuevo catálogo que establezca una regulación más práctica y moderna, en la búsqueda de adaptar las diversas tipologías de espectáculos públicos, actividades recreativas y establecimientos abiertos al público a la realidad de la sociedad actual.

Asimismo, también constituye el objeto de este decreto disciplinar otros aspectos relativos a la tipología, funcionamiento y régimen de intervención administrativa de tales espectáculos, actividades y establecimientos.

En consecuencia, esta norma reglamentaria establece unas disposiciones de carácter general y, asimismo, incorpora como anexo un catálogo donde se recogen las diversas tipologías de espectáculos públicos, actividades recreativas y establecimientos abiertos al público en el territorio de la Comunidad Autónoma, con la finalidad de que tanto los ayuntamientos como los/las organizadores/as de espectáculos públicos o actividades recreativas o los/las titulares de establecimientos o espacios abiertos al público puedan disponer de un marco normativo estable.

En la elaboración de esta disposición se observaron los trámites previstos en la Ley 16/2010, de 17 de diciembre, de organización y funcionamiento de la Administración general y del sector público autonómico de Galicia, y en la restante normativa de obligado cumplimiento, entre los que cabe destacar la publicación del texto, para alegaciones, en el Portal de transparencia y gobierno abierto, así como el trámite de audiencia a los sectores afectados.

De conformidad con el artículo 10.2 de la Ley 10/2017, de 27 de diciembre, en relación con el artículo 4.1.a) del Decreto 82/2018, de 2 de agosto, por el que se regula la Comisión de espectáculos públicos y actividades recreativas de Galicia, se dio trámite de audiencia a dicha comisión, que emitió, por unanimidad de sus miembros, su parecer favorable, en la reunión de 13 de mayo de 2019.

Finalmente, y de conformidad con todo lo expuesto anteriormente, es necesario destacar que, con la aprobación de este decreto, se da pleno cumplimiento a los principios de necesidad, eficacia, proporcionalidad, seguridad jurídica, transparencia y eficiencia que constituyen los principios de buena regulación establecidos en el artículo 129 de la Ley 39/2015, de 1 de octubre, del procedimiento administrativo común de las administraciones públicas.

3.3.1. Ámbito de aplicación

Este decreto será de aplicación a todo tipo de espectáculos públicos y actividades recreativas incluidos en el ámbito de aplicación de la Ley 10/2017, de 27 de diciembre, de espectáculos públicos y actividades recreativas de Galicia, y a los establecimientos y espacios abiertos al público en que se celebren.

3.3.2. Condiciones generales

De acuerdo con el artículo 12 de la Ley 10/2017, de 27 de diciembre, el régimen de intervención administrativa en materia de espectáculos públicos y actividades recreativas es el previsto en la Ley 9/2013, de 19 de diciembre, del emprendimiento y de la competitividad económica de Galicia.

Con independencia del régimen de intervención administrativa que resulte aplicable, deberán cumplirse las condiciones técnicas y de seguridad a que hace referencia el artículo 7 de la Ley 10/2017, de 27 de diciembre, así como la normativa en materia laboral, de prevención de riesgos laborales y de protección contra la contaminación acústica que resulte aplicable.

Sin perjuicio de lo dispuesto en los apartados anteriores, para la apertura e instalación de establecimientos abiertos al público situados en vías públicas y otras zonas de dominio público, así como para la celebración de espectáculos públicos y actividades recreativas en espacios abiertos al público situados en dichas vías o zonas, deberá disponerse del título habilitante para la ocupación del dominio público expedido por la Administración competente.

3.3.3. Tipologías de espectáculos públicos y de actividades recreativas

A efectos de este decreto, los espectáculos públicos y las actividades recreativas podrán ser:

a) **Permanentes**: aquellos que se celebren de forma habitual en los establecimientos abiertos al público a que se refiere el artículo 3.d).1º de la Ley 10/2017, de 27 de diciembre.

b) **De temporada**: aquellos que se celebren en los establecimientos abiertos al público a que se refiere el artículo 3.d) de la Ley 10/2017, de 27 de diciembre, durante períodos de tiempo superiores a 3 meses e inferiores a 1 año, en cómputo global anual.

c) **Ocasionales**: aquellos que se celebren en establecimientos abiertos al público o espacios abiertos al público, a que se refiere el artículo 3.d) y e) de la Ley 10/2017, de 27 de diciembre, durante períodos de tiempo iguales o inferiores a 3 meses, en cómputo global anual.

d) **De carácter extraordinario**: aquellos que se desarrollan esporádicamente en establecimientos abiertos al público legalmente habilitados para celebrar un espectáculo público o actividad recreativa distinta de la actividad propia del establecimiento.

A efectos de este Decreto, se consideran:

1º. Espectáculos públicos y actividades recreativas que se desarrollan esporádi-camente: los espectáculos públicos y las actividades recreativas que, en un número total no superior a seis al año, se celebren en un mismo establecimiento abierto al público durante un período máximo total de seis días en el año natural, y no se considerarán un mismo espectáculo público o actividad recreativa las programaciones o ciclos de más de un día de duración.

2º. Establecimientos abiertos al público legalmente habilitados para celebrar un espectáculo público o actividad recreativa distinta de la actividad propia del establecimiento: aquellos que reúnan las condiciones técnicas, de seguridad y de aislamiento acústico necesarias para el desarrollo del espectáculo o actividad que se pretende celebrar de forma extraordinaria. En todo caso, el cumplimiento de los requisitos deberá constar acreditado en el expediente mediante el correspondiente informe técnico municipal o el certificado de una entidad de certificación de conformidad municipal (ECCOM) en los términos establecidos en la Ley 9/2013, de 18 de diciembre, del emprendimiento y de la competitividad económica de Galicia, dependiendo del título habilitante que corresponda.

En todo caso, en el título habilitante correspondiente deberá constar el tipo de espectáculo público o actividad recreativa de que se trate en función de la clasificación anterior.

3.3.4. Asimilación de las tipologías

Cuando un espectáculo público, actividad recreativa o establecimiento abierto al público no pueda incardinarse en alguna de las tipologías enumeradas expresamente en el catálogo que se inserta como anexo, se resolverá su asimilación dentro de una de las tipologías ya existentes.

Corresponderá la competencia a la jefatura territorial de la consellería competente en materia de espectáculos públicos de la provincia a que corresponda el municipio donde se pretenda desarrollar el espectáculo público o la actividad recreativa o donde radique el establecimiento abierto al público. El órgano competente resolverá atendiendo a criterios objetivos tales como la naturaleza del espectáculo, actividad o establecimiento, los servicios que se ofertan y los requisitos que se exigen para su desarrollo.

Cuando el régimen de intervención administrativa sea la declaración responsable, será el firmante de esta el que deba solicitar la asimilación a una de las tipologías existentes, antes de presentar en el ayuntamiento la declaración correspondiente.

Cuando el régimen de intervención administrativa sea la licencia, será el propio ayuntamiento el que debe solicitar la asimilación a una de las tipologías existentes antes de resolver acerca de la concesión o denegación de la licencia.

3.3.5. Tipologías de establecimientos y espacios abiertos al público

De conformidad con el artículo 3.d) de la Ley 10/2017, de 27 de diciembre, los establecimientos abiertos al público pueden ser de los siguientes tipos:

a) Locales cerrados, permanentes no desmontables, cubiertos total o parcialmente.

b) Locales no permanentes desmontables, cubiertos total o parcialmente, o instalaciones fijas portátiles o desmontables cerradas.

c) Recintos que unen varios locales o instalaciones, constituidos en complejos o infraestructuras de ocio.

De acuerdo con el artículo 3.e) de la Ley 10/2017, de 27 de diciembre, se entiende por espacios abiertos al público los lugares de titularidad pública, incluida la vía pública, o de propiedad privada, donde ocasionalmente se lleven a cabo espectáculos públicos o actividades recreativas y que no disponen de infraestructuras ni instalaciones fijas para hacerlo.

De conformidad con el artículo 3.f) de la Ley 10/2017, de 27 de diciembre, se entiende por instalaciones portátiles o desmontables aquellas estructuras móviles provisionales y eventuales o aquellos recintos aptos para el desarrollo de espectáculos públicos o actividades recreativas cuyo conjunto se encuentre conformado por elementos desmontables o portátiles constituidos por módulos o componentes metálicos, de madera o de cualquier otro material que permita operaciones de montaje o desmontaje sin necesidad de construir o demoler alguna obra de fábrica.

3.3.6. Capacidad de los establecimientos y espacios abiertos al público

A efectos de este decreto, se entenderá por:

a) Capacidad de los establecimientos abiertos al público: el número máximo de personas, calculado de conformidad con lo establecido en el Código técnico de la edificación o norma básica que lo sustituya, respecto de la evacuación de ocupantes y la seguridad en caso de incendio u otras situaciones de riesgo.

b) Capacidad de los espacios abiertos al público: el número máximo de personas que tienen cabida en dicho espacio aplicando la fórmula de 2 personas por cada metro cuadrado de espacio computable.

3.3.7. Establecimientos dedicados al desarrollo de más de un tipo de espectáculo público o actividad recreativa

En los establecimientos abiertos al público podrá desarrollarse más de un tipo de espectáculo público o actividad recreativa compatibles entre sí. También se podrán desarrollar otras actividades económicas que se encuentren fuera del ámbito de aplicación de la Ley 10/2017, de 27 de diciembre, siempre que, conforme a su normativa específica, puedan desarrollarse conjuntamente con aquellos.

El desarrollo de más de un tipo de espectáculo público o actividad recreativa compatibles entre sí en el mismo establecimiento abierto al público deberá constar expresamente en la licencia municipal o en la declaración responsable, de acuerdo con las definiciones y denominaciones que correspondan a cada espectáculo público, actividad recreativa y establecimiento abierto al público, recogidas en el catálogo que figura como anexo.

En el título habilitante correspondiente debe figurar con claridad cuál es la actividad principal y cual o cuales las actividades compatibles complementarias, respetando las tipologías recogidas en el catálogo que figura como anexo.

No se podrán desarrollar dentro de un mismo establecimiento abierto al público aquellos espectáculos públicos o actividades recreativas que resulten incompatibles, bien a tenor de lo dispuesto en su correspondiente normativa sectorial o bien porque difieran entre sí en cuanto al horario de apertura y cierre establecido para cada uno de ellos, en la dotación de medidas y condiciones técnicas y de seguridad, de protección ambiental e insonorización exigibles o en función de la edad mínima o máxima del público al que se autorice el acceso a ellos.

Lo anterior no será de aplicación a aquellos establecimientos abiertos al público que cuenten con espacios con una separación física de tal modo que los accesos a cada espectáculo público o actividad recreativa y su celebración sean, a estos efectos, totalmente independientes unos de otros y cada espacio cumpla todas las condiciones necesarias para el desarrollo del correspondiente espectáculo público o actividad recreativa, siempre y cuando no se oponga a lo dispuesto en la normativa sectorial que resulte de aplicación.

3.3.8. Espectáculos públicos y actividades recreativas de escasa entidad o incidencia

Para que un espectáculo público o una actividad recreativa pueda ser considerada de escasa entidad o incidencia, a efectos de lo dispuesto en el artículo 41 bis.2 de la Ley 9/2013, de 19 de diciembre, del emprendimiento y de la competitividad económica de Galicia, deberán cumplirse, como mínimo, todos y cada uno de los siguientes requisitos:

a) Que tenga lugar en establecimientos o espacios abiertos al público con una capacidad **inferior a 75 personas**.

b) Que trate de actuaciones realizadas en directo por artistas, intérpretes o ejecutantes, que no requiera escenario desmontable, ni camerinos, ni medidas especiales de seguridad e insonorización diferentes a las que ya tenga el establecimiento o el espacio y cuyo desarrollo no suponga, al mismo tiempo, una modificación de la actividad para la que está habilitado, la cual seguirá desarrollándose junto con la de escasa entidad o incidencia.

c) Que el espectáculo o actividad no afecte a las condiciones técnicas, de seguridad y de aislamiento acústico generales del establecimiento o del espacio, ni sea susceptible de producir una alteración de la seguridad y condiciones de evacuación o un aumento de la capacidad que conste en el título habilitante.

d) Que no requiera el montaje de instalaciones ni equipamiento técnico extraordinario y diferente del que ya disponga el establecimiento o el espacio por su normativa de aplicación.

Los ayuntamientos, mediante ordenanza municipal, podrán establecer justificadamente supuestos concretos de espectáculos y actividades que, cumpliendo los anteriores requisitos, queden exceptuados del régimen de declaración responsable, por no ser precisa dicha declaración para la protección del orden público, seguridad pública, salud pública y medio ambiente.

CATÁLOGO DE ESPECTÁCULOS PÚBLICOS, ACTIVIDADES RECREATIVAS Y ESTABLECIMIENTOS ABIERTOS AL PÚBLICO		
ESPECTÁCULOS PÚBLICOS	Espectáculos cinematográficos Espectáculos teatrales y musicales Espectáculos taurinos Espectáculos circenses Espectáculos deportivos Espectáculos feriales y de exhibición Espectáculos pirotécnicos	
ACTIVIDADES RECREATIVAS	Actividades culturales y sociales Actividades deportivas Actividades de ocio y entretenimiento Atracciones recreativas Fiestas y verbenas populares Juegos de suerte, envite o azar Actividades de restauración Actividades zoológicas, botánicas y geológicas	
ESTABLECIMIENTOS ABIERTOS AL PÚBLICO	Establecimientos de espectáculos públicos	Cines Teatros Auditorios Circos Plazas de toros Establecimientos de espectáculos deportivos Recintos feriales
	Establecimientos de actividades recreativas	Establecimientos de juego Establecimientos para actividades deportivas Establecimientos para atracciones y juegos recreativos Establecimientos para actividades culturales y sociales Establecimientos de restauración Establecimientos para actividades zoológicas, botánicas y geológicas Establecimientos de ocio y entretenimiento Centros de ocio infantil

Actividad 2

Rellena el hueco con las palabras que faltan:

Para que un espectáculo público o una actividad recreativa pueda ser considerada de escasa entidad o incidencia, deberán cumplirse, como mínimo, que tenga lugar en establecimientos o espacios abiertos al público con una capacidad _____.

3.3.8.1. Espectáculos públicos

Espectáculos cinematográficos

La exhibición o proyección pública de películas cinematográficas y otros contenidos susceptibles de ser proyectados en pantalla, con independencia de los medios técnicos utilizados, y sin perjuicio de que se exhiban o proyecten en establecimientos cerrados o al aire libre, debidamente acondicionados y habilitados para ello.

Espectáculos teatrales y musicales

Teatrales: la representación pública de obras teatrales, artísticas o escénicas, mediante la utilización, aislada o conjuntamente, del lenguaje, de la mímica, de la música, del cómic, de marionetas u otros objetos a cargo de artistas, intérpretes o ejecutantes, sean o no profesionales, en establecimientos cerrados o al aire libre, debidamente acondicionados y habilitados para ello.

Musicales: la ejecución o representación pública de obras o composiciones musicales, operísticas o de danza, mediante la utilización, aislada o conjuntamente, de instrumentos musicales, música grabada y enviada por medios mecánicos o de la voz humana a cargo de artistas, intérpretes o ejecutantes, profesionales, o personas aficionadas, en establecimientos cerrados o al aire libre, debidamente acondicionados y habilitados para ello.

Espectáculos taurinos

Aquellos en que intervienen reses de ganado bovino bravo para ser lidiadas en plazas de toros con público, por profesionales o personas aficionadas, de acuerdo con la normativa específica. La clasificación y características de los recintos serán las establecidas en la normativa específica aplicable.

Espectáculos circenses

La ejecución o representación en público de ejercicios físicos, de acrobacia o habilidad, actuaciones de payasos, malabaristas, prestidigitadores, animales amaestrados o no, y otras semejantes, realizadas por artistas, intérpretes o ejecutantes, profesionales o personas aficionadas, en establecimientos cerrados o al aire libre, debidamente acondicionados y habilitados para ello, sin perjuicio de lo dispuesto en el artículo 9.l) de la Ley 4/2017, de 3 de octubre, de protección y bienestar de los animales de compañía.

Espectáculos deportivos

La exhibición en público del ejercicio de cualquier modalidad o especialidad deportiva, competitiva, o no, por deportistas profesionales o aficionados/as, en recintos, instalaciones, vías o espacios abiertos al público, debidamente acondicionados y habilitados para ello.

Espectáculos feriales y de exhibición

La presentación en público de productos naturales o artificiales derivados de las plantas, animales o naturaleza, o la realización en público de bailes, exhibiciones, cabalgatas o desfiles de carácter popular, tradicional o de cualquier índole en establecimientos cerrados o al aire libre, debidamente acondicionados y habilitados para ello.

Espectáculos pirotécnicos

Aquellos en que se produce la ejecución o representación en público de obras o composiciones de efectos visuales, sonoros, y fumígenos con una finalidad lúdica, mediante el uso de artificios de pirotecnia, conjunta o aisladamente con composiciones audiovisuales, de instrumentos musicales o voz humana, a cargo de intérpretes musicales, cantantes o artistas, profesionales, o personas aficionadas, en espacios abiertos al público debidamente acondicionados y habilitados para ello.

3.3.8.2. Actividades recreativas

Actividades culturales y sociales

Aquellas que ofrecen al público la posibilidad de incrementar e intercambiar sus conocimientos y relaciones humanas a través del acceso a la información, con independencia del formato en que se encuentre esta, así como mediante el acceso a obras, manifestaciones y actos artísticos o culturales que se desarrollen en establecimientos cerrados debidamente acondicionados y habilitados para ello o al aire libre.

Actividades deportivas

Aquellas mediante las cuales se ofrece al público la práctica de cualquier deporte, bien en establecimientos abiertos al público legalmente habilitados y autorizados para ello o en espacios abiertos al público, en las condiciones establecidas en la normativa específica. Se incluyen en esta definición las actividades que consistan en ofrecer al público en establecimientos o en espacios abiertos al público la utilización de instalaciones fijas, eventuales u otros elementos o servicios de carácter deportivo, de habilidad o de resistencia física, previo pago del precio por su uso o por acceder al establecimiento abierto al público en que se encuentren instalados, tales como tirolina, puente tibetano, piragüismo, paintball y cualquier otro de semejantes características.

No tendrán esta consideración los equipamientos urbanos o rurales de uso libre y colectivo por la ciudadanía, concebidos como espacios al aire libre con instalaciones destinadas al ejercicio de la cultura física en vías públicas y otras zonas de dominio público no vinculadas a una actividad económica de espectáculos públicos o actividad recreativa determinada.

Actividades de ocio y entretenimiento

Aquellas que consisten en ofrecer al público asistente tiempo de recreo, entretenimiento u ocio en establecimientos abiertos al público habilitados legalmente para ello, basadas, conjunta o aisladamente, en la actividad de baile en pistas o en espacios del establecimiento abierto al público específicamente acotados y previstos para ello, en la utilización de equipos de amplificación o reproducción sonora o audiovisuales, en el desarrollo de actuaciones en directo, así como en la consumición de bebidas.

Atracciones recreativas

Aquellas que consisten en ofrecer al público en establecimientos abiertos al público legalmente habilitados para ello o en espacios abiertos al público un tiempo de recreo, entretenimiento u ocio, mediante la utilización de atracciones, mecánicas o no, consistentes en instalaciones fijas o eventuales, tales como hinchables, parques de bolas, toboganes, columpios, carruseles, norias, montañas rusas, trenes turísticos, barracas y cualquier otro de semejantes características a cambio del pago de un precio por su uso o por acceder al establecimiento abierto al público en que se encuentren instalados.

Fiestas y verbenas populares

Aquellas que se celebran generalmente al aire libre o en la vía pública con motivo de fiestas locales, patronales o populares, con actuaciones musicales, bailes, barracas, fuegos de artificio, hostelería y restauración.

Juegos de suerte, envite o azar

La definición de juegos de suerte, envite o azar es la que se recoge en la Ley 3/2023, de 4 de julio, reguladora de los juegos de Galicia, o normativa posterior que la sustituya.

Se entiende por juego, cualquier actividad, incluidas las apuestas, mediante la que se arriesguen cantidades de dinero u objetos económicamente evaluables, en función de un resultado futuro e incierto, independientemente de la incidencia que en el juego tenga el grado de destreza o habilidad de las personas usuarias, o que sea exclusivamente de suerte, envite o azar, y tanto si se realiza por medios presenciales como por canales electrónicos, informáticos, telemáticos, interactivos o de comunicación a distancia. Quedan excluidas en esta definición las actividades indicadas aunque se realicen de forma esporádica u ocasional.

Actividades de restauración

Aquellas que tienen por objeto, en establecimientos abiertos al público legalmente habilitados para ello, la prestación del servicio de comida y bebida para su consumo por el público a cambio de un precio, conforme a lo dispuesto en su normativa específica.

Actividades zoológicas, botánicas y geológicas

Aquellas que consisten en ofrecer al público la exhibición de especies animales, vegetales o minerales, en establecimientos abiertos al público debidamente habilitados para ello, conforme a su normativa específica.

3.3.8.3. Establecimientos abiertos al público

Establecimientos de espectáculos públicos

a) Cines. Establecimientos abiertos al público preparados especialmente para la proyección de películas cinematográficas al aire libre o en una o varias salas de exhibición, con independencia de los procedimientos técnicos que se empleen.

b) Teatros. Establecimientos abiertos al público destinados a la celebración de espectáculos teatrales y musicales al aire libre o en una o varias salas, que cuenten con escenario, camerinos y localidades de asiento, así como con los servicios e instalaciones adecuados para su uso.

c) Auditorios. Establecimientos abiertos al público destinados a la celebración de espectáculos teatrales y musicales y actividades culturales al aire libre o en una o varias salas, que cuenten con escenario, camerinos, localidades de asiento y locales auxiliares, así como con servicios e instalaciones adecuados para su uso.

d) Circos. Establecimientos abiertos al público destinados exclusivamente a la celebración de espectáculos circenses, que cuenten con, al menos, una pista para la celebración de estos y gradas para las personas que asisten al espectáculo.

e) Plazas de toros. Establecimientos abiertos al público regulados y definidos en la normativa específica taurina que se destinen a la celebración de espectáculos taurinos y festejos taurinos populares, en los términos establecidos en dicha normativa específica.

f) Establecimientos de espectáculos deportivos. Establecimientos abiertos al públi-co cerrados o al aire libre, destinados a la exhibición en público de espectáculos deportivos en cualquiera de sus modalidades, con los requisitos y condiciones que establezca la normativa sectorial específica.

g) Recintos feriales. Establecimientos abiertos al público cerrados o al aire libre, des-tinados a acoger actividades de presentación en público de productos naturales o artificiales derivados de las plantas, animales o naturaleza, o a la realización de bailes, exhibiciones, cabalgatas o desfiles de carácter popular, tradicional o de cualquier índole.

Establecimientos de actividades recreativas

a) Establecimientos de juego

Establecimientos abiertos al público definidos y regulados en la vigente normativa de juego de la Comunidad Autónoma de Galicia.

– Casinos.

– Salas de bingo.

– Salones de juego.

– Tiendas de apuestas.

b) Establecimientos para actividades deportivas.

Establecimientos abiertos al público que se destinen a ofrecer al público la práctica o exhibición de cualquier deporte o ejercicio físico en las condiciones establecidas en la normativa específica. Podrán ser de los siguientes tipos:

– **Estadios deportivos**: establecimientos abiertos al público fijos, con gradas para el público, no cubiertos o cubiertos parcialmente que, debidamente habilitados, se destinan a la exhibición en público de uno o más deportes.

– **Pabellones deportivos**: establecimientos abiertos al público fijos y cubiertos que, debidamente habilitados, se destinan a actividades físicas que impliquen la práctica de algún deporte.

– **Recintos deportivos**: establecimientos abiertos al público y descubiertos, acon-dicionados para realizar prácticas deportivas, sin que la asistencia de público sea su finalidad principal.

– **Pistas de patinaje**: establecimientos abiertos al público fijos o eventuales, con una pista central destinada a la práctica de patinaje sobre hielo o patines.

– **Gimnasios**: establecimientos abiertos al público fijos provistos de aparatos ade-cuados para practicar gimnasia, que cuentan con salas independientes para la rea-lización de ejercicio físico.

– **Piscinas de competición**: establecimientos abiertos al público fijos, con gradas para el público, que cuentan con una o más pilas de agua para la práctica deportiva.

– **Piscinas recreativas de uso colectivo**: establecimientos abiertos al público fijos que cuenten con pilas de agua que pueden ser utilizadas por el público en general.

c) Establecimientos para atracciones y juegos recreativos.

Establecimientos abiertos al público que se destinen a ofrecer la práctica de juegos recreativos, la utilización de atracciones recreativas o la práctica de actividades recreativas acuáticas y, en su caso, a ofrecer de manera complementaria actividades de hostelería a las personas usuarias.

Pueden ser de los siguientes tipos:

– **Parques de atracciones y temáticos**: establecimientos abiertos al público fijos e independientes al aire libre que, debidamente habilitados, se destinan al desarrollo de atracciones recreativas de índole diversa y, en su caso, conjuntamente con estas y en áreas diferenciadas dentro del mismo recinto, a la celebración de espectáculos cinematográficos, teatrales, musicales o circenses.

– **Parques acuáticos**: establecimientos abiertos al público fijos debidamente habilitados y destinados a ofrecer actividades recreativas acuáticas.

– **Salones recreativos**: establecimientos abiertos al público fijos debidamente habilitados y destinados a ofrecer juegos con máquinas recreativas tipo A.

– **Parques multiocio**: establecimientos abiertos al público fijos debidamente habilitados y destinados al desarrollo de juegos recreativos cuyo funcionamiento no sea eléctrico ni mecánico, tales como camas elásticas, salto libre, escalada y cualquier otro de semejantes características.

d) Establecimientos para actividades culturales y sociales.

Establecimientos abiertos al público que se destinen a acoger actividades culturales y sociales. Pueden ser de los siguientes tipos:

– **Museos**: instituciones de carácter permanente abiertas al público y sin finalidad de lucro, orientadas a la promoción y al desarrollo cultural de la comunidad en general, por medio de la recogida, adquisición, inventario, catalogación, conservación, investigación, difusión y exhibición, de forma científica, estética y didáctica, de conjuntos y colecciones de bienes patrimoniales de carácter cultural que constituyen testimonios de las actividades del ser humano o de su ámbito natural, con fines de estudio, educación, ocio y promoción científica y cultural, conforme a lo dispuesto en el artículo 111 de la Ley 5/2016, de 4 de mayo, del patrimonio cultural de Galicia.

– **Bibliotecas**: cualquier organización, individual o colectiva, resultante de la estructuración de una o varias unidades que, a través de los procesos, de los medios técnicos y personales y de los servicios adecuados, tiene como misión la reunión, conservación, organización y difusión de documentos publicados o creados para su difusión en cualquier soporte y formato, con la finalidad de facilitar a la ciudadanía el acceso a la cultura, a la información, a la investigación, a la educación y al ocio contenidos en esos documentos, conforme a lo dispuesto en el artículo 3 de la Ley 5/2012, de 15 de junio, de bibliotecas de Galicia.

– **Salas de conferencias**: establecimientos abiertos al público destinados a la celebración de actividades culturales o sociales tales como impartir cursos, dar conferencias, coloquios, debates, recitales, lecturas públicas, reuniones u otras semejantes.

– **Salas polivalentes**: establecimientos abiertos al público fijos donde se pueden realizar actividades de características distintas pero con un fundamento común, como son las reuniones sociales, culturales y deportivas.

– **Salas de conciertos**: establecimientos abiertos al público que disponen de camerinos y escenarios, y que ofrecen bebidas y actuaciones de variedades o musicales en directo para el ocio del público asistente.

e) Establecimientos de restauración

Establecimientos abiertos al público que se destinen a la actividad de restauración y con las siguientes tipologías:

– **Restaurantes**: establecimientos abiertos al público destinados al consumo de comidas y bebidas realizado en horario determinado y en zonas de comedor independientes, para lo que se deberá contar con una instalación de cocina adecuada al servicio y categoría, conforme a lo dispuesto en la Ley 7/2011, de 27 de octubre, del turismo de Galicia.

– **Salones de banquetes**: restaurantes destinados a servir comidas y bebidas a un público agrupado, mediante precio concertado, para ser consumidas en fecha y horas predeterminadas en servicio de mesas en el mismo establecimiento. Pueden realizar actividades de baile posterior a la comida siempre que reúnan las condiciones de seguridad e insonorización.

– **Cafeterías**: establecimientos abiertos al público que ofrezcan, en una misma unidad espacial, servicio de barra y mesas con el fin de dispensar todo tipo de bebidas, que pueden acompañar de una oferta de restauración sencilla y de ordinario a la plancha para lo cual, en su caso, deberán contar con servicio de cocina adecuado, conforme a lo dispuesto en la Ley 7/2011, de 27 de octubre, del turismo de Galicia.

– **Bares**: establecimientos abiertos al público que, en servicio de barra, ofrecen todo tipo de bebidas, que podrán servirse acompañadas de tapas o raciones en horarios determinados. También se considerarán bares aquellos establecimientos abiertos al público que, además de la barra, cuentan, en la misma unidad espacial, con servicio de mesas en las cuales se podrá facilitar al cliente el mismo servicio que en la barra, así como un servicio de restauración consistente, como máximo, en un menú único ofrecido por un precio global. Para la oferta de tapas, raciones y del menú, el establecimiento deberá contar con cocina acorde con los servicios que preste, conforme a lo dispuesto en la Ley 7/2011, de 27 de octubre, del turismo de Galicia.

f) Establecimientos para actividades zoológicas, botánicas y geológicas.

Establecimientos abiertos al público en que se desarrollen actividades zoológicas, botánicas y geológicas.

g) Establecimientos de ocio y entretenimiento.

Establecimientos abiertos al público que se destinen a ofrecer a las personas asistentes actividades de ocio y entretenimiento. Pueden ser de las siguientes clases:

- **Salas de fiestas**: establecimientos abiertos al público que disponen de camerinos, escenario, pistas de baile y ropero, y que ofrecen servicio de bar y actuaciones de variedades o musicales en directo para el ocio y entretenimiento del público asistente. A efectos de este decreto y en todos los casos en que se mencione en este anexo, se considera pista de baile el espacio especialmente delimitado y destinado a tal fin, desprovisto de obstáculos o de mobiliario.

- **Discotecas**: establecimientos abiertos al público que se dediquen a servir bebidas y destinados a ofrecer a las personas asistentes la actividad de baile, que cuentan con ropero y una o más pistas de baile para el público.

- **Pubs**: establecimientos abiertos al público destinados al servicio de bebidas, que disponen de ambientación musical por medios técnicos dentro de los límites establecidos por la normativa vigente, pero sin pista de baile. Podrán disponer de servicio de karaoke.

- **Cafés-espectáculo**: establecimientos abiertos al público en que se desarrollan actuaciones musicales, teatrales o culturales en directo, sin pistas de baile para el público, que pueden o no disponer de escenarios o camerinos y en los cuales se ofrece servicio de bebidas y restauración.

- **Furanchos**: establecimientos abiertos al público con las características y actividades establecidas en el Decreto 215/2012, de 31 de octubre, por el que se regulan los furanchos de la Comunidad Autónoma de Galicia.

Los furanchos los locales utilizados principalmente como vivienda privada pero donde sus propietarios/as venden el excedente del vino de la cosecha propia, elaborado en casa para su consumo particular, junto con las tapas que, como productos alimenticios preparados regularmente por ellos/ellas, sirvan de acompañamiento. A estos efectos, tendrá la consideración de excedente del consumo propio una cantidad de vino que no exceda de la que se obtenga de aplicar a la superficie de su viñedo un rendimiento máximo de 0,65 litros por metro cuadrado.

h) Centros de ocio infantil

Establecimientos abiertos al público que se destinen a ofrecer juegos y atracciones recreativas diseñados específicamente para público de edad igual o inferior a 12 años, espacios de juego y entretenimiento, así como la celebración de fiestas infantiles. Las actividades ofertadas no podrán consistir en la formación o la mera custodia o cuidado de los/las niños/as. Los juegos y las actividades deberán estar dirigidos por responsables adultos con titulación en materia de actividades de tiempo libre y será preciso 1 por cada

10 personas menores usuarias de los juegos y actividades. Podrán disponer de un servicio de restauración con ofertas adecuadas para las personas menores y para aquellas personas que las acompañen, que deberá constar, específicamente, en el título habilitante municipal que les corresponda.

En estos establecimientos abiertos al público no se podrá acoger de modo habitual público de edades correspondientes a la educación infantil durante el calendario y horario escolares; tampoco se podrán admitir personas menores de 3 años sin que esté presente durante toda la estancia en ellos la persona legalmente responsable de la persona menor de edad o cualquier otra persona mayor de edad expresamente autorizada por aquella que no forme parte del propio personal del establecimiento abierto al público.

Solución a las actividades

Actividad 1.

- Falsa.
- Verdadera.

Actividad 2.

Para que un espectáculo público o una actividad recreativa pueda ser considerada de escasa entidad o incidencia, deberán cumplirse, como mínimo, que tenga lugar en establecimientos o espacios abiertos al público con una capacidad **inferior a 75 personas**.

La actividad de la policía local como policía administrativa II: urbanismo. Infracciones y sanciones. La protección ambiental: prevención y calidad ambiental, residuos y disciplina ambiental

Convierte tu **memoria** en súper memoria con nuestros consejos, recursos y Técnicas de Memoria 360.

Índice

1. La actividad de la Policía Local como policía administrativa II. Urbanismo. Infracciones y sanciones

1.1. Introducción

Como se ha tenido ocasión de estudiar en otro Tema del programa, a la luz del art. 53 de la Ley Orgánica 2/1986, de 13 de marzo, de Fuerzas y Cuerpos de Seguridad (LOFCS, en adelante), entre las funciones de la Policía Local se encuentra la de policía administrativa, en lo relativo a las Ordenanzas, Bandos y demás disposiciones municipales dentro del ámbito de su competencia, dictadas en cualquier caso en desarrollo y aplicación de la normativa estatal y autonómica que habilite en cada caso para el ejercicio de estas competencias.

1.2. Urbanismo

1.2.1. Regulación general

La regulación general del urbanismo se contiene en el Real Decreto Legislativo 7/2015, de 30 de octubre, por el que se aprueba el Texto Refundido de la Ley del Suelo y Rehabilitación Urbana, así como la Ley 29/1994, de 24 de noviembre, de Arrendamientos Urbanos. Asimismo, debe estarse a lo dispuesto por el Código Técnico de la Edificación, aprobado por el Real Decreto 314/2006, de 17 de marzo junto al cual debe tenerse en cuenta el Real Decreto 315/2006, de 17 de marzo, por el que se crea el Consejo para la Sostenibilidad, Innovación y Calidad de la Edificación.

Sobre todo, en esta materia, debe estarse a lo dispuesto en la legislación autonómica, dado que el art. 148,1.º,3.ª de nuestra vigente Constitución, de 27 de diciembre de 1978 (CE, en adelante), confiere a las Comunidades Autónomas la competencia exclusiva en "ordenación del territorio, urbanismo y vivienda".

1.2.2. Regulación local

En cuanto a la regulación y régimen específicamente local, hay que partir del art. 25,2.º,a) de la Ley 7/1985, de 2 de abril, Reguladora de las Bases del Régimen Local (LRL, en lo sucesivo), que señala que el Municipio ejercerá en todo caso competencias, en los términos de la legislación del Estado y de las Comunidades Autónomas, en materia de "Urbanismo: planeamiento, gestión, ejecución y disciplina urbanística. Protección y gestión del Patrimonio histórico. Promoción y gestión de la vivienda de protección pública con criterios de sostenibilidad financiera. Conservación y rehabilitación de la edificación.".

Se trata de una competencia propia de los Municipios, reconocida legalmente, y no de una competencia delegada por otra Administración Pública. En este sentido, la propia etimología del término, que proviene del latino *urbs*, alude a la ciudad, especialmente la muy populosa, como reconoce la Real Academia Española en su Diccionario de la Lengua Española.

De ahí que, al margen del proceso de estatalización y, tras la Constitución, de regionalización del urbanismo, la competencia originaria en la materia haya estado históricamente atribuida a los Municipios.

En este contexto, dentro de la actividad de policía administrativa, el art. 1 del Reglamento de Servicios de las Corporaciones Locales, aprobado por Decreto de 17 de junio de 1955, permite a los Ayuntamientos intervenir la actividad de sus administrados "en el orden del urbanismo, también para velar por el cumplimiento de los planes de ordenación aprobados", regulando acto seguido por extenso el régimen de las licencias.

1.2.3. Regulación autonómica: Ley 2/2016, de 10 de febrero del suelo de Galicia

La Comunidad Autónoma de Galicia, en virtud de lo dispuesto en el artículo 27.3 de su Estatuto de autonomía, aprobado mediante la Ley Orgánica 1/1981, de 6 de abril, ostenta la competencia exclusiva en materia de ordenación del territorio y del litoral, urbanismo y vivienda.

El ejercicio de la competencia urbanística se inició en nuestra Comunidad Autónoma con la Ley 11/1985, de 22 de agosto, de adaptación de la Ley del suelo a Galicia, continuándose con la Ley 1/1997, de 24 de marzo, del suelo de Galicia.

La Ley 9/2002, de 30 de diciembre, de ordenación urbanística y protección del medio rural de Galicia, supuso el pleno ejercicio por la Comunidad Autónoma gallega de las competencias en materia de urbanismo constitucionalmente atribuidas, de conformidad con la doctrina del Tribunal Constitucional. Durante la vigencia de esta ley se promulgaron una sucesión de leyes que modificaron el texto legal inicialmente aprobado.

Pero las modificaciones legislativas del ordenamiento jurídico urbanístico no se han producido solamente a través de la modificación de la normativa autonómica, sino que también el legislador estatal, en el ejercicio de sus competencias con incidencia en el terreno urbanístico, realizó distintas reformas en la legislación básica, debiendo destacar el Real decreto legislativo 7/2015, de 30 de octubre, por el que se aprueba el texto refundido de la Ley del suelo y rehabilitación urbana, y la Ley 8/2013, de 26 de junio, de rehabilitación, regeneración y renovación urbanas.

La Ley del suelo apuesta por la protección territorial y, en particular, por la defensa y respeto del suelo rústico, ya sea por la afección al dominio público o por la presencia de valores merecedores de especial salvaguarda. Y todo ello sin perder de vista la dimensión del suelo rústico como suelo productivo y útil, que debe ser contemplada y potenciada.

1.2.3.1. Objeto de la Ley del Suelo

Es objeto de la presente ley la protección y la ordenación urbanística de Galicia.

El régimen urbanístico del suelo y la regulación de la actividad administrativa relacionada con el mismo vendrán determinados por lo establecido en la presente ley o, en su virtud, por los instrumentos de ordenación urbanística previstos en ella.

1.2.3.2. Función pública e iniciativa privada

La dirección y el control de la actividad urbanística constituyen una función pública y corresponden, en todo caso, a la administración urbanística competente.

La gestión de la actividad urbanística puede desarrollarse directamente por aquella o a través de las formas previstas por la presente ley y de las autorizadas por la legislación reguladora de la administración actuante. En todo caso, las facultades que impliquen el ejercicio de autoridad solo podrán desarrollarse a través de una forma de gestión directa y en régimen de derecho público.

Cuando el mejor cumplimiento de los fines y objetivos del planeamiento urbanístico así lo aconseje, se suscitará la iniciativa privada, pudiendo celebrarse convenios urbanísticos con particulares con la finalidad de establecer los términos de colaboración para el mejor y eficaz desarrollo de la actividad urbanística.

En la formulación, tramitación y gestión del planeamiento urbanístico las administraciones urbanísticas competentes habrán de asegurar la participación de las personas interesadas y de la ciudadanía en general.

1.2.3.3. Actividad urbanística

La actividad urbanística es una función pública que tiene por objeto la organización, dirección y control de la ocupación y la utilización del suelo, incluidos el subsuelo y el vuelo, su transformación mediante la urbanización, la edificación y la rehabilitación del patrimonio inmobiliario, así como la protección de la legalidad urbanística.

1.2.3.4. Ámbito de la competencia urbanística

La competencia urbanística relativa al planeamiento comprenderá las siguientes facultades:

a) Formular los planes e instrumentos de planeamiento urbanístico previstos en la presente ley.

b) Establecer la clasificación del suelo.

c) Determinar el uso del suelo, del subsuelo y de las construcciones.

d) Determinar la configuración y las dimensiones de las parcelas edificables.

e) Emplazar las infraestructuras, equipamientos, centros de producción y residenciales de manera adecuada para la población.

f) Establecer zonas de distinta utilización, en función de la densidad de la población que haya de habitarlas, porcentaje de terreno que pueda ser ocupado por construcciones, volumen, forma, número de plantas, clase y destino de los edificios, con sujeción a las ordenaciones generales uniformes para cada tipología en toda la zona.

g) Formular las reservas de suelo y fijar criterios para el trazado de vías públicas y redes de infraestructuras y servicios, y para la implantación de dotaciones urbanísticas y, en concreto, parques y jardines públicos, así como espacios libres de edificación, en proporción adecuada a las necesidades colectivas.

h) Señalar el emplazamiento y características de los centros y servicios públicos de cualquier finalidad y demás equipamientos.

i) Calificar terrenos para la construcción de viviendas sujetas a algún régimen de protección pública.

j) Orientar la composición arquitectónica de las edificaciones y regular, en los casos en que fuese necesario, sus características estéticas.

La competencia urbanística en lo que se refiere a la ejecución del planeamiento confiere las siguientes facultades:

a) Dirigir, realizar, conceder y fiscalizar la ejecución de las obras de urbanización.

b) Fomentar la iniciativa de los particulares, promoviendo su participación en los procesos de ejecución.

c) Expropiar los terrenos y construcciones necesarios para efectuar las obras y cuantas actuaciones convengan a la economía de la actividad urbanística proyectada.

La competencia urbanística en lo que se refiere a la intervención en la regulación del mercado del suelo confiere las siguientes facultades:

a) Regular el mercado de terrenos como garantía de la subordinación de los mismos a los fines previstos en el planeamiento urbanístico.

b) Constituir y gestionar patrimonios públicos de suelo.

La competencia urbanística en lo referente a la intervención en el ejercicio de las facultades dominicales relativas al uso del suelo y edificación comprenderá las siguientes facultades:

a) Intervenir en la construcción y uso de las fincas y en la parcelación de terrenos mediante el título habilitante de naturaleza urbanística que resulte exigible.

b) Prohibir los usos que no se ajusten a la ordenación urbanística.

c) Exigir a los propietarios el cumplimiento de las obligaciones impuestas por la presente ley.

La competencia urbanística en materia de disciplina urbanística comprenderá las siguientes facultades:

a) Inspeccionar las obras, edificaciones y usos del suelo para comprobar el cumplimiento de la legalidad urbanística.

b) Adoptar las medidas necesarias para el restablecimiento del orden urbanístico vulnerado y reponer los bienes afectados al estado anterior a la producción de la situación ilegal.

c) Imponer las sanciones que correspondan a los responsables de las infracciones urbanísticas.

Las competencias que se enumeran en este artículo tienen un carácter meramente enunciativo, correspondiendo cuantas otras fueran necesarias para el cumplimiento de los fines de la presente ley, con arreglo a la cual habrán de ser ejercidas.

1.2.3.5. Fines de la actividad urbanística

La actividad administrativa en materia de urbanismo tendrá, en aplicación de los principios constitucionales de la política económica y social, entre otras, las siguientes finalidades:

a) Asegurar que el suelo se utilice en congruencia con la utilidad pública y la función social de la propiedad en las condiciones establecidas en las leyes y, en su virtud, en el planeamiento urbanístico.

b) Garantizar el principio de justa distribución de los beneficios y cargas del planeamiento entre los propietarios afectados por el mismo.

c) Asegurar la participación de la comunidad en las plusvalías que genere la acción urbanística de los entes públicos.

d) Preservar el medio físico, los valores tradicionales, las señales de identidad y la memoria histórica de Galicia.

e) Armonizar las exigencias de ordenación y conservación de los recursos naturales y del paisaje rural y urbano con el mantenimiento, diversificación y desarrollo sostenible del territorio y de su población, para contribuir a elevar la calidad de vida y la cohesión social de la población.

f) Velar para que la actividad urbanística se desarrolle promoviendo la más amplia participación social, garantizando los derechos de información y de iniciativa de los particulares, asegurando, en todo caso, la participación de los ciudadanos y asociaciones por estos constituidas para la defensa de sus intereses y valores.

g) Conseguir la integración armónica del territorio y proteger los valores agrarios, forestales y naturales y la riqueza y variedad arquitectónica, fomentando el empleo de las formas constructivas propias de las diversas zonas y garantizando su integración en el medio rural.

h) Fomentar la ordenación y mejora de los núcleos rurales, evitando la degradación y pérdida de las construcciones tradicionales, favoreciendo el uso y disfrute del medio rural.

i) Ejercer las competencias de las administraciones públicas con arreglo a los principios de cooperación, coordinación, asistencia activa e información recíproca, con el objetivo de garantizar la plena aplicación y eficacia de la normativa urbanística.

1.2.3.6. Reglas de interpretación

Las dudas en la interpretación del planeamiento urbanístico producidas por imprecisiones o contradicciones entre documentos de igual rango normativo se resolverán aplicando el principio de interpretación integrada de las normas.

1.2.3.7. Órganos urbanísticos de la Comunidad Autónoma

Son órganos de la Comunidad Autónoma con competencia urbanística:

a) El Consello de la Xunta de Galicia.

b) La persona titular de la consejería competente en materia de urbanismo.

c) La persona titular del órgano competente en materia de urbanismo.

d) La Junta Consultiva en Materia de Ordenación del Territorio y Urbanismo.

Son entidades públicas autonómicas con competencias urbanísticas:

a) La Agencia de Protección de la Legalidad Urbanística, en materia de disciplina ur-banística.

b) El Instituto Gallego de la Vivienda y Suelo, en materia de gestión urbanística.

1.2.3.8. Competencias de los municipios

Los municipios ejercerán, en todo caso, como competencias propias todas las facul-tades que les son atribuidas en la presente ley en materia de planeamiento, gestión, eje-cución y disciplina urbanística, protección del patrimonio histórico, promoción y gestión de la vivienda de protección pública, con criterios de sostenibilidad financiera, y conser-vación y rehabilitación de la edificación, salvo que estén expresamente atribuidas a otras administraciones.

Los municipios ejercerán las competencias urbanísticas que les correspondan bien directamente o bien por delegación, de conformidad con lo dispuesto en la presente ley y en la normativa de régimen local.

Los municipios podrán establecer las formas de colaboración con otras entidades de derecho público que resulten más convenientes para el ejercicio de sus competencias urbanísticas, con arreglo a la legislación de régimen local.

1.2.3.9. Clasificación del suelo

Los planes generales de ordenación y los planes básicos municipales habrán de clasi-ficar el territorio municipal en todos o algunos de los siguientes tipos de suelo: **urbano, de núcleo rural, urbanizable y rústico**.

Los planes generales y los planes básicos clasificarán como **suelo urbano** los terrenos que estén integrados en la malla urbana existente, siempre que reúnan alguno de los siguientes requisitos:

a) Que cuenten con acceso rodado público y con los servicios de abastecimiento de agua, evacuación de aguas residuales y suministro de energía eléctrica, proporcio-nados mediante las correspondientes redes públicas o pertenecientes a las comuni-dades de usuarios reguladas por la legislación sectorial de aguas, y con característi-cas adecuadas para servir a la edificación existente y a la permitida por el plan.

A estos efectos, los servicios construidos para la conexión de un sector de suelo urbanizable, las carreteras y las vías de la concentración parcelaria no servirán de soporte para la clasificación como urbanos de los terrenos adyacentes, salvo cuando estén integrados en la malla urbana.

b) Que, aun careciendo de algunos de los servicios citados en el apartado anterior, estén comprendidos en áreas ocupadas por la edificación, al menos en las dos terceras partes de los espacios aptos para ella, según la ordenación que el plan general o el plan básico establezcan.

A los efectos de la presente ley, se consideran incluidos en la malla urbana los terrenos que dispongan de una urbanización básica constituida por unas vías de acceso y comunicación y unas redes de servicios de las que puedan servirse los terrenos y que estos, por su situación, no estén desligados del entramado urbanístico ya existente.

Constituyen el **suelo de núcleo rural** las áreas del territorio que sirven de soporte a un asentamiento de población singularizado, identificable y diferenciado administrativamente en los censos y padrones oficiales que el planeamiento defina y delimite teniendo en cuenta el número de edificaciones, la densidad de viviendas, su grado de consolidación por la edificación y, en su caso, la tipología tradicional de su armazón y de las edificaciones existentes en el mismo.

Constituirán el **suelo urbanizable** los terrenos que el planeamiento estime necesarios y adecuados para permitir el crecimiento de la población y de la actividad económica o para completar su estructura urbanística.

Tendrán la condición de **suelo rústico**:

a) Los terrenos sometidos a algún régimen de especial protección, de conformidad con la legislación sectorial de protección del dominio público marítimo-terrestre, hidráulico o de infraestructuras, o con la legislación sectorial de protección de los valores agrícolas, ganaderos, forestales, paisajísticos, ambientales, naturales o culturales.

b) Los amenazados por riesgos naturales o tecnológicos, incompatibles con su urbanización, tales como inundación, erosión, hundimiento, incendio, contaminación o cualquier otro tipo de catástrofes, o que perturben el medio ambiente o la seguridad y salud.

c) Los terrenos que el plan general o los instrumentos de ordenación del territorio no consideren adecuados para el desarrollo urbanístico, en consideración a los principios de utilización racional de los recursos naturales o de desarrollo sostenible.

Dentro del suelo rústico se distinguirá el suelo rústico de protección ordinaria y el suelo rústico de especial protección.

1.2.3.10. Infracciones y sanciones

En materia de infracciones la Ley 2/2016, de 10 de febrero, fue modificada, entre otras, por la Ley 1/2019, de 22 de abril, de rehabilitación y de regeneración y renovación urbanas de Galicia. Además de afectar al Registro de Solares, modifica la tipificación de la infracción por el incumplimiento del deber de cumplimentar en tiempo y forma el informe de evaluación de los edificios. La Ley 1/2019, de 22 de abril pone especial incidencia, además de en la rehabilitación de los edificios, en la regeneración urbana de áreas degradadas a través de la realización de planes de viabilidad, diagnosis e integración, en aras de conseguir la recuperación y accesibilidad de los espacios urbanos y posibilitar el diseño de programas dirigidos al asentamiento de la población.

Son infracciones urbanísticas las acciones que vulneren las prescripciones contenidas en la legislación y el planeamiento urbanísticos, tipificadas y sancionadas en la misma.

Toda infracción urbanística implicará la imposición de sanciones a los responsables, así como la obligación de resarcimiento de los daños e indemnización de las pérdidas a cargo de ellos, con independencia de las medidas previstas en la sección anterior. La obligación de resarcimiento de los daños y de indemnización de las pérdidas provocados en el patrimonio de las administraciones públicas podrá imponerse en la propia resolución sancionadora, realizándose su ejecución, en su caso, a través de los medios de ejecución forzosa previstos por la legislación del procedimiento administrativo común.

Las infracciones urbanísticas se clasifican en muy graves, graves y leves (artículo 158).

Son **infracciones muy graves**:

a) Las acciones y omisiones que constituyan incumplimiento de las normas relativas al uso y edificación que afecten a terrenos calificados por el planeamiento como zonas verdes, espacios libres, dotaciones o equipamientos públicos, viarios o en la zona de protección establecida en el artículo 92.1.

b) Las obras y actividades realizadas en suelo rústico que estén prohibidas por la presente ley y las parcelaciones urbanísticas.

c) La realización de obras de urbanización sin la previa aprobación del planeamiento y proyecto de urbanización exigibles.

d) La demolición de bienes inmuebles que el planeamiento urbanístico incluya en los catálogos de bienes protegidos.

Son **infracciones graves**:

a) Las acciones y omisiones que constituyan incumplimiento de las normas relativas a parcelaciones, aprovechamiento urbanístico, uso del suelo, altura y número de plantas, superficie y volumen máximo edificables, distancias mínimas de separación a lindes y otros elementos y ocupación permitida de la superficie de las parcelas o de habitabilidad de las viviendas, cuando no tengan el carácter de muy graves.

b) El incumplimiento de las condiciones de edificación establecidas en la presente ley para el suelo rústico y la realización de actividades sin el preceptivo título habilitante municipal o sin autorización autonómica, cuando esta sea exigible de acuerdo con la presente ley, o incumpliendo sus condiciones.

c) El incumplimiento de la orden de corte de suministro de los servicios de agua, electricidad y otros.

d) El incumplimiento del régimen establecido por la presente ley para las edificaciones fuera de ordenación y para las edificaciones a que hace referencia el artículo 153.2.

e) La inexactitud, falsedad u omisión, de carácter esencial, en cualquier dato o documento que acompaña o consta en la comunicación previa.

f) La realización de pintadas, grafitis, incisiones u otros actos que causen daños o deterioros o menoscaben el ornato de la vía pública, el mobiliario urbano, los espacios publicitarios o los paramentos exteriores de las edificaciones, construcciones e instalaciones, incluidos los muros y cierres de todo tipo, siempre que existiera reincidencia o los daños fuesen irreparables, entendiéndose por tales aquellos que exijan el reemplazo del elemento afectado.

No será constitutiva de infracción la realización de murales y grafitis de valor artístico en los espacios públicos que excepcionalmente cedan los ayuntamientos a estos efectos, siempre que no perjudicasen el entorno urbano ni la calidad de vida del vecindario. Estos espacios deberán estar periódicamente sometidos a control y limpieza.

Son **infracciones leves** (artículo 158.4 modificado por la Ley 1/2019, de 22 de abril):

a) La ejecución de obras o instalaciones realizadas sin licencia, comunicación previa u orden de ejecución, cuando fueran legalizables por ser conformes con el ordenamiento urbanístico.

b) El incumplimiento de las órdenes de ejecución o demolición.

c) La inexactitud, falsedad u omisión, de carácter no esencial, en cualquier dato o documento que se aporta o consta en la comunicación previa.

d) La realización de pintadas, grafitis, incisiones u otros actos que causen daños o deterioros o menoscaben el ornato de la vía pública, el mobiliario urbano, los espacios publicitarios o los paramentos exteriores de las edificaciones, construcciones e instalaciones, incluidos los muros y cierres de todo tipo, siempre que non tuviera el carácter de infracción grave.

No será constitutiva de infracción la realización de murales y grafitis de valor artístico en los espacios públicos que excepcionalmente cedan los ayuntamientos a estos efectos, siempre que no perjudiquen el entorno urbano ni la calidad de vida de la vecindad. Estos espacios deberán estar periódicamente sometidos a control y limpieza.

e) El incumplimiento del deber de cubrir en tiempo y forma el informe de evaluación de los edificios.

f) Las demás vulneraciones del ordenamiento urbanístico que no tuvieran el carácter de infracciones graves o muy graves.

A) Plazos de prescripción

Las infracciones urbanísticas muy graves tipificadas en el artículo 158.2, apartado a), prescribirán a los quince años; las graves y las muy graves tipificadas en el artículo 158.2, apartados b), c) y d), a los seis años; y las leves, a los dos años, a contar desde la finalización de las obras o de la actividad.

Las sanciones urbanísticas impuestas por faltas muy graves prescribirán a los cinco años, las impuestas por faltas graves a los tres años y las impuestas por faltas leves al año. El cómputo del plazo de prescripción de las sanciones se iniciará a partir del día siguiente a que la misma adquiriese firmeza en vía administrativa.

B) Personas responsables

En las obras que se hayan ejecutado sin título habilitante o con inobservancia de sus condiciones serán sancionadas por infracción urbanística las personas físicas o jurídicas responsables de las mismas en calidad de promotor de las obras, propietario de los terrenos o empresario de las obras, los técnicos redactores del proyecto y los directores de las obras.

En las obras amparadas en una licencia constitutivas de infracción urbanística grave o muy grave serán igualmente sancionados las autoridades o miembros de la corporación que hubiesen resuelto o votado a favor del otorgamiento de la licencia sin los informes previos exigibles o cuando estos fueran desfavorables en razón de aquella infracción.

Las sanciones que se impongan a los distintos sujetos por una misma infracción tendrán entre sí carácter independiente.

Las compañías suministradoras de servicios urbanísticos serán responsables de las infracciones que se deriven del incumplimiento de sus obligaciones establecidas en la presente ley.

En caso de las infracciones previstas en el apartado f) del número 3 y en el subapartado d) del número 4 del artículo 158, serán sancionadas las personas que resultasen autoras materiales de las conductas.

Estarán exentos de responsabilidad por estas infracciones los menores de 14 años. En caso de que la infracción fuese cometida por un menor de 14 años, la autoridad competente lo pondrá en conocimiento del Ministerio Fiscal.

Cuando fuese declarado autor de los hechos cometidos un menor de 18 años, un menor no emancipado o una persona con la capacidad modificada judicialmente, responderán, solidariamente con él, del pago de las sanciones pecuniarias que se le impongan, de los daños y perjuicios ocasionados de acuerdo con lo establecido en el artículo 157.2 y de la reposición a su estado originario de la situación alterada por la infracción de acuerdo con lo establecido en el artículo 162 bis sus padres, tutores, curadores, acogedores o guardadores legales o de hecho, según proceda.

C) Reglas para determinar la cuantía de las sanciones

Las infracciones urbanísticas serán sancionadas de la siguiente forma:

a) Las infracciones leves, con carácter general, con multa de 300 a 6.000 euros y, como mínimo, el 2 % del valor de la obra, instalación o actuación realizada, en su caso.

b) La infracción leve prevista en el apartado d) del número 4 del artículo 158, con multa de 100 a 600 euros.

c) Las infracciones graves, con carácter general, con multa de 6.001 a 60.000 euros y, como mínimo, el 20 % del valor de la obra, terrenos, exceso de edificación o actuación realizada, en su caso.

d) La infracción grave prevista en el apartado f) del número 3 del artículo 158, con multa de 601 a 6.000 euros.

e) Las infracciones muy graves, con multa de 60.001 a 1.000.000 de euros y, como mínimo, el 30 % del valor de las obras, terrenos, edificaciones o actuaciones realizadas, en su caso.

Para graduar la cuantía de las sanciones se atenderá a la concurrencia de circunstancias atenuantes y agravantes que se fijen reglamentariamente.

En ningún caso la infracción urbanística puede suponer un beneficio económico para el infractor. Cuando la suma de la sanción impuesta y del coste de las actuaciones de reposición de los bienes y situaciones a su primitivo estado determinará una cifra inferior a dicho beneficio, se incrementará la cuantía de la multa hasta alcanzar el montante del mismo.

El responsable de la infracción tendrá derecho a una reducción del 90 % de la multa que haya de imponerse en caso de que reponga por sí mismo la realidad física alterada antes de la resolución del procedimiento sancionador.

Igualmente, las sanciones impuestas al amparo de la presente ley se reducirán en su cuantía en un 50 % si son abonadas en el plazo de periodo voluntario y, en este mismo plazo, el infractor muestra por escrito su conformidad con las mismas y renuncia expresamente al ejercicio de toda acción de impugnación en el referido plazo.

La posterior acción de impugnación implicará la pérdida de la referida reducción.

D) Sanciones accesorias

Los sujetos responsables de infracciones muy graves, cuando las acciones que las motivaron no fueran legalizables, podrán ser sancionados, según los casos, además de con las multas previstas en el presente título, con las siguientes sanciones accesorias:

a) Inhabilitación durante un plazo de hasta cinco años de la posibilidad de obtener subvenciones públicas o crédito oficial y del derecho a disfrutar de beneficios o incentivos fiscales.

b) Prohibición durante un plazo de hasta cinco años para formalizar contratos con la Administración autonómica y con las administraciones locales de Galicia.

c) Publicación en un diario de mayor difusión de la provincia de las sanciones firmes y de la identidad de los sancionados.

E) Reposición de la situación alterada a su estado originario en determinados casos

Las responsabilidades administrativas que se deriven de la comisión de las infracciones previstas en el apartado d) del número 4 del artículo 158 y en el apartado f) del número 3 del artículo 158 se entenderán sin perjuicio y serán compatibles con la exigencia, por el órgano competente para la imposición de la sanción, al infractor o a las personas previstas en el artículo 160.5 de la presente ley de la obligación de reposición de la situación alterada a su estado originario, incluyendo la limpieza de las pintadas y grafitis.

F) Órganos competentes

Las autoridades competentes para la imposición de las sanciones serán:

a) Por infracciones muy graves, a partir de 300.000 euros, el Consejo Ejecutivo de la Agencia de Protección de la Legalidad Urbanística.

b) Por infracciones graves cometidas en suelo rústico sin el preceptivo título habilitante o sin la autorización autonómica cuando esta sea exigible de acuerdo con la presente ley, o incumpliendo sus condiciones, y muy graves hasta 300.000 euros, el director de la Agencia de Protección de la Legalidad Urbanística.

c) En los demás supuestos, por infracciones graves y leves, el alcalde.

La Agencia de Protección de la Legalidad Urbanística podrá ejercer la competencia para la imposición de sanciones cuando esta le hubiera sido delegada por el titular de la alcaldía.

G) Procedimiento sancionador

La potestad sancionadora se ejercerá mediante el procedimiento establecido en la legislación del procedimiento administrativo.

El plazo para resolver el procedimiento sancionador será de un año, a contar desde la fecha de su iniciación.

Transcurrido el plazo máximo para resolver sin que se hubiera dictado resolución, se producirá la caducidad del procedimiento. En el supuesto de que la infracción no hubiera prescrito, habrá de iniciarse un nuevo procedimiento sancionador.

2. La protección ambiental: prevención y calidad ambiental, residuos y disciplina ambiental

2.1. Introducción

La disposición final segunda de la Ley 5/2013, de 11 de junio, por la que se modifica la Ley 16/2002, de 1 de julio, de Prevención y Control Integrados de la Contaminación, y la Ley 22/2011, de 28 de julio, de residuos y suelos contaminados, autorizó al Gobierno para elaborar, a partir de la entrada en vigor de dicha ley, un texto refundido en el que se integrasen, debidamente regularizadas, aclaradas y armonizadas la Ley 16/2002, de 1 de julio, de prevención y control integrados de la contaminación, y las disposiciones en materia de emisiones industriales contenidas en normas con rango de ley.

De conformidad con la citada habilitación se procedió a elaborar el texto refundido (**Real Decreto Legislativo 1/2016, de 16 de diciembre, por el que se aprueba el texto refundido de la Ley de prevención y control integrados de la contaminación**), integrando en un texto único las sucesivas modificaciones introducidas en la Ley 16/2002, de 1 de julio. En aras de la coherencia normativa que deriva del principio constitucional de seguridad jurídica, además de recoger en un único instrumento normativo la cambiante regulación en la materia, se ha hecho preciso armonizar el contenido de los artículos, de manera que se ha ajustado la numeración de los artículos y, por lo tanto, las remisiones y concordancias entre ellos.

Una de las actuaciones más ambiciosas que se han puesto en marcha en el seno de la Unión Europea para la aplicación del principio de prevención en el funcionamiento de las instalaciones industriales más contaminantes fue la aprobación de la Directiva 96/61/CE, del Consejo, de 24 de septiembre, relativa a la prevención y al control integrado de la contaminación, mediante la que se establecieron medidas para evitar, o al menos reducir, las emisiones de estas actividades en la atmósfera, el agua y el suelo, incluidos los residuos, con el fin de alcanzar un nivel elevado de protección del medio ambiente considerado en su conjunto.

2.2. Normativa estatal

2.2.1. Constitución Española

En materia de protección ambiental se ha de partir del art. 45 CE, en el que se consagra el derecho a disfrutar de un medio ambiente adecuado para el desarrollo de la persona, debiendo los poderes públicos velar por la utilización racional de todos los recursos naturales, con el fin de proteger y mejorar la calidad de vida y defender y restaurar el medio ambiente, apoyándose en la indispensable solidaridad colectiva.

 Recuerda que...

El artículo 45 de la Constitución Española es un principio rector de la política social y económica, regulado en el capítulo tercero del Título I.

2.2.2. Real Decreto Legislativo 1/2016, de 16 de diciembre

Este derecho se ha desarrollado por el Real Decreto Legislativo 1/2016, de 16 de diciembre, que regula una serie de definiciones, en su artículo 3, que sirven de ayuda para entender la amplitud y la complejidad de este tema.

– Aguas subterráneas: todas las aguas que se encuentran bajo la superficie del suelo en la zona de saturación y en contacto directo con el suelo o subsuelo.

– Autorización ambiental integrada: es la resolución escrita del órgano competente de la Comunidad Autónoma en la que se ubique la instalación, por la que se permite, a los efectos de la protección del medio ambiente y de la salud de las personas, explotar la totalidad o parte de una instalación, bajo determinadas condiciones destinadas a garantizar que la misma cumple el objeto y las disposiciones de esta Ley. Tal autorización podrá ser válida para una o más instalaciones o partes de instalaciones que tengan la misma ubicación.

– Autorización sustantiva: la autorización de industrias o instalaciones industriales que estén legal o reglamentariamente sometidas a autorización administrativa previa, de conformidad con el artículo de la Ley 21/1992, de 16 de julio, de Industria. En particular, tendrán esta consideración las autorizaciones establecidas en la Ley 24/2013 de 26 de diciembre, del Sector Eléctrico; en la Ley 34/1998, de 7 de octubre, del Sector de Hidrocarburos, y en el capítulo IV de la Ley Orgánica 4/2015, de 30 de marzo, sobre protección de la seguridad ciudadana, en lo referente a las instalaciones químicas para la fabricación de explosivos.

– «Aves de corral»: las aves de corral tal como se definen en el artículo 2.4 del Real Decreto 1888/2000, de 22 de noviembre, por el que se establecen condiciones de sanidad animal aplicables a los intercambios comunitarios y las importaciones de aves de corral y de huevos para incubar procedentes de países terceros. Este Real Decreto 1888/2000 fue derogado por el Real Decreto 637/2021, de 27 de julio, por el que se establecen las normas básicas de ordenación de las granjas avícolas.

– «Conclusiones sobre las Mejores Técnicas Disponibles (MTD)»: Decisión de la Comisión Europea que contiene las partes de un documento de referencia Mejores Técnicas Disponibles (MTD) donde se establecen las conclusiones sobre las mejores técnicas disponibles, su descripción, la información para evaluar su aplicabilidad, los niveles de emisión asociados a las mejores técnicas disponibles, las mediciones asociadas, los niveles de consumo asociados y, si procede, las medidas de rehabilitación del emplazamiento de que se trate.

– «Contaminación»: La introducción directa o indirecta, mediante la actividad humana, de sustancias, vibraciones, calor o ruido en la atmósfera, el agua o el suelo, que puedan tener efectos perjudiciales para la salud humana o la calidad del medio ambiente, o que puedan causar daños a los bienes materiales o deteriorar o perjudicar el disfrute u otras utilizaciones legítimas del medio ambiente.

– «Documento de referencia de Mejores Técnicas Disponibles (MTD)»: Documento resultante del intercambio de información organizado con arreglo al artículo 13 de la Directiva 2010/75/UE, del Parlamento Europeo y del Consejo, de 24 de noviembre, sobre las Emisiones Industriales, elaborado para determinadas actividades, en el que se describen, en particular, las técnicas aplicadas, las emisiones actuales y los niveles de consumo, las técnicas que se tienen en cuenta para determinar las mejores técnicas disponibles, así como las conclusiones relativas a las Mejores Técnicas Disponibles (MTD) y las técnicas emergentes, tomando especialmente en consideración los criterios que se enumeran en el anejo 3.

– «Emisión»: La expulsión a la atmósfera, al agua o al suelo de sustancias, vibraciones, calor o ruido procedentes de forma directa o indirecta de fuentes puntuales o difusas de la instalación.

– «Informe base o de la situación de partida»: Es el informe de la situación de partida que contiene la información sobre el estado de la contaminación del suelo y las aguas subterráneas por sustancias peligrosas relevantes.

– «Inspección ambiental»: Toda acción llevada a cabo por la autoridad competente o en nombre de esta para comprobar, fomentar y asegurar la adecuación de las instalaciones a las condiciones de las autorizaciones ambientales integradas y controlar, en caso necesario, su repercusión ambiental. Se incluyen en esta definición, entre otras acciones: las visitas in situ, la medición de emisiones, la comprobación de informes internos y documentos de seguimiento, la verificación de autocontroles, la comprobación de técnicas usadas y la adecuación de la gestión ambiental de la instalación. El fin de la inspección es garantizar el cumplimiento de la normativa ambiental de las actividades o instalaciones bajo el ámbito de aplicación de esta norma.

– «Instalación»: Cualquier unidad técnica fija en donde se desarrolle una o más de las actividades industriales enumeradas en el anejo 1 de esta ley, así como cualesquiera otras actividades directamente relacionadas con aquellas que guarden relación de índole técnica con las actividades llevadas a cabo en dicho lugar y puedan tener repercusiones sobre las emisiones y la contaminación.

– «Mejores técnicas disponibles (MTD)»: La fase más eficaz y avanzada de desarrollo de las actividades y de sus modalidades de explotación, que demuestren la capacidad práctica de determinadas técnicas para constituir la base de los valores límite de emisión y otras condiciones de la autorización destinadas a evitar o, cuando ello no sea practicable, reducir las emisiones y el impacto en el conjunto del medio ambiente y la salud de las personas.

A estos efectos se entenderá por:

a) «Técnicas»: La tecnología utilizada junto con la forma en que la instalación esté diseñada, construida, mantenida, explotada y paralizada.

b) «Técnicas disponibles»: Las técnicas desarrolladas a una escala que permita su aplicación en el contexto del sector industrial correspondiente, en condiciones económica y técnicamente viables, tomando en consideración los costes y los beneficios, tanto si las técnicas se utilizan o producen en España como si no, siempre que el titular pueda tener acceso a ellas en condiciones razonables.

c) «Mejores técnicas»: Las técnicas más eficaces para alcanzar un alto nivel general de protección del medio ambiente en su conjunto.

– «Modificación no sustancial»: Cualquier modificación de las características o del funcionamiento, o de la extensión de la instalación, que, sin tener la consideración de sustancial, pueda tener consecuencias en la seguridad, la salud de las personas o el medio ambiente.

– «Modificación sustancial»: Cualquier modificación realizada en una instalación que, en opinión del órgano competente para otorgar la autorización ambiental integrada y de acuerdo con los criterios establecidos en el artículo 10.4 y 5, pueda tener reper-cusiones perjudiciales o importantes en las personas y el medio ambiente.

– «Niveles de emisión asociados con las mejores técnicas disponibles (MTD)»: El ran-go de niveles de emisión obtenido en condiciones normales de funcionamiento haciendo uso de una de las mejores técnicas disponibles o de una combinación de las mejores técnicas disponibles, según se describen en las conclusiones sobre las MTD, expresado como una media durante un determinado período de tiempo, en condiciones de referencia específicas.

– «Normas de calidad medioambiental»: El conjunto de requisitos establecidos por la normativa aplicable que deben cumplirse en un momento dado en un entorno determinado o en una parte determinada de este.

– «Órgano competente para otorgar la autorización ambiental integrada»: El órgano designado por la comunidad autónoma en la que se ubique la instalación objeto de la autorización. En tanto no se produzca una designación específica por parte de la comunidad autónoma, se entenderá competente el órgano de dicha Admi-nistración que ostente las competencias en materia de medio ambiente.

– «Parámetros o medidas técnicas equivalentes»: Aquellos que, con carácter suple-torio o complementario, se considerarán cuando las características de la insta-lación no permitan una determinación adecuada de valores límite de emisión o cuando no exista normativa aplicable.

– «Personas interesadas»:

a) Todos aquellos en quienes concurran cualquiera de las circunstancias previstas en el artículo 4 de la Ley 39/2015, de 1 de octubre, del Procedimiento Adminis-trativo Común de las Administraciones Públicas.

b) Cualesquiera personas jurídicas sin ánimo de lucro que cumplan los siguientes requisitos

1.º Que tengan entre los fines acreditados en sus estatutos la protección del me-dio ambiente en general o la de alguno de sus elementos en particular, y que tales fines puedan resultar afectados por la toma de una decisión sobre la con-cesión o revisión de la autorización ambiental integrada o de sus condiciones.

2.º Que lleve dos años legalmente constituida y venga ejerciendo de modo activo las actividades necesarias para alcanzar los fines previstos en sus estatutos.

3.º Que según sus estatutos desarrolle su actividad en un ámbito territorial que resulte afectado por la instalación para la que se solicita la autorización ambiental integrada.

– «Público»: Cualquier persona física o jurídica, así como sus asociaciones, organiza-ciones y grupos constituidos con arreglo a la normativa que les sea de aplicación.

– «Residuo»: Cualquier residuo, como queda definido en el artículo 3 a) de la Ley 22/2011, de 28 de julio, de residuos y suelos contaminados.

- «Residuo peligroso»: Cualquier residuo peligroso, como se define en el artículo 3 e) de la Ley 22/2011, de 28 de julio.

- «Suelo»: La capa superior de la corteza terrestre, situada entre el lecho rocoso y la superficie, compuesta por partículas minerales, materia orgánica, agua, aire y organismos vivos y que constituye la interfaz entre la tierra, el aire y el agua, lo que le confiere capacidad de desempeñar tanto funciones naturales como de uso. No tendrán tal consideración aquellos permanentemente cubiertos por una lámina de agua superficial.

- «Sustancia»: Los elementos químicos y sus compuestos, con la excepción de las siguientes sustancias:

    a) Las sustancias radiactivas reguladas en la Ley 25/1964, de 29 de abril, sobre energía nuclear.

    b) Los organismos y microorganismos modificados genéticamente.

- «Sustancias peligrosas»: Sustancias o mezclas definidas en el artículo 3 del Reglamento (CE) n.º 1272/2008, del Parlamento Europeo y del Consejo, de 16 de diciembre de 2008, sobre clasificación, etiquetado y envasado de sustancias y mezclas.

- «Técnica emergente»: Una técnica novedosa para una actividad industrial que, si se desarrolla comercialmente, puede aportar un nivel general más alto de protección del medio ambiente o al menos el mismo nivel de protección del medio ambiente y unos ahorros de costes superiores a los que se obtendrían con las mejores técnicas disponibles actuales.

- «Titular»: Cualquier persona física o jurídica que explote total o parcialmente, o posea, la instalación.

- «Valores límite de emisión»: La masa o la energía expresada en relación con determinados parámetros específicos, la concentración o el nivel de una emisión, cuyo valor no debe superarse dentro de uno o varios períodos determinados.

Además, en su título IV regula la disciplina ambiental. Para evitar extendernos en dicha materia, nuestro estudio se basará únicamente, en la disciplina ambiental autonómica regulada por la Ley 1/1995 de 2 de enero, de Protección Ambiental de Galicia.

2.2.3. Ley 21/2013, de 9 de diciembre, de evaluación ambiental

Otra normativa a tener en cuenta en este aspecto es la Ley 21/2013, de 9 de diciembre, de evaluación ambiental, imprescindible para la protección del medio ambiente y que facilita la incorporación de los criterios de sostenibilidad en la toma de decisiones estratégicas, a través de la evaluación de planes y programas.

Esta ley establece las bases que deben regir la evaluación ambiental de los planes, programas y proyectos que puedan tener efectos significativos sobre el medio ambiente, garantizando en todo el territorio del Estado un elevado nivel de protección ambiental, con el fin de promover un desarrollo sostenible, mediante:

a) La integración de los aspectos medioambientales en la elaboración y en la adopción, aprobación o autorización de los planes, programas y proyectos;

b) el análisis y la selección de las alternativas que resulten ambientalmente viables;

c) el establecimiento de las medidas que permitan prevenir, corregir y, en su caso, compensar los efectos adversos sobre el medio ambiente;

d) el establecimiento de las medidas de vigilancia, seguimiento y sanción necesarias para cumplir con las finalidades de esta ley.

2.2.3.1. Principios de la evaluación ambiental

Los procedimientos de evaluación ambiental se sujetarán a los siguientes principios:

a) Protección y mejora del medio ambiente.

b) Precaución y acción cautelar.

c) Acción preventiva, corrección y compensación de los impactos sobre el medio ambiente.

d) Quien contamina paga.

e) Racionalización, simplificación y concertación de los procedimientos de evaluación ambiental.

f) Cooperación y coordinación entre la Administración General del Estado y las Comunidades Autónomas.

g) Proporcionalidad entre los efectos sobre el medio ambiente de los planes, programas y proyectos, y el tipo de procedimiento de evaluación al que en su caso deban someterse.

h) Colaboración activa de los distintos órganos administrativos que intervienen en el procedimiento de evaluación, facilitando la información necesaria que se les requiera.

i) Participación pública.

j) Desarrollo sostenible.

k) Integración de los aspectos ambientales en la toma de decisiones.

l) Actuación de acuerdo al mejor conocimiento científico posible.

2.2.3.2. Definiciones

A los efectos de esta ley se entenderá por:

a) "Evaluación ambiental": proceso a través del cual se analizan los efectos significativos que tienen o pueden tener los planes, programas y proyectos, antes de su adopción, aprobación o autorización sobre el medio ambiente, incluyendo en dicho análisis los efectos de aquellos sobre los siguientes factores: la población, la salud humana, la flora, la fauna, la biodiversidad, la geodiversidad, la tierra, el suelo, el subsuelo, el aire, el agua, el clima, el cambio climático, el paisaje, los bienes materiales, incluido el patrimonio cultural, y la interacción entre todos los factores mencionados.

La evaluación ambiental incluye tanto la evaluación ambiental estratégica, que procede respecto de los planes o programas, como la evaluación de impacto ambiental, que procede respecto de los proyectos. En ambos casos la evaluación ambiental podrá ser ordinaria o simplificada y tendrá carácter instrumental respecto del procedimiento administrativo de aprobación o de adopción de planes y programas, así como respecto del de autorización de proyectos o, en su caso, respecto de la actividad administrativa de control de los proyectos sometidos a declaración responsable o comunicación previa.

b) "Impacto o efecto significativo": alteración de carácter permanente o de larga duración de uno o varios factores mencionados en la letra a).

En el caso de espacios Red Natura 2000: efectos apreciables que pueden empeorar los parámetros que definen el estado de conservación de los hábitats o especies objeto de conservación en el lugar o, en su caso, las posibilidades de su restablecimiento.

c) "Documento de alcance": pronunciamiento del órgano ambiental dirigido al promotor que tiene por objeto delimitar sobre el contenido, la amplitud, nivel de detalle y grado de especificación que debe tener el estudio ambiental estratégico y el estudio de impacto ambiental.

d) "Órgano sustantivo": órgano de la Administración pública que ostenta las competencias para adoptar o aprobar un plan o programa, para autorizar un proyecto, o para controlar la actividad de los proyectos sujetos a declaración responsable o comunicación previa, salvo que el proyecto consista en diferentes actuaciones en materias cuya competencia la ostenten distintos órganos de la Administración pública estatal, autonómica o local, en cuyo caso, se considerará órgano sustantivo aquel que ostente las competencias sobre la actividad a cuya finalidad se orienta el proyecto, con prioridad sobre los órganos que ostentan competencias sobre actividades instrumentales o complementarias respecto a aquella.

e) "Órgano ambiental": órgano de la Administración pública que elabora, en su caso, el documento de alcance, que realiza el análisis técnico de los expedientes de evaluación ambiental y formula las declaraciones ambientales estratégicas, los informes ambientales estratégicos, las declaraciones de impacto ambiental, y los informes de impacto ambiental.

f) "Público": cualquier persona física o jurídica, así como sus asociaciones, organizaciones o grupos, constituidos con arreglo a la normativa que les sea de aplicación que no reúnan los requisitos para ser considerados como personas interesadas.

g) "Personas interesadas": se consideran personas interesadas a los efectos de esta ley:

1.º Todas aquellas en quienes concurran cualquiera de las circunstancias previstas en el artículo 4 de la Ley 39/2015, de 1 de octubre, del Procedimiento Administrativo Común de las Administraciones Públicas.

2.º Cualesquiera personas jurídicas sin ánimo de lucro que, de conformidad con la Ley 27/2006, de 18 de julio, por la que se regulan los derechos de acceso a la información, de participación pública y de acceso a la justicia en materia de medio ambiente (incorpora las Directivas 2003/4/CE y 2003/35/CE), cumplan los siguientes requisitos:

   i)   Que tengan, entre los fines acreditados en sus estatutos la protección del medio ambiente en general o la de alguno de sus elementos en particular, y que tales fines puedan resultar afectados por la evaluación ambiental.

   ii) Que lleven, al menos, dos años legalmente constituidas y vengan ejerciendo, de modo activo, las actividades necesarias para alcanzar los fines previstos en sus estatutos.

   iii) Que según sus estatutos, desarrollen su actividad en un ámbito territorial que resulte afectado por el plan, programa o proyecto que deba someterse a evaluación ambiental.

 ## Recuerda que...

Se consideran interesados en el procedimiento administrativo:

a) Quienes lo promuevan como titulares de derechos o intereses legítimos individuales o colectivos.

b) Los que, sin haber iniciado el procedimiento, tengan derechos que puedan resultar afectados por la decisión que en el mismo se adopte.

c) Aquellos cuyos intereses legítimos, individuales o colectivos, puedan resultar afectados por la resolución y se personen en el procedimiento en tanto no haya recaído resolución definitiva.

   Las asociaciones y organizaciones representativas de intereses económicos y sociales serán titulares de intereses legítimos colectivos en los términos que la Ley reconozca.

   Cuando la condición de interesado derivase de alguna relación jurídica transmisible, el derecho-habiente sucederá en tal condición cualquiera que sea el estado del procedimiento.

h) "Administraciones Públicas afectadas": aquellas Administraciones Públicas que tienen competencias específicas en las siguientes materias: población, salud humana, biodiversidad, geodiversidad, fauna, flora, suelo, subsuelo, agua, aire, ruido, factores climáticos, paisaje, bienes materiales, patrimonio cultural, ordenación del territorio y urbanismo.

i) "Patrimonio cultural": concepto que incluye todas las acepciones de este tipo de patrimonio, tales como histórico, artístico, arquitectónico, arqueológico, industrial e inmaterial.

j) "Medidas compensatorias Red Natura 2000": las medidas específicas definidas y reguladas en el artículo 3, apartados 24 y 46, de la Ley 42/2007, de 13 de diciembre, de Patrimonio Natural y de la Biodiversidad.

k "Medidas compensatorias": medidas excepcionales que se aplican ante impactos residuales.

l) "Análisis técnico del expediente": análisis cuya finalidad es deducir los efectos esperados de los planes, programas y proyectos sobre los diferentes factores objeto de la evaluación ambiental, y proponer las medidas más adecuadas para su prevención, corrección o compensación, así como sus respectivos seguimientos.

Se analizará, en particular, la calidad, completitud y suficiencia del estudio de impacto ambiental, en su caso, su conformidad con el documento de alcance, y cómo se ha tenido en consideración el resultado del trámite de información pública, de las consultas a las Administraciones Públicas afectadas y a las personas interesadas y, en su caso, el resultado de las consultas transfronterizas.

A los efectos de la evaluación ambiental estratégica regulada en esta ley, se entenderá por:

a) "Promotor": cualquier persona física o jurídica, pública o privada, que pretende elaborar un plan o programa de los contemplados en el ámbito de aplicación de esta ley, independientemente considerado de la Administración que en su momento sea la competente para su adopción o aprobación.

b) "Planes y programas": el conjunto de estrategias, directrices y propuestas destinadas a satisfacer necesidades sociales, no ejecutables directamente, sino a través de su desarrollo por medio de uno o varios proyectos.

c) "Estudio ambiental estratégico": estudio elaborado por el promotor que, siendo parte integrante del plan o programa, identifica, describe y analiza los posibles efectos significativos sobre el medio ambiente derivados o que puedan derivarse de la aplicación del plan o programa, así como unas alternativas razonables, técnica y ambientalmente viables, que tengan en cuenta los objetivos y el ámbito territorial de aplicación del plan o programa, con el fin de prevenir o corregir los efectos adversos sobre el medio ambiente de la aplicación del plan o programa.

d) "Declaración Ambiental Estratégica": informe preceptivo y determinante del órgano ambiental con el que finaliza la evaluación ambiental estratégica ordinaria y que se pronuncia sobre la integración de los aspectos ambientales en la propuesta final del plan o programa.

e) "Informe Ambiental Estratégico": informe preceptivo y determinante del órgano ambiental con el que finaliza la evaluación ambiental estratégica simplificada.

f) "Modificaciones menores": cambios en las características de los planes o programas ya adoptados o aprobados que no constituyen variaciones fundamentales de las estrategias, directrices y propuestas o de su cronología pero que producen diferencias en los efectos previstos o en la zona de influencia.

A los efectos de la evaluación de impacto ambiental de proyectos regulada en esta ley y sin perjuicio de las definiciones contenidas en la normativa sobre instalaciones nucleares y radiactivas, se entenderá por:

a) "Promotor": cualquier persona física o jurídica, pública o privada, que pretende realizar un proyecto de los comprendidos en el ámbito de aplicación de esta ley, con independencia de la Administración que sea la competente para su autorización.

b) "Proyecto": cualquier actuación prevista que consista en:

1.º la ejecución, explotación, desmantelamiento o demolición de una obra, una construcción, o instalación, o bien

2.º cualquier intervención en el medio natural o en el paisaje, incluidas las destinadas a la explotación o al aprovechamiento de los recursos naturales o del suelo y del subsuelo, así como de las aguas continentales o marinas.

c) "Estudio de impacto ambiental": documento elaborado por el promotor que acompaña al proyecto e identifica, describe, cuantifica y analiza los posibles efectos significativos sobre el medio ambiente derivados o que puedan derivarse del proyecto, así como la vulnerabilidad del proyecto ante riesgos de accidentes graves o de catástrofes, el riesgo de que se produzcan dichos accidentes graves o catástrofes y el obligatorio análisis de los probables efectos adversos significativos en el medio ambiente en caso de ocurrencia. También analiza las diversas alternativas razonables, técnica y ambientalmente viables, y determina las medidas necesarias para prevenir, corregir y, en su caso, compensar, los efectos adversos sobre el medio ambiente.

d) "Declaración de Impacto Ambiental": informe preceptivo y determinante del órgano ambiental con el que finaliza la evaluación de impacto ambiental ordinaria, que evalúa la integración de los aspectos ambientales en el proyecto y determina las condiciones que deben establecerse para la adecuada protección del medio ambiente y de los recursos naturales durante la ejecución y la explotación y, en su caso, el cese, el desmantelamiento o demolición del proyecto.

e) "Informe de Impacto Ambiental": informe preceptivo y determinante del órgano ambiental con el que finaliza la evaluación de impacto ambiental simplificada.

f) "Vulnerabilidad del proyecto": características físicas de un proyecto que pueden incidir en los posibles efectos adversos significativos que sobre el medio ambiente se puedan producir como consecuencia de un accidente grave o una catástrofe.

g) "Accidente grave": suceso, como una emisión, un incendio o una explosión de gran magnitud, que resulte de un proceso no controlado durante la ejecución, explotación, desmantelamiento o demolición de un proyecto, que suponga un peligro grave, ya sea inmediato o diferido, para las personas o el medio ambiente.

h) "Catástrofe": suceso de origen natural, como inundaciones, subida del nivel del mar o terremotos, ajeno al proyecto que produce gran destrucción o daño sobre las personas o el medio ambiente.

2.3. Normativa local

Respecto a la protección ambiental en el ámbito municipal, hay que estar a lo dispuesto en la Ley 7/1985, de 2 de abril, del Régimen Local, donde se establecen las competencias de los municipios, concretamente en los artículos 25 a 27. Según la misma:

El Municipio, para la gestión de sus intereses y en el ámbito de sus competencias, puede promover toda clase de actividades y prestar cuantos servicios públicos contribuyan a satisfacer las necesidades y aspiraciones de la comunidad vecinal.

El Municipio ejercerá, en todo caso, competencias, en los términos de la legislación del Estado y de las Comunidades Autónomas, en las siguientes materias (artículo 25 LRL):

a) Urbanismo: planeamiento, gestión, ejecución y disciplina urbanística. Protección y gestión del Patrimonio histórico. Promoción y gestión de la vivienda de protección pública con criterios de sostenibilidad financiera. Conservación y rehabilitación de la edificación.

b) Medio ambiente urbano: en particular, parques y jardines públicos, gestión de los residuos sólidos urbanos y protección contra la contaminación acústica, lumínica y atmosférica en las zonas urbanas.

c) Abastecimiento de agua potable a domicilio y evacuación y tratamiento de aguas residuales.

d) Infraestructura viaria y otros equipamientos de su titularidad.

e) Evaluación e información de situaciones de necesidad social y la atención inmediata a personas en situación o riesgo de exclusión social.

f) Policía local, protección civil, prevención y extinción de incendios.

g) Tráfico, estacionamiento de vehículos y movilidad. Transporte colectivo urbano.

h) Información y promoción de la actividad turística de interés y ámbito local.

i) Ferias, abastos, mercados, lonjas y comercio ambulante.

j) Protección de la salubridad pública.

k) Cementerios y actividades funerarias.

l) Promoción del deporte e instalaciones deportivas y de ocupación del tiempo libre.

m) Promoción de la cultura y equipamientos culturales.

n) Participar en la vigilancia del cumplimiento de la escolaridad obligatoria y cooperar con las Administraciones educativas correspondientes en la obtención de los solares necesarios para la construcción de nuevos centros docentes. La conservación, mantenimiento y vigilancia de los edificios de titularidad local destinados a centros públicos de educación infantil, de educación primaria o de educación especial.

ñ) Promoción en su término municipal de la participación de los ciudadanos en el uso eficiente y sostenible de las tecnologías de la información y las comunicaciones.

o) Actuaciones en la promoción de la igualdad entre hombres y mujeres, así como contra la violencia de género.

p) Promoción y participación en comunidades ciudadanas de energía y comunidades de energías renovables que permitan contribuir a la obtención de beneficios medioambientales, económicos o sociales en los municipios donde operan, así como el impulso de actuaciones de transición energética tales como la eficiencia energética, la electrificación y el fomento del autoconsumo.

Las competencias municipales en las materias enunciadas en este artículo se determinarán por Ley debiendo evaluar la conveniencia de la implantación de servicios locales conforme a los principios de descentralización, eficiencia, estabilidad y sostenibilidad financiera.

La Ley a que se refiere el apartado anterior deberá ir acompañada de una memoria económica que refleje el impacto sobre los recursos financieros de las Administraciones Públicas afectadas y el cumplimiento de los principios de estabilidad, sostenibilidad financiera y eficiencia del servicio o la actividad. La Ley debe prever la dotación de los recursos necesarios para asegurar la suficiencia financiera de las Entidades Locales sin que ello pueda conllevar, en ningún caso, un mayor gasto de las Administraciones Públicas.

Los proyectos de leyes estatales se acompañarán de un informe del Ministerio de Hacienda y Administraciones Públicas (actualmente este Ministerio se halla dividido en Ministerio de Hacienda y Ministerio de Política Territorial y Memoria Democrática) en el que se acrediten los criterios antes señalados.

La Ley determinará la competencia municipal propia de que se trate, garantizando que no se produce una atribución simultánea de la misma competencia a otra Administración Pública.

Con carácter previo a la atribución de competencias a los municipios, de acuerdo con el principio de diferenciación, deberá realizarse una ponderación específica de la capacidad de gestión de la entidad local, dejando constancia de tal ponderación en la motivación del instrumento jurídico que realice la atribución competencial, ya sea en su parte expositiva o en la memoria justificativa correspondiente.

Los Municipios deberán prestar, en todo caso, los servicios siguientes (artículo 26 LRL):

a) En todos los Municipios: alumbrado público, cementerio, recogida de residuos, limpieza viaria, abastecimiento domiciliario de agua potable, alcantarillado, acceso a los núcleos de población y pavimentación de las vías públicas.

b) En los Municipios con población superior a 5.000 habitantes, además: parque público, biblioteca pública y tratamiento de residuos.

c) En los Municipios con población superior a 20.000 habitantes, además: protección civil, evaluación e información de situaciones de necesidad social y la atención inmediata a personas en situación o riesgo de exclusión social, prevención y extinción de incendios e instalaciones deportivas de uso público.

d) En los Municipios con población superior a 50.000 habitantes, además: transporte colectivo urbano de viajeros y medio ambiente urbano.

En los municipios con población inferior a 20.000 habitantes será la Diputación provincial o entidad equivalente la que coordinará la prestación de los siguientes servicios:

a) Recogida y tratamiento de residuos.

b) Abastecimiento de agua potable a domicilio y evacuación y tratamiento de aguas residuales.

c) Limpieza viaria.

d) Acceso a los núcleos de población.

e) Pavimentación de vías urbanas.

f) Alumbrado público.

COMPETENCIAS MUNICIPALES – LEY 7/1985, DE 2 DE ABRIL (LRL)	
P R O P I A S (art. 25)	a) Urbanismo: planeamiento, gestión, ejecución y disciplina urbanística. Protección y gestión del Patrimonio histórico. Promoción y gestión de la vivienda de protección pública con criterios de sostenibilidad financiera. Conservación y rehabilitación de la edificación. b) Medio ambiente urbano: en particular, parques y jardines públicos, gestión de los residuos sólidos urbanos y protección contra la contaminación acústica, lumínica y atmosférica en las zonas urbanas. c) Abastecimiento de agua potable a domicilio y evacuación y tratamiento de aguas residuales. d) Infraestructura viaria y otros equipamientos de su titularidad. e) Evaluación e información de situaciones de necesidad social y la atención inmediata a personas en situación o riesgo de exclusión social. f) Policía local, protección civil, prevención y extinción de incendios. g) Tráfico, estacionamiento de vehículos y movilidad. Transporte colectivo urbano. h) Información y promoción de la actividad turística de interés y ámbito local. i) Ferias, abastos, mercados, lonjas y comercio ambulante. j) Protección de la salubridad pública. k) Cementerios y actividades funerarias. l) Promoción del deporte e instalaciones deportivas y de ocupación del tiempo libre. m) Promoción de la cultura y equipamientos culturales. n) Participar en la vigilancia del cumplimiento de la escolaridad obligatoria y cooperar con las Administraciones educativas correspondientes en la obtención de los solares necesarios para la construcción de nuevos centros docentes. La conservación, mantenimiento y vigilancia de los edificios de titularidad local destinados a centros públicos de educación infantil, de educación primaria o de educación especial. ñ) Promoción en su término municipal de la participación de los ciudadanos en el uso eficiente y sostenible de las tecnologías de la información y las comunicaciones. o) Actuaciones en la promoción de la igualdad entre hombres y mujeres así como contra la violencia de género. p) Promoción y participación en comunidades ciudadanas de energía y comunidades de energías renovables que permitan contribuir a la obtención de beneficios medioambientales, económicos o sociales en los municipios donde operan, así como el impulso de actuaciones de transición energética tales como la eficiencia energética, la electrificación y el fomento del autoconsumo.

SERVICIOS MÍNIMOS EN LOS AYUNTAMIENTOS– ARTÍCULO 26 LEY 7/1985		
EN TODOS LOS MUNICIPIOS	– Alumbrado público – Cementerio – Recogida de residuos – Limpieza viaria	– Abastecimiento domiciliario de agua potable – Alcantarillado – Acceso a los núcleos de población. – Pavimentación de las vías públicas
CON POBLACIÓN SUP. A 5000 HABIT.	Lo mismo más: – Parque público	– Biblioteca pública – Tratamiento de residuos
CON POBLACIÓN SUP. A 20000 HABIT.	Lo mismo más: – Protección civil – Evaluación e información de situaciones de necesidad social	– Atención inmediata a personas en situación de riesgo de exclusión social – Prevención y extinción de incendios e instalaciones deportivas de uso público
CON POBLACIÓN SUP. A 50000 HABIT.	Además: – Transporte colectivo urbano de viajeros	– Medio ambiente urbano
CON POBLACIÓN INFERIOR A 20000 HABIT.	En los municipios con población inferior a 20.000 habitantes será la Diputación provincial o entidad equivalente la que coordinará la prestación de los siguientes servicios: a) Recogida y tratamiento de residuos. b) Abastecimiento de agua potable a domicilio y evacuación y tratamiento de aguas residuales.	c) Limpieza viaria. d) Acceso a los núcleos de población. e) Pavimentación de vías urbanas. f) Alumbrado público.

Actividad 1

Enumera cuatro competencias propias de los municipios reguladas en el artículo 25 de la Ley 7/1985, de 2 de abril.

1. _____
2. _____
3. _____
4. _____

2.4. Normativa de la Comunidad Autónoma de Galicia

El Estatuto de Autonomía de Galicia, en el artículo 27, reconoce a la Comunidad Autónoma la competencia exclusiva para aprobar las normas adicionales sobre protección del medio ambiente y el paisaje, en los términos del artículo 149.1.23 de la Constitución, y le atribuye, en otros preceptos, competencias diversas en relación con diferentes ámbitos relacionados con el medio ambiente, como son la ordenación del territorio y la sanidad, o sectores del medio físico, como el suelo y el agua, y actividades como la pesca y los vertidos industriales contaminantes en las aguas territoriales del Estado correspondientes al litoral gallego.

La Ley 1/1995, de 2 de enero, de Protección Ambiental de Galicia tiene como objeto el establecimiento de las normas que, en el ámbito de la competencia de la Comunidad Autónoma, configuran el sistema de defensa, protección, conservación y restauración, en su caso, del medio ambiente en Galicia y aseguran una utilización racional de los recursos naturales.

Respecto a los Residuos, a nivel autonómico, se encuentran regulados, principalmente, por la Ley 6/2021, de 17 de febrero, de residuos y suelos contaminados de Galicia y entre otros por:

– Decreto 174/2005, de 9 de junio, por el que se regula el régimen jurídico de la producción y gestión de residuos y el Registro General de Productores y Gestores de Residuos de Galicia.

– Real Decreto 646/2020, de 7 de julio, por el que se regula la eliminación de residuos mediante depósito en vertedero.

2.5. Protección ambiental en Galicia

Como hemos mencionado anteriormente, la Ley 1/1995, que a continuación desarrollamos, tiene como objeto el establecimiento de las normas de defensa, protección, conservación y restauración, en su caso, del medio ambiente en Galicia. Realizaremos en este apartado un amplio estudio de la prevención, calidad y disciplina ambiental, dejando en un epígrafe aparte, la protección relativa a los residuos, regulados por la Ley 6/2021, de 17 de febrero.

2.5.1. Principios y objetivos

Los principios que inspiran la presente Ley y que servirán de marco a todo el desarrollo normativo ulterior de protección ambiental son:

a) Clasificación de las actividades de acuerdo con su incidencia ambiental, a fin de evitar y corregir los efectos negativos que estas pueden tener en el medio ambiente, a través de los procedimientos de evaluación ambiental previa, en su caso, y de la vigilancia y control de las mismas.

b) De prevención, compatibilizando la defensa de los valores ambientales con el desarrollo económico y el progreso técnico.

c) De utilización racional y de defensa de los recursos naturales y el paisaje, que constituyen el patrimonio natural de Galicia.

d) De promoción de la investigación científica y tecnológica, orientando la acción investigadora al reciclaje y recuperación de los residuos, a la protección del medio ambiente, a la lucha contra la contaminación y a la defensa de la calidad de los distintos sectores que integran el medio natural y humano.

e) De promoción de la educación ambiental, en todos los niveles educativos, y de la concienciación ciudadana, en todos los sectores sociales, para una eficaz defensa de los valores ambientales.

f) De coordinación, tanto en lo que hace referencia a las distintas administraciones y regulaciones, ya sean sectoriales, ya de actividades con incidencia ambiental, como a sus componentes.

g) De subsidiariedad, a fin de garantizar la actuación de los Ayuntamientos para que afronten sus problemas ambientales y para asegurar el ejercicio efectivo de la disciplina ambiental.

h) De corrección del ilícito ambiental mediante un efectivo régimen sancionador que sirva para corregir las conductas manifiestamente insolidarias y atentatorias al bien común que es el medio ambiente.

i) De publicidad, participación y transparencia administrativa, por lo que las actuaciones sobre medio ambiente se basarán en el libre acceso del público a una información objetiva, fiable y concreta, que sirva como base para una efectiva participación de los sectores sociales implicados.

j) De pacto ambiental, como actuación encaminada a obtener acuerdos, tanto en el establecimiento de medidas preventivas y correctoras como, sobre todo, en situaciones con planteamientos ambientales conflictivos que afecten a sectores sociales y económicos.

k) De integración de los requisitos de protección del medio ambiente en las políticas económicas, industriales, agrarias y sociales.

l) De fomento de las actuaciones dirigidas a regenerar los deterioros y degradaciones producidos en el medio ambiente.

2.5.2. Mandato general

La presente Ley obligará, en el ámbito territorial de la Comunidad Autónoma, a toda persona, natural o jurídica, pública o privada, que proyecte realizar o efectivamente realice cualquier actividad susceptible de producir un deterioro en el medio ambiente.

2.5.3. Ámbito de protección

Son elementos que tienen que protegerse: el medio natural constituido por la población, la fauna, la flora, la diversidad genética, el suelo, el subsuelo, el agua, el aire, el clima y el paisaje, así como la interrelación entre los elementos antes mencionados, los recursos naturales y culturales, incluido el patrimonio arquitectónico y arqueológico, en cuanto pueden ser objeto de contaminación y deterioro por causas ambientales.

2.5.4. Clasificación del grado de protección y autorización de actividades

A efectos de lo dispuesto en los artículos 2.a) y 4, todos los proyectos, obras y actividades que sean susceptibles de afectar al medio ambiente deberán obtener una declaración ambiental, si así lo exige la clasificación del grado de protección aplicable a ellos.

La clasificación del grado de protección para determinar el procedimiento podrá ser:

a) De evaluación del impacto ambiental.

b) De evaluación de los efectos ambientales.

Por evaluación se entenderá la actividad del órgano ambiental competente que tenga por objeto determinar la compatibilidad de un proyecto, obra o actividad con el medio ambiente y, en su caso, las medidas correctoras que es preciso incluir en el proyecto y/o en su desarrollo.

La declaración ambiental será un requisito previo, preceptivo y vinculante para la autoridad municipal, en cuanto a las medidas correctoras.

Los particulares podrán solicitar, por escrito y adjuntando la documentación pertinente que estimen precisa, información previa sobre el régimen que según la clasificación se tiene que aplicar a un determinado proyecto, obra o actividad.

Cuando la declaración ambiental imponga la adopción de medidas correctoras, el órgano administrativo al que corresponda su emisión podrá exigir la prestación de una fianza que cubra la reparación de los posibles daños y el posible coste de la restauración.

2.5.5. Aplicación a actividades en funcionamiento

Las técnicas y medidas de defensa previstas en esta Ley podrán aplicarse a actividades que estén realizándose o ya realizadas, al objeto de comprobar los posibles efectos nocivos de estas en el medio ambiente y señalar las medidas correctoras y la determinación y exigencia de responsabilidad, en su caso.

2.5.6. Evaluación del Impacto Ambiental

Quedan sometidos a la evaluación de impacto ambiental los proyectos, obras y actividades que se incluyen en la normativa comunitaria, la legislación básica estatal y la de ámbito autonómico.

La Xunta de Galicia elaborará un catálogo de las actividades sujetas al trámite de evaluación y regulará por Decreto el procedimiento para declarar dicha evaluación.

La declaración de impacto será de carácter vinculante para el órgano de competencia sustantiva si la declaración fuese negativa o impusiese medidas correctoras.

Respecto de la evaluación de impacto ambiental de competencia autonómica, la declaración de impacto ambiental del proyecto o actividad perderá su vigencia y cesará en la producción de los efectos que le son propios si, una vez publicada en el «Diario Oficial de Galicia», no comenzase la ejecución del proyecto o actividad en el plazo de seis años.

2.5.7. Otras medidas de protección ambiental

La administración autonómica redactará inventarios de los distintos espacios, sectores ambientales y ecosistemas que haya que proteger, entre ellos el paisaje, como fase previa a una catalogación de los mismos, que los dotará de un estatuto jurídico de protección adecuado a las características singulares del espacio, sector o ecosistema.

Los inventarios y catálogos serán abiertos, y reglamentariamente se determinarán los contenidos obligatorios mínimos de las distintas regulaciones y regímenes de protección, así como del procedimiento de revisión y modificación, a fin de mantenerlos permanentemente actualizados.

La educación ambiental estará orientada a la formación de los ciudadanos, especialmente de los más jóvenes, en una mayor aproximación y respeto a la naturaleza, con un enfoque interdisciplinario, abarcando el conjunto de los niveles educativos y con carácter eminentemente práctico, que fomente la necesaria conciencia ecológica en la defensa del medio.

El órgano de la administración ambiental correspondiente promoverá, en conexión con los demás órganos competentes de la administración autonómica y los medios de comunicación de titularidad pública, la educación y formación ambiental que responda a los anteriores criterios, así como el uso didáctico–recreativo de la naturaleza, la orientación de los jóvenes de cara a profesiones nuevas, desaparecidas o minusvaloradas en el mercado de trabajo, prestando una especial atención al medio rural y a los pequeños municipios, fomentando las escuelas–taller ambientales, las aulas y los centros de interpretación de la naturaleza y cualesquiera otras instituciones que faciliten dicha formación integrada.

La acción administrativa en esta materia estará orientada a la consecución de un pacto ambiental para las situaciones más conflictivas, así como para acometer aquellas que puedan mejorar la imagen pública de las empresas a través de los instrumentos de participación dispositiva de las mismas y de los ciudadanos en la defensa del medio, pudiendo extenderse a estrategias y acciones de carácter local o comarcal.

Este pacto ambiental, que se planteará con los sectores sociales implicados, constará de los siguientes contenidos mínimos: Objetivos que pretenden conseguirse, inconvenientes de las medidas propuestas, compensación, medidas que se van a adoptar y plazo para realizarlas.

En aplicación del pacto ambiental, se establecerá un sistema de ecogestión y ecoauditoría que permita la participación voluntaria de las empresas que desarrollen actividades industriales para la evaluación y mejora de los resultados de sus actividades industriales en relación con el medio ambiente y la facilitación de la correspondiente información al público.

El objetivo del sistema será promover la mejora continua de los resultados de las actividades industriales en relación con el medio ambiental mediante:

a) El establecimiento y la aplicación, por parte de las empresas, de políticas, programas y sistemas de gestión medioambientales en relación con sus centros de producción.

b) La evaluación sistemática, objetiva y periódica del rendimiento de dichos elementos.

c) La información al público acerca del comportamiento en materia de medio ambiente.

Este sistema se aplicará sin perjuicio de las actuales normas y requisitos técnicos autonómicos, estatales y comunitarios en materia de controles medioambientales, y sin merma de las obligaciones a que están sujetas las empresas en virtud de dichas normas y requisitos.

El Gobierno promulgará la normativa que cree y desarrolle la ecogestión y la ecoauditoría, en el marco de la legislación de la Unión Europea y de la estatal (véase el Decreto 295/2000, de 21 de diciembre, por el que se desarrolla la Ley 1/1995, de 2 de enero, de protección ambiental de Galicia, en relación con el pacto ambiental en la Comunidad Autónoma de Galicia).

En aplicación de este principio se instituye la ecoetiqueta o etiqueta ecológica como mecanismo voluntario de participación de las empresas y los ciudadanos en la protección del medio ambiente a través de la selección de productos comerciales por criterios ecológicos en el proceso de utilización de los recursos naturales, su fabricación, comercialización, consumo y abandono, respecto a lo cual la Xunta promulgará la normativa correspondiente, adecuada a la normativa general y comunitaria.

2.5.8. Administración ambiental

La administración ambiental estará constituida por aquellos órganos de la Administración con competencias en materia de esta Ley.

La administración ambiental tendrá como objetivo ejercer las competencias que correspondan a la Comunidad Autónoma de Galicia, y entre ella:

a) Velar por el cumplimiento de las normas medioambientales.

b) Desarrollar actuaciones públicas en relación con la protección, conservación, mejora y restauración del medio ambiente.

c) Llevar a cabo las acciones precisas para la utilización racional de los recursos naturales.

d) Asegurar y mejorar la calidad ambiental.

e) En general, las demás que en relación con el medio ambiente se deriven de esta Ley.

Su organización, composición, funciones y competencias se desarrollarán reglamentariamente de acuerdo con los principios de integración y coordinación de gestión, eficacia y autonomía.

2.5.9. Consejo Gallego de Medio Ambiente

A fin de cumplir el principio de participación pública y de establecer una vía de participación de los estamentos interesados de la sociedad gallega y de su comunidad científica, se crea, como órgano consultivo de la administración ambiental, el Consejo Gallego de Medio Ambiente. Es el órgano colegiado de participación, consulta y asesoramiento de la Consejería de Medio Ambiente y Desarrollo Sostenible (actualmente, Consejería de Medio Ambiente y Cambio Climático) en relación con los planes, proyectos y actuaciones que tengan incidencia sobre la sostenibilidad, teniendo entre sus fines el servir de foro de debate a los efectos de dar cumplimiento al principio de participación pública, estableciendo una vía de cooperación de los estamentos interesados de la sociedad gallega.

Su organización, composición, funcionamiento y régimen jurídico, así como el carácter de sus informes se regula por Decreto 74/2006, de 30 de marzo, por el que se regula el Consejo Gallego de Medio Ambiente y Desarrollo Sostenible.

2.5.10. Disciplina ambiental

A) Órganos de inspección

Sin perjuicio de las específicas funciones inspectoras que correspondan a órganos sectoriales competentes en los términos que reglamentariamente se determinen, en el ámbito de la administración autonómica corresponderá el ejercicio de la función de control y vigilancia a una inspección ambiental única, coordinada por el órgano de la Administración ambiental que reglamentariamente se determine. Para dicho ejercicio podrá servirse del personal adecuado de los órganos que tengan la competencia sustantiva.

La Administración local desarrollará su propia inspección de cara al correcto ejercicio de su competencia en el marco de la presente Ley y demás reguladoras del régimen local.

No obstante, cuando la administración local se considere imposibilitada para el ejercicio de la competencia de inspección, esta podrá solicitar a la administración autonómica el auxilio en tal función.

B) Inspección ambiental

La inspección ambiental tiene como función, en el marco de la defensa y protección del medio ambiente de Galicia, la ejecución del control y vigilancia de las actividades e instalaciones de cualquier tipo que fuesen susceptibles de afectarle negativamente.

Los funcionarios que ejerzan la inspección ambiental de la Comunidad Autónoma gozarán en el ejercicio de sus funciones de la consideración de agentes de la autoridad, estando facultados para acceder, sin previo aviso y tras ser identificados a las instalaciones en que se desarrollen las actividades objeto de esta Ley.

Las demás policías o guarderías municipales o estatales están obligadas a prestar un auxilio administrativo en las funciones de inspección reconocidas en esta Ley.

El Decreto 7/2020, de 9 de enero, regula la inspección ambiental de Galicia.

C) Clases de inspección

Las inspecciones pueden ser:

a) Previas al otorgamiento de una autorización.

b) En virtud de denuncia.

c) Las que puedan acordarse de oficio durante el funcionamiento de una actividad.

D) Infracciones

Constituirán infracción ambiental, a los efectos de esta Ley y en el ámbito de la Comunidad Autónoma de Galicia:

a) La iniciación o realización de proyectos, obras o actividades sin obtener la previa autorización o sin presentar la comunicación previa, cuando se trate de actividades sometidas a este trámite.

b) La descarga en el medio ambiente, bien sea en las aguas marítimas o continentales, suelo o subsuelo y atmósfera de productos o sustancias, en estado sólido, líquido o gaseoso o de formas de energía, incluso sonoras, que constituyan un riesgo objetivamente verificable para la salud humana y los recursos naturales, supongan un deterioro o degradación de las condiciones ambientales o afecten negativamente al equilibrio ecológico en general. No tendrán la consideración de infracción los vertidos o emisiones en cantidades o condiciones expresamente autorizados con arreglo a la normativa aplicable en cada caso.

c) La explotación indebida, el abuso o la destrucción de los recursos naturales, entendiendo que la misma se produce cuando se realice contraviniendo los términos de la autorización o de las normas que la regulan.

d) La ocultación de datos o su falseamiento, total o parcial, en el procedimiento de obtención de la autorización o en el de presentación de la comunicación previa.

e) La transgresión o el incumplimiento de las condiciones impuestas en la autorización o declaración ambiental, o el incumplimiento de las órdenes de clausura o de aplicación de medidas correctoras o restauradoras del medio ambiente.

f) La negativa o resistencia a facilitar datos que sean requeridos y la obstrucción a la labor inspectora de la Administración.

g) El incumplimiento de las medidas cautelares previstas en esta Ley.

h) En general, el incumplimiento de los requisitos, obligaciones y prohibiciones establecidos en esta Ley y en la normativa que la desarrolle.

E) Clasificación de las infracciones

Las infracciones ambientales reguladas en el apartado anterior se clasificarán en muy graves, graves y leves.

Se consideran infracciones leves los incumplimientos de los requisitos, obligaciones o prohibiciones establecidas en esta Ley, salvo cuando, de acuerdo con los apartados siguientes constituyan infracciones graves o muy graves.

Se consideran infracciones graves las señaladas con las letras desde la a) hasta la g) del apartado anterior.

Se consideran infracciones muy graves:

– Las señaladas en los apartados a), b), c) y e) del apartado anterior, cuando concurra alguna de las circunstancias siguientes:

   a) Malicia o intencionalidad.

   b) Coste económico de la restauración superior a los 10.000.000 de pesetas (60.101,21 euros).

   c) Irreversibilidad del daño causado.

   d) Repercusión grave o significativa en la salud de las personas o especies o grave deterioro en los recursos naturales.

   e) Cuando el daño afecte a recursos únicos, escasos o protegidos.

   f) Cuando el daño afecte gravemente a los ciclos vitales y ecosistemas básicos.

– Las señaladas en los apartados d), e) f) y g) del apartado anterior, en caso de reincidencia.

La reincidencia en dos infracciones leves o graves conllevará la aplicación del grado inmediatamente superior. Se entenderá que existe reincidencia cuando se cometan dos faltas graves en el período de dos años o leves en el de seis meses.

F) Sanciones

Las infracciones en materia ambiental contempladas en esta Ley serán sancionadas según su gravedad:

   a) Infracciones leves: con multa de hasta 1.000.000 de pesetas (6.010,12 euros).

   b) Infracciones graves: con multa entre 1.000.001 (6.010,13 euros) y 10.000.000 de pesetas (60.101.21 euros).

   c) Infracciones muy graves: con multa entre 10.000.001 (60.101.22 euros) a 50.000.000 de pesetas (300.506,05 euros).

Las multas podrán conllevar, simultáneamente:

– En casos de infracción grave, el cierre del establecimiento o la suspensión de la actividad, total o parcial, por un plazo no superior a dos años. En caso de que se impongan medidas correctoras, el cierre subsistirá hasta que estas se cumplan.

   En caso de ser inviables las aludidas medidas correctoras, podrá decidirse la clausura definitiva, total o parcial del establecimiento o actividad.

– En casos de infracción muy grave:

a) El cierre del establecimiento o la suspensión de la actividad, total o parcial, por un plazo no superior a cuatro años y, en todo caso, hasta la adopción de las medidas correctoras.

b) La clausura definitiva, total o parcial, del establecimiento o actividad.

Las sanciones que supongan la suspensión de actividades o el cierre de establecimientos habrán de ser publicadas en *el Diario Oficial de Galicia*.

En todos aquellos supuestos en los que la legislación sancione el inicio de la realización de un proyecto sometido a evaluación ambiental sin haber obtenido previamente la correspondiente declaración de impacto ambiental o el informe de impacto ambiental, la resolución sancionadora firme, además de la sanción, impondrá la obligación de realizar la evaluación de los posibles efectos significativos sobre el medio ambiente mediante los procedimientos previstos en la legislación de evaluación ambiental.

En estos casos, serán de aplicación las especificidades contempladas en la Ley 21/2013, de 9 de diciembre, de evaluación ambiental, para las evaluaciones que hayan de efectuarse en ejecución de una sentencia firme.

G) Prescripción

Las infracciones a que se refiere la presente Ley prescribirán en los siguientes plazos a contar desde la comisión del hecho o desde la detección del daño ambiental, si este no fuese inmediato:

a) Seis meses, en caso de infracciones leves.

b) Dos años, en caso de infracciones graves.

c) Cuatro años, en caso de infracciones muy graves.

H) Aplicación de las sanciones

La aplicación de las sanciones se efectuará atendiendo a su repercusión en el medio ambiente y en los recursos naturales, al coste de restitución, al riesgo y trascendencia por lo que respecta a la salud de las personas y en los recursos ambientales a las circunstancias del responsable, al grado de malicia o intencionalidad a los beneficios obtenidos con la agresión, a la irreversibilidad del daño o del deterioro producido a la calidad del recurso o capacidad de retroalimentación y regeneración del ecosistema y a la reincidencia.

En el supuesto de sanción que implique el cierre del establecimiento o la suspensión de la actividad se computará, en la sanción definitiva, el tiempo que hubiese estado cerrado o suspendido como medida cautelar.

I) Compatibilidad de sanciones

Cuando un mismo hecho resulte sancionable de conformidad con esta Ley y otras de protección ambiental que corresponda aplicar a la administración autonómica, se resolverán los expedientes sancionadores correspondientes imponiendo únicamente la sanción más elevada de las que resulten.

2.5.11. Sujeto responsable

A los efectos de esta Ley, tendrán la consideración de responsables de las infracciones ambientales previstas en la misma:

a) Las personas que directamente realicen la actividad infractora o, en su caso, las que ordenen la mencionada actividad, cuando el ejecutor tenga obligación de cumplir dicha orden.

b) Las personas que, de acuerdo con los estatutos o escritura social, sean titulares o promotoras de la actividad o proyecto del que se derive la infracción.

Cuando concurra en varias personas la autoría de la infracción o cuando el deterioro ambiental esté ocasionado por una acumulación de infracciones y no fuese posible determinar el grado de participación efectiva de cada una de ellas, la responsabilidad será solidaria.

En los casos en que la infracción sea imputable a una administración pública, esta se someterá a las reglas generales y de carácter disciplinario aplicables a la administración y a sus agentes y funcionarios.

2.5.12. Suspensión de actividades

Toda actividad que hubiese comenzado a realizarse sin autorización o sin presentar comunicación previa, o incumpliendo manifiestamente las condiciones establecidas, cuando tales trámites estuviesen impuestos por la legislación vigente, será suspendida en su ejecución a requerimiento del órgano de la Administración ambiental competente, sin perjuicio de que se exijan las responsabilidades a que hubiere lugar.

Asimismo, sin perjuicio de la imposición de las sanciones y la determinación de responsabilidades que procedan, el órgano sustantivo acordará la suspensión en los siguientes supuestos:

a) Cuando se hubiese acreditado la ocultación de datos o su falseamiento o la manipulación maliciosa en el procedimiento de evaluación, siempre que hubiese influido de forma determinante en el resultado de dicha evaluación.

b) Cuando se hubiesen incumplido o se hubiesen transgredido de modo significativo las condiciones ambientales impuestas para la ejecución del proyecto o las medidas preventivas, correctoras y de restauración recogidas en la memoria presentada con la solicitud en los casos de silencio positivo.

El requerimiento del órgano de la Administración ambiental competente a que se refiere el apartado 1 puede ser acordado de oficio o a instancia de parte, una vez justificado el supuesto a que hace referencia dicho apartado.

En el caso de suspensión de actividades, se tendrá en cuenta lo previsto en la legislación laboral.

2.5.13. Medidas cautelares en el procedimiento sancionador

En aquellos casos en que exista riesgo grave o inminente para el medio ambiente, el órgano competente para la incoación del expediente podrá ordenar motivadamente a la vez que acuerda la apertura del expediente la suspensión inmediata de la actividad o cualquier otra medida cautelar necesaria, sin perjuicio de la iniciación del expediente de disciplina ambiental que, en todo caso, proceda.

La adopción de las medidas cautelares previstas en el apartado anterior se llevará a cabo, previa audiencia del interesado, en un plazo de cinco días, salvo en los casos que exijan una actuación inmediata.

La administración autonómica y la municipal se comunicarán mutuamente las medidas cautelares que adoptasen.

2.5.14. Restauración del medio e indemnización

Sin perjuicio de la sanción que en cada caso proceda, el infractor habrá de reparar el daño causado. La reparación y la reposición de los bienes tendrán como finalidad lograr la restauración del medio ambiente a su estado anterior a la comisión de la infracción. El órgano correspondiente de la administración competente para imponer la sanción lo será para exigir la restauración.

Si el infractor no procediese a reparar el daño causado en el plazo que se le señale, la administración que impuso la sanción procederá a la imposición de multas coercitivas sucesivas de hasta 3.000 euros cada una o, en su caso, a realizar la ejecución subsidiaria.

En el supuesto en que una resolución administrativa sancionadora imponga el sometimiento de un proyecto ejecutado, total o parcialmente, a un procedimiento de evaluación ambiental, la reparación y la restauración del medio natural solo procederán en el caso de que así se determinase en la correspondiente declaración de impacto ambiental o en el informe de impacto ambiental.

En cualquier caso, el promotor del proyecto o titular de la actividad causa de la infracción habrá de indemnizar por los daños y perjuicios ocasionados. La valoración de los mismos se hará por la administración, previa tasación contradictoria cuando el citado responsable no diese su conformidad a aquella.

Los recursos generados por las sanciones que impusiera la administración habrán de destinarse íntegramente a acciones dirigidas a la mejora del medio ambiente.

Las sanciones que supongan la suspensión de actividades o el cierre de establecimientos se publicarán en el Diario Oficial de Galicia.

2.5.15. Responsabilidad penal y administrativa

En el supuesto de que la infracción pudiese ser constitutiva de delito o falta, la administración que instruye el expediente dará traslado a la jurisdicción competente, quedando en suspenso la actuación sancionadora en vía administrativa. No obstante, la vía penal no paralizará el expediente que se incoase para la restauración y, en su caso, la indemnización de los daños y perjuicios a que hace referencia el artículo 42 de la presente Ley.

Si la resolución judicial fuese absolutoria, la administración proseguirá las actuaciones para, si procediese, imponer la sanción administrativa correspondiente.

2.5.16. Procedimiento

El procedimiento sancionador por incumplimiento de las obligaciones establecidas en esta Ley se regirá por lo establecido en el capítulo II del título IX de la Ley de Régimen Jurídico de las Administraciones Públicas y del Procedimiento Administrativo Común (norma derogada, y la norma actual es la Ley 39/2015, de 1 de octubre, del Procedimiento Administrativo Común de las Administraciones Públicas).

La incoación y la instrucción de expedientes sancionadores por las infracciones a que se refiere el artículo 32 corresponden:

a) Al órgano autonómico o municipal, en su caso, que tuviese atribuida la competencia por razón de la materia para otorgar la autorización.

b) Al órgano municipal competente, por la falta de comunicación previa o del inicio de la actividad.

La competencia para la resolución de los expedientes sancionadores a que hace referencia el apartado 1.a) anterior, instruidos por el órgano administrativo que a los efectos de esta Ley, tenga atribuida la consideración de órgano ambiental sustantivo, corresponderá:

a) En faltas leves, al titular del centro directivo competente por razón de la materia.

b) En faltas graves, el Consejero del ramo.

c) En faltas muy graves, al Consejo de la Xunta de Galicia.

 Sabías que...

El procedimiento sancionador se inicia únicamente de oficio y en ningún caso a instancia de parte.

Tanto el importe de las sanciones e indemnizaciones como el coste de la ejecución subsidiaria podrán ser exigibles por la vía de apremio a los infractores. Cuando proceda la ejecución subsidiaria, el órgano que haya de realizar la ejecución valorará el coste de las actuaciones que hayan de realizarse y su importe será exigido cautelarmente con arreglo al artículo 98 de la Ley de Régimen Jurídico de las Administraciones Públicas y del Procedimiento Administrativo Común (artículo 102 de la Ley 39/2015).

Las resoluciones de los **Alcaldes**, que habrán de comunicarse al órgano correspondiente de la administración autonómica en el plazo de **quince días**, ponen fin a la vía administrativa.

Actividad 2

Indica si la siguiente cuestión es verdadera o falsa:

Las resoluciones de los Alcaldes, que habrán de comunicarse al órgano correspondiente de la administración autonómica en el plazo de quince días, ponen fin a la vía administrativa.

Verdadera ☐   Falsa ☐

Las resoluciones del órgano correspondiente de la administración ambiental autonómica serán comunicadas a los Alcaldes del término municipal en el que recaiga la sanción, dentro del plazo de **quince días** y tendrán el siguiente régimen:

a) En caso de infracciones leves, podrán ser objeto de recurso ordinario ante el Consejero del ramo.

b) En caso de infracciones graves y muy graves, pondrán fin a la vía administrativa.

Si las medidas cautelares o de sanción, salvo la multa, no fuesen ejecutadas por la autoridad municipal que las hubiese impuesto, el órgano correspondiente de la administración autonómica podrá, previo requerimiento y audiencia al Ayuntamiento y al interesado, adoptar las medidas cautelares pertinentes para la salvaguarda del medio ambiente.

2.6. Protección ambiental en materia de residuos

La Ley 6/2021, de 17 de febrero, regula los residuos y suelos contaminados de Galicia. La aprobación de la ley, que se fundamenta en la referida competencia exclusiva para aprobar normas adicionales sobre protección del medio ambiente, responde a la concurrencia de circunstancias similares a las que motivaron que se hubiese dictado la Ley 10/2008, de 3 de noviembre (actualmente derogada), y pretende proporcionar a la Comunidad Autónoma de Galicia un régimen jurídico completo y actualizado, de conformidad con el marco normativo vigente, en materia de producción y gestión de residuos, así como de suelos contaminados.

A continuación, desarrollamos los aspectos más importantes en materia de protección de residuos, haciendo especial hincapié en el régimen sancionador.

2.6.1. Objeto

Constituye el objeto de esta ley la regulación de la producción y gestión sostenible de los residuos, potenciando medidas que prevengan su producción y disminuyan los impactos adversos sobre la salud humana y el medio ambiente, vinculados a su generación y gestión, al tiempo que se fomenta el uso sostenible de los recursos y la transición hacia una economía circular y baja en carbono en el territorio de la Comunidad Autónoma de Galicia.

Además, es objeto de esta ley regular el régimen jurídico de los suelos contaminados aplicable en la Comunidad Autónoma de Galicia.

2.6.2. Fines

Esta ley tiene como fines fomentar:

a) La progresiva transformación de la sociedad gallega en una sociedad cuyo sistema productivo esté basado en la economía circular, potenciando la utilización del residuo como recurso y su valor económico, y favoreciendo la creación de empleo verde, entendido como aquel que reduce el impacto ambiental de las empresas y sectores económicos hasta alcanzar niveles sostenibles.

b) La lucha contra el cambio climático, a través, principalmente, de la aplicación del principio de coherencia de la política de residuos con la estrategia contra el cambio climático y de supeditación de aquella a esta.

c) La estabilización y reducción de la producción de residuos en cuanto a su peso, volumen, diversidad y peligrosidad, con el fin de disociar la producción de residuos del crecimiento económico.

d) La regeneración de los espacios degradados y la descontaminación del suelo.

2.6.3. Objetivos

Para la consecución de los fines previstos en el artículo anterior, se establecen los siguientes objetivos cuantitativos:

a) La reducción progresiva del peso de los residuos producidos, hasta alcanzar en el año 2020 un 10% de reducción respecto de los generados en el año 2010, y en el año 2025 un 15%.

b) El incremento progresivo, de conformidad con la Directiva 2008/98/CE del Parlamento Europeo y del Consejo, de 19 de noviembre de 2008, de la cantidad de residuos municipales destinados a la preparación para la reutilización y el reciclaje para las siguientes fracciones: papel, metales, vidrio, plástico, biorresiduos y otras susceptibles de ser preparadas para la reutilización. Estos deberán alcanzar, en su conjunto, como mínimo, el 50% en peso en el año 2020, correspondiendo un 2% a la preparación para la reutilización principalmente de residuos textiles, residuos de aparatos eléctricos y electrónicos y muebles, el 55% en el año 2025 y el 60% en el año 2030.

c) La eliminación en vertedero en el año 2035 de un máximo del 10 % en peso de los residuos municipales generados, tal como establece la Directiva (UE) 2018/850 del Parlamento Europeo y del Consejo, de 30 de mayo de 2018.

d) El incremento progresivo de la cantidad de residuos no peligrosos de construcción y demolición destinados a la preparación para la reutilización, el reciclaje y otros tipos de valorización material, hasta alcanzar antes del año 2020 el 70% en peso de los residuos producidos, tal como establece el artículo 22.1.b) de la Ley 22/2011, de 28 de julio, y el 75% en el año 2025. Para el cómputo de este flujo quedarán excluidos los materiales naturales excavados codificados con el LER 17 05 04.

e) Alcanzar, antes del año 2025, el objetivo del 3% de la preparación para la reutilización del total de residuos domésticos gestionados, y un 5% en el año 2030. Estos porcentajes tendrán que alcanzarse igualmente y separadamente para los residuos comerciales y para los residuos industriales, sin tener en cuenta la fracción orgánica de los residuos domésticos ni la poda.

Asimismo, se establecen como objetivos cuantitativos aquellos fijados por las normas reguladoras de determinados flujos de residuos y, en concreto, los siguientes:

a) Para los envases, a más tardar el 31 de diciembre de 2025 se reciclará un mínimo del 65% en peso de todos los residuos y, a más tardar el 31 de diciembre de 2030, el 70%, de conformidad con el artículo 6 de la Directiva 94/62/CE del Parlamento Europeo y del Consejo, de 20 de diciembre de 1994, relativa a los envases y residuos de envases.

Además, a más tardar el 31 de diciembre de 2025 se alcanzarán los siguientes objetivos mínimos en peso de reciclaje de los materiales específicos que se indican a continuación, contenidos en los residuos de envases:

1.º El 50% de plástico.

2.º El 25% de madera.

3.º El 70% de metales ferrosos.

4.º El 50% de aluminio.

5.º El 70% de vidrio.

6.º El 75% de papel y cartón.

A más tardar el 31 de diciembre de 2030 dichos objetivos serán:

1.º El 55% de plástico.

2.º El 30% de madera.

3.º El 80% de metales ferrosos.

4.º El 60% de aluminio.

5.º El 75% de vidrio.

6.º El 85% de papel y cartón.

b) Para los residuos de pilas y acumuladores, los objetivos mínimos de recogida que se tendrán que alcanzar son los establecidos en el Real decreto 106/2008, de 1 de febrero, sobre pilas y acumuladores y la gestión ambiental de sus residuos.

c) Para los residuos de aparatos eléctricos y electrónicos, los objetivos mínimos de valorización que se tendrán que alcanzar son los establecidos en el Real decreto 110/2015, de 20 de febrero, sobre residuos de aparatos eléctricos y electrónicos.

d) Para los neumáticos al final de su vida útil, se alcanzará en el año 2020, como mínimo, el objetivo del 15% para la preparación para la reutilización (segundo uso y recauchutado), del 45% para reciclaje, debiendo ser el reciclaje del acero del 100%, y un máximo del 40% de valorización energética, tal como establece el Plan estatal marco de residuos.

e) Respecto del aceite industrial usado, su recogida y gestión se realizará de conformidad con las mejores técnicas disponibles y será del 100% sobre el total generado, garantizándose su sometimiento a los tratamientos adecuados necesarios, de forma que se asegure la protección de la salud humana y del medio ambiente, en cualquiera de los usos a que se destine, tal como establece el Real decreto 679/2006, de 2 de junio, por el que se regula la gestión de los aceites industriales usados.

f) Para los biorresiduos, los ayuntamientos deberán instaurar antes del 31 de diciembre de 2023 su recogida separada en el servicio de gestión de los residuos municipales que presten.

g) Para los residuos textiles y los residuos peligrosos de origen doméstico, los ayuntamientos deberán establecer, a más tardar el 1 de enero de 2025, su recogida separada, de conformidad con la Directiva 2008/98/CE del Parlamento Europeo y del Consejo, de 19 de noviembre de 2008.

Los objetivos cuantitativos fijados en este artículo se entienden sin perjuicio de ulteriores modificaciones de la normativa aplicable que los incrementen o que reduzcan los plazos para su cumplimiento.

Para calcular los objetivos fijados en esta ley, debe emplearse la metodología de cálculo más reciente que ha elaborado la Comisión Europea.

Además de las fracciones previstas por la normativa europea y estatal, es obligatoria para los entes locales la recogida diferenciada de materia orgánica compostable (fracción orgánica de los residuos domésticos) y poda, del aceite vegetal usado, de los residuos de los textiles y de los residuos peligrosos, todos de origen domiciliario.

2.6.4. Líneas básicas de la política de residuos de la Administración general de la Comunidad Autónoma de Galicia

Para la consecución de los objetivos y de los fines señalados anteriormente, la Administración general de la Comunidad Autónoma de Galicia:

a) Colaborará con las entidades locales en la gestión de aquellos residuos de la competencia de estas, con especial atención a la implantación efectiva de la recogida separada en origen de nuevas fracciones, en especial de los biorresiduos, para destinarlos al compostaje o a la digestión anaerobia.

b) Colaborará en la puesta en marcha de centros especializados en la preparación para la reutilización de residuos, en especial de los residuos de aparatos eléctricos y electrónicos, textiles y muebles.

c) Impulsará el establecimiento de medidas de promoción de puesta en el mercado de productos de segunda mano y de aquellos que hubiesen sido preparados para ser reutilizados.

d) Pondrá en marcha medidas de fomento del mercado del reciclaje.

e) Impulsará la economía colaborativa como medida de prevención en la producción de residuos.

f) Adoptará medidas de fomento de la contratación pública ecológica, haciendo especial hincapié en los aspectos de la economía circular.

2.6.5. Ámbito de aplicación

Esta Ley 6/2021, de 17 de febrero, resulta de aplicación a todo tipo de residuos que se originen o gestionen en el territorio de la Comunidad Autónoma de Galicia, con las siguientes exclusiones:

a) Las emisiones a la atmósfera reguladas en la normativa de calidad del aire y protección de la atmósfera, así como el dióxido de carbono capturado y transportado con fines de almacenamiento geológico y efectivamente almacenado en formaciones geológicas de conformidad con la normativa sectorial de aplicación.

b) El almacenamiento geológico de dióxido de carbono realizado con fines de investigación, desarrollo o experimentación de nuevos productos y procesos, siempre que la capacidad prevista de almacenamiento sea inferior a 100 kilotoneladas.

c) Los suelos no contaminados excavados y otros materiales naturales excavados durante las actividades de construcción, cuando se tenga la certeza de que estos materiales se utilizarán con fines de construcción en su estado natural en el lugar u obra donde han sido extraídos.

d) Los residuos radiactivos.

e) Los explosivos desclasificados.

f) Las materias fecales no incluidas en la letra b) del número 2 de este artículo, la paja y los demás materiales naturales no peligrosos, agrícolas o silvícolas no peligrosos, utilizados en explotaciones agrícolas y ganaderas, en la silvicultura o en la producción de energía a base de esta biomasa, mediante procedimientos o métodos que no pongan en peligro la salud humana o dañen el medio ambiente.

Se incluye en esta excepción el material fecal higienizado resultado de procesos de digestión anaerobia.

Esta ley no es de aplicación a los residuos que se citan a continuación, en los aspectos ya regulados por otra norma de la Unión Europea o nacional que incorpore normas de aquella:

a) Las aguas residuales.

b) Los subproductos animales cubiertos por el Reglamento (CE) n.º 1069/2009 del Parlamento Europeo y del Consejo, de 21 de octubre de 2009, por el que se establecen las normas sanitarias aplicables a los subproductos animales y los productos derivados no destinados al consumo humano y por el que se deroga el Reglamento (CE) n.º 1774/2002.

   No se incluyen en esta excepción y, por tanto, serán regulados por esta ley, los subproductos animales y sus productos derivados cuando se destinen a la incineración o a los vertederos o sean utilizados en una planta de biogás o de compostaje.

c) Los cadáveres de animales que hayan muerto de forma diferente al sacrificio, incluidos sacrificados con el fin de erradicar epizootias, y que son eliminados de conformidad con el Reglamento (CE) n.º 1069/2009 del Parlamento Europeo y del Consejo, de 21 de octubre de 2009.

d) Los residuos resultantes de la prospección, de la extracción, del tratamiento o del almacenamiento de recursos minerales, así como de la explotación de canteras, cubiertos por el Real decreto 975/2009, de 12 de junio, sobre gestión de los residuos de industrias extractivas y de protección y rehabilitación del espacio afectado por actividades mineras.

e) Las sustancias que se destinen a ser utilizadas como materias primas para piensos, tal como se definen en el artículo 3.2.g) del Reglamento (CE) n.º 767/2009 del Parlamento Europeo y del Consejo, de 13 de julio de 2009, y que no sean subproductos animales ni los contengan.

Sin perjuicio de las obligaciones impuestas en virtud de la normativa específica aplicable, se excluyen del ámbito de aplicación de esta ley los sedimentos resituados en el interior de las aguas superficiales a efectos de gestión de las aguas y de las vías navegables, de prevención de las inundaciones o de mitigación de los efectos de las inundaciones y de las sequías, o de creación de nuevas superficies de terreno, si se demuestra que dichos sedimentos no son peligrosos.

La regulación prevista en esta ley en materia de suelos contaminados resultará de aplicación a los suelos que tengan tal condición, dentro del necesario respeto a las competencias estatales.

2.6.6. Definiciones

A los efectos de esta ley, resultarán de aplicación las definiciones recogidas en el artículo 3 de la Ley 22/2011, de 28 de julio, de residuos y suelos contaminados, y, además, las siguientes:

a) «Actividades potencialmente contaminantes del suelo»: las definidas en el artículo 54 que indica que tienen la consideración de actividades potencialmente contaminantes del suelo aquellas actividades de tipo industrial o comercial que, bien sea por el manejo de sustancias peligrosas bien sea por la generación de residuos, pueden contaminar el suelo. En todo caso tienen esa consideración:

– Las actividades de tipo industrial y comercial mencionadas en el anexo I del Real decreto 9/2005, de 14 de enero, por el que se establece la relación de actividades potencialmente contaminantes del suelo, y los criterios y estándares para la declaración de suelos contaminados, o norma que lo sustituya.

– Las actividades que producen, manejan o almacenan más de 10 toneladas por año de una o varias de las sustancias incluidas en el Reglamento sobre clasificación, envasado y etiquetado de sustancias peligrosas, aprobado por el Real decreto 363/1995, de 10 de marzo.

– Los almacenamientos de combustible para uso propio según el Reglamento de instalaciones petrolíferas, aprobado por el Real decreto 2085/1994, de 20 de octubre, y la Instrucción técnica complementaria MI-IP 03, aprobada por el Real decreto 1427/1997, de 15 de septiembre, con un consumo anual medio superior a 300.000 litros y con un volumen total de almacenamiento igual o superior a 50.000 litros.

b) «Árido reciclado»: material resultante de la valorización final de residuos de construcción y demolición que cumpla con los requisitos especificados en la normativa sobre disposiciones para la libre circulación de productos de construcción, aquellos que se especifiquen en la normativa sobre fin de condición de residuo y los exigibles según el uso a que se destine.

c) «Bandeja alimentaria»: recipiente para alimentos según lo establecido en la parte B del anexo de la Directiva 2019/904/UE.

d) «Comercialización»: todo suministro de un producto para su distribución, consumo o utilización en el mercado en el transcurso de una actividad comercial, ya sea mediante pago previo o a título gratuito.

e) «Compostaje doméstico»: gestión de los propios residuos domésticos de carácter orgánico biodegradable producidos en los hogares, restaurantes, servicios de restauración colectiva o establecimientos de venta minorista y que se realiza individualmente para la utilización particular del compost resultante. El compostaje doméstico se considera una operación de prevención de residuos.

f) «Compostaje comunitario»: gestión de los residuos domésticos de carácter orgánico biodegradable producidos en los hogares, restaurantes, servicios de restauración colectiva o establecimientos de venta minorista en una instalación común creada al efecto, con el fin de obtener un recurso para su aplicación como fertilizante o sustrato de cultivo.

g) «Desperdicio alimentario»: productos alimenticios que hayan tenido como destino la alimentación humana, no vendidos o consumidos en todas las fases de la cadena de producción, transformación, fabricación y suministro de alimentos, incluida la venta minorista y otros tipos de distribución de alimentos, en restaurantes y servicios alimentarios, así como en los hogares.

h) «Digestato»: producto resultante de la digestión anaerobia de residuos.

i) «Pequeño productor de residuos peligrosos»: sujeto productor de residuos peligrosos que produce menos de 10 toneladas anuales de residuos peligrosos.

j) «Planta fija»: instalación que no cumple con los requisitos señalados en el párrafo siguiente para ser considerada planta móvil.

k) «Planta móvil»: instalación que se monta o traslada para acercarse a los centros de producción del residuo o a su lugar de aplicación, y que no tiene carácter permanente por estar vinculada a un momento de producción puntual de un tipo de residuo o a una actividad de regeneración ambiental, por un tiempo no superior a un año.

l) «Plástico»: material compuesto por un polímero, definido de acuerdo con lo establecido en el artículo 3.5 del Reglamento (CE) n.º 1907/2006, del Parlamento Europeo y del Consejo, de 18 de diciembre de 2006, al que pueden haberse añadido aditivos u otras sustancias, y que puede funcionar como principal componente estructural de los productos finales. A los efectos de la prohibición de comercialización recogida en el artículo 43.2, se exceptúan del concepto de plástico los polímeros naturales que no hayan sido modificados químicamente.

m) «Productor de residuos peligrosos»: sujeto productor de residuos peligrosos que produce 10 o más toneladas anuales de residuos peligrosos.

n) «Proyecto de investigación, desarrollo e innovación»: aquellos proyectos que tengan por objeto el estudio o la experimentación de nuevas tecnologías o procesos en el campo del tratamiento de residuos y que cuenten con el correspondiente informe técnico certificado por una entidad acreditada por un organismo nacional de acreditación.

A los efectos de lo establecido en la presente ley, estos proyectos tendrán una duración máxima de un año, salvo conformidad del órgano de dirección competente en materia de residuos, previa solicitud motivada del equipo investigador.

ñ) «Punto limpio»: instalación autorizada de recogida separada y almacenamiento temporal de residuos de competencia municipal que, por su gran volumen o peligro, deben ser depositados en instalaciones específicas.

o) «Punto limpio móvil»: instalación móvil de recogida separada y almacenamiento temporal de residuos de competencia municipal que, por su gran volumen o peligro, deben ser depositados en instalaciones específicas.

p) «Relleno»: operación de valorización, siempre que así lo declare el órgano de dirección competente en materia de residuos, en la que se utilizan residuos no peligrosos aptos para los fines de regeneración en zonas excavadas o para obras de ingeniería paisajística. Los residuos empleados para relleno deben sustituir materiales que no sean residuos, ser aptos para los fines mencionados anteriormente y estar limitados a la cantidad estrictamente necesaria para lograr dichos fines.

q) «Residuos alimentarios»: todos los alimentos, tal como se definen en el artículo 2 del Reglamento (CE) n.º 178/2002 del Parlamento Europeo y del Consejo, de 28 de enero de 2002, por el que se establecen los principios y los requisitos generales de la legislación alimentaria, se crea la Autoridad Europea de Seguridad Alimentaria y se fijan los procedimientos relativos a la seguridad alimentaria, que se han convertido en residuos.

r) «Residuo inerte»: aquel que cumple con los criterios de admisión en los vertederos para residuos inertes establecidos en el Real decreto 646/2020, de 7 de julio, por el que se regula la eliminación de residuos mediante depósito en vertedero.

s) «Régimen de responsabilidad ampliada del sujeto productor»: el conjunto de medidas para garantizar que los sujetos productores de productos asuman la responsabilidad financiera o financiera y organizativa de la gestión de la fase de residuo del ciclo de vida de un producto.

t) «Suelo alterado»: suelo, sin la consideración de suelo contaminado, cuyas características han sido alteradas negativamente por la presencia de componentes químicos de carácter peligroso procedentes de la actividad humana, en concentración tal que superan los niveles genéricos de referencia establecidos por la normativa vigente o 50 mg/kg de hidrocarburos totales de petróleo.

u) «Tratamiento intermedio»: las operaciones de tratamiento realizadas sobre el residuo que precisen un tratamiento posterior.

v) «Tratamiento final»: todas las operaciones de tratamiento de residuos no incluidas en el párrafo anterior.

w) «Vajilla de plástico de un solo uso»: los platos, tenedores, cuchillos, cucharas, pajas y palillos fabricados total o parcialmente con plástico y que no han sido concebidos, diseñados o introducidos en el mercado para completar, dentro de su período de vida, múltiples circuitos o rotaciones mediante su devolución a un productor para ser reutilizados con el mismo fin para el cual han sido concebidos.

x) «Valorización final»: operaciones de preparación para la reutilización y reciclaje de residuos por las cuales los residuos son transformados de nuevo en productos, materiales o sustancias, incluida la valorización energética.

y) «Valorización de materiales»: toda operación de valorización distinta de la valorización energética y de la transformación en materiales que vayan a ser utilizados como combustible u otros medios de generar energía, incluyendo, entre otras operaciones, la preparación para la reutilización, el reciclaje y el relleno.

2.6.7. Fin de la condición de residuo

De conformidad con lo señalado en la normativa básica estatal, los residuos que, después de ser sometidos a una operación de valorización, cumplan los criterios específicos establecidos por orden del ministerio competente, podrán dejar de ser considerados como tales siempre que se cumplan las condiciones previstas en dicha normativa básica estatal.

Asimismo, dejarán de ser considerados residuos aquellos que cumplan con los criterios establecidos en la normativa de la Unión Europea.

De acuerdo con el artículo 5.3 de la Ley 22/2011, de 28 de julio, las sustancias u objetos afectados por lo dispuesto en dicho precepto y sus normas de desarrollo serán computados como residuos reciclados y valorizados a los efectos del cumplimiento de los objetivos en materia de reciclaje y valorización cuando se cumplan los criterios de valorización y reciclaje previstos en aquellas.

En las memorias anuales que los gestores deben presentar de conformidad con lo señalado en el artículo 28, se aportará la información que, respecto de los productos resultantes de las operaciones de valorización a que se refiere este artículo, determine el órgano de dirección competente en materia de residuos.

2.6.8. Subproductos

La sustancia u objeto, resultante de un proceso de producción, cuya finalidad primaria no sea la producción de esa sustancia u objeto serán considerados subproducto y no residuo, si cumplen con los requisitos establecidos por la normativa correspondiente del ministerio competente, de conformidad con lo señalado en la normativa básica estatal.

Las competencias que las correspondientes órdenes ministeriales atribuyan a las comunidades autónomas en relación con las personas productoras y usuarias de subproductos serán ejercidas, en el ámbito competencial de la Comunidad Autónoma de Galicia, por el órgano de la Administración general de la Comunidad Autónoma de Galicia competente en materia de residuos.

Las personas productoras y las usuarias de subproductos en la Comunidad Autónoma de Galicia deberán llevar un registro cronológico de las cantidades gestionadas o utilizadas como subproducto y de los restantes datos que, en su caso, prevean las correspondientes órdenes ministeriales. Este registro deberá mantenerse y estar a disposición de la Administración durante un período mínimo de cinco años o durante aquel período mínimo superior que pueda preverse en la correspondiente orden ministerial.

2.6.9. Competencias de las entidades locales

Las entidades locales son competentes para la gestión de los residuos en los términos señalados en la normativa básica estatal y en esta Ley 6/2021, de 17 de febrero.

En particular, corresponde a los ayuntamientos:

a) Como servicio obligatorio, la recogida, el transporte y el tratamiento de los residuos domésticos generados en los hogares, comercios y servicios en la forma en que establezcan sus respectivas ordenanzas, en el marco jurídico de lo establecido en la normativa básica estatal en materia de residuos, en la presente ley, en la normativa sectorial en materia de responsabilidad ampliada del productor y en el Plan de gestión de residuos urbanos de Galicia. La prestación de este servicio podrá llevarse a cabo de forma independiente o asociada.

b) El establecimiento de las medidas adecuadas para evitar el abandono el vertido de residuos domésticos.

c) El ejercicio de la potestad de vigilancia e inspección y de la potestad sancionadora en el ámbito de sus competencias.

Las entidades locales podrán:

a) Elaborar programas de gestión de los residuos de su competencia, de acuerdo con lo establecido en la presente ley y de conformidad y en coordinación con el plan nacional marco y con los planes de gestión de residuos que apruebe la Administración autonómica.

b) Elaborar programas de prevención de los residuos de su competencia de acuerdo con lo establecido en la presente ley y en los programas de prevención de residuos aprobados por la Administración autonómica.

c) Gestionar los residuos comerciales no peligrosos y los residuos domésticos generados en las industrias en los términos que establezcan sus respectivas ordenanzas, sin perjuicio de que los sujetos productores de estos residuos puedan gestionarlos por sí mismos. Cuando la entidad local establezca su propio sistema de gestión podrá imponer, de manera motivada y basándose en criterios de mayor eficiencia y eficacia en la gestión de los residuos, la incorporación obligatoria de los sujetos productores de residuos a dicho sistema en determinados supuestos.

d) A través de sus ordenanzas, obligar al sujeto productor u otro sujeto poseedor de residuos peligrosos domésticos o de residuos cuyas características dificulten su gestión a que adopten medidas para eliminar o reducir dichas características, o a que los depositen en la forma y lugar adecuados.

e) Implantar sistemas de recogida separada de nuevas fracciones de residuos domésticos, de conformidad con la planificación establecida por parte de la Administración autonómica.

f) Realizar sus actividades de gestión de residuos directamente o mediante cualquier otra forma de gestión prevista en la legislación sobre régimen local. Estas actividades podrán ser llevadas a cabo por cada entidad local de forma independiente o mediante asociación de varias entidades locales.

g) Declarar como servicio público de titularidad municipal todas o algunas de las operaciones de gestión de determinados tipos de residuos, en su ámbito competencial, cuando esté motivadamente justificado por razones de adecuada protección de la salud humana y del medio ambiente.

h) La declaración de servicio público no excluye la iniciativa privada. La prestación de servicio público bajo un régimen de monopolio requiere, en cualquiera de los casos, una previsión legal expresa.

2.6.10. Competencias de la Administración general de la Comunidad Autónoma de Galicia

Son competencias de la Administración general de la Comunidad Autónoma de Galicia:

a) La elaboración de los planes autonómicos de gestión de residuos y de los programas autonómicos de prevención de residuos.

b) La autorización y registro de las actividades de producción y gestión de residuos de conformidad con lo establecido en esta ley.

c) Asegurar el cumplimiento de las obligaciones impuestas a los sujetos productores dentro del marco de la responsabilidad ampliada del productor, tanto de forma individual como colectiva.

d) El registro de la información en materia de producción y gestión de residuos en su ámbito competencial y en materia de suelos contaminados, incluido el Registro de Productores y Gestores de Residuos de Galicia y el Registro de la Calidad de Suelos de Galicia.

e) La autorización, en su caso, del traslado desde o hacia países de la Unión Europea, o en los casos estipulados en el ejercicio de las competencias autonómicas en materia de traslados en el interior del territorio del Estado, con arreglo a la normativa aplicable a dichos traslados.

f) La tramitación de los procedimientos en materia de suelos contaminados, así como la declaración de suelos contaminados.

g) La declaración como servicio público, de titularidad autonómica o municipal, de todas o algunas de las operaciones de gestión de determinados tipos de residuos, cuando esté motivadamente justificado por razones de adecuada protección de la salud humana y del ambiente.

h) El ejercicio de la potestad de vigilancia e inspección y de la potestad sancionadora en el ámbito de sus competencias.

i) Cualquier otra competencia en materia de residuos que no haya sido expresamente atribuida a la Administración estatal o a las entidades locales.

2.6.11. Coordinación, colaboración y cooperación interadministrativas

Con la finalidad de realizar las acciones necesarias para la consecución de los objetivos establecidos en esta ley y en la planificación en materia de residuos, será promovida la coordinación entre las administraciones autonómica y local, así como la colaboración y cooperación con la estatal, en lo que se refiere a su régimen de competencias.

A fin de asegurar la coherencia de la actuación de las administraciones públicas de Galicia, la Administración general de la Comunidad Autónoma de Galicia utilizará los procedimientos previstos en la normativa de régimen local. Con la misma finalidad, y de conformidad con lo dispuesto en la normativa básica estatal en materia de régimen local y en los artículos 205 y siguientes de la Ley 5/1997, de 22 de julio, de Administración local de Galicia, el Consejo de la Xunta tendrá la facultad de coordinar la actuación de las entidades locales y, en especial, de las diputaciones provinciales, cuando las actividades o los servicios locales necesarios para la consecución de los objetivos previstos en esta ley trasciendan el interés propio de las correspondientes entidades locales, incidan o condicionen de forma relevante los de la Administración autonómica o sean concurrentes o complementarios de los de esta.

La potestad de coordinación a que se refiere el número anterior se ejercerá a través de los programas de prevención y gestión de residuos aprobados por la Administración general de la Comunidad Autónoma de Galicia, que fijarán los objetivos y prioridades de la acción pública en materia de residuos y la vinculación de las entidades locales a su contenido, en los términos previstos en la legislación básica y en esta ley.

2.6.12. Protección de la salud humana y del medio ambiente

Las autoridades competentes adoptarán las medidas necesarias para asegurar que la gestión de los residuos se realice sin poner en peligro la salud humana y sin dañar el medio ambiente y, en particular:

a) No generarán riesgos para el agua, el aire o el suelo, ni para la fauna y la flora.

b) No causarán incomodidades por el ruido o los malos olores.

c) No atentarán adversamente contra paisajes ni contra lugares de especial interés legalmente protegidos.

Las medidas que se adopten en materia de residuos serán coherentes con las estrategias de lucha contra el cambio climático.

2.6.13. Jerarquía de residuos

La Administración general de la Comunidad Autónoma de Galicia, en el desarrollo de las políticas y de la legislación en materia de prevención y gestión de residuos, aplicará, para conseguir el mejor resultado medioambiental global, la jerarquía de residuos por el siguiente orden de prioridad:

a) Prevención.

b) Preparación para la reutilización.

c) Reciclaje.

d) Otro tipo de valorización, incluida la valorización energética.

e) Eliminación.

No obstante, si para conseguir el mejor resultado medioambiental global en determinados flujos de residuos fuere necesario apartarse de dicha jerarquía, se podrá adoptar un orden distinto de prioridades, justificándolo previamente por un enfoque de ciclo de vida sobre los impactos de la generación y gestión de esos residuos, teniendo en cuenta los principios generales de precaución y sostenibilidad en el ámbito de la protección medioambiental, viabilidad técnica y económica, protección de los recursos, así como el conjunto de impactos ambientales sobre la salud humana, económicos y sociales.

Solo se podrán eliminar residuos tratados previamente y que no sean susceptibles de valorización según las mejores técnicas disponibles. Así, solo podrán ser objeto de eliminación los desechos procedentes de las plantas de tratamiento de residuos, entendidos estos como los producidos por el tratamiento de gestión no susceptibles de valorización posterior.

Esta disposición no es aplicable a los residuos cuyo tratamiento es técnicamente inviable o en los que quede justificado por razones de protección de la salud humana o del medio ambiente.

Queda prohibido eliminar en vertedero residuos recogidos separadamente.

2.6.14. Principio de prevención y medidas de prevención

Será exigible la adopción de medidas de prevención como respuesta a un suceso, a un acto o a una omisión que suponga una amenaza inminente de daño medioambiental, con objeto de impedir su producción o de reducir al máximo dicho daño.

2.6.15. Protección de la legalidad ambiental

Regula el artículo 36 de la Ley, que con el fin de asegurar el cumplimiento de lo previsto en esta ley, la autoridad competente podrá adoptar alguna de las siguientes medidas:

a) El cierre del establecimiento o la paralización de la actividad cuando estos no cuenten con la autorización, comunicación o registro correspondientes.

b) La suspensión temporal de la actividad cuando no se ajuste al comunicado o a las condiciones impuestas por dicha autoridad, siempre que de ello se derive un riesgo grave para el medio ambiente o la salud pública, durante el período necesario para que se subsanen los defectos que puedan existir.

Las medidas previstas en el número anterior no tienen la consideración de sanciones y se dictarán conforme a lo dispuesto en la normativa autonómica para los procedimientos que regulen el otorgamiento de la autorización, la comunicación o registro, o, en su caso, según el procedimiento reglamentariamente establecido para el restablecimiento de la legalidad medioambiental.

2.6.16. Puntos limpios de recogida separada de residuos de competencia local

El Título III de la Ley 6/2021, de 17 de febrero, desarrolla la gestión de residuos domésticos, comerciales e industriales, dedicando el artículo 37 a los puntos limpios de recogida separada de residuos de competencia local.

Todas las entidades locales deben garantizar el servicio de recogida separada de los residuos domésticos en el ámbito de sus competencias. Aquellos residuos domésticos que, debido a su tamaño o a su composición, no puedan ser gestionados a través de contenedores situados en la vía pública deberán gestionarse a través de instalaciones fijas o móviles debidamente habilitadas, salvo que, por razones de salud pública y seguridad y protección del medio ambiente, no sea recomendable su gestión en estas instalaciones y su recogida deba canalizarse a través de otros sistemas de recogida selectiva autorizados.

Las entidades locales podrán prestar el servicio de recogida separada de otros residuos no peligrosos generados en los comercios y de los residuos domésticos generados en las industrias, si así se establece en sus respectivas ordenanzas, previendo el sistema de financiación correspondiente.

Los municipios podrán llevar a cabo la gestión de los puntos limpios directamente o mediante cualquier otra forma de gestión prevista en la legislación sobre régimen local. Estas actividades podrán ser llevadas a cabo por cada entidad local de forma independiente o mediante asociación de varias entidades locales.

2.6.17. Responsabilidad y régimen sancionador

Desarrollado en el capítulo II del Título VIII de la Ley, dedicado a la vigilancia, inspección, control y potestad sancionadora, nos detenemos principalmente en ver la potestad sancionadora, los sujetos responsables así como la tipología de infracciones, sanciones y la prescripción de las mismas.

2.6.17.1. Potestad sancionadora

El ejercicio de la potestad sancionadora en materia de residuos y suelos contaminados corresponde:

a) A la consejería competente en materia de medio ambiente, en lo que atañe al ámbito de competencias que en esta materia corresponde a la Administración general de la Comunidad Autónoma de Galicia.

b) A los ayuntamientos, en el caso de las infracciones consistentes en el abandono, vertido o eliminación incontrolados de los residuos cuya recogida y gestión corresponde a aquellos, así como de las infracciones relativas al depósito o entrega de residuos sin cumplir las condiciones previstas en sus ordenanzas.

2.6.17.2. Sujetos responsables de las infracciones administrativas

Podrán ser sancionadas por los hechos constitutivos de las infracciones administrativas recogidas en este capítulo las personas físicas o jurídicas que los cometan a título de dolo o culpa, de acuerdo con lo establecido en esta ley y sin perjuicio, en su caso, de las correspondientes responsabilidades civiles, penales y medioambientales.

De acuerdo con el artículo 28.3 de la Ley 40/2015, de 1 de octubre, de régimen jurídico del sector público, cuando el cumplimiento de una obligación establecida en la presente ley corresponda a varias personas conjuntamente, responderán de forma solidaria de las infracciones que, en su caso, se cometan y de las sanciones que se impongan. No obstante, cuando la sanción sea pecuniaria y sea posible, se individualizará en la resolución en función del grado de participación de cada sujeto responsable.

La responsabilidad será solidaria, en todo caso, en los siguientes supuestos:

a) Cuando el sujeto productor, el sujeto poseedor inicial o el sujeto gestor de residuos entregue residuos a una persona física o jurídica distinta de las señaladas en esta ley y en la restante normativa de residuos.

b) Cuando sean varios los sujetos responsables y no sea posible determinar el grado de participación de cada uno en la realización de la infracción.

Cuando los daños causados al medio ambiente se originen por acumulación de actividades debidas a diferentes personas, la administración competente podrá imputar individualmente esta responsabilidad y sus efectos económicos.

2.6.17.3. Infracciones

Constituyen infracciones administrativas, de conformidad con la presente ley, las acciones y omisiones tipificadas en ella.

Las infracciones tipificadas en la presente ley se clasifican en muy graves, graves y leves.

Infracciones muy graves (artículo 81)

Constituyen infracciones muy graves:

a) El ejercicio de una actividad regulada en esta ley sin la preceptiva comunicación o autorización, o con ella caducada o suspendida, así como el incumplimiento de las obligaciones impuestas en las autorizaciones o de la información incorporada en la comunicación, siempre que haya supuesto peligro grave o daño a la salud de las personas, haya producido un daño o deterioro grave para el medio ambiente, o cuando la actividad tenga lugar en espacios protegidos.

b) La actuación en forma contraria a lo establecido en esta ley y en sus normas de desarrollo, siempre que haya supuesto peligro grave o daño a la salud de las personas, haya producido un daño o deterioro grave para el medio ambiente, o cuando la actividad tenga lugar en espacios protegidos.

c) El abandono, vertido o eliminación incontrolada de residuos peligrosos.

d) El abandono, vertido o eliminación incontrolada de cualquier otro tipo de residuos, siempre que se haya puesto en peligro grave la salud de las personas, o se haya producido un daño o deterioro grave para el medio ambiente.

e) El incumplimiento de las obligaciones derivadas de las medidas provisionales previstas en esta ley.

f) La ocultación o la alteración intencionadas de datos aportados a los expedientes administrativos para la obtención de autorizaciones, permisos o licencias, o de datos contenidos en las comunicaciones relacionadas con el ejercicio de las actividades reguladas en esta ley.

g) La elaboración, importación o adquisición intracomunitaria de productos con sustancias o preparados prohibidos por el peligro de los residuos que generan.

h) No realizar las operaciones de limpieza y recuperación cuando un suelo haya sido declarado como contaminado, previo el correspondiente requerimiento del órgano competente de la Administración general de la Comunidad Autónoma de Galicia o el incumplimiento, en su caso, de las obligaciones derivadas de acuerdos voluntarios o convenios de colaboración para la reparación en vía convencional de los suelos contaminados.

i) La mezcla de las diferentes categorías de residuos peligrosos entre sí o de estos con los que no tengan tal consideración, siempre que como consecuencia de ello se haya puesto en peligro grave la salud de las personas, o se haya producido un daño o deterioro grave para el medio ambiente.

j) La entrega, venta o cesión de residuos peligrosos a personas físicas o jurídicas distintas de las señaladas en esta ley, así como la aceptación de aquellos en condiciones distintas de las que se establezcan en las correspondientes autorizaciones y comunicaciones, o en las normas establecidas en esta ley.

k) La elaboración, la puesta en el mercado o la utilización de productos o envases en el ámbito de la responsabilidad ampliada del sujeto productor del producto, incumpliendo las obligaciones que se deriven de esta ley o de sus normas de desarrollo y las condiciones impuestas en la autorización, cuando como consecuencia se perturben gravemente la salud e higiene públicas, la protección del medio ambiente o la seguridad de las personas consumidoras.

l) La entrada en el territorio de la Comunidad Autónoma de Galicia de residuos peligrosos procedentes de otro Estado miembro de la Unión Europea, así como la salida de residuos peligrosos hacia otro Estado miembro, sin obtener los permisos y autorizaciones exigidos por la legislación de la Unión Europea o sin cumplir la obligación establecida en el artículo 26.5.b) de la Ley 22/2011, de 28 de julio.

m) No elaborar los planes de vigilancia y control del suelo y de las aguas subterráneas asociadas, las investigaciones analíticas de la calidad del suelo o las valoraciones de riesgos cuando sea obligatorio de acuerdo con lo dispuesto en esta ley, siempre que se haya puesto en peligro grave la salud de las personas, o se haya producido un daño o deterioro grave en el medio ambiente.

n) No adoptar medidas de recuperación en suelos cuando así se requiera, siempre que se haya puesto en peligro grave la salud de las personas, o se haya producido un daño o deterioro grave en el medio ambiente.

ñ) El incumplimiento de las condiciones señaladas en las resoluciones emitidas por el órgano de la Administración general de la Comunidad Autónoma de Galicia competente en materia de suelos contaminados en los procedimientos regulados en esta ley y en la normativa de desarrollo, siempre que se haya puesto en peligro grave la salud de las personas o se haya producido un daño o deterioro grave en el medio ambiente.

o) El incumplimiento de la obligación prevista en el artículo 55.1 de informar al órgano de la Administración general de la Comunidad Autónoma de Galicia competente en materia de suelos contaminados de la detección de indicios o riesgos de contaminación, siempre que se haya puesto en peligro grave la salud de las personas, o se haya producido un daño o deterioro grave en el medio ambiente.

Infracciones graves (artículo 82)

Constituyen infracciones graves:

a) El ejercicio de una actividad descrita en esta ley sin la preceptiva comunicación o autorización, o con ella caducada o suspendida, así como el incumplimiento de las obligaciones impuestas en las autorizaciones o de la información incorporada en la comunicación, sin que haya supuesto un peligro grave o un daño a la salud de las personas ni se haya producido un daño o deterioro grave para el medio ambiente.

b) La actuación en forma contraria a lo establecido en esta ley y en sus normas de desarrollo, sin que haya supuesto un peligro grave o un daño a la salud de las personas ni se haya producido un daño o deterioro grave para el medio ambiente.

c) El abandono, vertido o eliminación incontrolados de cualquier tipo de residuos no peligrosos sin que haya supuesto un peligro grave o un daño a la salud de las personas ni se haya producido un daño o deterioro grave para el medio ambiente.

d) El incumplimiento de la obligación de proporcionar documentación, la ocultación o falseamiento de datos exigidos por la normativa aplicable o por las estipulaciones contenidas en la autorización, el incumplimiento de la obligación de custodia y mantenimiento de dicha documentación, así como la ocultación o falseamiento de datos o no entrega de la información o documentación exigida por el órgano competente de la Administración general de la Comunidad Autónoma de Galicia, cuando esta información sea necesaria para determinar el grado de cumplimiento de esta ley y sus normas de desarrollo.

e) La falta de constitución de fianzas o garantías, o de su renovación, cuando sean obligatorias.

f) El incumplimiento de las obligaciones derivadas de los convenios y acuerdos que se establezcan en materia de responsabilidad ampliada del sujeto productor del producto, en relación con la producción y gestión de residuos y en el ámbito de suelos contaminados.

g) La obstrucción, por acción u omisión, de la actividad de vigilancia, inspección y control de la Administración general de la Comunidad Autónoma de Galicia, así como el incumplimiento de las obligaciones de colaboración previstas en el artículo 44.2 de la Ley 22/2011, de 28 de julio.

h) La falta de etiquetado, o el etiquetado incorrecto o parcial de los envases que contengan residuos peligrosos.

i) La mezcla de las diferentes categorías de residuos peligrosos entre sí o de estos con los que no tengan tal consideración, siempre que como consecuencia no se haya puesto en peligro grave la salud de las personas ni se haya producido un daño o deterioro grave para el medio ambiente.

j) La entrega, venta o cesión de residuos no peligrosos a personas físicas o jurídicas distintas de las señaladas en esta ley, así como la aceptación de aquellos en condiciones distintas de las que se establezcan en las correspondientes autorizaciones o en las normas establecidas en esta ley.

k) La elaboración, la puesta en el mercado o la utilización de productos o envases en el ámbito de la responsabilidad ampliada del sujeto productor del producto incumpliendo las obligaciones que se deriven de esta ley y de sus normas de desarrollo y las estipulaciones contenidas en la autorización, siempre que no se perturben gravemente la salud e higiene públicas, la protección del medio ambiente ni la seguridad de las personas consumidoras.

l) No elaborar los estudios de minimización de residuos o los planes empresariales de prevención previstos en las normas de residuos, así como no atender los requerimientos efectuados por el órgano de la Administración general de la Comunidad Autónoma de Galicia competente en materia de residuos para que aquellos sean modificados o completados con carácter previo a su aprobación.

m) El incumplimiento de las prohibiciones establecidas en el artículo 44.2.

n) La entrada en el territorio de la Comunidad Autónoma de Galicia de residuos procedentes de otro Estado miembro de la Unión Europea, así como la salida de residuos hacia otro Estado miembro, sin obtener los permisos y autorizaciones exigidos por la legislación de la Unión Europea, o sin cumplir la obligación establecida en el artículo 26.5.b) de la Ley 22/2011, de 28 de julio.

ñ) En el caso de traslado intracomunitario, el incumplimiento de la obligación de emisión del certificado de valorización o eliminación intermedia o definitiva de los residuos, en el plazo máximo y en los términos establecidos en los artículos 15 y 16 del Reglamento 1013/2006, del Parlamento Europeo y del Consejo, de 14 de junio de 2006.

o) No elaborar los planes de vigilancia y control del suelo y de las aguas subterráneas asociadas, las investigaciones analíticas de la calidad del suelo o las valoraciones de riesgos cuando sea obligatorio de acuerdo con lo dispuesto en esta ley, cuando no se haya puesto en peligro grave la salud de las personas ni se haya producido un daño o deterioro grave en el medio ambiente.

p) La ocultación o alteración por parte de las entidades acreditadas de los datos que deban suministrar a la Administración general de la Comunidad Autónoma de Galicia de acuerdo con lo dispuesto en esta ley y con lo que reglamentariamente se establezca.

q) La comisión de alguno de los hechos tipificados en esta ley como infracción muy grave, cuando, por su escasa cuantía o entidad, no merezca esa calificación.

Infracciones leves (artículo 83)

Constituyen infracciones leves:

a) El retraso en el suministro de la documentación que haya que proporcionar a la Administración general de la Comunidad Autónoma de Galicia de acuerdo con lo establecido por la normativa aplicable, en las estipulaciones contenidas en las autorizaciones o que deba, en su caso, acompañar a las comunicaciones.

b) La comisión de alguno de los hechos tipificados en esta ley como infracción muy grave o grave cuando, por su escasa cuantía o entidad, no merezca esa calificación.

c) Cualquier incumplimiento de las obligaciones impuestas expresamente por esta ley y sus normas de desarrollo, de las estipulaciones contenidas en las autorizaciones o del contenido de las comunicaciones, cuando no esté tipificada como infracción muy grave o grave.

2.6.17.4. Sanciones

Las infracciones muy graves tipificadas en esta ley darán lugar a la imposición de todas o algunas de las siguientes sanciones:

a) Multa desde 45.001 euros, o desde 300.001 euros de tratarse de residuos peligrosos, hasta 1.750.000 euros.

b) Inhabilitación para el ejercicio de cualquiera de las actividades previstas en esta ley por un período de tiempo no inferior a un año ni superior a diez.

c) En el supuesto de las infracciones tipificadas en los párrafos a), b), e), f), i) y j) del artículo 81, clausura temporal o definitiva, total o parcial, de las instalaciones o aparatos por un plazo máximo de 5 años, debiéndose salvaguardar los derechos de las personas trabajadoras de acuerdo con lo previsto en la legislación laboral.

d) En el supuesto de las infracciones tipificadas en las letras a), b), e), f), g), i) y j) del artículo 81, revocación de la autorización o suspensión por un tiempo no inferior a un año ni superior a diez.

Las infracciones graves tipificadas en esta ley darán lugar a la imposición de todas o algunas de las siguientes sanciones:

a) Multa desde 901 euros hasta 45.000 euros, o desde 9.001 euros hasta 300.000 euros de tratarse de residuos peligrosos.

b) Inhabilitación para el ejercicio de cualquiera de las actividades previstas en esta ley por un período de tiempo inferior a un año.

c) En el supuesto de las infracciones tipificadas en los párrafos a), b), e), g), h), i), j) y n) del artículo 82, revocación de la autorización o suspensión por un tiempo de hasta un año.

Las infracciones leves se sancionarán con una multa de hasta 900 euros, o de hasta 9.000 euros de tratarse de residuos peligrosos.

En el supuesto de las infracciones tipificadas en los párrafos g) y k) del artículo 81 y en los párrafos k), l) y m) del artículo 82, el órgano que ejerza la potestad sancionadora podrá acordar como sanción accesoria el decomiso de las mercancías, determinando su destino final.

Las personas físicas o jurídicas que hayan sido sancionadas por la comisión de las infracciones muy graves o graves tipificadas en esta ley no podrán obtener subvenciones del sector público autonómico hasta cumplir la sanción y, en su caso, ejecutar las medidas correctoras pertinentes.

2.6.17.5. Gradación de las sanciones

El órgano que ejerza la potestad sancionadora deberá guardar la debida adecuación entre la sanción y el hecho constitutivo de la infracción, considerando especialmente:

a) Su repercusión.

b) Su trascendencia por lo que respecta a la salud y seguridad de las personas y del medio ambiente o a los bienes protegidos por la Ley 22/2011, de 28 de julio, y por la presente ley.

c) Las circunstancias de la persona responsable y su grado de intencionalidad, participación y beneficio obtenido.

d) La reincidencia, por comisión en el término de un año de más de una infracción de la misma naturaleza cuando así haya sido declarado por resolución firme en vía administrativa.

e) La reiteración.

f) La irreversibilidad de los daños o deterioros producidos.

g) Los demás criterios de graduación previstos con carácter básico en el artículo 29.3 de la Ley 40/2015, de 1 de octubre.

En ningún caso la multa que se imponga por la comisión de una infracción tipificada en esta ley resultará más beneficiosa para quien cometió la infracción que el cumplimiento de la disposición infringida. A este efecto, la cuantía máxima de la multa prevista en el artículo 84 para el tipo de infracción de que se trate podrá incrementarse hasta un importe equivalente al beneficio obtenido. La valoración del beneficio ilícito se hará de acuerdo con valores y precios de mercado.

Sabías que...

En la determinación normativa del régimen sancionador, así como en la imposición de sanciones por las Administraciones Públicas se deberá observar la debida idoneidad y necesidad de la sanción a imponer y su adecuación a la gravedad del hecho constitutivo de la infracción. La graduación de la sanción considerará especialmente los siguientes criterios:

a) El grado de culpabilidad o la existencia de intencionalidad.

b) La continuidad o persistencia en la conducta infractora.

c) La naturaleza de los perjuicios causados.

d) La reincidencia, por comisión en el término de un año de más de una infracción de la misma naturaleza cuando así haya sido declarado por resolución firme en vía administrativa.

2.6.17.6. Prescripción de las infracciones

Las **infracciones** tipificadas en esta ley **prescribirán** en los siguientes plazos:

a) Las infracciones muy graves, a los cinco años.

b) Las infracciones graves, a los tres años.

c) Las infracciones leves, al año.

El plazo de prescripción comenzará a contarse desde el día en que la infracción se hubiese cometido, con las siguientes particularidades:

a) En los supuestos de infracciones continuadas, el plazo de prescripción comenzará a contar desde el momento de la finalización de la actividad o del último acto con el que la infracción se consuma. En el caso de que los hechos o actividades constitutivos de infracción fuesen desconocidos por carecer de signos externos, dicho plazo se computará desde que aquellos se manifiesten.

b) Cuando los daños al medio ambiente derivados de las infracciones no fueren inmediatamente perceptibles, el plazo de prescripción comenzará a contar desde el momento de su manifestación o conocimiento.

Interrumpirá la prescripción la iniciación, con conocimiento de la persona interesada, del procedimiento sancionador. El plazo de prescripción volverá a correr si el expediente sancionador estuviere paralizado durante más de un mes por causa no imputable a la persona presuntamente responsable.

2.6.17.7. Prescripción de las sanciones

Las **sanciones** impuestas por la comisión de infracciones leves **prescribirán** al año, las impuestas por faltas graves, a los tres años y las impuestas por faltas muy graves, a los cinco años.

El plazo de prescripción de las sanciones comenzará a contarse desde el día siguiente a aquel en que sea ejecutable la resolución por la que se impone la sanción o haya transcurrido el plazo para recurrir contra ella.

Interrumpirá la prescripción la iniciación, con conocimiento de la persona interesada, del procedimiento de ejecución. El plazo volverá a transcurrir si aquel estuviere paralizado durante más de un mes por causa no imputable a la persona infractora.

En el caso de desestimación presunta del recurso de alzada interpuesto contra la resolución por la que se impone la sanción, el plazo de prescripción de la sanción comenzará a contarse desde el día siguiente a aquel en que finalice el plazo legalmente previsto para la resolución de dicho recurso, de acuerdo con lo previsto en el artículo 30.3 de la Ley 40/2015, de 1 de octubre.

Solución a las actividades

Actividad 1.

1. Urbanismo: planeamiento, gestión, ejecución y disciplina urbanística. Protección y gestión del Patrimonio histórico. Promoción y gestión de la vivienda de protección pública con criterios de sostenibilidad financiera. Conservación y rehabilitación de la edificación.

2. Medio ambiente urbano: en particular, parques y jardines públicos, gestión de los residuos sólidos urbanos y protección contra la contaminación acústica, lumínica y atmosférica en las zonas urbanas.

3. Abastecimiento de agua potable a domicilio y evacuación y tratamiento de aguas residuales.

4. Infraestructura viaria y otros equipamientos de su titularidad.

Actividad 2.

- Verdadera.

TEMA 7

Delitos y delitos leves. Circunstancias modificadoras de la responsabilidad criminal. Personas responsables: autores y cómplices

Rentabiliza tu **esfuerzo** con los recursos del Curso Online MAD360.

Índice

1. Delitos y delitos leves

1.1. Introducción

Como quiera que la finalidad de este manual es ser una herramienta de trabajo para los aspirantes y profesionales de la Policía Local, abordamos este y los siguientes Temas del programa desde una concepción eminentemente práctica y positivista, huyendo intencionadamente -a salvo de unas ligeras notas definitorias- del planteamiento y comentario de doctrinas científicas, que deben residenciarse en las aulas donde se imparte la disciplina del Derecho Penal, recogiendo, no obstante, dada su relevancia práctica la jurisprudencia, puesto que, como señala el art. 1,6º del Código Civil, complementa el ordenamiento jurídico con la doctrina reiterada establecida por el Tribunal Supremo al interpretar y aplicar la Ley, la Costumbre y los Principios Generales del Derecho, es decir, las fuentes de nuestro ordenamiento jurídico (art. 1,1º del citado Código Civil).

1.2. Concepto de delito

Antes de entrar a tratar de este epígrafe, se ha de hacer mención a la supresión de las faltas en el Código Penal, llevada a cabo por la Ley Orgánica 1/2015, de 30 de marzo (LO 1/2015, en otras llamadas), por la que se modifica la Ley Orgánica 10/1995, de 23 de noviembre, del Código Penal (CP, en adelante).

Al efecto, como señala la Exposición de Motivos de esta LO 1/2015, "en nuestro Derecho no existe una diferencia cualitativa entre delitos y faltas. Las diferencias son puramente formales, por el carácter que la ley otorga a una u otra infracción, o cuantitativas en atención al tipo de pena que se les impone. La tipificación de determinadas conductas como faltas penales obedece a simples razones de política criminal, que en el momento actual carecen de suficiente justificación. Y se aprecia una cierta distorsión en la comparativa con el Derecho administrativo sancionador, que en muchos casos ofrece una respuesta sancionadora más contundente que la prevista en el Código Penal para conductas teóricamente más graves. De ahí que la reforma lleve a cabo una supresión definitiva del catálogo de faltas regulado en el Libro III del Código Penal, tipificando como delito leve aquellas infracciones que se estima necesario mantener.

La supresión de las infracciones constitutivas de falta introduce coherencia en el sistema sancionador en su conjunto, pues una buena parte de ellas describen conductas sancionadas de forma más grave en el ámbito administrativo; en otras ocasiones, se trata de infracciones que son corregidas de forma más adecuada en otros ámbitos, como las faltas contra las relaciones familiares que tienen una respuesta más apropiada en el Derecho de familia; y, en algunos casos, regulan conductas que, en realidad, son constitutivas de delito o deberían ser reguladas de forma expresa como delito.

La nueva categoría de delitos leves permite subsumir aquellas conductas constitutivas de falta que se estima necesario mantener".

1.2.1. Definición doctrinal

Para RODRÍGUEZ DEVESA, delito es "una acción antijurídica y culpable, a la que está señalada una pena".

Por su parte, para COBO DEL ROSAL y VIVES ANTÓN, delito es "un hecho humano típicamente antijurídico, culpable y punible".

De estas definiciones se extraen, fácilmente, las condiciones para reputar como delito una conducta:

a) Ha de tratarse de una conducta humana.

b) Dicha conducta ha de ir en contra del ordenamiento jurídico en cada momento en vigor.

c) La conducta ha de ser querida por quien la realiza, es decir, debe existir una voluntad de realizarla (dolo), o, al menos, debe existir una falta de diligencia exigible al que actúa (culpa).

d) Como consecuencia de su carácter transgresor, lleva aparejada la imposición de una pena.

1.2.2. Definición legal

El art. 10 CP establece que "son delitos las acciones y omisiones dolosas o imprudentes penadas por la ley". Las acciones u omisiones imprudentes solo se castigarán cuando expresamente lo disponga una Ley (art. 12 CP).

De esta definición pueden extraerse las siguientes consecuencias:

a) Han de consistir en un hacer (acción) o un no hacer (omisión).

El art. 11 CP (también afectado por la LO 1/2015), a estos efectos, señala que los delitos que consistan en la producción de un resultado solo se entenderán cometidos por omisión cuando la no evitación del mismo, al infringir un especial deber jurídico del autor, equivalga, según el sentido del texto de la ley, a su causación. A tal efecto se equiparará la omisión a la acción:

1. Cuando exista una específica obligación legal o contractual de actuar.

2. Cuando el omitente haya creado una ocasión de riesgo para el bien jurídicamente protegido mediante una acción u omisión precedente.

b) Han de ser dolosas, es decir, el sujeto responsable debe conocer la conducta injusta o antijurídica que está cometiendo y querer realizarla activa u omisivamente; o imprudentes, esto es, que el sujeto responsable realice una conducta antijurídica sin consciencia y voluntad de realizarla, pero, también, sin emplear la diligencia que personalmente le es exigible para evitarla.

La exigencia de la concurrencia del dolo o la imprudencia es insustituible, pues, como señala el art. 5 CP, "no hay pena sin dolo o imprudencia".

c) Han de estar penadas por la Ley, lo que nos reconduce a uno de los principios capitales de nuestro ordenamiento jurídico: el principio de legalidad penal, recogido en el art. 25 de nuestra vigente Constitución, de 27 de diciembre de 1978 (CE, en adelante), según el cual "nadie puede ser condenado o sancionado por acciones u omisiones que en el momento de producirse no constituyan delito, falta o infracción administrativa, según la legislación vigente en aquel momento", debiendo entenderse el término legislación, como ha señalado en reiteradísimas sentencias el Tribunal Constitucional, como Ley formal, es decir, de las Cortes Generales, y no disposiciones generales de otro tipo o rango (por ejemplo, un Reglamento).

En definitiva, con este principio de legalidad se está aplicando el axioma de *nullum crimen nulla poena sine previa lege*.

A estos efectos, a tenor del art. 1 CP (modificado por la LO 1/2015), no será castigada ninguna acción ni omisión que no esté prevista como delito por Ley anterior a su perpetración, y las medidas de seguridad solo podrán aplicarse cuando concurran los presupuestos establecidos previamente por la Ley.

Por su parte, conforme al art. 2 CP (cuyo apartado 1 ha sido redactado de nuevo por la LO 1/2015), no será castigado ningún delito con pena que no se halle prevista por ley anterior a su perpetración. Carecerán, igualmente, de efecto retroactivo las leyes que establezcan medidas de seguridad.

Paul Johann Anselm von Feuerbach, autor de la máxima «nullum crimen, nulla poena sine praevia lege»

No obstante, tendrán efecto retroactivo aquellas leyes penales que favorezcan al reo, aunque al entrar en vigor hubiera recaído sentencia firme y el sujeto estuviese cumpliendo condena. En caso de duda sobre la determinación de la Ley más favorable, será oído el reo. Los hechos cometidos bajo la vigencia de una Ley temporal serán juzgados, sin embargo, conforme a ella, salvo que se disponga expresamente lo contrario.

Asimismo, según el art. 4 CP, las leyes penales no se aplicarán a casos distintos de los comprendidos expresamente en ellas. En el caso de que un Juez o Tribunal, en el ejercicio de su jurisdicción, tenga conocimiento de alguna acción u omisión que, sin estar penada por la Ley, estime digna de represión, se abstendrá de todo procedimiento sobre ella y expondrá al Gobierno las razones que le asistan para creer que debiera ser objeto de sanción penal.

Del mismo modo acudirá al Gobierno exponiendo lo conveniente sobre la derogación o modificación del precepto o la concesión de indulto, sin perjuicio de ejecutar desde luego la sentencia, cuando de la rigurosa aplicación de las disposiciones de la Ley resulte penada una acción u omisión que, a juicio del Juez o Tribunal, no debiera serlo, o cuando la pena sea notablemente excesiva, atendidos el mal causado por la infracción y las circunstancias personales del reo.

Si mediara petición de indulto, y el Juez o Tribunal hubiere apreciado en resolución fundada que por el cumplimiento de la pena puede resultar vulnerado el derecho a un proceso sin dilaciones indebidas, suspenderá la ejecución de la misma en tanto no se resuelva sobre la petición formulada.

También podrá el Juez o Tribunal suspender la ejecución de la pena, mientras no se resuelva sobre el indulto cuando, de ser ejecutada la sentencia, la finalidad de este pudiera resultar ilusoria.

Finalmente, a los efectos de determinar la ley penal aplicable en el tiempo, los delitos se consideran cometidos en el momento en que el sujeto ejecuta la acción u omite el acto que estaba obligado a realizar (art. 7 CP, modificado por la LO 1/2015).

1.2.3. Concepto estricto y legal del delito

El art. 13 CP (cuyos apartados 3 y 4 han sido redactados de nuevo por la LO 1/2015) establece que:

1. Son delitos graves las infracciones que la Ley castiga con pena grave.

2. Son delitos menos graves las infracciones que la Ley castiga con pena menos grave.

3. Son delitos leves las infracciones que la ley castiga con pena leve.

4. Cuando la pena, por su extensión, pueda incluirse a la vez entre las mencionadas en los dos primeros números de este artículo, el delito se considerará, en todo caso, como grave. Cuando la pena, por su extensión, pueda considerarse como leve y como menos grave, el delito se considerará, en todo caso, como leve.

A estos efectos, habrá de estarse a lo dispuesto en el art. 33 del propio CP (afectado por la LO 1/2015), donde se clasifican los distintos tipos de penas que pueden imponerse con arreglo al mismo, a lo que nos referiremos en otro epígrafe de este Tema. Y habrá que estar, también, a la minuciosa relación de delitos que se recoge en el Libro II del propio CP ("Delitos y sus penas"). Como ejemplo de delito leve en el ámbito de la violencia de género, podemos destacar las injurias de carácter leve.

1.2.4. Dolo y culpa

Como ha señalado RODRÍGUEZ DEVESA, "actúa dolosamente el que sabe lo que hace y quiere hacerlo". Los dos componentes del dolo son, por consiguiente, el saber (elemento intelectual, intencional, cognitivo) que se realiza y el querer (elemento volitivo o emocional) realizar el tipo del injusto", la conducta antijurídica. Se trata, en síntesis, como indican COBO DEL ROSAL y VIVES ANTÓN, de "una consciencia y voluntad de la realización del injusto típico".

La culpa, por el contrario, se conceptúa por la omisión de la diligencia debida, es decir, como señala RODRÍGUEZ DEVESA, por la omisión de aquel comportamiento que hubiera evitado la realización del tipo del injusto, o como indican COBO DEL ROSAL y VIVES ANTÓN, por la realización de un hecho típicamente antijurídico, sin intencionalidad, sino a causa de haber infringido el deber de cuidado que personalmente es exigible a quien lo hace.

1.2.5. Grados de perfección del delito

Conforme a los arts. 15 a 18 CP (de los cuales los arts. 15 a 17 han sido modificados por la LO 1/2015), son punibles el delito consumado y la tentativa de delito.

Hay **tentativa** cuando el sujeto da principio a la ejecución del delito directamente por hechos exteriores, practicando todos o parte de los actos que objetivamente deberían producir el resultado, y sin embargo este no se produce por causas independientes de la voluntad del autor.

Quedará exento de responsabilidad penal por el delito intentado quien evite voluntariamente la consumación del delito, bien desistiendo de la ejecución ya iniciada, bien impidiendo la producción del resultado, sin perjuicio de la responsabilidad en que pudiera haber incurrido por los actos ejecutados, si estos fueren ya constitutivos de otro delito.

Cuando en un hecho intervengan varios sujetos, quedarán exentos de responsabilidad penal aquel o aquellos que desistan de la ejecución ya iniciada, e impidan o intenten impedir, seria, firme y decididamente, la consumación, sin perjuicio de la responsabilidad en que pudieran haber incurrido por los actos ejecutados, si estos fueren ya constitutivos de otro delito.

La **conspiración** existe cuando dos o más personas se conciertan para la ejecución de un delito y resuelven ejecutarlo.

La **proposición** existe cuando el que ha resuelto cometer un delito invita a otra u otras personas a participar en él.

La conspiración y la proposición para delinquir solo se castigarán en los casos especialmente previstos en la ley.

La **provocación** existe cuando directamente se incita por medio de la imprenta, la radiodifusión o cualquier otro medio de eficacia semejante, que facilite la publicidad, o ante una concurrencia de personas, a la perpetración de un delito.

Es **apología**, a los efectos del CP, la exposición, ante una concurrencia de personas o por cualquier medio de difusión, de ideas o doctrinas que ensalcen el crimen o enaltezcan a su autor. La apología sólo será delictiva como forma de provocación y si por su naturaleza y circunstancias constituye una incitación directa a cometer un delito.

Finalmente, la provocación se castigará exclusivamente en los casos en que la Ley así lo prevea. Si a la provocación hubiese seguido la perpetración del delito, se castigará como **inducción**.

1.3. Lesiones

Nota: aunque este apartado no aparece requerido explícitamente en el Programa, estimamos oportuno incluirlo por cuanto está relacionado con el tema y ha sido además objeto de pregunta de examen.

A las lesiones se dedica el Título III del Libro II del CP, arts. 147 a 156 ter, algunos de los cuales han sido redactados *ex novo* o modificados parcialmente.

El art. 147, en concreto, dispone que:

1. El que, por cualquier medio o procedimiento, causare a otro una lesión que menoscabe su integridad corporal o su salud física o mental, será castigado, como reo del delito de lesiones con la pena de prisión de tres meses a tres años o multa de seis a doce meses, siempre que la lesión requiera objetivamente para su sanidad, además de una primera asistencia facultativa, tratamiento médico o quirúrgico. La simple vigilancia o seguimiento facultativo del curso de la lesión no se considerará tratamiento médico.

2. El que, por cualquier medio o procedimiento, causare a otro una lesión no incluida en el apartado anterior, será castigado con la pena de multa de uno a tres meses.

3. El que golpeare o maltratare de obra a otro sin causarle lesión, será castigado con la pena de multa de uno a dos meses.

4. Los delitos previstos en los dos apartados anteriores solo serán perseguibles mediante denuncia de la persona agraviada o de su representante legal.

El art. 148, por su parte, redactado *ex novo* por la LO 1/2004, modificado por Ley Orgánica 1/2015, de 30 de marzo y por Ley Orgánica 8/2021, de 4 de junio, de protección integral a la infancia y la adolescencia frente a la violencia, establece que las lesiones previstas en el apartado 1 del artículo anterior podrán ser castigadas con la pena de prisión de dos a cinco años, atendiendo al resultado causado o riesgo producido:

1.º Si en la agresión se hubieren utilizado armas, instrumentos, objetos, medios, métodos o formas concretamente peligrosas para la vida o salud, física o psíquica, del lesionado.

2.º Si hubiere mediado ensañamiento o alevosía.

3.º Si la víctima fuere menor de catorce años o persona con discapacidad necesitada de especial protección.

4.º Si la víctima fuere o hubiere sido esposa, o mujer que estuviere o hubiere estado ligada al autor por una análoga relación de afectividad, aun sin convivencia.

5.º Si la víctima fuera una persona especialmente vulnerable que conviva con el autor.

Más adelante, el art. 149 dispone que el que causara a otro, por cualquier medio o procedimiento, la pérdida o la inutilidad de un órgano o miembro principal, o de un sentido, la impotencia, la esterilidad, una grave deformidad, o una grave enfermedad somática o psíquica, será castigado con la pena de prisión de seis a 12 años.

Asimismo, el que causara a otro una mutilación genital en cualquiera de sus manifestaciones será castigado con la pena de prisión de seis a 12 años. Si la víctima fuera menor o incapaz, será aplicable la pena de inhabilitación especial para el ejercicio de la patria potestad, tutela, curatela, guarda o acogimiento por tiempo de cuatro a 10 años, si el juez lo estima adecuado al interés del menor o incapaz.

El que causare a otro la pérdida o la inutilidad de un órgano o miembro no principal, o la deformidad, será castigado con la pena de prisión de tres a seis años (art. 150 CP).

Por otra parte, la provocación, la conspiración y la proposición para cometer los delitos previstos en los artículos precedentes de este Título, será castigada con la pena inferior en uno o dos grados a la del delito correspondiente (art. 151).

El art. 152, cuya última modificación se ha llevado a cabo por Ley Orgánica 11/2022, de 13 de septiembre de modificación del Código Penal en materia de imprudencia en la conducción de vehículos a motor o ciclomotor, también en relación con los artículos anteriores, señala que:

1. El que por imprudencia grave causare alguna de las lesiones previstas en los artículos anteriores será castigado, en atención al riesgo creado y el resultado producido:

    1.º Con la pena de prisión de tres a seis meses o multa de seis a dieciocho meses, si se tratare de las lesiones del apartado 1 del artículo 147.

    2.º Con la pena de prisión de uno a tres años, si se tratare de las lesiones del artículo 149.

    3.º Con la pena de prisión de seis meses a dos años, si se tratare de las lesiones del artículo 150.

Si los hechos se hubieran cometido utilizando un vehículo a motor o un ciclomotor, se impondrá asimismo la pena de privación del derecho a conducir vehículos a motor y ciclomotores de uno a cuatro años. A los efectos de este apartado, se reputará en todo caso como imprudencia grave la conducción en la que la concurrencia de alguna de las circunstancias previstas en el artículo 379 determinara la producción del hecho.

Si las lesiones se hubieran causado utilizando un arma de fuego, se impondrá también la pena de privación del derecho al porte o tenencia de armas por tiempo de uno a cuatro años.

Si las lesiones hubieran sido cometidas por imprudencia profesional, se impondrá además la pena de inhabilitación especial para el ejercicio de la profesión, oficio o cargo por un período de seis meses a cuatro años.

2. El que por imprudencia menos grave causare alguna de las lesiones a que se refiere el artículo 147.1, será castigado con la pena de multa de uno a dos meses, y si se causaren las lesiones a que se refieren los artículos 149 y 150, será castigado con la pena de multa de tres meses a doce meses.

Si los hechos se hubieran cometido utilizando un vehículo a motor o un ciclomotor, se impondrá también la pena de privación del derecho a conducir vehículos a motor y ciclomotores de tres a dieciocho meses. A los efectos de este apartado, se reputará en todo caso como imprudencia menos grave aquella no calificada como grave en la que para la producción del hecho haya sido determinante la comisión de alguna de las infracciones graves de las normas de tráfico, circulación de vehículos y seguridad vial. La valoración sobre la existencia o no de la determinación deberá apreciarse en resolución motivada.

Si las lesiones se hubieran causado utilizando un arma de fuego, se podrá imponer también la pena de privación del derecho al porte o tenencia de armas por tiempo de tres meses a un año.

El delito previsto en este apartado solo será perseguible mediante denuncia de la persona agraviada o de su representante legal. El artículo 152 bis dispone:

En los casos previstos en el número 1 del artículo anterior, el Juez o Tribunal podrá imponer motivadamente la pena superior en un grado, en la extensión que estime conveniente, si el hecho revistiere notoria gravedad, en atención a la singular entidad y relevancia del riesgo creado y del deber normativo de cuidado infringido, y hubiere provocado lesiones constitutivas de delito del artículo 152.1.2.º o 3.º a una pluralidad de personas, y en dos grados si el número de lesionados fuere muy elevado.

El art. 153, redactado *ex novo* por la LO 1/2004 y al que la LO 1/2015 ha modificado su apartado 1, prescribe que:

1. El que por cualquier medio o procedimiento causare a otro menoscabo psíquico o una lesión de menor gravedad de las previstas en el apartado 2 del artículo 147, o golpeare o maltratare de obra a otro sin causarle lesión, cuando la ofendida sea o haya sido esposa, o mujer que esté o haya estado ligada a él por una análoga relación de afectividad aun sin convivencia, o persona especialmente vulnerable que conviva con

el autor, será castigado con la pena de prisión de seis meses a un año o de trabajos en beneficios de la comunidad de treinta y uno a ochenta días y, en todo caso, privación del derecho a la tenencia y porte de armas de un año y un día a tres años, así como, cuando el juez o tribunal lo estime adecuado al interés del menor o persona con discapacidad necesitada de especial protección, inhabilitación para el ejercicio de la patria potestad, tutela, curatela, guarda o acogimiento hasta cinco años.

2. Si la víctima del delito previsto en el apartado anterior fuere alguna de las personas a que se refiere el art. 173.2, exceptuadas las personas contempladas en el apartado anterior de este artículo, el autor será castigado con la pena de prisión de tres meses a un año o de trabajos en beneficio de la comunidad de treinta y uno a ochenta días y, en todo caso, privación del derecho a la tenencia y porte de armas de un año y un día a tres años, así como, cuando el Juez o Tribunal lo estime adecuado al interés del menor o incapaz, inhabilitación para el ejercicio de patria potestad, tutela, curatela, guarda o acogimiento de seis meses a tres años.

3. Las penas previstas en los apartados 1 y 2 se impondrán en si mitad superior cuando el delito se perpetre en presencia de menores, o utilizando armas, o tenga lugar en el domicilio común o en el domicilio de la víctima, o se realicen quebrantando una pena de las contempladas en el artículo 48 de este Código o una medida cautelar o de seguridad de la misma naturaleza.

4. No obstante lo previsto en los apartados anteriores, el Juez o Tribunal, razonándolo en sentencia, en atención a las circunstancias personales del autor y las concurrentes en la realización del hecho, podrá imponer la pena inferior en grado.

El art. 154 dispone que quienes riñeren entre sí, acometiéndose tumultuariamente, y utilizando medios o instrumentos que pongan en peligro la vida o integridad de las personas, serán castigados por su participación en la riña con las pena de prisión de tres meses a un año o multa de seis a 24 meses.

El art. 155, modificado por la LO 1/2015 más adelante, señala que en los delitos de lesiones, si ha mediado el consentimiento válida, libre, espontánea y expresamente emitido del ofendido, se impondrá la pena inferior en uno o dos grados, sin que sea válido el consentimiento otorgado por un menor de edad o una persona con discapacidad necesitada de especial protección.

Por su parte, el art. 156 (redactado de nuevo por la LO 1/2015 y cuyo párrafo segundo ha sido suprimido por el artículo único de la Ley Orgánica 2/2020, de 16 de diciembre) establece que, no obstante lo dispuesto en el artículo anterior, el consentimiento válida, libre, consciente y expresamente emitido exime de responsabilidad penal en los supuestos de trasplante de órganos efectuado con arreglo a lo dispuesto en la ley, esterilizaciones y cirugía transexual realizadas por facultativo, salvo que el consentimiento se haya obtenido viciadamente, o mediante precio o recompensa, o el otorgante sea menor de edad o carezca absolutamente de aptitud para prestarlo, en cuyo caso no será válido el prestado por éstos ni por sus representantes legales.

Según el art. 156 bis, modificado por Ley Orgánica 1/2019, de 20 de febrero:

1. Los que de cualquier modo promovieren, favorecieren, facilitaren, publicitaren o ejecutaren el tráfico de órganos humanos serán castigados con la pena de prisión

de seis a doce años tratándose del órgano de una persona viva y de prisión de tres a seis años tratándose del órgano de una persona fallecida.

A estos efectos, se entenderá por tráfico de órganos humanos:

a) La extracción u obtención ilícita de órganos humanos ajenos. Dicha extracción u obtención será ilícita si se produce concurriendo cualquiera de las circunstancias siguientes:

1.ª que se haya realizado sin el consentimiento libre, informado y expreso del donante vivo en la forma y con los requisitos previstos legalmente;

2.ª que se haya realizado sin la necesaria autorización exigida por la ley en el caso del donante fallecido,

3.ª que, a cambio de la extracción u obtención, en provecho propio o ajeno, se solicitare o recibiere por el donante o un tercero, por sí o por persona interpuesta, dádiva o retribución de cualquier clase o se aceptare ofrecimiento o promesa. No se entenderá por dádiva o retribución el resarcimiento de los gastos o pérdida de ingresos derivados de la donación.

b) La preparación, preservación, almacenamiento, transporte, traslado, recepción, importación o exportación de órganos ilícitamente extraídos.

c) El uso de órganos ilícitamente extraídos con la finalidad de su trasplante o para otros fines.

2. Del mismo modo se castigará a los que, en provecho propio o ajeno:

a) solicitaren o recibieren, por sí o por persona interpuesta, dádiva o retribución de cualquier clase, o aceptaren ofrecimiento o promesa por proponer o captar a un donante o a un receptor de órganos;

b) ofrecieren o entregaren, por sí o por persona interpuesta, dádiva o retribución de cualquier clase a personal facultativo, funcionario público o particular con ocasión del ejercicio de su profesión o cargo en clínicas, establecimientos o consultorios, públicos o privados, con el fin de que se lleve a cabo o se facilite la extracción u obtención ilícitas o la implantación de órganos ilícitamente extraídos.

3. Si el receptor del órgano consintiere la realización del trasplante conociendo su origen ilícito será castigado con las mismas penas previstas en el apartado 1, que podrán ser rebajadas en uno o dos grados atendiendo a las circunstancias del hecho y del culpable.

4. Se impondrán las penas superiores en grado a las previstas en el apartado 1 cuando:

a) se hubiera puesto en grave peligro la vida o la integridad física o psíquica de la víctima del delito.

b) la víctima sea menor de edad o especialmente vulnerable por razón de su edad, discapacidad, enfermedad o situación.

Si concurrieren ambas circunstancias, se impondrá la pena en su mitad superior.

5. El facultativo, funcionario público o particular que, con ocasión del ejercicio de su profesión o cargo, realizare en centros públicos o privados las conductas descritas en los apartados 1 y 2, o solicitare o recibiere la dádiva o retribución a que se refiere la letra b) de este último apartado, o aceptare el ofrecimiento o promesa de recibirla, incurrirá en la pena en ellos señalada superior en grado y, además, en la de inhabilitación especial para empleo o cargo público, profesión u oficio, para ejercer cualquier profesión sanitaria o para prestar servicios de toda índole en clínicas, establecimientos o consultorios, públicos o privados, por el tiempo de la condena. Si concurriere, además, alguna de las circunstancias previstas en el apartado 4, se impondrán las penas en su mitad superior.

A los efectos de este artículo, el término facultativo comprende los médicos, personal de enfermería y cualquier otra persona que realice una actividad sanitaria o socio-sanitaria.

6. Se impondrá la pena superior en grado a la prevista en el apartado 1 e inhabilitación especial para profesión, oficio, industria o comercio por el tiempo de la condena, cuando el culpable perteneciere a una organización o grupo criminal dedicado a la realización de tales actividades. Si concurriere alguna de las circunstancias previstas en el apartado 4, se impondrán las penas en la mitad superior. Si concurriere la circunstancia prevista en el apartado 5, se impondrán las penas señaladas en este en su mitad superior.

Cuando se tratare de los jefes, administradores o encargados de dichas organizaciones o grupos, se les aplicará la pena en su mitad superior, que podrá elevarse a la inmediatamente superior en grado. En todo caso se elevará la pena a la inmediatamente superior en grado si concurriera alguna de las circunstancias previstas en el apartado 4 o la circunstancia prevista en el apartado 5.

7. Cuando de acuerdo con lo establecido en el artículo 31 bis una persona jurídica sea responsable de los delitos comprendidos en este artículo, se le impondrá la pena de multa del triple al quíntuple del beneficio obtenido.

Atendidas las reglas establecidas en el artículo 66 bis, los jueces y tribunales podrán asimismo imponer las penas recogidas en las letras b) a g) del apartado 7 del artículo 33.

8. La provocación, la conspiración y la proposición para cometer los delitos previstos en este artículo se castigarán con la pena inferior en uno a dos grados a la que corresponde, respectivamente, a los hechos previstos en los apartados anteriores.

9. En todo caso, las penas previstas en este artículo se impondrán sin perjuicio de las que correspondan, en su caso, por el delito del artículo 177 bis de este Código y demás delitos efectivamente cometidos.

10. Las condenas de jueces o tribunales extranjeros por delitos de la misma naturaleza que los previstos en este artículo producirán los efectos de reincidencia, salvo que el antecedente penal haya sido cancelado o pueda serlo con arreglo al Derecho español. Finalmente, el art. 156 ter dispone que la distribución o difusión pública a través de Internet, del teléfono o de cualquier otra tecnología de la información o de la comunicación de contenidos específicamente destinados a promover, fomentar o incitar a la autolesión de personas menores de edad o personas con discapacidad necesitadas de especial protección será castigada con la pena de prisión de seis meses a tres años.

Las autoridades judiciales ordenarán la adopción de las medidas necesarias para la retirada de los contenidos a los que se refiere el párrafo anterior, para la interrupción de los servicios que ofrezcan predominantemente dichos contenidos o para el bloqueo de unos y otros cuando radiquen en el extranjero.

El artículo 156 quater dispone que a las personas condenadas por la comisión de uno o más delitos comprendidos en este Título, cuando la víctima fuere alguna de las personas a que se refiere el apartado 2 del artículo 173, se les podrá imponer además una medida de libertad vigilada.

También el artículo 156 quinquies recoge que a las personas condenadas por la comisión de alguno de los delitos previstos en los artículos 147.1, 148, 149, 150 y 153 del CP, en los que la víctima sea una persona menor de edad se les podrá imponer, además de las penas que procedan, la pena de inhabilitación especial para cualquier profesión, oficio u otras actividades, sean o no retribuidos, que conlleve contacto regular y directo con personas menores de edad, por un tiempo superior entre tres y cinco años al de la duración de la pena de privación de libertad impuesta en la sentencia o por un tiempo de dos a cinco años cuando no se hubiere impuesto una pena de prisión, en ambos casos se atenderá proporcionalmente a la gravedad del delito, el número de los delitos cometidos y a las circunstancias que concurran en la persona condenada.

 Recuerda que...

El delito de lesiones por imprudencia menos grave solo será perseguible mediante denuncia de la persona agraviada o de su representante legal.

2. Circunstancias modificadoras de la responsabilidad criminal

2.1. Introducción

El art. 14 CP prescribe, con carácter general, que:

1. El error invencible sobre un hecho constitutivo de la infracción penal excluye la responsabilidad criminal. Si el error, atendidas las circunstancias del hecho y las personales del autor, fuera vencible, la infracción será castigada, en su caso, como imprudente.

2. El error sobre un hecho que cualifique la infracción o sobre una circunstancia agravante, impedirá su apreciación.

3. El error invencible sobre la ilicitud del hecho constitutivo de la infracción penal excluye la responsabilidad criminal. Si el error fuera vencible, se aplicará la pena inferior en uno o dos grados.

En cuanto a las circunstancias que modifican la responsabilidad criminal, propiamente dichas, los arts. 19 a 26 CP regulan las eximentes, las atenuantes y las agravantes, conteniendo, además, unas normas generales.

A su estudio dedicamos los siguientes apartados.

2.2. Eximentes

Con carácter general, el art. 19 CP dispone que los menores de dieciocho años no sean responsables criminalmente con arreglo a este Código.

Cuando un menor de dicha edad cometa un hecho delictivo podrá ser responsable con arreglo a lo dispuesto en la ley que regule la responsabilidad penal del menor, sobre lo que trataremos en un último epígrafe de este Tema.

A estos efectos, habrá que estar a lo dispuesto en la Ley Orgánica 5/2000, de 12 de enero, reguladora de la responsabilidad penal de los menores (LO 5/2000, en adelante).

En cuanto a las eximentes propiamente dichas, conforme al art. 20 CP, están exentos de responsabilidad criminal:

1.º El que al tiempo de cometer la infracción penal, a causa de cualquier anomalía o alteración psíquica, no pueda comprender la ilicitud del hecho o actuar conforme a esa comprensión.

   El trastorno mental transitorio no eximirá de pena cuando hubiese sido provocado por el sujeto con el propósito de cometer el delito o hubiera previsto o debido prever su comisión.

2.º El que al tiempo de cometer la infracción penal se halle en estado de intoxicación plena por el consumo de bebidas alcohólicas, drogas tóxicas, estupefacientes, sustancias psicotrópicas u otras que produzcan efectos análogos, siempre que no haya sido buscado con el propósito de cometerla o no se hubiese previsto o debido prever su comisión, o se halle bajo la influencia de un síndrome de abstinencia, a causa de su dependencia de tales sustancias, que le impida comprender la ilicitud del hecho o actuar conforme a esa comprensión.

3.º El que, por sufrir alteraciones en la percepción desde el nacimiento o desde la infancia, tenga alterada gravemente la conciencia de la realidad.

4.º El que obre en defensa de la persona o derechos propios o ajenos, siempre que concurran los requisitos siguientes:

   – Primero. Agresión ilegítima. En caso de defensa de los bienes se reputará agresión ilegítima el ataque a los mismos que constituya delito y los ponga en grave peligro de deterioro o pérdida inminentes. En caso de defensa de la morada o sus dependencias, se reputará agresión ilegítima la entrada indebida en aquella o estas.

Sabías que...

La agresión es ilegítima o, en un sentido más técnico, antijurídica, es decir, contraria al Derecho. Cuando el agredido no está obligado a soportarla, o bien, cuando no está justificada. Por ejemplo, el ladrón sorprendido *infraganti* que resiste a su captor, riñendo con este, y le da muerte, no puede alegar legítima defensa, puesto que el ataque que sufrió estaba justificado precisamente por legítima defensa y no cabe legítima defensa contra actos justificados.

- Segundo. Necesidad racional del medio empleado para impedirla o repelerla.

- Tercero. Falta de provocación suficiente por parte del defensor.

5.º El que, en estado de necesidad, para evitar un mal propio o ajeno lesione un bien jurídico de otra persona o infrinja un deber, siempre que concurran los siguientes requisitos:

- Primero. Que el mal causado no sea mayor que el que se trate de evitar.

- Segundo. Que la situación de necesidad no haya sido provocada intencionadamente por el sujeto.

- Tercero. Que el necesitado no tenga, por su oficio o cargo, obligación de sacrificarse.

6.º El que obre impulsado por miedo insuperable.

7.º El que obre en cumplimiento de un deber o en el ejercicio legítimo de un derecho, oficio o cargo.

En los supuestos de los tres primeros números se aplicarán, en su caso, las medidas de seguridad previstas en este Código.

2.3. Atenuantes

Las circunstancias atenuantes las recoge el art. 21, considerando como tales las siguientes:

1.ª Las causas expresadas en el capítulo anterior (relativo a las eximentes), cuando no concurrieren todos los requisitos necesarios para eximir de responsabilidad en sus respectivos casos (es lo que en la práctica se denomina eximente incompleta).

2.ª La de actuar el culpable a causa de su grave adicción a las sustancias mencionadas en el número 2.º del artículo anterior.

3.ª La de obrar por causas o estímulos tan poderosos que hayan producido arrebato, obcecación u otro estado pasional de entidad semejante.

4.ª La de haber procedido el culpable, antes de conocer que el procedimiento judicial se dirige contra él, a confesar la infracción a las autoridades.

5.ª La de haber procedido el culpable a reparar el daño ocasionado a la víctima, o disminuir sus efectos, en cualquier momento del procedimiento y con anterioridad a la celebración del acto del juicio oral.

6.ª La dilación extraordinaria e indebida en la tramitación del procedimiento, siempre que no sea atribuible al propio inculpado y que no guarde proporción con la complejidad de la causa.

7.ª Cualquier otra circunstancia de análoga significación que las anteriores (es la denominada atenuante analógica).

2.4. Agravantes

A tenor del art. 22 CP, cuya última modificación se ha producido por Ley Orgánica 1/2026, de 8 de abril, en materia de multirreincidencia, son circunstancias agravantes:

1.ª Ejecutar el hecho con alevosía.

Hay alevosía cuando el culpable comete cualquiera de los delitos contra las personas empleando en la ejecución medios, modos o formas que tiendan directa o especialmente a asegurarla, sin el riesgo que para su persona pudiera proceder de la defensa por parte del ofendido.

2.ª Ejecutar el hecho mediante disfraz, con abuso de superioridad o aprovechando las circunstancias de lugar, tiempo o auxilio de otras personas que debiliten la defensa del ofendido o faciliten la impunidad del delincuente.

3.ª Ejecutar el hecho mediante precio, recompensa o promesa.

4.ª Cometer el delito por motivos racistas, antisemitas, antigitanos u otra clase de discriminación referente a la ideología, religión o creencias de la víctima, la etnia, raza o nación a la que pertenezca, su sexo, edad, orientación o identidad sexual o de género, razones de género, de aporofobia o de exclusión social, la enfermedad que padezca o su discapacidad, con independencia de que tales condiciones o circunstancias concurran efectivamente en la persona sobre la que recaiga la conducta.

5.ª Aumentar deliberada e inhumanamente el sufrimiento de la víctima, causando a ésta padecimientos innecesarios para la ejecución del delito.

6.ª Obrar con abuso de confianza.

7.ª Prevalerse del carácter público que tenga el culpable.

8.ª Ser reincidente.

Hay reincidencia cuando, al delinquir, el culpable haya sido condenado ejecutoriamente por un delito comprendido en el mismo título de este código, siempre que sea de la misma naturaleza.

A los efectos de este número no se computarán los antecedentes penales cancelados o que debieran serlo, ni los que correspondan a delitos leves, salvo lo dispuesto para los tipos agravados por multirreincidencia de delitos leves.

Las condenas firmes de jueces o tribunales impuestas en otros Estados de la Unión Europea producirán los efectos de reincidencia salvo que el antecedente penal haya sido cancelado o pudiera serlo con arreglo al Derecho español.

 Sabías que...

En 2025 se registraron algo más de 2,47 millones de infracciones penales en España, consolidando una ligera subida respecto a 2024, con estabilidad en delitos tradicionales y crecimiento sostenido de la ciberdelincuencia.

2.5. Otras disposiciones

El art. 23 CP señala que es circunstancia que puede atenuar o agravar la responsabilidad, según la naturaleza, los motivos y los efectos del delito, ser o haber sido el agraviado cónyuge o persona que esté o haya estado ligada de forma estable por análoga relación de afectividad, o ser ascendiente, descendiente o hermano por naturaleza o adopción del ofensor o de su cónyuge o conviviente.

Por su parte, el art. 24 CP prescribe que:

1. A los efectos penales se reputará autoridad al que por sí solo o como miembro de alguna corporación, tribunal u órgano colegiado tenga mando o ejerza jurisdicción propia. En todo caso, tendrán la consideración de autoridad los miembros del Congreso de los Diputados, del Senado, de las Asambleas Legislativas de las Comunidades Autónomas y del Parlamento Europeo. Tendrán también la consideración de autoridad los funcionarios del Ministerio Fiscal y los Fiscales de la Fiscalía Europea.

2. Se considerará funcionario público todo el que por disposición inmediata de la Ley o por elección o por nombramiento de autoridad competente participe en el ejercicio de funciones públicas.

Más adelante, el art. 25 CP señala que, a los efectos de este Código se entiende por discapacidad aquella situación en que se encuentra una persona con deficiencias físicas, mentales, intelectuales o sensoriales de carácter permanente que, al interactuar con diversas barreras, puedan limitar o impedir su participación plena y efectiva en la sociedad, en igualdad de condiciones con las demás.

Asimismo, a los efectos de este Código, se entenderá por persona con discapacidad necesitada de especial protección a aquella persona con discapacidad que, tenga o no judicialmente modificada su capacidad de obrar, requiera de asistencia o apoyo para el ejercicio de su capacidad jurídica y para la toma de decisiones respecto de su persona, de sus derechos o intereses a causa de sus deficiencias intelectuales o mentales de carácter permanente.

Finalmente, el art. 26 establece que, a los efectos de este Código se considera documento todo soporte material que exprese o incorpore datos, hechos o narraciones con eficacia probatoria o cualquier otro tipo de relevancia jurídica.

 Recuerda que...

Cometer el delito por razones de género es una circunstancia agravante a tenor del art. 22 CP.

3. Personas responsables: autores y cómplices

3.1. Introducción

Siguiendo a COBO DEL ROSAL y VIVES ANTÓN, podemos distinguir entre:

a) El sujeto activo del delito, que necesariamente ha de ser una persona física y, en su caso, en los términos previstos en los arts. 31 a 31 quinquies, las personas jurídicas.

b) El sujeto pasivo del delito, que es el titular del bien jurídico protegido por la norma concreta o, dicho desde otra perspectiva, el titular del bien jurídico lesionado o puesto en peligro por el delito.

c) El objeto material, que es la persona o cosa sobre la que recae la conducta delictiva, que, en determinados delitos, como el homicidio, se identifica con el sujeto pasivo.

d) El objeto formal, que es el bien jurídico lesionado.

3.2. Personas responsables

3.2.1. Introducción

Al tratamiento de las personas responsables criminalmente de los delitos se dedica el Título II ("de las personas criminalmente responsables de los delitos") del Libro I ("disposiciones generales sobre los delitos, las personas responsables, las penas, medidas de seguridad y demás consecuencias de la infracción penal") del CP, arts. 27 a 31 quinquies, de los que tratamos en los siguientes apartados.

3.2.2. Disposición general

Según el art. 27, son responsables criminalmente de los delitos los autores y los cómplices.

3.2.3. Autores

Lo son, con arreglo al art. 28, quienes realizan el hecho por sí solos, conjuntamente o por medio de otro del que se sirven como instrumento.

También serán considerados autores:

a) Los que inducen directamente a otro u otros a ejecutarlo.

b) Los que cooperan a su ejecución con un acto sin el cual no se habría efectuado.

3.2.4. Cómplices

Lo son (art. 29) los que, no hallándose comprendidos en el artículo anterior, cooperan a la ejecución del hecho con actos anteriores o simultáneos.

3.2.5. Encubridores

A los encubridores se refieren los arts. 451 a 454 CP, disponiendo el primero de ellos, que será castigado con la pena de prisión de seis meses a tres años el que, con conocimiento de la comisión de un delito y sin haber intervenido en el mismo como autor o cómplice, interviniere con posterioridad a su ejecución, de alguno de los modos siguientes:

1.º Auxiliando a los autores o cómplices para que se beneficien del provecho, producto o precio del delito, sin ánimo de lucro propio.

2.º Ocultando, alterando o inutilizando el cuerpo, los efectos o los instrumentos de un delito, para impedir su descubrimiento.

3.º Ayudando a los presuntos responsables de un delito a eludir la investigación de la autoridad o de sus agentes, o a sustraerse a su busca o captura, siempre que concurra alguna de las circunstancias siguientes:

a) Que el hecho encubierto sea constitutivo de traición, homicidio del Rey, de cualquiera de sus ascendientes o descendientes, de la Reina consorte o del consorte de la Reina, del Regente o de algún miembro de la Regencia, o del Príncipe heredero de la Corona, genocidio, delito de lesa humanidad, delito contra las personas y bienes protegidos en caso de conflicto armado, rebelión, terrorismo, homicidio, piratería, trata de seres humanos o tráfico ilegal de órganos.

b) Que el favorecedor haya obrado con abuso de funciones públicas. En este caso se impondrá, además de la pena de privación de libertad, la de inhabilitación especial para empleo o cargo público por tiempo de dos a cuatro años si el delito encubierto fuere menos grave, y la de inhabilitación absoluta por tiempo de seis a doce años si aquel fuera grave.

El art. 452, por su parte, establece que en ningún caso podrá imponerse pena privativa de libertad que exceda de la señalada al delito encubierto. Si este estuviera castigado con pena de otra naturaleza, la pena privativa de libertad será sustituida por la de multa de seis a veinticuatro meses, salvo que el delito encubierto tenga asignada pena igual o inferior a esta, en cuyo caso se impondrá al culpable la pena de aquel delito en su mitad inferior.

El art. 453 señala, a continuación, que las disposiciones de este capítulo (sobre el encubrimiento) se aplicarán aun cuando el autor del hecho encubierto sea irresponsable o esté personalmente exento de pena.

Finalmente, el art. 454 dispone que están exentos de las penas impuestas a los encubridores los que lo sean de su cónyuge o de persona a quien se hallen ligados de forma estable por análoga relación de afectividad, de sus ascendientes, descendientes, hermanos, por naturaleza, por adopción, o afines en los mismos grados, con la sola excepción de los encubridores que se hallen comprendidos en el supuesto del número 1.º del art. 451.

3.2.6. Otras disposiciones

A tenor del art. 30 CP:

1. En los delitos que se cometan utilizando medios o soportes de difusión mecánicos no responderán criminalmente ni los cómplices ni quienes los hubieren favorecido personal o realmente.

2. Los autores a los que se refiere el artículo 28 responderán de forma escalonada, excluyente y subsidiaria de acuerdo con el siguiente orden:

   1.º Los que realmente hayan redactado el texto o producido el signo de que se trate, y quienes les hayan inducido a realizarlo.

   2.º Los directores de la publicación o programa en que se difunda.

   3.º Los directores de la empresa editora, emisora o difusora.

   4.º Los directores de la empresa grabadora, reproductora o impresora.

3. Cuando por cualquier motivo distinto de la extinción de la responsabilidad penal, incluso la declaración de rebeldía o la residencia fuera de España, no pueda perseguirse a ninguna de las personas comprendidas en alguno de los números del apartado anterior, se dirigirá el procedimiento contra las mencionadas en el número inmediatamente posterior.

Por otra parte, conforme al art. 31 CP, "el que actúe como administrador de hecho o de derecho de una persona jurídica, o en nombre o representación legal o voluntaria de otro, responderá personalmente, aunque no concurran en él las condiciones, cualidades o relaciones que la correspondiente figura de delito requiera para poder ser sujeto activo del mismo, si tales circunstancias se dan en la entidad o persona en cuyo nombre o representación obre".

En este contexto, el nuevo art. 31 bis, dispone que:

1. En los supuestos previstos en este Código, las personas jurídicas serán penalmente responsables:

   a) De los delitos cometidos en nombre o por cuenta de las mismas, y en su beneficio directo o indirecto, por sus representantes legales o por aquellos que actuando individualmente o como integrantes de un órgano de la persona jurídica, están autorizados para tomar decisiones en nombre de la persona jurídica u ostentan facultades de organización y control dentro de la misma.

   b) De los delitos cometidos, en el ejercicio de actividades sociales y por cuenta y en beneficio directo o indirecto de las mismas, por quienes, estando sometidos a la autoridad de las personas físicas mencionadas en el párrafo anterior, han podido realizar los hechos por haberse incumplido gravemente por aquellos los deberes de supervisión, vigilancia y control de su actividad atendidas las concretas circunstancias del caso.

2. Si el delito fuere cometido por las personas indicadas en la letra a) del apartado anterior, la persona jurídica quedará exenta de responsabilidad si se cumplen las siguientes condiciones:

   1.ª El órgano de administración ha adoptado y ejecutado con eficacia, antes de la comisión del delito, modelos de organización y gestión que incluyen las medidas de vigilancia y control idóneas para prevenir delitos de la misma naturaleza o para reducir de forma significativa el riesgo de su comisión.

   2.ª La supervisión del funcionamiento y del cumplimiento del modelo de prevención implantado ha sido confiada a un órgano de la persona jurídica con poderes autónomos de iniciativa y de control o que tenga encomendada legalmente la función de supervisar la eficacia de los controles internos de la persona jurídica.

   3.ª Los autores individuales han cometido el delito eludiendo fraudulentamente los modelos de organización y de prevención.

   4.ª No se ha producido una omisión o un ejercicio insuficiente de sus funciones de supervisión, vigilancia y control por parte del órgano al que se refiere la condición 2.ª

   En los casos en los que las anteriores circunstancias solamente puedan ser objeto de acreditación parcial, esta circunstancia será valorada a los efectos de atenuación de la pena.

3. En las personas jurídicas de pequeñas dimensiones, las funciones de supervisión a que se refiere la condición 2.ª del apartado 2 podrán ser asumidas directamente por el órgano de administración. A estos efectos, son personas jurídicas de pequeñas dimensiones aquellas que, según la legislación aplicable, estén autorizadas a presentar cuenta de pérdidas y ganancias abreviada.

4. Si el delito fuera cometido por las personas indicadas en la letra b) del apartado 1, la persona jurídica quedará exenta de responsabilidad si, antes de la comisión del delito, ha adoptado y ejecutado eficazmente un modelo de organización y gestión que resulte adecuado para prevenir delitos de la naturaleza del que fue cometido o para reducir de forma significativa el riesgo de su comisión.

En este caso resultará igualmente aplicable la atenuación prevista en el párrafo segundo del apartado 2 de este artículo.

5. Los modelos de organización y gestión a que se refieren la condición 1.ª del apartado 2 y el apartado anterior deberán cumplir los siguientes requisitos:

1.º Identificarán las actividades en cuyo ámbito puedan ser cometidos los delitos que deben ser prevenidos.

2.º Establecerán los protocolos o procedimientos que concreten el proceso de formación de la voluntad de la persona jurídica, de adopción de decisiones y de ejecución de las mismas con relación a aquellos.

3.º Dispondrán de modelos de gestión de los recursos financieros adecuados para impedir la comisión de los delitos que deben ser prevenidos.

4.º Impondrán la obligación de informar de posibles riesgos e incumplimientos al organismo encargado de vigilar el funcionamiento y observancia del modelo de prevención.

5.º Establecerán un sistema disciplinario que sancione adecuadamente el incumplimiento de las medidas que establezca el modelo.

6.º Realizarán una verificación periódica del modelo y de su eventual modificación cuando se pongan de manifiesto infracciones relevantes de sus disposiciones, o cuando se produzcan cambios en la organización, en la estructura de control o en la actividad desarrollada que los hagan necesarios.

El art. 31 ter prescribe que:

1. La responsabilidad penal de las personas jurídicas será exigible siempre que se constate la comisión de un delito que haya tenido que cometerse por quien ostente los cargos o funciones aludidas en el artículo anterior, aun cuando la concreta persona física responsable no haya sido individualizada o no haya sido posible dirigir el procedimiento contra ella. Cuando como consecuencia de los mismos hechos se impusiere a ambas la pena de multa, los jueces o tribunales modularán las respectivas cuantías, de modo que la suma resultante no sea desproporcionada en relación con la gravedad de aquellos.

2. La concurrencia, en las personas que materialmente hayan realizado los hechos o en las que los hubiesen hecho posibles por no haber ejercido el debido control, de circunstancias que afecten a la culpabilidad del acusado o agraven su responsabilidad, o el hecho de que dichas personas hayan fallecido o se hubieren sustraído a la acción de la justicia, no excluirá ni modificará la responsabilidad penal de las personas jurídicas, sin perjuicio de lo que se dispone en el artículo siguiente.

El art. 31 quater señala que solo podrán considerarse circunstancias atenuantes de la responsabilidad penal de las personas jurídicas haber realizado, con posterioridad a la comisión del delito y a través de sus representantes legales, las siguientes actividades:

a) Haber procedido, antes de conocer que el procedimiento judicial se dirige contra ella, a confesar la infracción a las autoridades.

b) Haber colaborado en la investigación del hecho aportando pruebas, en cualquier momento del proceso, que fueran nuevas y decisivas para esclarecer las responsabilidades penales dimanantes de los hechos.

c) Haber procedido en cualquier momento del procedimiento y con anterioridad al juicio oral a reparar o disminuir el daño causado por el delito.

d) Haber establecido, antes del comienzo del juicio oral, medidas eficaces para prevenir y descubrir los delitos que en el futuro pudieran cometerse con los medios o bajo la cobertura de la persona jurídica.

Por último, el art. 31 quinquies prescribe que:

1. Las disposiciones relativas a la responsabilidad penal de las personas jurídicas no serán aplicables al Estado, a las Administraciones públicas territoriales e institucionales, a los Organismos Reguladores, las Agencias y Entidades públicas Empresariales, a las organizaciones internacionales de derecho público, ni a aquellas otras que ejerzan potestades públicas de soberanía o administrativas.

2. En el caso de las Sociedades mercantiles públicas que ejecuten políticas públicas o presten servicios de interés económico general, solamente les podrán ser impuestas las penas previstas en las letras a) y g) del apartado 7 del artículo 33. Esta limitación no será aplicable cuando el juez o tribunal aprecie que se trata de una forma jurídica creada por sus promotores, fundadores, administradores o representantes con el propósito de eludir una eventual responsabilidad penal.

Por lo demás, en esta materia de responsabilidad, debe tenerse en cuenta que la ejecución de un hecho descrito por la Ley como delito obliga a reparar, en los términos previstos en las Leyes, los daños y perjuicios causados, pudiendo optar el perjudicado, en todo caso, por exigir la responsabilidad civil ante la Jurisdicción Civil (art. 109 CP).

Esta responsabilidad comprende (art. 110):

a) La restitución.

b) La reparación del daño.

c) La indemnización de perjuicios materiales y morales.

A ella se dedican pormenorizadamente los artículos citados y los arts. 111 a 126 CP.

4. Extinción de la responsabilidad criminal

4.1. Introducción

A la extinción de la responsabilidad criminal y sus efectos se dedica el Título VII del Libro I CP, arts. 130 a 137, sistematizados en la forma que sigue.

4.2. Causas de extinción de esta responsabilidad criminal

Con arreglo al art. 130:

1. La responsabilidad criminal se extingue:

    1.º Por la muerte del reo.

    2.º Por el cumplimiento de la condena.

    3.º Por la remisión definitiva de la pena, conforme a lo dispuesto en los apartados 1 y 2 del artículo 87.

    4.º Por la amnistía o el indulto.

    5.º Por el perdón de la persona ofendida, cuando se trate de delitos leves perseguibles a instancias de la persona agraviada o la ley así lo prevea. El perdón habrá de ser otorgado de forma expresa antes de que se haya dictado sentencia, a cuyo efecto la autoridad judicial sentenciadora deberá oír a la persona ofendida por el delito antes de dictarla.

       En los delitos cometidos contra personas menores de edad o personas con discapacidad necesitadas de especial protección que afecten a bienes jurídicos eminentemente personales, el perdón de la persona ofendida no extingue la responsabilidad criminal.

    6.º Por la prescripción del delito.

    7.º Por la prescripción de la pena o de la medida de seguridad.

2. La transformación, fusión, absorción o escisión de una persona jurídica no extingue su responsabilidad penal, que se trasladará a la entidad o entidades en que se transforme, quede fusionada o absorbida y se extenderá a la entidad o entidades que resulten de la escisión. El Juez o Tribunal podrá moderar el traslado de la pena a la persona jurídica en función de la proporción que la persona jurídica originariamente responsable del delito guarde con ella.

No extingue la responsabilidad penal la disolución encubierta o meramente aparente de la persona jurídica. Se considerará en todo caso que existe disolución encubierta o meramente aparente de la persona jurídica cuando se continúe su actividad económica y se mantenga la identidad sustancial de clientes, proveedores y empleados, o de la parte más relevante de todos ellos.

En cuanto a la prescripción de los delitos, se regula en el art. 131 CP:

1. Los delitos prescriben:

    – A los veinte años, cuando la pena máxima señalada al delito sea prisión de quince o más años.

    – A los quince, cuando la pena máxima señalada por la ley sea inhabilitación por más de diez años, o prisión por más de diez y menos de quince años.

    – A los diez, cuando la pena máxima señalada por la ley sea prisión o inhabilitación por más de cinco años y que no exceda de diez.

    – A los cinco, los demás delitos, excepto los delitos leves y los delitos de injurias y calumnias, que prescriben al año.

2. Cuando la pena señalada por la ley fuere compuesta, se estará, para la aplicación de las reglas comprendidas en este artículo, a la que exija mayor tiempo para la prescripción.

3. Los delitos de lesa humanidad y de genocidio y los delitos contra las personas y bienes protegidos en caso de conflicto armado, salvo los castigados en el artículo 614, no prescribirán en ningún caso.

    Tampoco prescribirán los delitos de terrorismo, si hubieren causado la muerte de una persona.

4. En los supuestos de concurso de infracciones o de infracciones conexas, el plazo de prescripción será el que corresponda al delito más grave.

Respecto al cómputo de los plazos en esta materia, establece el art. 132 que:

1. Los términos previstos en el artículo precedente se computarán desde el día en que se haya cometido la infracción punible. En los casos de delito continuado, delito permanente, así como en las infracciones que exijan habitualidad, tales términos se computarán, respectivamente, desde el día en que se realizó la última infracción, desde que se eliminó la situación ilícita o desde que cesó la conducta.

    En los delitos de aborto no consentido, lesiones, contra la libertad, de torturas y contra la integridad moral, contra la intimidad, el derecho a la propia imagen y la inviolabilidad del domicilio, y contra las relaciones familiares, excluidos los delitos contemplados en el párrafo siguiente, cuando la víctima fuere una persona menor de dieciocho años, los términos se computarán desde el día en que ésta haya alcanzado la mayoría de edad, y si falleciere antes de alcanzarla, a partir de la fecha del fallecimiento.

    En los delitos de tentativa de homicidio, de lesiones de los artículos 149 y 150, en el delito de maltrato habitual previsto en el artículo 173.2, en los delitos contra la libertad sexual y en los delitos de trata de seres humanos, cuando la víctima fuere una persona menor de dieciocho años, los términos se computarán desde que la víctima cumpla los treinta y cinco años de edad, y si falleciere antes de alcanzar esa edad, a partir de la fecha del fallecimiento.

2. La prescripción se interrumpirá, quedando sin efecto el tiempo transcurrido, cuando el procedimiento se dirija contra la persona indiciariamente responsable del delito, comenzando a correr de nuevo desde que se paralice el procedimiento o termine sin condena de acuerdo con las reglas siguientes:

1.ª Se entenderá dirigido el procedimiento contra una persona determinada desde el momento en que, al incoar la causa o con posterioridad, se dicte resolución judicial motivada en la que se le atribuya su presunta participación en un hecho que pueda ser constitutivo de delito.

2.ª No obstante lo anterior, la presentación de querella o la denuncia formulada ante un órgano judicial, en la que se atribuya a una persona determinada su presunta participación en un hecho que pueda ser constitutivo de delito, suspenderá el cómputo de la prescripción por un plazo máximo de seis meses, a contar desde la misma fecha de presentación de la querella o de formulación de la denuncia.

Si dentro de dicho plazo se dicta contra el querellado o denunciado, o contra cualquier otra persona implicada en los hechos, alguna de las resoluciones judiciales mencionadas en la regla 1.ª, la interrupción de la prescripción se entenderá retroactivamente producida, a todos los efectos, en la fecha de presentación de la querella o denuncia.

Por el contrario, el cómputo del término de prescripción continuará desde la fecha de presentación de la querella o denuncia si, dentro del plazo de seis meses, recae resolución judicial firme de inadmisión a trámite de la querella o denuncia o por la que se acuerde no dirigir el procedimiento contra la persona querellada o denunciada. La continuación del cómputo se producirá también si, dentro de dicho plazo, el juez de instrucción no adoptara ninguna de las resoluciones previstas en este artículo.

3. A los efectos de este artículo, la persona contra la que se dirige el procedimiento deberá quedar suficientemente determinada en la resolución judicial, ya sea mediante su identificación directa o mediante datos que permitan concretar posteriormente dicha identificación en el seno de la organización o grupo de personas a quienes se atribuya el hecho.

4. En los procedimientos cuya investigación haya sido asumida por la Fiscalía Europea, la prescripción se interrumpirá:

a) cuando se dirija la investigación contra una persona determinada, suficientemente identificada, en los términos del apartado anterior, y así quede reflejado en un Decreto motivado.

b) cuando se interponga querella o denuncia ante la Fiscalía Europea en la que se atribuya a una persona determinada su presunta participación en un hecho que pueda ser constitutivo de delito, resultando de aplicación la regla 2.ª del apartado 2 de este artículo.

Por lo que se refiere a la prescripción de las penas, se regula en los arts. 133 y 134, disponiendo que las penas impuestas por sentencia firme prescriben:

a) A los 30 años, las de prisión por más de 20 años.

b) A los 25 años, las de prisión de 15 o más años sin que excedan de 20.

c) A los 20, las de inhabilitación por más de 10 años y las de prisión por más de 10 y menos de 15.

d) A los 15, las de inhabilitación por más de 6 y que no excedan de 10, y las de prisión por más de cinco y que no excedan de 10.

d) A los 10, las restantes penas graves.

e) A los cinco, las penas menos graves.

f) Al año, las penas leves.

Las penas impuestas por los delitos de lesa humanidad y de genocidio y por los delitos contra las personas y bienes protegidos en caso de conflicto armado, salvo los castigados en el artículo 614, no prescribirán en ningún caso.

Tampoco prescribirán las penas impuestas por delitos de terrorismo, si estos hubieren causado la muerte de una persona.

El art. 134, en este contexto, señala que:

1. El tiempo de prescripción de la pena se computará desde la fecha de la sentencia firme, o desde el quebrantamiento de la condena, si esta hubiese comenzado a cumplirse.

2. El plazo de prescripción de la pena quedará en suspenso:

   a) Durante el período de suspensión de la ejecución de la pena.

   b) Durante el cumplimiento de otras penas, cuando resulte aplicable lo dispuesto en el artículo 75.

Finalmente, con respecto a las medidas de seguridad, prescribirán (art. 135) a los diez años, si fueran privativas de libertad superiores a tres años, y a los cinco años si fueran privativas de libertad iguales o inferiores a tres años o tuvieran otro contenido.

El tiempo de la prescripción se computará desde el día en que haya quedado firme la resolución en la que se impuso la medida o, en caso de cumplimiento sucesivo, desde que debió empezar a cumplirse.

Si el cumplimiento de una medida de seguridad fuere posterior al de una pena, el plazo se computará desde la extinción de esta.

4.3. Cancelación de antecedentes delictivos

Se regula en los arts. 136 y 137 CP.

El art. 136 establece que:

1. Los condenados que hayan extinguido su responsabilidad penal tienen derecho a obtener del Ministerio de Justicia, de oficio o a instancia de parte, la cancelación

de sus antecedentes penales, cuando hayan transcurrido sin haber vuelto a delinquir los siguientes plazos:

a) Seis meses para las penas leves.

b) Dos años para las penas que no excedan de doce meses y las impuestas por delitos imprudentes.

c) Tres años para las restantes penas menos graves inferiores a tres años.

d) Cinco años para las restantes penas menos graves iguales o superiores a tres años.

e) Diez años para las penas graves.

2. Los plazos a que se refiere el apartado anterior se contarán desde el día siguiente a aquel en que quedara extinguida la pena, pero si ello ocurriese mediante la remisión condicional, el plazo, una vez obtenida la remisión definitiva, se computará retrotrayéndolo al día siguiente a aquel en que hubiere quedado cumplida la pena si no se hubiere disfrutado de este beneficio. En este caso, se tomará como fecha inicial para el cómputo de la duración de la pena el día siguiente al del otorgamiento de la suspensión.

3. Las penas impuestas a las personas jurídicas y las consecuencias accesorias del artículo 129 se cancelarán en el plazo que corresponda, de acuerdo con la regla prevista en el apartado 1 de este artículo, salvo que se hubiese acordado la disolución o la prohibición definitiva de actividades. En estos casos, se cancelarán las anotaciones transcurridos cincuenta años computados desde el día siguiente a la firmeza de la sentencia.

4. Las inscripciones de antecedentes penales en las distintas secciones del Registro Central de Penados y Rebeldes no serán públicas. Durante su vigencia solo se emitirán certificaciones con las limitaciones y garantías previstas en sus normas específicas y en los casos establecidos por la ley. En todo caso, se librarán las que soliciten los jueces o tribunales, se refieran o no a inscripciones canceladas, haciendo constar expresamente esta última circunstancia.

5. En los casos en que, a pesar de cumplirse los requisitos establecidos en este artículo para la cancelación, esta no se haya producido, el juez o tribunal, acreditadas tales circunstancias, no tendrá en cuenta dichos antecedentes.

Para concluir, respecto a las medidas de seguridad, el art. 137 establece que las anotaciones de las medidas de seguridad impuestas conforme a lo dispuesto en este Código o en otras leyes penales serán canceladas una vez cumplida o prescrita la respectiva medida; mientras tanto, sólo figurarán en las certificaciones que el Registro expida con destino a Jueces o Tribunales o autoridades administrativas, en los casos establecidos por la Ley.

5. Responsabilidad penal del menor

5.1. Introducción

Como se expuso, la responsabilidad penal del menor se ha regulado por la Ley Orgánica 5/2000, de 12 de enero, reguladora de la responsabilidad penal de los menores (LO 5/2000, en adelante).

Esta ley ha sido desarrollada por el Real Decreto 1774/2004, de 30 de julio, por el que se aprueba el Reglamento de la Ley Orgánica 5/2000, de 12 de enero, reguladora de la responsabilidad penal de los menores, que, como señala su art. 1, desarrolla a esta Ley en lo referente a la actuación del equipo técnico y de la Policía Judicial, a la ejecución de las medidas cautelares y definitivas adoptadas de conformidad con aquella y al régimen disciplinario de los centros para la ejecución de las medidas privativas de libertad, sin perjuicio de las normas que, en aplicación de lo dispuesto en el art. 45.1 y la Disposición Final Séptima de dicha LO 5/2000 establezcan las Comunidades Autónomas y las Ciudades de Ceuta y Melilla, en el ámbito de sus competencias.

Al hilo de esta normativa, tratamos en líneas generales de lo pedido en este epígrafe.

5.2. Ámbito de aplicación de la ley

La LO 5/2000 se aplica para exigir la responsabilidad de las personas mayores de 14 años y menores de 18 por la comisión de hechos tipificados como delitos o faltas en el Código Penal o en las Leyes penales especiales (art. 1).

Cuando el autor de los hechos delictivos sea menor de 14 años, no se le exigirá responsabilidad con arreglo a esta LO 5/2000, sino que se le aplicarán las normas sobre protección de menores previstas en el Código Civil y demás disposiciones vigentes. En este caso, el Ministerio Fiscal deberá remitir a la entidad pública de protección de menores testimonio de los particulares que considere precisos respecto al menor, a fin de valorar su situación, y dicha entidad habrá de promover las medidas de protección adecuadas a las circunstancias de aquel conforme a la citada Ley Orgánica 1/1996 (art. 3).

El art. 4 LO 5/2000, sobre los Derechos de las víctimas y de las personas perjudicadas, dispone lo siguiente:

El Ministerio Fiscal y el Juez de Menores velarán en todo momento por la protección de los derechos de las víctimas y de las personas perjudicadas por las infracciones cometidas por las personas menores de edad.

De manera inmediata se les instruirá de las medidas de asistencia a las víctimas que prevé la legislación vigente, debiendo el Letrado de la Administración de Justicia derivar a la víctima de violencia a la Oficina de Atención a la Víctima competente.

Las víctimas y las personas perjudicadas tendrán derecho a personarse y ser parte en el expediente que se incoe al efecto, para lo cual el Letrado de la Administración de Justicia les informará en los términos previstos en los artículos 109 y 110 de la Ley de Enjuiciamiento Criminal, instruyéndoles de su derecho a nombrar dirección letrada o instar su nombramiento de oficio en caso de ser titulares del derecho a la asistencia jurídica gratuita. Asimismo, les informará de que, de no personarse en el expediente y no hacer renuncia ni reserva de acciones civiles, el Ministerio Fiscal las ejercitará si correspondiere.

Se garantizará especialmente que las declaraciones o interrogatorios de las partes acusadoras, testigos o peritos se realicen de forma telemática en los siguientes supuestos, salvo que el Juez, Tribunal o Ministerio Fiscal, mediante resolución motivada, en atención a las circunstancias del caso concreto, estime necesaria su presencia física:

Cuando sean víctimas de violencia de género, de violencia sexual, de trata de seres humanos o cuando sean víctimas menores de edad o con discapacidad. Todas ellas podrán intervenir desde los lugares donde se encuentren recibiendo oficialmente asistencia, atención, asesoramiento o protección, o desde cualquier otro lugar, siempre que dispongan de medios suficientes para asegurar su identidad y las adecuadas condiciones de la intervención.

Los menores a los que se les aplica la Ley serán responsables cuando hayan cometido los hechos a que se refiere su art. 1 y no concurra en ellos ninguna de las causas de exención o extinción de la responsabilidad criminal previstas en el CP (ya estudiadas). No obstante, a los menores en quienes concurran las circunstancias previstas en los números 1.º, 2.º y 3.º del art. 20 CP (también estudiados) les serán de aplicación, en caso necesario, las medidas terapéuticas a las que se refiere las letras d) y e) del art. 7,1.º LO 5/2000, que luego examinaremos (art. 5,1.º y 2.º).

Por lo demás, las edades indicadas en esta LO/2000 se entienden referidas al momento de la comisión de los hechos, sin que el haberse rebasado las mismas antes del comienzo del procedimiento o durante la tramitación del mismo tenga incidencia alguna sobre la competencia atribuida por la Ley a los Jueces y Fiscales de Menores (art. 5,3.º).

En cualquier caso, las personas a las que se aplica gozarán de todos los derechos reconocidos en el CE y en el ordenamiento jurídico, particularmente en la Ley Orgánica 1/1996, de 15 de enero, de Protección Jurídica del Menor, así como en la Convención sobre los Derechos del Niño de 20 de noviembre de 1989 y en todas aquellas normas sobre protección de menores contenidas en los Tratados válidamente celebrados por España (art. 1,3.º).

Por lo que se refiere a la competencia para conocer de los hechos cometidos por los menores, así como para hacer ejecutar sus sentencias, se atribuye a los Jueces de Menores, sin perjuicio de las facultades atribuidas por la propia LO 5/2000 a las Comunidades Autónomas respecto a la protección y reforma de los menores (art. 2,1.º).

Estos Jueces serán asimismo competentes para resolver sobre las responsabilidades civiles que se deriven de los hechos cometidos. Y la competencia corresponde al Juez de Menores del lugar donde se haya cometido el hecho delictivo, sin perjuicio de lo establecido en el artículo 20.3 de esta Ley. La competencia para conocer de los delitos previstos en los artículos 571 a 580 del Código Penal (afectados por la LO 5/2010) corresponderá al Juzgado Central de Menores de la Audiencia Nacional. Corresponderá igualmente al Juzgado Central de Menores de la Audiencia Nacional la competencia para conocer de los delitos cometidos por menores en el extranjero cuando conforme al artículo 23 de la Ley Orgánica 6/1985, de 1 de julio, del Poder Judicial y a los Tratados Internacionales corresponda su conocimiento a la jurisdicción española. La referencia del último inciso del apartado 4 del artículo 17 y cuantas otras se contienen en la presente Ley al Juez de

Menores se entenderán hechas al Juez Central de Menores en lo que afecta a los menores imputados por cualquiera de los delitos a que se refieren los artículos 571 a 580 del Código Penal (art. 2,2.º a 4.º, modificado por la Ley Orgánica 8/2012, de 27 de diciembre).

Corresponde al Ministerio Fiscal la defensa de los derechos que a los menores reconocen las Leyes, así como la vigilancia de las actuaciones que deban efectuarse en su interés y la observancia de las garantías del procedimiento, para lo cual dirigirá personalmente la investigación de los hechos y ordenará que la policía judicial practique las actuaciones necesarias para la comprobación de aquellos y de la participación del menor en los mismos (art. 6).

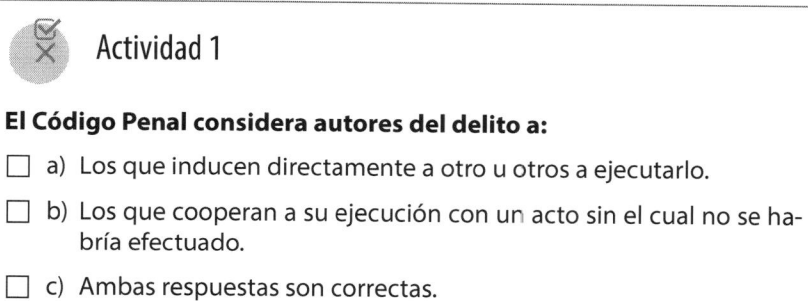

Actividad 1

El Código Penal considera autores del delito a:

☐ a) Los que inducen directamente a otro u otros a ejecutarlo.

☐ b) Los que cooperan a su ejecución con un acto sin el cual no se habría efectuado.

☐ c) Ambas respuestas son correctas.

5.3. Medidas susceptibles de ser impuestas a los menores

Se recogen en el art. 7 LO 5/2000, a cuyo tenor:

1. Las medidas que pueden imponer los Jueces de Menores, ordenadas según la restricción de derechos que suponen, son las siguientes:

   a) Internamiento en régimen cerrado. Las personas sometidas a esta medida residirán en el centro y desarrollarán en el mismo las actividades formativas, educativas, laborales y de ocio.

   b) Internamiento en régimen semiabierto. Las personas sometidas a esta medida residirán en el centro, pero podrán realizar fuera del mismo alguna o algunas de las actividades formativas, educativas, laborales y de ocio establecidas en el programa individualizado de ejecución de la medida. La realización de actividades fuera del centro quedará condicionada a la evolución de la persona y al cumplimiento de los objetivos previstos en las mismas, pudiendo el Juez de Menores suspenderlas por tiempo determinado, acordando que todas las actividades se lleven a cabo dentro del centro.

   c) Internamiento en régimen abierto. Las personas sometidas a esta medida llevarán a cabo todas las actividades del proyecto educativo en los servicios normalizados del entorno, residiendo en el centro como domicilio habitual, con sujeción al programa y régimen interno del mismo.

d) Internamiento terapéutico en régimen cerrado, semiabierto o abierto. En los centros de esta naturaleza se realizará una atención educativa especializada o tratamiento específico dirigido a personas que padezcan anomalías o alteraciones psíquicas, un estado de dependencia de bebidas alcohólicas, drogas tóxicas o sustancias psicotrópicas, o alteraciones en la percepción que determinen una alteración grave de la conciencia de la realidad. Esta medida podrá aplicarse sola o como complemento de otra medida prevista en este artículo. Cuando el interesado rechace un tratamiento de deshabituación, el Juez habrá de aplicarle otra medida adecuada a sus circunstancias.

e) Tratamiento ambulatorio. Las personas sometidas a esta medida habrán de asistir al centro designado con la periodicidad requerida por los facultativos que las atiendan y seguir las pautas fijadas para el adecuado tratamiento de la anomalía o alteración psíquica, adicción al consumo de bebidas alcohólicas, drogas tóxicas o sustancias psicotrópicas, o alteraciones en la percepción que padezcan. Esta medida podrá aplicarse sola o como complemento de otra medida prevista en este artículo. Cuando el interesado rechace un tratamiento de deshabituación, el Juez habrá de aplicarle otra medida adecuada a sus circunstancias.

f) Asistencia a un centro de día. Las personas sometidas a esta medida residirán en su domicilio habitual y acudirán a un centro, plenamente integrado en la comunidad, a realizar actividades de apoyo, educativas, formativas, laborales o de ocio.

g) Permanencia de fin de semana. Las personas sometidas a esta medida permanecerán en su domicilio o en un centro hasta un máximo de treinta y seis horas entre la tarde o noche del viernes y la noche del domingo, a excepción, en su caso, del tiempo que deban dedicar a las tareas socio-educativas asignadas por el Juez que deban llevarse a cabo fuera del lugar de permanencia.

h) Libertad vigilada. En esta medida se ha de hacer un seguimiento de la actividad de la persona sometida a la misma y de su asistencia a la escuela, al centro de formación profesional o al lugar de trabajo, según los casos, procurando ayudar a aquella a superar los factores que determinaron la infracción cometida. Asimismo, esta medida obliga, en su caso, a seguir las pautas socio-educativas que señale la entidad pública o el profesional encargado de su seguimiento, de acuerdo con el programa de intervención elaborado al efecto y aprobado por el Juez de Menores. La persona sometida a la medida también queda obligada a mantener con dicho profesional las entrevistas establecidas en el programa y a cumplir, en su caso, las reglas de conducta impuestas por el Juez, que podrán ser alguna o algunas de las siguientes:

   1.ª Obligación de asistir con regularidad al centro docente correspondiente, si el menor está en edad de escolarización obligatoria, y acreditar ante el Juez dicha asistencia regular o justificar en su caso las ausencias, cuantas veces fuere requerido para ello.

   2.ª Obligación de someterse a programas de tipo formativo, cultural, educativo, profesional, laboral, de educación sexual, de educación vial u otros similares.

3.ª Prohibición de acudir a determinados lugares, establecimientos o espectáculos.

4.ª Prohibición de ausentarse del lugar de residencia sin autorización judicial previa.

5.ª Obligación de residir en un lugar determinado.

6.ª Obligación de comparecer personalmente ante el Juzgado de Menores o profesional que se designe, para informar de las actividades realizadas y justificarlas.

7.ª Cualesquiera otras obligaciones que el Juez, de oficio o a instancia del Ministerio Fiscal, estime convenientes para la reinserción social del sentenciado, siempre que no atenten contra su dignidad como persona. Si alguna de estas obligaciones implicase la imposibilidad del menor de continuar conviviendo con sus padres, tutores o guardadores, el Ministerio Fiscal deberá remitir testimonio de los particulares a la entidad pública de protección del menor, y dicha entidad deberá promover las medidas de protección adecuadas a las circunstancias de aquel, conforme a lo dispuesto en la Ley Orgánica 1/1996.

i) La prohibición de aproximarse o comunicarse con la víctima o con aquellos de sus familiares u otras personas que determine el Juez. Esta medida impedirá al menor acercarse a ellos, en cualquier lugar donde se encuentren, así como a su domicilio, a su centro docente, a sus lugares de trabajo y a cualquier otro que sea frecuentado por ellos. La prohibición de comunicarse con la víctima, o con aquellos de sus familiares u otras personas que determine el Juez o Tribunal, impedirá al menor establecer con ellas, por cualquier medio de comunicación o medio informático o telemático, contacto escrito, verbal o visual. Si esta medida implicase la imposibilidad del menor de continuar viviendo con sus padres, tutores o guardadores, el Ministerio Fiscal deberá remitir testimonio de los particulares a la entidad pública de protección del menor, y dicha entidad deberá promover las medidas de protección adecuadas a las circunstancias de aquel, conforme a lo dispuesto en la Ley Orgánica 1/1996.

j) Convivencia con otra persona, familia o grupo educativo. La persona sometida a esta medida debe convivir, durante el período de tiempo establecido por el Juez, con otra persona, con una familia distinta a la suya o con un grupo educativo, adecuadamente seleccionados para orientar a aquella en su proceso de socialización.

k) Prestaciones en beneficio de la comunidad. La persona sometida a esta medida, que no podrá imponerse sin su consentimiento, ha de realizar las actividades no retribuidas que se le indiquen, de interés social o en beneficio de personas en situación de precariedad.

l) Realización de tareas socio-educativas. La persona sometida a esta medida ha de realizar, sin internamiento ni libertad vigilada, actividades específicas de contenido educativo encaminadas a facilitarle el desarrollo de su competencia social.

m) Amonestación. Esta medida consiste en la represión de la persona llevada a cabo por el Juez de Menores y dirigida a hacerle comprender la gravedad de los hechos cometidos y las consecuencias que los mismos han tenido o podrían haber tenido, instándole a no volver a cometer tales hechos en el futuro.

n) Privación del permiso de conducir ciclomotores y vehículos a motor, o del derecho a obtenerlo, o de las licencias administrativas para caza o para uso de cualquier tipo de armas. Esta medida podrá imponerse como accesoria cuando el delito o falta se hubiere cometido utilizando un ciclomotor o un vehículo a motor, o un arma, respectivamente.

ñ) Inhabilitación absoluta. La medida de inhabilitación absoluta produce la privación definitiva de todos los honores, empleos y cargos públicos sobre el que recayere, aunque sean electivos; así como la incapacidad para obtener los mismos o cualesquiera otros honores, cargos o empleos públicos, y la de ser elegido para cargo público, durante el tiempo de la medida.

2. Las medidas de internamiento constarán de dos períodos: el primero se llevará a cabo en el centro correspondiente, conforme a la descripción efectuada en el apartado anterior de este artículo, el segundo se llevará a cabo en régimen de libertad vigilada, en la modalidad elegida por el Juez. La duración total no excederá del tiempo que se expresa en los artículos 9 y 10. El equipo técnico deberá informar respecto del contenido de ambos períodos, y el Juez expresará la duración de cada uno en la sentencia.

3. Para la elección de la medida o medidas adecuadas se deberá atender de modo flexible, no sólo a la prueba y valoración jurídica de los hechos, sino especialmente a la edad, las circunstancias familiares y sociales, la personalidad y el interés del menor, puestos de manifiesto los dos últimos en los informes de los equipos técnicos y de las entidades públicas de protección y reforma de menores cuando estas hubieran tenido conocimiento del menor por haber ejecutado una medida cautelar o definitiva con anterioridad, conforme a lo dispuesto en el artículo 27 de la presente Ley. El Juez deberá motivar en la sentencia las razones por las que aplica una determinada medida, así como el plazo de duración de la misma, a los efectos de la valoración del mencionado interés del menor.

4. El Juez podrá imponer al menor una o varias medidas de las previstas en esta Ley con independencia de que se trate de uno o más hechos, sujetándose si procede a lo dispuesto en el artículo 11 para el enjuiciamiento conjunto de varias infracciones; pero, en ningún caso, se impondrá a un menor en una misma resolución más de una medida de la misma clase, entendiendo por tal cada una de las que se enumeran en el apartado 1 de este artículo.

5. Cuando la medida impuesta lo sea por la comisión de un delito de los previstos en los Capítulos I y II del Título VIII del Código Penal, el Juez impondrá de forma accesoria, en todo caso, la obligación de someterse a programas formativos de educación sexual y de educación en igualdad.

El art. 8 LO 5/2000, más adelante, señala que el Juez de Menores no podrá imponer una medida que suponga una mayor restricción de derechos ni por un tiempo superior a la medida solicitada por el Ministerio Fiscal o por el acusador particular. Tampoco podrá exceder la duración de las medidas privativas de libertad contempladas en el art. 7,1.º,a), b), c), d) y g), en ningún caso, del tiempo que hubiera durado la pena privativa de libertad que se le hubiere impuesto por el mismo hecho, si el sujeto, de haber sido mayor de edad, hubiera sido declarado responsable, de acuerdo con el Código Penal.

El art. 9, por su parte, establece las reglas para la aplicación de las medidas, prescribiendo que, no obstante lo establecido en los apartados 3 y 4 del artículo 7, la aplicación de las medidas se atenderá a las siguientes reglas:

1. Cuando los hechos cometidos sean calificados de falta, sólo se podrán imponer las medidas de libertad vigilada hasta un máximo de seis meses, amonestación, permanencia de fin de semana hasta un máximo de cuatro fines de semana, prestaciones en beneficio de la comunidad hasta cincuenta horas, privación del permiso de conducir o de otras licencias administrativas hasta un año, la prohibición de aproximarse o comunicarse con la víctima o con aquellos de sus familiares u otras personas que determine el Juez hasta seis meses, y la realización de tareas socio-educativas hasta seis meses.

2. La medida de internamiento en régimen cerrado sólo podrá ser aplicable cuando:

   a) Los hechos estén tipificados como delito grave por el Código Penal o las leyes penales especiales.

   b) Tratándose de hechos tipificados como delito menos grave, en su ejecución se haya empleado violencia o intimidación en las personas o se haya generado grave riesgo para la vida o la integridad física de las mismas.

   c) Los hechos tipificados como delito se cometan en grupo o el menor perteneciere o actuare al servicio de una banda, organización o asociación, incluso de carácter transitorio, que se dedicare a la realización de tales actividades.

3. La duración de las medidas no podrá exceder de dos años, computándose, en su caso, a estos efectos el tiempo ya cumplido por el menor en medida cautelar, conforme a lo dispuesto en el artículo 28.5 de la presente Ley. La medida de prestaciones en beneficio de la comunidad no podrá superar las cien horas. La medida de permanencia de fin de semana no podrá superar los ocho fines de semana.

4. Las acciones u omisiones imprudentes no podrán ser sancionadas con medidas de internamiento en régimen cerrado.

5. Cuando en la postulación del Ministerio Fiscal o en la resolución dictada en el procedimiento se aprecien algunas de las circunstancias a las que se refiere el artículo 5.2 de esta Ley, sólo podrán aplicarse las medidas terapéuticas descritas en el artículo 7.1, letras d) y e) de la misma.

Por su parte, el art. 10 establece unas reglas especiales de aplicación y duración de las medidas, prescribiendo que:

1. Cuando se trate de los hechos previstos en el apartado 2 del artículo anterior, el Juez, oído el Ministerio Fiscal, las partes personadas y el equipo técnico, actuará conforme a las reglas siguientes:

   a) si al tiempo de cometer los hechos el menor tuviere catorce o quince años de edad, la medida podrá alcanzar tres años de duración. Si se trata de prestaciones en beneficio de la comunidad, dicho máximo será de ciento cincuenta horas, y de doce fines de semana si la medida impuesta fuere la de permanencia de fin de semana.

b) si al tiempo de cometer los hechos el menor tuviere dieciséis o diecisiete años de edad, la duración máxima de la medida será de seis años; o, en sus respectivos casos, de doscientas horas de prestaciones en beneficio de la comunidad o permanencia de dieciséis fines de semana. En este supuesto, cuando el hecho revista extrema gravedad, el Juez deberá imponer una medida de internamiento en régimen cerrado de uno a seis años, complementada sucesivamente con otra medida de libertad vigilada con asistencia educativa hasta un máximo de cinco años. Sólo podrá hacerse uso de lo dispuesto en los artículos 13 y 51.1 de esta Ley Orgánica una vez transcurrido el primer año de cumplimiento efectivo de la medida de internamiento. A los efectos previstos en el párrafo anterior, se entenderán siempre supuestos de extrema gravedad aquellos en los que se apreciara reincidencia.

2. Cuando el hecho sea constitutivo de alguno de los delitos tipificados en los artículos 138, 139, 178, apartados 2 y 3, 179, 180, 181, apartados 2, 4, 5 y 6, y 571 a 580 del Código Penal, o de cualquier otro delito que tenga señalada en dicho Código o en las leyes penales especiales pena de prisión igual o superior a quince años, el Juez deberá imponer las medidas siguientes:

   a) Si al tiempo de cometer los hechos el menor tuviere catorce o quince años de edad, una medida de internamiento en régimen cerrado de uno a cinco años de duración, complementada en su caso por otra medida de libertad vigilada de hasta tres años.

   b) Si al tiempo de cometer los hechos el menor tuviere dieciséis o diecisiete años de edad, una medida de internamiento en régimen cerrado de uno a ocho años de duración, complementada en su caso por otra de libertad vigilada con asistencia educativa de hasta cinco años. En este supuesto solo podrá hacerse uso de las facultades de modificación, suspensión o sustitución de la medida impuesta a las que se refieren los artículos 13, 40 y 51.1 de esta ley orgánica, cuando haya trascurrido, al menos, la mitad de la duración de la medida de internamiento impuesta.

3. En el caso de que el delito cometido sea alguno de los comprendidos en los artículos 571 a 580 del Código Penal, el Juez, sin perjuicio de las demás medidas que correspondan con arreglo a esta Ley, también impondrá al menor una medida de inhabilitación absoluta por un tiempo superior entre cuatro y quince años al de la duración de la medida de internamiento en régimen cerrado impuesta, atendiendo proporcionalmente a la gravedad del delito, el número de los cometidos y a las circunstancias que concurran en el menor.

4. Las medidas de libertad vigilada previstas en este artículo deberán ser ratificadas mediante auto motivado, previa audiencia del Ministerio Fiscal, del letrado del menor y del representante de la entidad pública de protección o reforma de menores al finalizar el internamiento, y se llevará a cabo por las instituciones públicas encargadas del cumplimiento de las penas. El art. 11 trata de la pluralidad de infracciones, estableciendo que:

   1. Los límites máximos establecidos en el artículo 9 y en el apartado 1 del artículo 10 serán aplicables, con arreglo a los criterios establecidos en el artículo 7, apartados

3 y 4, aunque el menor fuere responsable de dos o más infracciones, en el caso de que estas sean conexas o se trate de una infracción continuada, así como cuando un sólo hecho constituya dos o más infracciones. No obstante, en estos casos, el Juez, para determinar la medida o medidas a imponer, así como su duración, deberá tener en cuenta, además del interés del menor, la naturaleza y el número de las infracciones, tomando como referencia la más grave de todas ellas.

Si pese a lo dispuesto en el artículo 20.1 de esta Ley dichas infracciones hubiesen sido objeto de diferentes procedimientos, el último Juez sentenciador señalará la medida o medidas que debe cumplir el menor por el conjunto de los hechos, dentro de los límites y con arreglo a los criterios expresados en el párrafo anterior.

2. Cuando alguno o algunos de los hechos a los que se refiere el apartado anterior fueren de los mencionados en el artículo 10.2 de esta Ley, la medida de internamiento en régimen cerrado podrá alcanzar una duración máxima de diez años para los mayores de dieciséis años y de seis años para los menores de esa edad, sin perjuicio de la medida de libertad vigilada que, de forma complementaria, corresponda imponer con arreglo a dicho artículo.

3. Cuando el menor hubiere cometido dos o más infracciones no comprendidas en el apartado 1 de este artículo será de aplicación lo dispuesto en el artículo 47 de la presente Ley.

Respecto al procedimiento de aplicación de medidas en supuestos de pluralidad de infracciones, dispone el art. 12 que:

1. A los fines previstos en el artículo anterior, en cuanto el Juez sentenciador tenga conocimiento de la existencia de otras medidas firmes en ejecución, pendientes de ejecución o suspendidas condicionalmente, impuestas al mismo menor por otros jueces de menores en anteriores sentencias, y una vez que la medida o medidas por él impuestas sean firmes, ordenará al secretario judicial que dé traslado del testimonio de su sentencia, por el medio más rápido posible, al Juez que haya dictado la primera sentencia firme, el cual será el competente para la ejecución de todas, asumiendo las funciones previstas en el apartado 2 de este artículo.

2. El Juez competente para la ejecución procederá a la refundición y a ordenar la ejecución de todas las medidas impuestas conforme establece el artículo 47 de esta Ley. Desde ese momento, pasará a ser competente a todos los efectos con exclusión de los órganos judiciales que hubieran dictado las posteriores resoluciones.

Por su parte, en cuanto a la modificación de la medida impuesta, señala el art. 13 que:

1. El Juez competente para la ejecución, de oficio o a instancia del Ministerio Fiscal o del letrado del menor, previa audiencia de estos e informe del equipo técnico y, en su caso, de la entidad pública de protección o reforma de menores, podrá en cualquier momento dejar sin efecto la medida impuesta, reducir su duración o sustituirla por otra, siempre que la modificación redunde en el interés del menor y

se exprese suficientemente a este el reproche merecido por su conducta. Cuando el delito cometido esté tipificado en los Capítulos I y II del Título VIII del Código Penal, sólo podrá dejarse sin efecto la medida si se acredita que la persona sometida a la misma ha cumplido la obligación prevista en el apartado 5 del artículo 7.

2. En los casos anteriores, el Juez resolverá por auto motivado, contra el cual se podrán interponer los recursos previstos en la presente Ley.

El art. 14, a continuación, trata de la mayoría de edad del condenado, disponiendo que:

1. Cuando el menor a quien se le hubiere impuesto una medida de las establecidas en esta Ley alcanzase la mayoría de edad, continuará el cumplimiento de la medida hasta alcanzar los objetivos propuestos en la sentencia en que se le impuso conforme a los criterios expresados en los artículos anteriores.

2. Cuando se trate de la medida de internamiento en régimen cerrado y el menor alcance la edad de dieciocho años sin haber finalizado su cumplimiento, el Juez de Menores, oído el Ministerio Fiscal, el letrado del menor, el equipo técnico y la entidad pública de protección o reforma de menores, podrá ordenar en auto motivado que su cumplimiento se lleve a cabo en un centro penitenciario conforme al régimen general previsto en la Ley Orgánica General Penitenciaria si la conducta de la persona internada no responde a los objetivos propuestos en la sentencia.

3. No obstante lo señalado en los apartados anteriores, cuando las medidas de internamiento en régimen cerrado sean impuestas a quien haya cumplido veintiún años de edad o, habiendo sido impuestas con anterioridad, no hayan finalizado su cumplimiento al alcanzar la persona dicha edad, el Juez de Menores, oídos el Ministerio Fiscal, el letrado del menor, el equipo técnico y la entidad pública de protección o reforma de menores, ordenará su cumplimiento en centro penitenciario conforme al régimen general previsto en la Ley Orgánica General Penitenciaria, salvo que, excepcionalmente, entienda en consideración a las circunstancias concurrentes que procede la utilización de las medidas previstas en los artículos 13 y 51 de la presente Ley o su permanencia en el centro en cumplimiento de tal medida cuando el menor responda a los objetivos propuestos en la sentencia.

4. Cuando el menor pase a cumplir la medida de internamiento en un centro penitenciario, quedarán sin efecto el resto de medidas impuestas por el Juez de Menores que estuvieren pendientes de cumplimiento sucesivo o que estuviera cumpliendo simultáneamente con la de internamiento, si estas no fueren compatible con el régimen penitenciario, todo ello sin perjuicio de que excepcionalmente proceda la aplicación de los artículos 13 y 51 de esta Ley.

5. La medida de internamiento en régimen cerrado que imponga el Juez de Menores con arreglo a la presente Ley se cumplirá en un centro penitenciario conforme al régimen general previsto en la Ley Orgánica General Penitenciaria siempre que, con anterioridad al inicio de la ejecución de dicha medida, el responsable hubiera cumplido ya, total o parcialmente, bien una pena de prisión impuesta con arreglo al Código Penal, o bien una medida de internamiento ejecutada en un centro penitenciario conforme a los apartados 2 y 3 de este artículo.

5.4. Prescripción

Conforme al art. 15 LO 5/2000, establece que:

1. Los hechos delictivos cometidos por los menores prescriben:

    1.º Con arreglo a las normas contenidas en el Código Penal, cuando se trate de los hechos delictivos tipificados en los artículos 138, 139, 179, 180 y 571 a 580 del Código Penal o cualquier otro sancionado en el Código Penal o en las leyes penales especiales con pena de prisión igual o superior a quince años.

    2.º A los cinco años, cuando se trate de un delito grave sancionado en el Código Penal con pena superior a diez años.

    3.º A los tres años, cuando se trate de cualquier otro delito grave.

    4.º Al año, cuando se trate de un delito menos grave.

    5.º A los tres meses, cuando se trate de una falta.

2. Las medidas que tengan una duración superior a los dos años prescribirán a los tres años. Las restantes medidas prescribirán a los dos años, excepto la amonestación, las prestaciones en beneficio de la comunidad y la permanencia de fin de semana, que prescribirán al año.

5.5. Instrucción del procedimiento

A la misma se refieren los arts. 16 a 30 de esta LO 5/2000, respecto de los cuales, consideramos necesario hacer hincapié en algunos aspectos de especial trascendencia en la actuación de la Policía Local o que revisten singular importancia.

En concreto, sobre la incoación del expediente, señala el art. 16 que corresponde al Ministerio Fiscal la instrucción de los procedimientos por los hechos a los que se refiere el art. 1 de esta Ley.

A estos efectos, quienes tuvieren noticia de algún hecho de este tipo, presuntamente cometido por un menor de 18 años, deberán ponerlo en conocimiento del Ministerio Fiscal, el cual admitirá o no a trámite la denuncia, según que los hechos sea o no indiciariamente constitutivos de delito; custodiará las piezas, documentos y efectos que le hayan sido remitidos, y practicará, en su caso, las diligencias que estime pertinentes para la comprobación del hecho y de la responsabilidad del menor en su comisión, pudiendo resolver el archivo de las actuaciones cuando los hechos no constituyan delito o no tengan autor conocido. La resolución recaída sobre la denuncia deberá notificarse a quienes hubieran formulado la misma.

Una vez efectuadas estas actuaciones, el Ministerio Fiscal dará cuenta de la incoación del expediente al Juez de Menores, quien iniciará las diligencias de trámite correspondientes y ordenará al propio tiempo la apertura de la pieza separada de responsabilidad civil, que se tramitará conforme a lo establecido en las reglas del art. 64 de esta Ley.

Cuando los hechos hubiesen sido cometidos conjuntamente por mayores de edad penal y por personas de las edades indicadas en el art. 1 de esta Ley, el Juez de Instrucción competente para el conocimiento de la causa, tan pronto como compruebe la edad de los imputados, adoptará las medidas necesarias para asegurar el éxito de la actividad investigadora respecto de los mayores de edad y ordenará remitir testimonio de los particulares precisos al Ministerio Fiscal, a los efectos antes señalados.

Respecto de la detención de los menores, el art. 17 dispone que las autoridades y funcionarios que intervengan en la detención de un menor deberán practicarla en la forma que menos perjudique a este y estarán obligados a informarle, en un lenguaje claro y comprensible y de forma inmediata, de los hechos que se le imputan, de las razones de su detención y de los derechos que le asisten, especialmente los reconocidos en el art. 520 de la Ley de Enjuiciamiento Criminal, así como a garantizar el respeto de los mismos. También deberán notificar inmediatamente el hecho de la detención y el lugar de la custodia a los representantes legales del menor y al Ministerio Fiscal. Si el menor detenido fuera extranjero, el hecho de la detención se notificará a las correspondientes autoridades consulares cuando el menor tuviera su residencia habitual fuera de España o cuando así lo solicitaran el propio menor o sus representantes legales.

Toda declaración del detenido, se llevará a cabo en presencia de su letrado y de aquellos que ejerzan la patria potestad, tutela o guarda del menor de hecho o de derecho, salvo que, en este último caso, las circunstancias aconsejen lo contrario. En defecto de estos últimos, la declaración se llevará a cabo en presencia del Ministerio Fiscal, representado por persona distinta del instructor del expediente.

El menor detenido tendrá derecho a la entrevista reservada con su abogado con anterioridad y al término de la práctica de la diligencia de toma de declaración.

Mientras dure la detención, los menores deberán hallarse custodiados en dependencias adecuadas y separadas de las que se utilicen para los mayores de edad, y recibirán los cuidados, protección y asistencia social, psicológica, médica y física que requieran, habida cuenta de su edad, sexo y características individuales.

La detención de un menor por funcionarios de policía no podrá durar más del tiempo estrictamente necesario para la realización de las averiguaciones tendentes al esclarecimiento de los hechos, y, en todo caso, dentro del plazo máximo de veinticuatro horas, el menor detenido deberá ser puesto en libertad o a disposición del Ministerio Fiscal. Se aplicará, en su caso, lo dispuesto en el art. 520 bis de la Ley de Enjuiciamiento Criminal, atribuyendo la competencia para las resoluciones judiciales previstas en dicho precepto al Juez de Menores.

Cuando el detenido sea puesto a disposición del Ministerio Fiscal, este habrá de resolver, dentro de las 48 horas a partir de la detención, sobre la puesta en libertad del menor, sobre el desistimiento al que se refiere el artículo siguiente, o sobre la incoación del expediente, poniendo a aquel a disposición del Juez de Menores competente e instando del mismo las oportunas medidas cautelares, con arreglo a lo establecido en el art. 28.

El Juez competente para el procedimiento de "habeas corpus" en relación a un menor será el Juez de Instrucción del lugar en el que se encuentre el menor privado de libertad; si no constare, el del lugar donde se produjo la detención, y, en defecto de los anteriores, el del lugar donde se hayan tenido las últimas noticias sobre el paradero del menor detenido.

Cuando el procedimiento de "habeas corpus" sea instado por el propio menor, la fuerza pública responsable de la detención lo notificará inmediatamente al Ministerio Fiscal, además de dar curso al procedimiento conforme a la Ley Orgánica reguladora.

Por lo que se refiere al desistimiento de la incoación del expediente por corrección en el ámbito educativo y familiar, se contempla en el art. 18, según el cual el Ministerio Fiscal podrá desistir de la incoación del expediente cuando los hechos denunciados constituyan delitos menos graves sin violencia o intimidación en las personas, o faltas, tipificados en el Código Penal o en las Leyes penales especiales. En tal caso, el Ministerio Fiscal dará traslado de lo actuado a la entidad pública de protección de menores para la aplicación de lo establecido en el art. 3 (ya estudiado). Asimismo, el Ministerio Fiscal comunicará a los ofendidos o perjudicados conocidos el desistimiento acordado.

No obstante, cuando conste que el menor ha cometido con anterioridad otros hechos de la misma naturaleza, el Ministerio Fiscal deberá incoar el expediente y, en su caso, actuar conforme autoriza el art. 27,4.º de la LO 5/2000.

El art. 19, por su parte, prevé el sobreseimiento del expediente por conciliación o reparación entre el menor y la víctima, disponiendo, en su apartado 1.º, que también podrá el Ministerio Fiscal desistir de la continuación del expediente, atendiendo a la gravedad y circunstancias de los hechos y del menor, de modo particular a la falta de violencia o intimidación graves en la comisión de los hechos, y a la circunstancia de que además el menor se haya conciliado con la víctima o haya asumido el compromiso de reparar el daño causado a la víctima o al perjudicado por el delito, o se haya comprometido a cumplir la actividad educativa propuesta por el equipo técnico en su informe.

Este desistimiento sólo será posible cuando el hecho imputado al menor constituya delito menos grave o falta.

Por su parte, el apartado 2.º dispone que a efectos de lo dispuesto en el apartado anterior, se entenderá producida la conciliación cuando el menor reconozca el daño causado y se disculpe ante la víctima, y ésta acepte sus disculpas, y se entenderá por reparación el compromiso asumido por el menor con la víctima o perjudicado de realizar determinadas acciones en beneficio de aquellos o de la comunidad, seguido de su realización efectiva. Todo ello sin perjuicio del acuerdo al que hayan llegado las partes en relación con la responsabilidad civil.

Cuando la medida sea consecuencia de la comisión de alguno de los delitos tipificados en los Capítulos I y II del Título VIII del Código Penal, o estén relacionados con la violencia de género, no tendrá efecto de conciliación, a menos que la víctima lo solicite expresamente y que el menor, además, haya realizado la medida accesoria de educación sexual y de educación para la igualdad.

Con respecto a lo anterior, el correspondiente equipo técnico realizará las funciones de mediación entre el menor y la víctima o perjudicado, e informará al Ministerio Fiscal de los compromisos adquiridos y de su grado de cumplimiento.

Una vez producida la conciliación o cumplidos los compromisos de reparación asumidos con la víctima o perjudicado por el delito o falta cometido, o cuando una u otros no pudieran llevarse a efecto por causas ajenas a la voluntad del menor, el Ministerio Fiscal dará por concluida la instrucción y solicitará del Juez el sobreseimiento y archivo de las actuaciones, con remisión de lo actuado.

En el caso de que el menor no cumpliera la reparación o la actividad educativa acordada, el Ministerio Fiscal continuará la tramitación del expediente.

Finalmente, en los casos en los que la víctima del delito o falta fuere menor de edad o incapaz, el compromiso habrá de ser asumido por el representante legal de la misma, con la aprobación del Juez de Menores.

Los arts. 20 a 27 tratan, entre otros aspectos destacables, de la unidad de expediente por cada hecho delictivo cometido por el menor, salvo cuando se trata de delitos conexos; de los derechos del menor desde el mismo momento de la incoación del expediente (ser informado por el Juez, el Ministerio Fiscal, o agente de policía de los derechos que le asisten; designar abogado que le defienda, o a que le sea designado de oficio y a entrevistarse reservadamente con él, incluso antes de prestar declaración; intervenir en las diligencias que se practiquen durante la investigación preliminar y en el proceso judicial, y a proponer y solicitar, respectivamente, la práctica de diligencias; ser oído por el Juez o Tribunal antes de adoptar cualquier resolución que le concierna personalmente; la asistencia afectiva y psicológica en cualquier estado y grado del procedimiento, con la presencia de los padres o de otra persona que indique el menor, si el Juez de Menores autoriza su presencia, y la asistencia de los servicios del equipo técnico adscrito al Juzgado de Menores); de la actuación instructora del Ministerio Fiscal; de la posibilidad de declarar el secreto del expediente, por el Juez de Menores, a solicitud del Ministerio Fiscal, del menor o de su familia, o de quien ejercite la acción penal; de la acusación particular por las personas directamente ofendidas por el delito, sus padres, sus herederos o sus representantes legales si fueran menores de edad o incapaces, con las facultades y derechos que derivan de ser parte en el procedimiento; de las diligencias propuestas por el letrado del menor, y del informe del equipo técnico, sobre el que el art. 27 establece que:

1. Durante la instrucción del expediente, el Ministerio Fiscal requerirá del equipo técnico, que a estos efectos dependerá funcionalmente de aquel sea cual fuere su dependencia orgánica, la elaboración de un informe o actualización de los anteriormente emitidos, que deberá serle entregado en el plazo máximo de diez días, prorrogable por un período no superior a un mes en casos de gran complejidad, sobre la situación psicológica, educativa y familiar del menor, así como sobre su entorno social, y en general sobre cualquier otra circunstancia relevante a los efectos de la adopción de alguna de las medidas previstas en la presente Ley.

2. El equipo técnico podrá proponer, asimismo, una intervención socio-educativa sobre el menor, poniendo de manifiesto en tal caso aquellos aspectos del mismo que considere relevantes en orden a dicha intervención.

3. De igual modo, el equipo técnico informará, si lo considera conveniente y en interés del menor, sobre la posibilidad de que este efectúe una actividad reparadora o de conciliación con la víctima, de acuerdo con lo dispuesto en el art. 19 de esta Ley, con indicación expresa del contenido y la finalidad de la mencionada actividad. En este caso, no será preciso elaborar un informe de las características y contenidos del apartado 1 de este artículo.

4. Asimismo podrá el equipo técnico proponer en su informe la conveniencia de no continuar la tramitación del expediente en interés del menor, por haber sido expresado suficientemente el reproche al mismo a través de los trámites ya practicados, o por considerar inadecuada para el interés del menor cualquier intervención, dado el tiempo transcurrido desde la comisión de los hechos. En estos casos, si se reunieran los requisitos previstos en el art. 19,1.º de esta Ley, el Ministerio Fiscal podrá remitir el expediente al Juez con propuesta de sobreseimiento, remitiendo, además, en su caso, testimonio de lo actuado a la entidad pública de protección de menores que corresponda, a los efectos de que actúe en protección del menor.

5. En todo caso, una vez elaborado el informe del equipo técnico, el Ministerio Fiscal lo remitirá inmediatamente al Juez de Menores y dará copia del mismo al letrado del menor.

6. El informe a que se refiere el presente artículo podrá ser elaborado o complementado por aquellas entidades públicas o privadas que trabajen en el ámbito de la educación de menores y conozcan la situación del menor expedientado.

Para concluir con este Título de la Ley, relativo a la instrucción del procedimiento, los arts. 28 y 29 tratan de la posibilidad de adopción de medidas cautelares para la custodia y defensa del menor expedientado por el Juez de Menores, a instancias del Ministerio Fiscal, cuando existan indicios racionales de la comisión de un delito o el riesgo de eludir u obstruir la acción de la justicia por parte del menor, que podrán consistir en internamiento en centro en el régimen adecuado, libertad vigilada, prohibición de aproximarse o comunicarse con la víctima o con aquellos de sus familiares u otras personas que determine el Juez, o convivencia con otra persona, familia o grupo educativo.

Concluye el art. 30 con la remisión del expediente al Juez de Menores.

5.6. Otros aspectos del procedimiento

Los Títulos IV, V y VI LO 5/2000 tratan, respectivamente, de la fase de audiencia (previendo la posibilidad de dictar sentencia de conformidad), de la sentencia (contemplado la posibilidad de la suspensión de la ejecución del fallo por un tiempo máximo de dos años), y del régimen de recursos (de apelación ante la Audiencia Provincial contra las sentencias; de reforma ante el propio Juez de Menores respecto de sus autos y providencias; contra los autos que pongan fin al procedimiento o resuelvan el incidente de los artículos 13, 28, 29 y 40 de esta Ley, recurso de apelación ante la Audiencia Provincial por los trámites que regula la Ley de Enjuiciamiento Criminal para el procedimiento abreviado; contra los autos y sentencias dictados por el Juzgado Central de Menores de la Audiencia Nacional, recurso de apelación ante la Sala de lo Penal de la Audiencia Nacional, y, contra las resoluciones dictadas por los Letrados de la Administración de Justicia, los mismos recursos que los expresados en la Ley de Enjuiciamiento Criminal, que se sustanciarán en la forma que en ella se determina. Asimismo recoge el recurso de casación para unificación de doctrina ante la Sala Segunda del Tribunal Supremo).

5.7. Ejecución de las medidas

A la misma se refiere el Título VII LO 5/2000, que parte, en su art. 43, del principio de legalidad, a cuyo tenor no podrá ejecutarse ninguna de las medidas establecidas en esta Ley, sino en virtud de sentencia firme dictada de acuerdo con el procedimiento regulado en la misma. Tampoco podrán ejecutarse dichas medidas en otra forma que la prescrita en esta Ley y en los reglamentos que la desarrollen.

Respecto a la competencia judicial, la ejecución de las medidas se realizará bajo el control del Juez de Menores que haya dictado la sentencia correspondiente, salvo cuando por aplicación de lo dispuesto en los artículos 12 y 47 de esta Ley sea competente otro, el cual resolverá por auto motivado, oídos el Ministerio Fiscal, el letrado del menor y la representación de la entidad pública que ejecute aquella, sobre las incidencias que se puedan producir durante su transcurso, reconociendo al Juez de Menores el art. 44 diversas funciones al efecto.

Sobre la competencia administrativa, el art. 45 la atribuye a las Comunidades Autónomas y a las Ciudades de Ceuta y Melilla del lugar donde se ubique el Juzgado de Menores que haya dictado la sentencia, que llevarán a cabo, de acuerdo con sus respectivas normas de organización, la creación, dirección, organización y gestión de los servicios, instituciones y programas adecuados para garantizar la correcta ejecución de las medidas previstas en esta LO 5/2000, y que podrán establecer convenios o acuerdos de colaboración al efecto con otras entidades, bien sean públicas, de la Administración del Estado, Local o de otras Comunidades Autónomas, o privadas sin ánimo de lucro, bajo su directa supervisión, sin que ello suponga en ningún caso la cesión de titularidad y responsabilidad derivada de dicha ejecución.

Los arts. 46 a 53, en este contexto, regulan las reglas para la ejecución de las medidas, abordando lo relativo a la liquidación de la medida y el traslado del menor a un centro, la ejecución de varias medidas, el expediente personal de la persona sometida a la ejecución de una medida, la emisión de informes periódicos sobre la ejecución, el quebrantamiento de la ejecución, la sustitución de las medidas, la presentación de recursos y el cumplimiento de la medida.

Por su parte, los arts. 54 a 60 establecen una serie de reglas especiales para la ejecución de las medidas privativas de libertad, tratando de los centros para la ejecución de las mismas (centros específicos diferentes de los previstos en la legislación penitenciaria para los mayores de edad penal, sin perjuicio de que en algunos casos se pueda ejecutar en centros socio-sanitarios); del principio de resocialización que debe inspirar la actividad de estos centros (en cuya virtud la vida en los mismos debe tomar como referencia la vida en libertad, reduciendo al máximo los efectos negativos que el internamiento pueda representar para el menor o para su familia, favoreciendo los vínculos sociales, el contacto con los familiares y allegados, y la colaboración y participación de las entidades públicas y privadas en el proceso de integración social, especialmente de las más próximas geográfica y culturalmente); de los derechos de los menores internados (partiéndose de que todos ellos tienen derecho a que se respete su propia personalidad, su libertad ideológica y religiosa y los derechos e intereses legítimos no afectados por el contenido de la condena, especialmente los inherentes a la minoría de edad civil cuando sea el caso); de sus deberes; del derecho de información escrita sobre sus derechos y obligaciones, el régimen de internamiento, las cuestiones de organización general, las normas de funcionamiento del centro, las normas disciplinarias y los medios para formular peticiones, quejas o recursos; de las medidas de vigilancia y seguridad, y del régimen disciplinario (respetando en todo momento su dignidad personal y sin que se les pueda privar de sus derechos de alimentación, enseñanza obligatoria y de las comunicaciones y visitas previstas en esta normativa).

5.8. Responsabilidad civil

Finalmente, los arts. 61 a 64 regulan la responsabilidad civil, señalándose que la acción para exigirla se ejercitará por el Ministerio Fiscal, salvo que el perjudicado renuncie a ella, la ejercite por sí mismo en el plazo de un mes desde que se le notifique la apertura de la pieza separada de responsabilidad civil o se la reserve para ejercitarla ante el orden jurisdiccional civil conforme a los preceptos del Código Civil y de la Ley de Enjuiciamiento Civil, y previéndose que, cuando el responsable de los hechos cometidos sea un menor de 18 años, responderán solidariamente con él de los daños y perjuicios causados sus padres, tutores, acogedores y guardadores legales o de hecho, por este orden. Cuando estos no hubieren favorecido la conducta del menor con dolo o negligencia grave, su responsabilidad podrá ser moderada por el Juez según los casos.

5.9. Otras normas

La LO 5/2000 contiene una serie de Disposiciones Adicionales, que tratan de la aplicación en la Jurisdicción Militar; de la aplicación de medidas en casos de riesgo para la salud; del Registro de sentencias firmes dictas en aplicación de esta Ley, y de la aplicación de la misma a los delitos previstos en los arts. 138, 139, 179, 180, 571 a 580 y aquellos otros sancionados en el Código Penal con pena de prisión igual o superior a 15 años.

6. Las penas

6.1. Clasificación de las penas

Conforme al art. 32 del Código Penal, las penas que pueden imponerse con arreglo a este Código, bien con carácter principal bien como accesorias, son privativas de libertad, privativas de otros derechos y multa.

El art. 33, por su parte, dispone que:

1. En función de su naturaleza y duración, las penas se clasifican en graves, menos graves y leves.

2. Son penas graves:

   a) La prisión permanente revisable.

b) La prisión superior a cinco años.

c) La inhabilitación absoluta.

d) Las inhabilitaciones especiales por tiempo superior a cinco años.

e) La suspensión de empleo o cargo público por tiempo superior a cinco años.

f) La privación del derecho a conducir vehículos a motor y ciclomotores por tiempo superior a ocho años.

g) La privación del derecho a la tenencia y porte de armas por tiempo superior a ocho años.

h) La privación del derecho a residir en determinados lugares o acudir a ellos, por tiempo superior a cinco años.

i) La prohibición de aproximarse a la víctima o a aquellos de sus familiares u otras personas que determine el juez o tribunal, por tiempo superior a cinco años.

j) La prohibición de comunicarse con la víctima o con aquellos de sus familiares u otras personas que determine el juez o tribunal, por tiempo superior a cinco años.

k) La privación de la patria potestad.

3. Son penas menos graves:

a) La prisión de tres meses hasta cinco años.

b) Las inhabilitaciones especiales hasta cinco años.

c) La suspensión de empleo o cargo público hasta cinco años.

d) La privación del derecho a conducir vehículos a motor y ciclomotores de un año y un día a ocho años.

e) La privación del derecho a la tenencia y porte de armas de un año y un día a ocho años.

f) Inhabilitación especial para el ejercicio de profesión, oficio o comercio que tenga relación con los animales y para la tenencia de animales de un año y un día a cinco años.

g) La privación del derecho a residir en determinados lugares o acudir a ellos, por tiempo de seis meses a cinco años.

h) La prohibición de aproximarse a la víctima o a aquellos de sus familiares u otras personas que determine el juez o tribunal, por tiempo de seis meses a cinco años.

i) La prohibición de comunicarse con la víctima o con aquellos de sus familiares u otras personas que determine el juez o tribunal, por tiempo de seis meses a cinco años.

j) La multa de más de tres meses.

k) La multa proporcional, cualquiera que fuese su cuantía, salvo lo dispuesto en el apartado 7 de este artículo.

l) Los trabajos en beneficio de la comunidad de treinta y un días a un año.

4. Son penas leves:

a) La privación del derecho a conducir vehículos a motor y ciclomotores de tres meses a un año.

b) La privación del derecho a la tenencia y porte de armas de tres meses a un año.

c) Inhabilitación especial para el ejercicio de profesión, oficio o comercio que tenga relación con los animales y para la tenencia de animales de tres meses a un año.

d) La privación del derecho a residir en determinados lugares o acudir a ellos, por tiempo inferior a seis meses.

e) La prohibición de aproximarse a la víctima o a aquellos de sus familiares u otras personas que determine el juez o tribunal, por tiempo de un mes a menos de seis meses.

f) La prohibición de comunicarse con la víctima o con aquellos de sus familiares u otras personas que determine el juez o tribunal, por tiempo de un mes a menos de seis meses.

g) La multa de hasta tres meses.

h) La localización permanente de un día a tres meses.

i) Los trabajos en beneficio de la comunidad de uno a treinta días.

No se reputarán penas (art. 34):

1. La detención y prisión preventiva y las demás medidas cautelares de naturaleza penal.

2. Las multas y demás correcciones que, en uso de atribuciones gubernativas o disciplinarias, se impongan a los subordinados o administrados.

3. Las privaciones de derechos y las sanciones reparadoras que establezcan las leyes civiles o administrativas.

Recuerda que...

La prisión permanente revisable es una pena grave.

6.2. Penas privativas de libertad

Lo son la prisión permanente revisable, la prisión, la localización permanente y la responsabilidad personal subsidiaria por impago de multa. Su cumplimiento, así como los beneficios penitenciarios que supongan acortamiento de la condena, se ajustarán a lo dispuesto en las leyes y en este Código.

Conforme al art. 36 CP:

1. La pena de prisión permanente será revisada de conformidad con lo dispuesto en el artículo 92.

    La clasificación del condenado en el tercer grado deberá ser autorizada por el tribunal previo pronóstico individualizado y favorable de reinserción social, oídos el Ministerio Fiscal e Instituciones Penitenciarias, y no podrá efectuarse:

    a) Hasta el cumplimiento de veinte años de prisión efectiva, en el caso de que el penado lo hubiera sido por un delito del Capítulo VII del Título XXII del Libro II de este Código.

    b) Hasta el cumplimiento de quince años de prisión efectiva, en el resto de los casos.

    En estos supuestos, el penado no podrá disfrutar de permisos de salida hasta que haya cumplido un mínimo de doce años de prisión, en el caso previsto en la letra a), y ocho años de prisión, en el previsto en la letra b).

2. La pena de prisión tendrá una duración mínima de tres meses y máxima de veinte años, salvo lo que excepcionalmente dispongan otros preceptos del presente Código.

    Cuando la duración de la pena de prisión impuesta sea superior a cinco años, el juez o tribunal podrá ordenar que la clasificación del condenado en el tercer grado de tratamiento penitenciario no se efectúe hasta el cumplimiento de la mitad de la pena impuesta.

    En cualquier caso, cuando la duración de la pena de prisión impuesta sea superior a cinco años y se trate de los delitos enumerados a continuación, la clasificación del condenado en el tercer grado de tratamiento penitenciario no podrá efectuarse hasta el cumplimiento de la mitad de la misma:

    a) Delitos referentes a organizaciones y grupos terroristas y delitos de terrorismo del Capítulo VII del Título XXII del Libro II de este Código.

    b) Delitos cometidos en el seno de una organización o grupo criminal.

c) Delitos del Título VII bis del Libro II de este Código, cuando la víctima sea una persona menor de edad o persona con discapacidad necesitada de especial protección.

d) Delitos del artículo 181.

e) Delitos del Capítulo V del Título VIII del Libro II de este Código, cuando la víctima sea menor de dieciséis años.

En los supuestos de las letras c), d) y e), si la condena fuera superior a cinco años de prisión la clasificación del condenado en el tercer grado de tratamiento penitenciario no podrá efectuarse sin valoración e informe específico acerca del aprovechamiento por el reo del programa de tratamiento para condenados por agresión sexual.

3. La autoridad judicial de vigilancia penitenciaria, previo pronóstico individualizado y favorable de reinserción social y valorando, en su caso, las circunstancias personales de la persona condenada y la evolución del tratamiento reeducador, podrá acordar razonadamente, oídos el Ministerio Fiscal, Instituciones Penitenciarias y las demás partes, la aplicación del régimen general de cumplimiento, salvo en los supuestos contenidos en el apartado anterior.

4. En todo caso, la autoridad judicial de vigilancia penitenciaria, según corresponda, podrá acordar, previo informe del Ministerio Fiscal, Instituciones Penitenciarias y las demás partes, la progresión a tercer grado por motivos humanitarios y de dignidad personal de las personas condenadas enfermas muy graves con padecimientos incurables y de las personas septuagenarias, valorando, especialmente, su escasa peligrosidad. A tenor del art. 37 CP, la localización permanente tendrá una duración de hasta seis meses. Su cumplimiento obliga al penado a permanecer en su domicilio o en lugar determinado fijado por el Juez en sentencia o posteriormente en auto motivado.

No obstante, en los casos en los que la localización permanente esté prevista como pena principal, atendiendo a la reiteración en la comisión de la infracción y siempre que así lo disponga expresamente el concreto precepto aplicable, el Juez podrá acordar en sentencia que la pena de localización permanente se cumpla los sábados, domingos y días festivos en el centro penitenciario más próximo al domicilio del penado.

Si el reo lo solicitare y las circunstancias lo aconsejaren, oído el Ministerio Fiscal, el Juez o Tribunal sentenciador podrá acordar que la condena se cumpla durante los sábados y domingos o de forma no continuada.

Si el condenado incumpliera la pena, el Juez o Tribunal sentenciador deducirá testimonio para proceder de conformidad con lo que dispone el art. 468, que se refiere al delito de quebrantamiento de condena.

Para garantizar el cumplimiento efectivo, el Juez o Tribunal podrá acordar la utilización de medios mecánicos o electrónicos que permitan la localización del reo.

Por lo demás, cuando el reo estuviere preso, la duración de las penas empezará a computarse desde el día en que la sentencia condenatoria haya quedado firme. Cuando el reo no estuviere preso, la duración de las penas empezará a contarse desde que ingrese en el establecimiento adecuado para su cumplimiento (art. 38 CP).

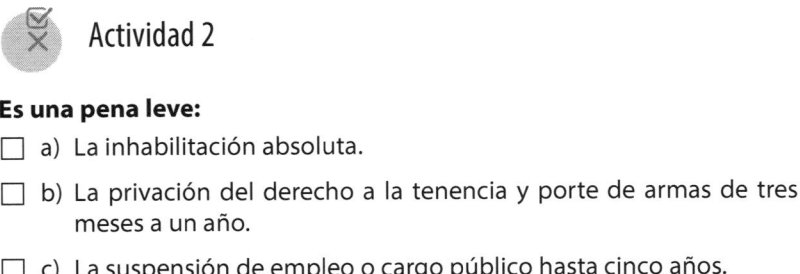

Actividad 2

Es una pena leve:

☐ a) La inhabilitación absoluta.

☐ b) La privación del derecho a la tenencia y porte de armas de tres meses a un año.

☐ c) La suspensión de empleo o cargo público hasta cinco años.

6.3. Penas privativas de derechos

Son penas privativas de derechos:

a) La inhabilitación absoluta.

b) Las de inhabilitación especial para empleo o cargo público, profesión, oficio, industria o comercio, u otras actividades, sean o no retribuidas, o de los derechos de patria potestad, tutela, guarda o curatela, tenencia de animales, derecho de sufragio pasivo o de cualquier otro derecho.

c) La suspensión de empleo o cargo público.

d) La privación del derecho a conducir vehículos a motor y ciclomotores.

e) La privación del derecho a la tenencia y porte de armas.

f) La privación del derecho a residir en determinados lugares o acudir a ellos.

g) La prohibición de aproximarse a la víctima o a aquellos de sus familiares u otras personas que determine el juez o el tribunal.

h) La prohibición de comunicarse con la víctima o con aquellos de sus familiares u otras personas que determine el juez o tribunal.

i) Los trabajos en beneficio de la comunidad.

j) La privación de la patria potestad.

El art. 40 CP dispone que la pena de inhabilitación absoluta tendrá una duración de seis a 20 años; las de inhabilitación especial, de tres meses a 20 años, y la de suspensión de empleo o cargo público, de tres meses a seis años. La de privación del derecho a conducir vehículos a motor y ciclomotores, y la de privación del derecho a la tenencia y porte de armas, de tres meses a 10 años. La de privación del derecho a residir en determinados lugares o acudir a ellos tendrá una duración máxima de hasta 10 años. La prohibición de aproximarse a la víctima o a aquellos de sus familiares u otras personas, o de comunicarse con ellas, tendrá una duración de un mes a 10 años. La de trabajos en beneficio de la comunidad, de un día a un año. Finalmente, la duración de cada una de estas penas será la señalada, salvo lo que excepcionalmente dispongan otros preceptos de este Código.

La pena de inhabilitación absoluta produce la privación definitiva de todos los honores, empleos y cargos públicos que tenga el penado, aunque sean electivos. Produce, además, la incapacidad para obtener los mismos o cualesquiera otros honores, cargos o empleos públicos, y la de ser elegido para cargo público, durante el tiempo de la condena.

La pena de inhabilitación especial para empleo o cargo público produce la privación definitiva del empleo o cargo sobre el que recayere, aunque sea electivo, y de los honores que le sean anejos. Produce, además, la incapacidad para obtener el mismo u otros análogos, durante el tiempo de la condena. En la sentencia habrán de especificarse los empleos, cargos y honores sobre los que recae la inhabilitación (art. 42 CP).

La suspensión de empleo o cargo público priva de su ejercicio al penado durante el tiempo de la condena (art. 43 CP).

La inhabilitación especial para el derecho de sufragio pasivo priva al penado, durante el tiempo de la condena, del derecho a ser elegido para cargos públicos (art. 44 CP).

La inhabilitación especial para profesión, oficio, industria o comercio u otras actividades, sean o no retribuidas, o cualquier otro derecho, que ha de concretarse expresa y motivadamente en la sentencia, priva a la persona penada de la facultad de ejercerlos durante el tiempo de la condena. La autoridad judicial podrá restringir la inhabilitación a determinadas actividades o funciones de la profesión u oficio, retribuido o no, permitiendo, si ello fuera posible, el ejercicio de aquellas funciones no directamente relacionadas con el delito cometido (art. 45 CP).

La inhabilitación especial para el ejercicio de la patria potestad, tutela, curatela, guarda o acogimiento, priva a la persona condenada de los derechos inherentes a la primera, y supone la extinción de las demás, así como la incapacidad para obtener nombramiento para dichos cargos durante el tiempo de la condena. La pena de privación de la patria potestad implica la pérdida de la titularidad de la misma, subsistiendo aquellos derechos de los que sea titular el hijo o la hija respecto de la persona condenada que se determinen judicialmente. La autoridad judicial podrá acordar estas penas respecto de todas o algunas de las personas menores de edad o personas con discapacidad necesitadas de especial protección que estén a cargo de la persona condenada.

Para concretar qué derechos de las personas menores de edad o personas con discapacidad han de subsistir en caso de privación de la patria potestad y para determinar respecto de qué personas se acuerda la pena, la autoridad judicial valorará el interés superior de la persona menor de edad o con discapacidad, en relación a las circunstancias del caso concreto.

A los efectos de este artículo, la patria potestad comprende tanto la regulada en el Código Civil, incluida la prorrogada y la rehabilitada, como las instituciones análogas previstas en la legislación civil de las comunidades autónomas.La imposición de la pena de privación del derecho a conducir vehículos a motor y ciclomotores inhabilitará al penado para el ejercicio de ambos derechos durante el tiempo fijado en la sentencia.

La imposición de la pena de privación del derecho a la tenencia y porte de armas inhabilitará al penado para el ejercicio de este derecho por el tiempo fijado en la sentencia.

Cuando la pena impuesta lo fuere por un tiempo superior a dos años comportará la pérdida de vigencia del permiso o licencia que habilite para la conducción o la tenencia y porte, respectivamente (art. 47).

Por lo que se refiere a la privación del derecho a residir en determinados lugares o acudir a ellos, con arreglo al art. 48 CP, impide al penado residir o acudir al lugar en que haya cometido el delito, o a aquel en que resida la víctima o su familia, si fueren distintos. En los casos en que exista declarada una discapacidad intelectual o una discapacidad que tenga su origen en un trastorno mental, se estudiará el caso concreto a fin de resolver teniendo presentes los bienes jurídicos a proteger y el interés superior de la persona con discapacidad que, en su caso, habrá de contar con los medios de acompañamiento y apoyo precisos para el cumplimiento de la medida.

La prohibición de aproximarse a la víctima, o a aquellos de sus familiares u otras personas que determine el Juez o Tribunal, impide al penado acercarse a ellos, en cualquier lugar donde se encuentren, así como acercarse a su domicilio, a sus lugares de trabajo y a cualquier otro que sea frecuentado por ellos, quedando en suspenso, respecto de los hijos, el régimen de visitas, comunicación y estancia que, en su caso, se hubiere reconocido en sentencia civil hasta el total cumplimiento de esta pena.

La prohibición de comunicarse con la víctima, o con aquellos de sus familiares u otras personas que determine el Juez o Tribunal, impide al penado establecer con ellas, por cualquier medio de comunicación o medio informático o telemático, contacto escrito, verbal o visual.

El Juez o Tribunal, finalmente, podrá acordar que el control de estas medidas se realice a través de aquellos medios electrónicos que lo permitan.

Los trabajos en beneficio de la comunidad, que no podrán imponerse sin el consentimiento de la persona condenada, le obligan a prestar su cooperación no retribuida en determinadas actividades de utilidad pública, que podrán consistir, en relación con delitos de similar naturaleza al cometido por la persona condenada, en labores de reparación de los daños causados o de apoyo o asistencia a las víctimas, así como en la participación de la persona condenada en talleres o programas formativos de reeducación, laborales, culturales, de educación vial, sexual, resolución pacífica de conflictos, parentalidad positiva y otros similares. Su duración diaria no podrá exceder de ocho horas y sus condiciones serán las siguientes:

1.ª La ejecución se desarrollará bajo el control del Juez de Vigilancia Penitenciaria, que, a tal efecto, requerirá los informes sobre el desempeño del trabajo a la Administración, entidad pública o asociación de interés general en que se presten los servicios.

2.ª No atentará a la dignidad del penado.

3.ª El trabajo en beneficio de la comunidad será facilitado por la Administración, la cual podrá establecer los convenios oportunos a tal fin.

4.ª Gozará de la protección dispensada a los penados por la legislación penitenciaria en materia de Seguridad Social.

5.ª No se supeditará al logro de intereses económicos.

6.ª Los servicios sociales penitenciarios, hechas las verificaciones necesarias, comunicarán al Juez de Vigilancia Penitenciaria las incidencias relevantes de la ejecución de la pena y, en todo caso, si el penado:

a) Se ausenta del trabajo durante al menos dos jornadas laborales, siempre que ello suponga un rechazo voluntario por su parte al cumplimiento de la pena.

b) A pesar de los requerimientos del responsable del centro de trabajo, su rendimiento fuera sensiblemente inferior al mínimo exigible.

c) Se opusiera o incumpliera de forma reiterada y manifiesta las instrucciones que se le dieren por el responsable de la ocupación referidas al desarrollo de la misma.

d) Por cualquier otra razón, su conducta fuere tal que el responsable del trabajo se negase a seguir manteniéndolo en el centro.

Una vez valorado el informe, el Juez de Vigilancia Penitenciaria podrá acordar su ejecución en el mismo centro, enviar al penado para que finalice la ejecución de la misma en otro centro o entender que el penado ha incumplido la pena.

En caso de incumplimiento, se deducirá testimonio para proceder de conformidad con el artículo 468.

7.ª Si el penado faltara del trabajo por causa justificada no se entenderá como abandono de la actividad. No obstante, el trabajo perdido no se le computará en la liquidación de la condena, en la que se deberán hacer constar los días o jornadas que efectivamente hubiese trabajado del total que se le hubiera impuesto.

6.4. Pena de multa

A tenor del art. 50 CP:

1. La pena de multa consistirá en la imposición al condenado de una sanción pecuniaria.

2. La pena de multa se impondrá, salvo que la Ley disponga otra cosa, por el sistema de días-multa.

3. Su extensión mínima será de diez días y la máxima de dos años. Las penas de multa imponibles a personas jurídicas tendrán una extensión máxima de cinco años.

4. La cuota diaria tendrá un mínimo de dos y un máximo de 400 euros, excepto en el caso de las multas imponibles a las personas jurídicas, en las que la cuota diaria tendrá un mínimo de 30 y un máximo de 5.000 euros. A efectos de cómputo, cuando se fije la duración por meses o por años, se entenderá que los meses son de treinta días y los años de trescientos sesenta.

5. Los Jueces o Tribunales determinarán motivadamente la extensión de la pena dentro de los límites establecidos para cada delito y según las reglas del capítulo II de este Título. Igualmente, fijarán en la sentencia, el importe de estas cuotas, teniendo en cuenta para ello exclusivamente la situación económica del reo, deducida de su patrimonio, ingresos, obligaciones y cargas familiares y demás circunstancias personales del mismo.

6. El Tribunal, por causa justificada, podrá autorizar el pago de la multa dentro de un plazo que no exceda de dos años desde la firmeza de la sentencia, bien de una vez o en los plazos que se determinen. En este caso, el impago de dos de ellos determinará el vencimiento de los restantes.

Si, después de la sentencia, variase la situación económica del penado, el Juez o Tribunal, excepcionalmente y tras la debida indagación de dicha situación, podrá modificar tanto el importe de las cuotas periódicas como los plazos para su pago (art. 51, redactado *ex novo* por la LO 15/2003).

No obstante lo dispuesto en los artículos anteriores y cuando el Código así lo determine, a tenor del art. 52 CP, la multa se establecerá en proporción al daño causado, el valor del objeto del delito o el beneficio reportado por el mismo.

En estos casos, los Jueces y Tribunales impondrán la multa dentro de los límites fijados para cada delito, considerando para determinar en cada caso su cuantía, no sólo las circunstancias atenuantes y agravantes del hecho, sino principalmente la situación económica del culpable.

Si, después de la sentencia, empeorase la situación económica del penado, el Juez o Tribunal, excepcionalmente y tras la debida indagación de dicha situación, podrá reducir el importe de la multa dentro de los límites señalados por la ley para el delito de que se trate, o autorizar su pago en los plazos que se determinen.

En los casos en los que este Código prevé una pena de multa para las personas jurídicas en proporción al beneficio obtenido o facilitado, al perjuicio causado, al valor del objeto, o a la cantidad defraudada o indebidamente obtenida, de no ser posible el cálculo en base a tales conceptos, el Juez o Tribunal motivará la imposibilidad de proceder a tal cálculo y las multas previstas se sustituirán por las siguientes:

a) Multa de dos a cinco años, si el delito cometido por la persona física tiene prevista una pena de prisión de más de cinco años.

b) Multa de uno a tres años, si el delito cometido por la persona física tiene prevista una pena de prisión de más de dos años no incluida en el inciso anterior.

c) Multa de seis meses a dos años, en el resto de los casos.

Finalmente, con arreglo al art. 53:

1. Si el condenado no satisficiere, voluntariamente o por vía de apremio, la multa impuesta, quedará sujeto a una responsabilidad personal subsidiaria de un día de privación de libertad por cada dos cuotas diarias no satisfechas, que, tratándose de delitos leves, podrá cumplirse mediante localización permanente. En este caso, no regirá la limitación que en su duración establece el apartado 1 del artículo 37.

   También podrá el juez o tribunal, previa conformidad del penado, acordar que la responsabilidad subsidiaria se cumpla mediante trabajos en beneficio de la comunidad. En este caso, cada día de privación de libertad equivaldrá a una jornada de trabajo.

2. En los supuestos de multa proporcional los Jueces y Tribunales establecerán, según su prudente arbitrio, la responsabilidad personal subsidiaria que proceda, que no podrá exceder, en ningún caso, de un año de duración. También podrá el Juez o Tribunal acordar, previa conformidad del penado, que se cumpla mediante trabajos en beneficio de la comunidad.

3. Esta responsabilidad subsidiaria no se impondrá a los condenados a pena privativa de libertad superior a cinco años.

4. El cumplimiento de la responsabilidad subsidiaria extingue la obligación de pago de la multa, aunque mejore la situación económica del penado.

5. Podrá ser fraccionado el pago de la multa impuesta a una persona jurídica, durante un período de hasta cinco años, cuando su cuantía ponga probadamente en peligro la supervivencia de aquella o el mantenimiento de los puestos de trabajo existentes en la misma, o cuando lo aconseje el interés general. Si la persona jurídica condenada no satisficiere, voluntariamente o por vía de apremio, la multa impuesta en el plazo que se hubiere señalado, el Tribunal podrá acordar su intervención hasta el pago total de la misma.

6.5. Penas accesorias

A ellas se refieren los arts. 54 a 57 CP, estableciendo la regulación que sigue:

a) Las penas de inhabilitación son accesorias en los casos en que, no imponiéndolas especialmente, la Ley declare que otras penas las llevan consigo.

Actividad 3

Rellena los huecos con las palabras que faltan:

Salvo lo que excepcionalmente dispongan el Código Penal, la pena de prisión, con carácter general, tendrá una duración mínima de ⬚ meses y máxima de ⬚ años.

b) La pena de prisión igual o superior a diez años llevará consigo la inhabilitación absoluta durante el tiempo de la condena, salvo que ésta ya estuviere prevista como pena principal para el supuesto de que se trate. El Juez podrá además disponer la inhabilitación especial para el ejercicio de la patria potestad, tutela, curatela, guarda o acogimiento, o bien la privación de la patria potestad, cuando estos derechos hubieren tenido relación directa con el delito cometido. Esta vinculación deberá determinarse expresamente en la sentencia.

c) En las penas de prisión inferiores a diez años, los Jueces o Tribunales impondrán, atendiendo a la gravedad del delito, como penas accesorias alguna o algunas de las siguientes: suspensión de empleo o cargo público, inhabilitación especial para el derecho de sufragio pasivo durante el tiempo de la condena, o Inhabilitación especial para empleo o cargo público, profesión, oficio, industria, comercio, ejercicio de la patria potestad, tutela, curatela, guarda o acogimiento o cualquier otro derecho, la privación de la patria potestad, si estos derechos hubieran tenido relación directa con el delito cometido, debiendo determinarse expresamente en la sentencia esta vinculación, sin perjuicio de la aplicación de lo previsto en el artículo 579 de este Código (sobre entrega, confesión y colaboración en materia de terrorismo. Lo dispuesto en este art. 56 se entiende sin perjuicio de la aplicación de lo dispuesto en otros preceptos del Código respecto de la imposición de estas penas.

d) Las autoridades judiciales, en los delitos de homicidio, aborto, lesiones, contra la libertad, de torturas y contra la integridad moral, trata de seres humanos, contra la libertad e indemnidad sexuales, la intimidad, el derecho a la propia imagen y la inviolabilidad del domicilio, el honor, el patrimonio, el orden socioeconómico y las relaciones familiares, atendiendo a la gravedad de los hechos o al peligro que el delincuente represente, podrán acordar en sus sentencias la imposición de una o varias de las prohibiciones contempladas en el artículo 48, por un tiempo que no excederá de diez años si el delito fuera grave, o de cinco si fuera menos grave.

No obstante lo anterior, si la persona condenada lo fuera a pena de prisión y el Juez o Tribunal acordara la imposición de una o varias de dichas prohibiciones, lo hará por un tiempo superior entre uno y diez años al de la duración de la pena de prisión impuesta en la sentencia, si el delito fuera grave, y entre uno y cinco años, si fuera menos grave. En este supuesto, la pena de prisión y las prohibiciones antes citadas se cumplirán necesariamente por la persona condenada de forma simultánea.

En los supuestos de los delitos mencionados en el primer párrafo de este apartado d), cometidos contra quien sea o haya sido el cónyuge, o sobre persona que esté o haya estado ligada al condenado por una análoga relación de afectividad aun sin convivencia, o sobre los descendientes, ascendientes o hermanos por naturaleza, adopción o afinidad, propios o del cónyuge o conviviente, o sobre los menores o personas con discapacidad necesitadas de especial protección que con él convivan o que se hallen sujetos a la potestad, tutela, curatela, acogimiento o guarda de hecho del cónyuge o conviviente, o sobre persona amparada en cualquier otra relación por la que se encuentre integrada en el núcleo de su convivencia familiar, así como sobre las personas que por su especial vulnerabilidad se encuentran sometidas a su custodia o guarda en centros públicos o privados se acordará, en todo caso, la aplicación de la pena prevista en el apartado 2 del artículo 48 por un tiempo que no excederá de diez años si el delito fuera grave, o de cinco si fuera menos grave, sin perjuicio de lo dispuesto en el párrafo segundo del apartado anterior.

También podrán imponerse las prohibiciones establecidas en el artículo 48, por un periodo de tiempo que no excederá de seis meses, por la comisión de los delitos mencionados en el primer párrafo del apartado 1 de este artículo que tengan la consideración de delitos leves.

6.6. Disposiciones comunes

Bajo este epígrafe, los arts. 58 a 60 CP (modificados el primero y el último por la LO 15/2003 y, posteriormente, el primero, de nuevo, por la LO 5/2010) contienen una serie de normas que afectan a lo ya tratado, en la forma que se señala:

a) El tiempo de privación de libertad sufrido provisionalmente será abonado en su totalidad por el Juez o Tribunal sentenciador para el cumplimiento de la pena o penas impuestas en la causa en que dicha privación fue acordada, salvo en cuanto haya coincidido con cualquier privación de libertad impuesta al penado en otra causa, que le haya sido abonada o le sea abonable en ella. En ningún caso un mismo periodo de privación de libertad podrá ser abonado en más de una causa.

   El abono de prisión provisional en causa distinta de la que se decretó será acordado de oficio o a petición del penado y previa comprobación de que no ha sido abonada en otra causa, por el Juez de Vigilancia Penitenciaria de la jurisdicción de la que dependa el centro penitenciario en que se encuentre el penado, previa audiencia del Ministerio Fiscal.

   Sólo procederá el abono de prisión provisional sufrida en otra causa cuando dicha medida cautelar sea posterior a los hechos delictivos que motivaron la pena a la que se pretende abonar.

   Estas reglas se aplicarán también respecto de las privaciones de derechos acordadas cautelarmente.

b) Cuando las medidas cautelares sufridas y la pena impuesta sean de distinta naturaleza, el Juez o Tribunal ordenará que se tenga por ejecutada la pena impuesta en aquella parte que estime compensada.

c) Cuando, después de pronunciada sentencia firme, se aprecie en el penado una situación duradera de trastorno mental grave que le impida conocer el sentido de la pena, el Juez de Vigilancia Penitenciaras suspenderá la ejecución de la pena privativa de libertad que se le hubiera impuesto, garantizando que reciba la asistencia médica precisa para lo cual podrá decretar la imposición de una medida de seguridad privativa de libertad de las previstas en el Código que no podrá ser, en ningún caso, más gravosa que la pena sustituida. Si se tratase de una pena de distinta naturaleza, el Juez de Vigilancia Penitenciaria apreciará si la situación del penado le permite conocer el sentido de la pena y, en su caso, suspenderá la ejecución imponiendo las medidas de seguridad que estime necesarias.

El Juez de Vigilancia Penitenciaria comunicará al Ministerio Fiscal, con suficiente antelación, la próxima extinción de la pena o medida de seguridad impuesta, a efectos de lo previsto por la Disposición Adicional Primera del Código (sobre declaración de incapacidad ante la Jurisdicción Civil).

d) Restablecida la salud mental del penado, este cumplirá la sentencia si la pena no hubiere prescrito, sin perjuicio de que el Juez o Tribunal, por razones de equidad, pueda dar por extinguida la condena o reducir su duración, en la medida en que el cumplimiento de la pena resulte innecesario o contraproducente.

 Actividad 4

La pena de multa consistirá en la imposición al condenado de una sanción pecuniaria. La pena de multa se impondrá, salvo que la Ley disponga otra cosa, por el sistema de:

Solución a las actividades

Actividad 1.

- ☐ a) Los que inducen directamente a otro u otros a ejecutarlo.
- ☐ b) Los que cooperan a su ejecución con un acto sin el cual no se habría efectuado.
- ☑ c) Ambas respuestas son correctas.

Actividad 2.

- ☐ a) La inhabilitación absoluta.
- ☑ b) La privación del derecho a la tenencia y porte de armas de tres meses a un año.
- ☐ c) La suspensión de empleo o cargo público hasta cinco años.

Actividad 3.

Salvo lo que excepcionalmente dispongan el Código Penal, la pena de prisión, con carácter general, tendrá una duración mínima de **tres** meses y máxima de **veinte** años.

Actividad 4.

Días-multa.

TEMA 8

Delitos contra la seguridad vial. Faltas cometidas con ocasión de la circulación de vehículos a motor. Lesiones y daños imprudentes

Este **manual** desarrolla tu programa de materias y en el Curso MAD360 encontrarás las **actualizaciones** y todo lo necesario para conseguir tu plaza.

Índice

1. Delitos contra la seguridad del tráfico

Los delitos contra la seguridad del tráfico se recogen en los **arts. 379 a 385 del vigente Código Penal**, aprobado por la Ley Orgánica 10/1995, de 23 de noviembre, objeto de profundas y reiteradas modificaciones a lo largo del tiempo (CP, en adelante); en concreto, entre ellas, la efectuada por la Ley Orgánica 2/2019, de 1 de marzo, de modificación de la Ley Orgánica 10/1995, de 23 de noviembre, del Código Penal, en materia de imprudencia en la conducción de vehículos a motor o ciclomotor y sanción del abandono del lugar del accidente, por la Ley Orgánica 15/2007, de 30 de noviembre, que ha modificado la rúbrica del Capítulo IV del Título XVII, del Libro II de CP, en el sentido de tratar "De los delitos contra la Seguridad Vial", y la llevada a cabo por la Ley Orgánica 5/2010, de 22 de junio, por la que se modifica la Ley Orgánica 10/1995, de 23 de noviembre, del Código Penal (LO 5/2010, en otras citas).

Conforme al **art. 379**:

1. El que condujere un vehículo de motor o un ciclomotor a velocidad superior en sesenta kilómetros por hora en vía urbana o en ochenta kilómetros por hora en vía interurbana a la permitida reglamentariamente, será castigado con la pena de prisión de tres a seis meses o con la de multa de seis a doce meses o con la de trabajos en beneficio de la comunidad de treinta y uno a noventa días, y, en cualquier caso, con la de privación del derecho a conducir vehículos a motor y ciclomotores por tiempo superior a uno y hasta cuatro años.

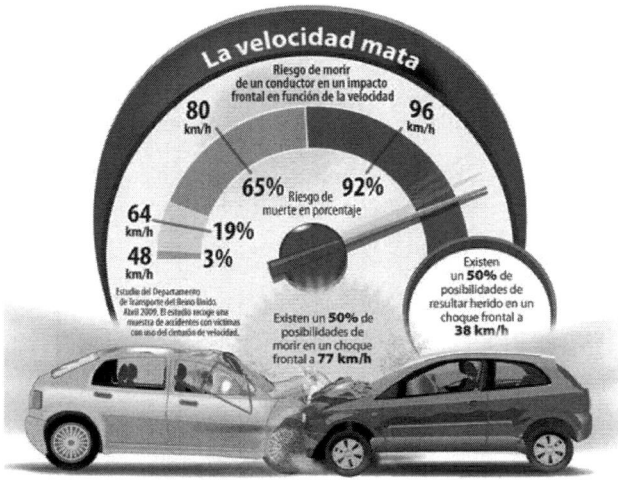

2. Con las mismas penas será castigado el que condujere un vehículo de motor o ciclomotor bajo la influencia de drogas tóxicas, estupefacientes, sustancias psicotrópicas o de bebidas alcohólicas. En todo caso será condenado con dichas penas el que condujere con una tasa de alcohol en aire espirado superior a 0,60 miligramos por litro o con una tasa de alcohol en sangre superior a 1,2 gramos por litro.

 Sabías que...

La conducción con un nivel de alcohol en la sangre superior al permitido puede ser sancionada con una infracción administrativa o tratarse como un delito penal. Estudiado en este tema el delito penal, debería conocer cuando es infracción administrativa y las multas impuestas:

– Cuando un conductor ha ingerido alcohol en pocas cantidades y al realizar la prueba supera la tasa permitida que dispone la Ley de Seguridad Vial, es decir de 0,50 mg/l en aire espirado, (profesionales y titulares de permisos de conducción con menos de dos años de antigüedad más de 0.30 mg/l), será sancionado con multa de hasta 1.000 euros y la retirada de hasta 6 puntos.

– Conducir con valores mg/l aire espirado, superior a 0,25 hasta 0,50 (profesionales y titulares de permisos de conducción con menos de dos años de antigüedad más de 0.15 hasta 0.30 mg/l), será sancionado con la multa de 500 euros y la retirada de 4 puntos.

– Se impondrá una sanción de 1.000 euros en el supuesto de que el conductor ya hubiera sido sancionado el año inmediatamente anterior.

– En ningún caso el conductor menor de edad podrá circular por las vías con una tasa de alcohol en sangre superior a 0 gramos por litro o de alcohol en aire espirado superior a 0 miligramos por litro (añadido por Ley 18/2021, de 20 de diciembre por la que se modifica el texto refundido de la Ley sobre Tráfico, Circulación de Vehículos a Motor y Seguridad Vial, aprobado por Real Decreto Legislativo 8/2004, de 29 de octubre, por el que se aprueba el texto refundido de la Ley sobre responsabilidad civil y seguro en la circulación de vehículos a motor).

Tampoco puede hacerlo el conductor de cualquier vehículo con presencia de drogas en el organismo, de las que se excluyen aquellas sustancias que se utilicen bajo prescripción facultativa y con una finalidad terapéutica, siempre que se esté en condiciones de utilizar el vehículo conforme a la obligación de diligencia, precaución y no distracción (añadido por Ley 18/2021, de 20 de diciembre por la que se modifica el texto refundido de la Ley sobre Tráfico, Circulación de Vehículos a Motor y Seguridad Vial).

El **art. 380**, a continuación, dispone que:

1. El que condujere un vehículo a motor o un ciclomotor con temeridad manifiesta y pusiere en concreto peligro la vida o la integridad de las personas será castigado con las penas de prisión de seis meses a dos años y privación del derecho a conducir vehículos a motor y ciclomotores por tiempo superior a uno y hasta seis años.

2. A los efectos del presente precepto se reputará manifiestamente temeraria la conducción en la que concurrieren las circunstancias previstas en el apartado primero y en el inciso segundo del apartado segundo del artículo anterior.

Por su parte, el **art. 381** establece que:

1. Será castigado con las penas de prisión de dos a cinco años, multa de doce a veinticuatro meses y privación del derecho a conducir vehículos a motor y ciclomotores durante un período de seis a diez años el que, con manifiesto desprecio por la vida de los demás, realizare la conducta descrita en el artículo anterior.

2. Cuando no se hubiere puesto en concreto peligro la vida o la integridad de las personas, las penas serán de prisión de uno a dos años, multa de seis a doce meses y privación del derecho a conducir vehículos a motor y ciclomotores por el tiempo previsto en el párrafo anterior.

3. (...)

A tenor del **art. 382**, de 1 de marzo, cuando con los actos sancionados en los artículos 379, 380 y 381 se ocasionare, además del riesgo prevenido, un resultado lesivo constitutivo de delito, cualquiera que sea su gravedad, los Jueces o Tribunales apreciarán tan sólo la infracción más gravemente penada, aplicando la pena en su mitad superior y condenando, en todo caso, al resarcimiento de la responsabilidad civil que se hubiera originado. Cuando el resultado lesivo concurra con un delito del artículo 381, se impondrá en todo caso la pena de privación del derecho a conducir vehículos a motor y ciclomotores prevista en este precepto en su mitad superior.

Por Ley Orgánica 2/2019, de 1 de marzo, se ha añadido el **art. 382 bis** y ha sido modificado por Ley Orgánica 11/2022, de 13 de septiembre, de modificación del Código Penal en materia de imprudencia en la conducción de vehículos a motor o ciclomotor que dispone lo siguiente:

1. El conductor de un vehículo a motor o de un ciclomotor que, fuera de los casos contemplados en el artículo 195, voluntariamente y sin que concurra riesgo propio o de terceros, abandone el lugar de los hechos tras causar un accidente en el que fallecieren una o varias personas o en el que se les causare alguna de las lesiones a que se refieren los artículos 147.1, 149 y 150, será castigado como autor de un delito de abandono del lugar del accidente.

2. Los hechos contemplados en este artículo que tuvieran su origen en una acción imprudente del conductor, serán castigados con la pena de prisión de seis meses a cuatro años y privación del derecho a conducir vehículos a motor y ciclomotores de uno a cuatro años.

3. Si el origen de los hechos que dan lugar al abandono fuera fortuito le corresponderá una pena de tres a seis meses de prisión y privación del derecho a conducir vehículos a motor y ciclomotores de seis meses a dos años.

El **art. 383** prescribe que el conductor que, requerido por un agente de la autoridad, se negare a someterse a las pruebas legalmente establecidas para la comprobación de las tasas de alcoholemia y la presencia de las drogas tóxicas, estupefacientes y sustancias psicotrópicas a que se refieren los artículos anteriores, será castigado con la penas de prisión de seis meses a un año y privación del derecho a conducir vehículos a motor y ciclomotores por tiempo superior a uno y hasta cuatro años.

El **art. 384**, a continuación, señala que el que condujere un vehículo de motor o ciclo-motor en los casos de pérdida de vigencia del permiso o licencia por pérdida total de los puntos asignados legalmente, será castigado con la pena de prisión de tres a seis meses o con la de multa de doce a veinticuatro meses o con la de trabajos en beneficio de la comunidad de treinta y uno a noventa días.

La misma pena se impondrá al que realizare la conducción tras haber sido privado cau-telar o definitivamente del permiso o licencia por decisión judicial y al que condujere un ve-hículo de motor o ciclomotor sin haber obtenido nunca permiso o licencia de conducción.

Por otra parte, con arreglo al **art. 385**, será castigado con la pena de prisión de seis meses a dos años o a las de multa de doce a veinticuatro meses y trabajos en beneficio de la comunidad de diez a cuarenta días, el que originare un grave riesgo para la circulación de alguna de las siguientes formas:

1.ª Colocando en la vía obstáculos imprevisibles, derramando sustancias deslizantes o infla-mables o mutando, sustrayendo o anulando la señalización o por cualquier otro medio.

2.ª No restableciendo la seguridad de la vía, cuando haya obligación de hacerlo.

Finalmente, en esta materia, la LO 5/2010 ha añadido los **arts. 385 bis y 385 ter**, disponien-do el primero de ellos que el vehículo a motor o ciclomotor utilizado en los hechos previstos en este Capítulo se considerará instrumento del delito a los efectos de los artículos 127 y 128.

El art. 385 ter, a su vez, prescribe que en los delitos previstos en los artículos 379, 383, 384 y 385, el Juez o Tribunal, razonándolo en sentencia, podrá rebajar en un grado la pena de prisión en atención a la menor entidad del riesgo causado y a las demás circunstancias del hecho.

En las infracciones a la seguridad vial, el resultado que se produce puede ser malintenciona-do o imprudente y serán castigados como delitos imprudentes, cuando así lo disponga espe-cíficamente el Código Penal, como los homicidios imprudentes y las lesiones por imprudencia.

 Recuerda que...

Será condenado en todo caso, el que condujere con una tasa de alcohol en aire espirado superior a 0,60 miligramos por litro o con una tasa de alcohol en sangre superior a 1,2 gramos por litro.

 Actividad 1

¿Con qué tipo de pena será castigado el conductor que, requerido por un agente de la autoridad, se negare a someterse a las pruebas legalmente establecidas para la comprobación de las tasas de alcoholemia y la presencia de las drogas tóxicas, estupefacientes y sustancias psicotrópicas?

En cuanto a las **pruebas para detectar la conducción bajos los efectos del alcohol o estupefacientes, psicotrópicos, estimulantes u otras sustancias análogas**, se regulan en el Capítulo IV y Capítulo V respectivamente, del Título I del Real Decreto 1428/2003, de 21 de noviembre, por el que se aprueba el Reglamento General de Circulación para la aplicación y desarrollo del texto articulado de la Ley sobre tráfico, circulación de vehículos a motor y seguridad vial, aprobado por el Real Decreto Legislativo 339/1990, de 2 de marzo.

Así pues, dispone el artículo 20 del citado Reglamento que "no podrán circular por las vías objeto de la legislación sobre tráfico, circulación de vehículos a motor y seguridad vial los conductores de vehículos ni los conductores de bicicletas con una **tasa de alcohol** en sangre superior a 0,5 gramos por litro, o de alcohol en aire espirado superior a 0,25 miligramos por litro.

Cuando se trate de vehículos destinados al transporte de mercancías con una masa máxima autorizada superior a 3.500 kilogramos, vehículos destinados al transporte de viajeros de más de nueve plazas, o de servicio público, al transporte escolar y de menores, al de mercancías peligrosas o de servicio de urgencia o transportes especiales, los conductores no podrán hacerlo con una tasa de alcohol en sangre superior a 0,3 gramos por litro, o de alcohol en aire espirado superior a 0,15 miligramos por litro.

Los conductores de cualquier vehículo no podrán superar la tasa de alcohol en sangre de 0,3 gramos por litro ni de alcohol en aire espirado de 0,15 miligramos por litro durante los dos años siguientes a la obtención del permiso o licencia que les habilita para conducir.

A estos efectos, sólo se computará la antigüedad de la licencia de conducción cuando se trate de la conducción de vehículos para los que sea suficiente dicha licencia".

En cuanto a la **investigación de la alcoholemia y personas obligadas**, recoge el artículo 21 del Reglamento que todos los conductores de vehículos y de bicicletas quedan obligados a someterse a las pruebas que se establezcan para la detección de las posibles intoxicaciones por alcohol. Igualmente quedan obligados los demás usuarios de la vía cuando se hallen implicados en algún accidente de circulación (artículo 12.2, párrafo primero, del texto articulado).

Los agentes de la autoridad encargados de la vigilancia del tráfico podrán someter a dichas pruebas:

a) A cualquier usuario de la vía o conductor de vehículo implicado directamente como posible responsable en un accidente de circulación.

b) A quienes conduzcan cualquier vehículo con síntomas evidentes, manifestaciones que denoten o hechos que permitan razonablemente presumir que lo hacen bajo la influencia de bebidas alcohólicas.

c) A los conductores que sean denunciados por la comisión de alguna de las infracciones a las normas contenidas en este reglamento.

d) A los que, con ocasión de conducir un vehículo, sean requeridos al efecto por la autoridad o sus agentes dentro de los programas de controles preventivos de alcoholemia ordenados por dicha autoridad.

En cuanto a las **pruebas de detección alcohólica mediante el aire espirado**, recoge el artículo 22 de dicho cuerpo legal, lo siguiente:

"Las pruebas para detectar la posible intoxicación por alcohol se practicarán por los agentes encargados de la vigilancia de tráfico y consistirán, normalmente, en la verificación del aire espirado mediante etilómetros que, oficialmente autorizados, determinarán de forma cuantitativa el grado de impregnación alcohólica de los interesados.

A petición del interesado o por orden de la autoridad judicial, se podrán repetir las pruebas a efectos de contraste, que podrán consistir en análisis de sangre, orina u otros análogos (artículo 12.2, párrafo segundo, in fine, del texto articulado).

Cuando las personas obligadas sufrieran lesiones, dolencias o enfermedades cuya gravedad impida la práctica de las pruebas, el personal facultativo del centro médico al que fuesen evacuados decidirá las que se hayan de realizar".

La **práctica de las pruebas**, antes descritas, se regula en el artículo 23:

"Si el resultado de la prueba practicada diera un grado de impregnación alcohólica superior a 0,5 gramos de alcohol por litro de sangre o a 0,25 miligramos de alcohol por litro de aire espirado, o al previsto para determinados conductores en el artículo 20 o, aún sin alcanzar estos límites, presentara la persona examinada síntomas evidentes de encontrarse bajo la influencia de bebidas alcohólicas, el agente someterá al interesado, para una mayor garantía y a efecto de contraste, a la práctica de una segunda prueba de detección alcohólica por el aire espirado, mediante un procedimiento similar al que sirvió para efectuar la primera prueba, de lo que habrá de informarle previamente.

De la misma forma advertirá a la persona sometida a examen del derecho que tiene a controlar, por sí o por cualquiera de sus acompañantes o testigos presentes, que entre la realización de la primera y de la segunda prueba medie un tiempo mínimo de 10 minutos.

Igualmente, le informará del derecho que tiene a formular cuantas alegaciones u observaciones tenga por conveniente, por sí o por medio de su acompañante o defensor, si lo tuviese, las cuales se consignarán por diligencia, y a contrastar los resultados obtenidos mediante análisis de sangre, orina u otros análogos, que el personal facultativo del centro médico al que sea trasladado estime más adecuados.

En el caso de que el interesado decida la realización de dichos análisis, el agente de la autoridad adoptará las medidas más adecuadas para su traslado al centro sanitario más próximo al lugar de los hechos. Si el personal facultativo del centro apreciara que las pruebas solicitadas por el interesado son las adecuadas, adoptará las medidas tendentes a cumplir lo dispuesto en el artículo 26.

El importe de dichos análisis deberá ser previamente depositado por el interesado y con él se atenderá al pago cuando el resultado de la prueba de contraste sea positivo; será a cargo de los órganos periféricos del organismo autónomo Jefatura Central de Tráfico o de las autoridades municipales o autonómicas competentes cuando sea negativo, devolviéndose el depósito en este último caso".

El artículo 24, recoge las **diligencias del agente de la autoridad**:

"Si el resultado de la segunda prueba practicada por el agente, o el de los análisis efectuados a instancia del interesado, fuera positivo, o cuando el que condujese un vehículo de motor presentara síntomas evidentes de hacerlo bajo la influencia de bebidas alcohólicas o apareciera presuntamente implicado en una conducta delictiva, el agente de la autoridad, además de ajustarse, en todo caso, a lo establecido en la Ley de Enjuiciamiento Criminal, deberá:

a) Describir con precisión, en el boletín de denuncia o en el atestado de las diligencias que practique, el procedimiento seguido para efectuar la prueba o pruebas de detección alcohólica, haciendo constar los datos necesarios para la identificación del instrumento o instrumentos de detección empleados, cuyas características genéricas también detallará.

b) Consignar las advertencias hechas al interesado, especialmente la del derecho que le asiste a contrastar los resultados obtenidos en las pruebas de detección alcohólica por el aire espirado mediante análisis adecuados, y acreditar en las diligencias las pruebas o análisis practicados en el centro sanitario al que fue trasladado el interesado.

c) Conducir al sometido a examen, o al que se negase a someterse a las pruebas de detección alcohólica, en los supuestos en que los hechos revistan caracteres delictivos, de conformidad con lo dispuesto en la Ley de Enjuiciamiento Criminal, al juzgado correspondiente a los efectos que procedan".

En cuanto a la **inmovilización del vehículo**, dispone el artículo 25 que "en el supuesto de que el resultado de las pruebas y de los análisis, en su caso, fuera positivo, el agente podrá proceder, además, a la inmediata inmovilización del vehículo, mediante su precinto u otro procedimiento efectivo que impida su circulación, a no ser que pueda hacerse cargo de su conducción otra persona debidamente habilitada, y proveerá cuanto fuese necesario en orden a la seguridad de la circulación, la de las personas transportadas en general, especialmente si se trata de niños, ancianos, enfermos o inválidos, la del propio vehículo y la de su carga.

También podrá inmovilizarse el vehículo en los casos de negativa a efectuar las pruebas de detección alcohólica (artículo 70, in fine, del texto articulado).

Salvo en los casos en que la autoridad judicial hubiera ordenado su depósito o intervención, en los cuales se estará a lo dispuesto por dicha autoridad, la inmovilización del vehículo se dejará sin efecto tan pronto como desaparezca la causa que la motivó o pueda sustituir al conductor otro habilitado para ello que ofrezca garantía suficiente a los agentes de la autoridad y cuya actuación haya sido requerida por el interesado.

Los gastos que pudieran ocasionarse por la inmovilización, traslado y depósito del vehículo serán de cuenta del conductor o de quien legalmente deba responder por él".

Las **obligaciones del personal sanitario**, se regulan en el artículo 26 del Reglamento: "El personal sanitario vendrá obligado, en todo caso, a proceder a la obtención de muestras y remitirlas al laboratorio correspondiente, y a dar cuenta, del resultado de las pruebas que se realicen, a la autoridad judicial, a los órganos periféricos del organismo autónomo Jefatura Central de Tráfico y, cuando proceda, a las autoridades municipales competentes (artículo 12.2, párrafo tercero, del texto articulado).

Entre los datos que comunique el personal sanitario a las mencionadas autoridades u órganos figurarán, en su caso, el sistema empleado en la investigación de la alcoholemia, la hora exacta en que se tomó la muestra, el método utilizado para su conservación y el porcentaje de alcohol en sangre que presente el individuo examinado.

Las infracciones a las distintas normas de este capítulo, relativas a la conducción habiendo ingerido bebidas alcohólicas o a la obligación de someterse a las pruebas de detección alcohólica, tendrán la consideración de infracciones muy graves, conforme se prevé en el artículo 65.5.a) y b) del texto articulado".

El Capítulo V del Reglamento, como dijimos, recoge las **normas sobre estupefacientes, psicotrópicos, estimulantes u otras sustancias análogas**, disponiendo el artículo 27 lo siguiente:

"No podrán circular por las vías objeto de la legislación sobre tráfico, circulación de vehículos a motor y seguridad vial los conductores de vehículos o bicicletas que hayan ingerido o incorporado a su organismo psicotrópicos, estimulantes u otras sustancias análogas, entre las que se incluirán, en cualquier caso, los medicamentos u otras sustancias bajo cuyo efecto se altere el estado físico o mental apropiado para circular sin peligro.

Las infracciones a las normas de este precepto tendrán la consideración de muy graves, conforme se prevé en el artículo 65.5.a) del texto articulado".

En cuanto a las **pruebas para la detección** de sustancias estupefacientes, psicotrópicos, estimulantes u otras sustancias análogas, dispone el artículo 28 que:

"Las pruebas para la detección de estupefacientes, psicotrópicos, estimulantes u otras sustancias análogas, así como las personas obligadas a su realización, se ajustarán a lo dispuesto en los párrafos siguientes:

a) Las pruebas consistirán normalmente en el reconocimiento médico de la persona obligada y en los análisis clínicos que el médico forense u otro titular experimentado, o personal facultativo del centro sanitario o instituto médico al que sea trasladada aquélla, estimen más adecuados.

A petición del interesado o por orden de la autoridad judicial, se podrán repetir las pruebas a efectos de contraste, que podrán consistir en análisis de sangre, orina u otros análogos (artículo 12.2, párrafo segundo, in fine, del texto articulado).

b) Toda persona que se encuentre en una situación análoga a cualquiera de las enumeradas en el artículo 21, respecto a la investigación de la alcoholemia, queda obligada a someterse a las pruebas señaladas en el párrafo anterior. En los casos de negativa a efectuar dichas pruebas, el agente podrá proceder a la inmediata inmovilización del vehículo en la forma prevista en el artículo 25.

c) El agente de la autoridad encargado de la vigilancia del tráfico que advierta síntomas evidentes o manifestaciones que razonablemente denoten la presencia de cualquiera de las sustancias aludidas en el organismo de las personas a que se refiere el artículo anterior se ajustará a lo establecido en la Ley de Enjuiciamiento Criminal y a cuanto ordene, en su caso, la autoridad judicial, y deberá ajustar su actuación, en cuanto sea posible, a lo dispuesto en este reglamento para las pruebas para la detección alcohólica.

d) La autoridad competente determinará los programas para llevar a efecto los controles preventivos para la comprobación de estupefacientes, psicotrópicos, estimulantes u otras sustancias análogas en el organismo de cualquier conductor.

Las infracciones a este precepto relativas a la conducción bajo los efectos de estupefacientes, psicotrópicos, estimulantes u otras sustancias análogas, así como la infracción de la obligación de someterse a las pruebas para su detección, tendrán la consideración de infracciones muy graves, conforme se prevé en el artículo 65.5.a) y b) del texto articulado".

2. Faltas cometidas con ocasión de la circulación de vehículos a motor. Lesiones y daños imprudentes

A las mismas se refería el derogado art. 621 CP que fueron derogadas por la Ley Orgánica 1/2015, de 30 de marzo, por lo que, como en los casos relacionados con otro tipo de faltas, se omite su estudio. En cuanto a las lesiones, nos remitimos a lo estudiado en el apartado 1.3 del tema 7.

Respecto a los daños por imprudencia, dispone el artículo 267 del CP que los daños causados por imprudencia grave en cuantía superior a 80.000 euros, serán castigados con la pena de multa de tres a nueve meses, atendiendo a la importancia de los mismos.

Las infracciones a que se refiere este artículo sólo serán perseguibles previa denuncia de la persona agraviada o de su representante legal. El Ministerio Fiscal también podrá denunciar cuando aquélla sea menor de edad, persona con discapacidad necesitada de especial protección o una persona desvalida.

En estos casos, el perdón de la persona ofendida extingue la acción penal.

Actividad 2

¿ A partir de qué ley dejaron de tipificarse en nuestro Código Penal las faltas cometidas con ocasión de la circulación de vehículos a motor?

Solución a las actividades

Actividad 1.

> Será castigado con la pena de prisión y privación del derecho a conducir vehículos a motor y ciclomotores.

Actividad 2.

> A partir de la Ley Orgánica 1/2015 de 30 de marzo.

TEMA 9

Ley de seguridad vial. Reglamentos de desarrollo. Estructura y conceptos generales

Tú nos eliges, nosotros te **acompañamos** y tu Curso MAD360 te ayuda a organizar el estudio para no dejarte nada atrás.

Índice

1. Ley de Seguridad Vial. Reglamentos de desarrollo. Estructuras y conceptos generales: introducción

Como señalaba la Exposición de Motivos de la Ley 18/1989, de 25 de julio, de Bases sobre Tráfico, Circulación de Vehículos a Motor y Seguridad Vial (Ley 18/1989, en adelante), el Código de Circulación, aprobado por Decreto de 25 de septiembre de 1934, fue un instrumento jurídico que permitió, con las necesarias adaptaciones, la ordenación del tráfico en una época caracterizada por su espectacular crecimiento, con trascendental repercusión, tanto en la circulación urbana como interurbana.

Sin embargo, la exigencia de una nueva regulación que sustituya a este Código de la Circulación, vino impuesta tanto para adaptar la norma a los principios de la vigente Constitución, de 27 de diciembre de 1978 (CE, en las sucesivas citas), como por la necesidad de disponer de un instrumento legal idóneo para afrontar la solución de la actual problemática, no contemplada, en toda su amplitud, por la anterior normativa.

En este sentido, la magnitud del fenómeno de la circulación, con su trágico índice de siniestralidad, ha movido a la Administración a abandonar la primitiva concepción de su actuación: puramente policial, para pasar a un planteamiento activo de la misma, orientado a promover la seguridad de la circulación y a la prevención de accidentes, tanto en carretera como en zonas urbanas.

Por ello, y ante la complejidad técnica de la regulación de esta materia, las Cortes Generales optaron por dictar la Ley 18/1989, habilitando al Gobierno para dictar un Texto Articulado de la misma, en el que se desarrollen estas Bases, y en el que se haga especial hincapié en el principio de estrecha colaboración entre la Administración del Estado y las Corporaciones Locales en esta materia, lo que dio lugar al Texto Articulado de la Ley sobre Tráfico, Circulación de Vehículos a Motor y Seguridad Vial, aprobado mediante Real Decreto Legislativo 339/1990, de 2 de marzo, hoy derogado, y que a lo largo de sus veinticinco años de vigencia fue objeto de numerosas modificaciones a raíz de necesarias reformas que provocaron la dispersión normativa de la materia y hacían farragosa la comprensión del texto.

Fruto de esta necesidad, ha sido el dictado del Real Decreto Legislativo 6/2015, de 30 de octubre, por el que se aprueba el Texto Refundido de la Ley sobre Tráfico, Circulación de Vehículos a Motor y Seguridad Vial, con la finalidad de incorporar aquellas normas cuya aplicación estaba en vigor y que, por su contenido, debían formar parte de aquel texto refundido, en el que se integrasen, debidamente regularizados, aclarados y armonizados, el texto articulado de la Ley sobre Tráfico, Circulación de Vehículos a Motor y Seguridad Vial, aprobado por el Real Decreto Legislativo 339/1990, de 2 de marzo, y las leyes que lo han modificado, incluidas las disposiciones de las leyes modificativas que no se incorporaron a aquel.

2. Legislación vigente

Cumpliendo el mandato de la disposición final segunda de la Ley 6/2014, de 7 de abril, por la que se modificaba el Texto Articulado de la Ley sobre Tráfico, Circulación de

Vehículos a Motor y Seguridad Vial, aprobado por el Real Decreto Legislativo 339/1990, de 2 de marzo, que autorizaba al Gobierno para aprobar un nuevo texto refundido, el Ejecutivo, a propuesta del Ministro del Interior y de acuerdo con el dictamen del Consejo de Estado, aprobó el 30 de octubre de 2015, el Texto Refundido de la Ley sobre Tráfico, Circulación de Vehículos a Motor y Seguridad Vial, a través del Real Decreto Legislativo 6/2015, de 30 de octubre.

Este Texto Refundido se convierte, así, en la regulación con rango de Ley formal vigente en la materia, y hasta tanto no se produzca su propio desarrollo reglamentario, a su texto habrán de adaptarse los Reglamentos que ya venían desarrollando la normativa anterior, como el Reglamento General de Circulación, aprobado por el Real Decreto 1428/2003, de 21 de noviembre (RGC, en las restantes llamadas), el Reglamento de procedimiento sancionador en materia de tráfico, circulación de vehículos a motor y seguridad vial, aprobado por el Real Decreto 320/1994, de 25 de febrero (RD 320/94, en las siguientes citas), el Reglamento de Vehículos Históricos, aprobado por el Real Decreto 1247/1995, de 14 de julio (RD 1247/95, en las próximas llamadas), el Reglamento General de Conductores, aprobado por el Real Decreto 818/2009, de 8 de mayo, y el Reglamento General de Vehículos, aprobado por el Real Decreto 2822/1998, de 23 de diciembre.

En definitiva, en esta materia debe estarse a:

a) La Ley sobre Tráfico, Circulación de Vehículos a Motor y Seguridad Vial, constituida por este Real Decreto Legislativo 6/2015, de 30 de octubre (TRLTSV, en las restantes referencias), cuya completa entrada en vigor ha tenido lugar el día 31 de enero de 2016 , con las modificaciones efectuadas por la Ley Orgánica 7/2021, de 26 de mayo, la Ley 18/2021, de 20 de diciembre, el Real Decreto-ley 3/2022, de 1 de marzo, la Ley Orgánica 11/2022, de 13 de septiembre, el Real Decreto-ley 5/2023, de 28 de junio y la Ley 9/2025, de 3 de diciembre.

b) El Reglamento General de Circulación, aprobado por el Real Decreto 1428/2003, de 21 de noviembre, recientemente modificado por el Real Decreto 465/2025, de 10 de junio.

c) El Reglamento de Procedimiento Sancionador en materia de Tráfico, Circulación de Vehículos a Motor y Seguridad Vial, aprobado por el Real Decreto 320/1994, de 25 de febrero, con las modificaciones introducidas por el Capítulo IV del Título V de Real Decreto Legislativo 6/2015, de 30 de octubre (TRLTSV).

d) El Reglamento de Vehículos Históricos, aprobado por el Real Decreto 892/2024, de 10 de septiembre, por el que se aprueba el Reglamento de Vehículos Históricos.

e) El Reglamento General de Conductores, aprobado por el Real Decreto 818/2009, de 8 de mayo (RGCon, en otras citas), reformado en varias ocasiones.

f) El Reglamento General de Vehículos, aprobado por el Real Decreto 2822/1998, de 23 de diciembre, que ha sufrido diversas reformas.

3. Disposiciones generales

3.1. Introducción

Las disposiciones generales del TRLTSV se contienen en sus arts. 1 a 3, en los que se abordan las cuestiones que a continuación trataremos, junto a las que desarrollaremos el resto del articulado, dada la importancia que esta competencia tiene respecto del personal de la Policía Local.

3.2. Objeto de la Ley

La Ley tiene por objeto regular el tráfico, la circulación de todos los vehículos y la seguridad vial.

A este efecto, la Ley regula:

a) El ejercicio de las competencias que, de acuerdo con la Constitución Española y los Estatutos de Autonomía, corresponden en tales materias a la Administración General del Estado y a las Comunidades Autónomas que hayan recibido el traspaso de funciones y servicios en esta materia, así como la determinación de las que corresponden en todo caso a las Entidades Locales.

b) Las normas de circulación para los vehículos, así como las que por razón de seguridad vial rigen para la circulación de peatones y animales por las vías de utilización general, estableciéndose a tal efecto los derechos y obligaciones de los usuarios de dichas vías.

c) Los elementos de seguridad activa y pasiva y su régimen de utilización, así como las condiciones técnicas de los vehículos y de las actividades industriales que afectan de manera directa a la seguridad vial.

d) Los criterios de señalización de las vías de utilización general.

e) Las autorizaciones que, para garantizar la seguridad y fluidez de la circulación, otorga la Administración con carácter previo a la realización de actividades relacionadas con la circulación de vehículos, especialmente a motor, así como las medidas cautelares que adopte al mismo fin.

f) Las infracciones derivadas del incumplimiento de las normas establecidas y las sanciones aplicables a las mismas, así como el procedimiento sancionador en esta materia.

3.3. Ámbito de aplicación

El TRLTSV se aplica en todo el territorio nacional y obliga a los titulares y usuarios de las vías y terrenos públicos aptos para la circulación, tanto urbanos como interurbanos, a los de las vías y terrenos que, sin tener tal aptitud, sean de uso común y, en defecto de otras normas, a los titulares de las vías y terrenos privados que sean utilizados por una colectividad indeterminada de usuarios.

El art. 1 RGC desarrolla estas previsiones.

 Sabías que...

Los Tribunales de Justicia han venido extendiendo la aplicación de las normas que tipifican los delitos contra la seguridad vial a los estacionamientos privados comunitarios, en tanto que se trata de vías o terrenos utilizados por una colectividad indeterminada de usuarios.

3.4. Estructura

El TRLTSV se estructura en la siguiente forma:

a) Título Preliminar: Disposiciones generales.

b) Título I: Ejercicio y coordinación de las competencias sobre tráfico, circulación de vehículos a motor y seguridad vial.

c) Título II: Normas de comportamiento en la circulación.

d) Título III: De la señalización.

e) Título IV: Autorizaciones administrativas.

f) Título V: Régimen sancionador.

g) Título VI: Registro Nacional de Víctimas de Accidentes de Tráfico.

h) Once Disposiciones adicionales.

i) Tres Disposiciones transitorias.

j) Tres Disposiciones finales.

k) Anexos.

El Real Decreto Legislativo que aprueba el Texto Refundido contiene además dos Disposiciones Adicionales, una Disposición Derogatoria y una Disposición Final.

3.5. Conceptos básicos

A los efectos de este TRLTSV y sus disposiciones complementarias, los conceptos básicos sobre vehículos, vías públicas y usuarios de las mismas son los previstos en su anexo I, en la forma que sigue (art. 3 TRLTSV):

1. **Conductor**. Persona que, con las excepciones del párrafo segundo del punto 4 maneja el mecanismo de dirección o va al mando de un vehículo, o a cuyo cargo está un animal o animales. En vehículos que circulen en función de aprendizaje de la conducción, tiene la consideración de conductor la persona que está a cargo de los mandos adicionales.

2. **Conductor habitual**. Persona que, contando con el permiso o licencia de conducción necesarios, inscrito en el Registro de Conductores e Infractores y previo su consentimiento, se comunica por el titular del vehículo o, en su caso, por el arrendatario a largo plazo al Registro de Vehículos, por ser aquella que de manera usual o con mayor frecuencia conduce dicho vehículo.

3. **Conductor profesional**. Persona provista de la correspondiente autorización administrativa para conducir, cuya actividad laboral principal sea la conducción de vehículos a motor dedicados al transporte de mercancías o de personas, extremo que se acreditará mediante certificación expedida por la empresa para la que ejerza aquella actividad, acompañada de la correspondiente documentación acreditativa de la cotización a la Seguridad Social como trabajador de dicha empresa.

   Si se trata de un empresario autónomo, la certificación a que se hace referencia en el párrafo anterior será sustituida por una declaración del propio empresario.

   Este concepto solo será de aplicación en lo que se refiere al sistema del permiso de conducción por puntos.

4. **Peatón**. Persona que, sin ser conductor, transita a pie por las vías o terrenos a que se refiere el artículo 2.

   También tienen la consideración de peatones quienes empujan o arrastran un coche de niño o de una persona con discapacidad o cualquier otro vehículo sin motor de pequeñas dimensiones, los que conducen a pie un ciclo o ciclomotor de dos ruedas, y las personas con discapacidad que circulan al paso en una silla de ruedas, con o sin motor.

5. **Titular de vehículo**. Persona a cuyo nombre figura inscrito el vehículo en el registro oficial correspondiente.

6. **Vehículo**. Aparato apto para circular por las vías o terrenos a que se refiere el artículo 2.

7. **Ciclo**. Vehículo provisto de, al menos, dos ruedas y propulsado exclusiva o principalmente por la energía muscular de la persona o personas que están sobre el vehículo, en particular por medio de pedales.

Se incluyen en esta definición los ciclos de pedaleo asistido.

8. **Bicicleta**. Ciclo de dos ruedas.

9. **Ciclomotor**. Tienen la condición de ciclomotores los vehículos que se definen a continuación:

   a) Vehículo de dos ruedas, con una velocidad máxima por construcción no superior a 45 km/h y con un motor de cilindrada inferior o igual a 50 cm³, si es de combustión interna, o bien con una potencia continua nominal máxima inferior o igual a 4 kW si es de motor eléctrico.

   b) Vehículo de tres ruedas, con una velocidad máxima por construcción no superior a 45 km/h y con un motor cuya cilindrada sea inferior o igual a 50 cm³ para los motores de encendido por chispa (positiva), o bien cuya potencia máxima neta sea inferior o igual a 4 kW para los demás motores de combustión interna, o bien cuya potencia continua nominal máxima sea inferior o igual a 4 kW para los motores eléctricos.

   c) Vehículos de cuatro ruedas, cuya masa en vacío sea inferior o igual a 350 kilogramos no incluida la masa de baterías para los vehículos eléctricos, cuya velocidad máxima por construcción sea inferior o igual a 45 km/h, y cuya cilindrada del motor sea inferior o igual a 50 cm³ para los motores de encendido por chispa (positiva), o cuya potencia máxima neta sea inferior o igual a 4 kW para los demás motores de combustión interna, o cuya potencia continua nominal máxima sea inferior o igual a 4 kW para los motores eléctricos.

10. **Tranvía**. Vehículo que marcha por raíles instalados en la vía.

11. **Vehículo para personas de movilidad reducida**. Vehículo cuya tara no sea superior a 350 kilogramos y que, por construcción, no puede alcanzar en llano una velocidad superior a 45 km/h, proyectado y construido especialmente (y no meramente adaptado) para el uso de personas con alguna disfunción o incapacidad física. En cuanto al resto de sus características técnicas se les equipara a los ciclomotores de tres ruedas.

12. **Vehículo de motor**. Vehículo provisto de motor para su propulsión. Se excluyen de esta definición los ciclomotores, los tranvías y los vehículos para personas de movilidad reducida.

13. **Automóvil**. Vehículo de motor que sirve, normalmente, para el transporte de personas o de cosas, o de ambas a la vez, o para la tracción de otros vehículos con aquel fin. Se excluyen de esta definición los vehículos especiales.

14. **Motocicleta**. Tienen la condición de motocicleta los automóviles que se definen a continuación:

   a) Motocicletas de dos ruedas. Automóvil de dos ruedas, sin sidecar, provistos de un motor de cilindrada superior a 50 cm^3, si es de combustión interna, y/o con una velocidad máxima por construcción superior a 45 km/h.

   b) Motocicletas con sidecar. Automóvil de tres ruedas asimétricas respecto a su eje medio longitudinal, provistos de un motor de cilindrada superior a 50 cm^3, si es de combustión interna, y/o con una velocidad máxima por construcción superior a 45 km/h.

15. **Turismo**. Automóvil destinado al transporte de personas que tenga, por lo menos, cuatro ruedas y que tenga, además del asiento del conductor, ocho plazas como máximo.

16. **Autobús o autocar**. Automóvil que tenga más de nueve plazas, incluida la del conductor, destinado, por su construcción y acondicionamiento, al transporte de personas y sus equipajes. Se incluye en este término el trolebús, es decir, el vehículo conectado a una línea eléctrica y que no circula por raíles.

17. **Autobús o autocar articulado**. Autobús o autocar compuesto por dos partes rígidas unidas entre sí por una sección articulada. En este tipo de vehículos, los compartimentos para viajeros de cada una de ambas partes rígidas se comunican entre sí.

   La sección articulada permite la libre circulación de los viajeros entre las partes rígidas. La conexión y disyunción entre las dos partes únicamente podrá realizarse en el taller.

18. **Camión**. Automóvil con cuatro ruedas o más, concebido y construido para el transporte de mercancías, cuya cabina no está integrada en el resto de la carrocería y con un máximo de nueve plazas, incluido el conductor.

19. **Vehículo mixto adaptable**. Automóvil especialmente dispuesto para el transporte, simultáneo o no, de mercancías y personas hasta un máximo de nueve incluido el conductor, y en el que se puede sustituir eventualmente la carga, parcial o totalmente, por personas mediante la adición de asientos.

20. **Remolque**. Vehículo no autopropulsado diseñado y concebido para ser remolcado por un vehículo de motor.

21. **Remolque ligero**. Aquel cuya masa máxima autorizada no exceda de 750 kg. A efectos de esta clasificación, se excluyen los agrícolas.

22. **Semirremolque**. Vehículo no autopropulsado diseñado y concebido para ser acoplado a un automóvil, sobre el que reposará parte del mismo, transfiriéndole una parte sustancial de su masa.

23. **Tractocamión**. Automóvil concebido y construido para realizar, principalmente, el arrastre de un semirremolque.

24. **Conjunto de vehículos**. Tienen la condición de conjunto de vehículos:

    a) Vehículo articulado. Automóvil constituido por un vehículo de motor acoplado a un semirremolque.

    b) Tren de carretera. Automóvil constituido por un vehículo de motor enganchado a un remolque.

25. **Vehículo especial (V.E.)**. Vehículo, autopropulsado o remolcado, concebido y construido para realizar obras o servicios determinados y que, por sus características, está exceptuado de cumplir alguna de las condiciones técnicas reglamentariamente establecidas o sobrepasa permanentemente los límites establecidos en el mismo para masas o dimensiones, así como la maquinaria agrícola y sus remolques.

26. **Tractor de obras**. Vehículo especial autopropulsado, de dos o más ejes, concebido y construido para arrastrar o empujar útiles, máquinas o vehículos de obras.

27. **Tractor de servicios**. Vehículo especial autopropulsado, de dos o más ejes, concebido y construido para arrastrar o empujar vehículos de servicio, vagones u otros aparatos.

28. **Tractor agrícola**. Vehículo especial autopropulsado, de dos o más ejes, concebido y construido para arrastrar, empujar, llevar o accionar aperos, maquinaria o remolques agrícolas.

29. **Motocultor**. Vehículo especial autopropulsado, de un eje, dirigible por manceras por un conductor que marche a pie. Ciertos motocultores pueden, también, ser dirigidos desde un asiento incorporado a un remolque o máquina agrícola o a un apero o bastidor auxiliar con ruedas.

30. **Tractocarro**. Vehículo especial autopropulsado, de dos o más ejes, especialmente concebido para el transporte en campo de productos agrícolas.

31. **Máquina agrícola automotriz**. Vehículo especial autopropulsado, de dos o más ejes, concebido y construido para efectuar trabajos agrícolas.

32. **Portador**. Vehículo especial autopropulsado, de dos o más ejes, concebido y construido para portar máquinas agrícolas.

33. **Máquina agrícola remolcada**. Vehículo especial concebido y construido para efectuar trabajos agrícolas que, para trasladarse y maniobrar debe ser arrastrado o empujado por un tractor agrícola, motocultor, portador o máquina agrícola automotriz. Se excluyen de esta definición los aperos agrícolas, entendiéndose por tales los útiles o instrumentos agrícolas, sin motor, concebidos y construidos para efectuar trabajos de preparación del terreno o laboreo, que, además, no se consideran vehículos, así como también el resto de la maquinaria agrícola remolcada de menos de 750 kilogramos de masa.

34. **Remolque agrícola**. Vehículo especial de transporte construido y destinado para ser arrastrado por un tractor agrícola, motocultor, portador o máquina agrícola automotriz. Se incluyen en esta definición a los semirremolques agrícolas.

35. **Tara**. Masa del vehículo, con su equipo fijo autorizado, sin personal de servicio, pasajeros ni carga, y con su dotación completa de agua, combustible, lubricante, repuestos, herramientas y accesorios reglamentarios.

36. **Masa en carga**. La masa efectiva del vehículo y de su carga, incluida la masa del personal de servicio y de los pasajeros.

37. **Masa máxima autorizada (M.M.A.)**. La masa máxima para la utilización de un vehículo con carga en circulación por las vías públicas.

38. **Masa por eje**. La que gravita sobre el suelo, transmitida por la totalidad de las ruedas acopladas a ese eje.

39. **Grupo de ejes**. Los ejes que forman parte de un bogie. En el caso de dos ejes, el grupo se denominará tándem, y tándem triaxial en caso de tres ejes.

40. **Luz de carretera o de largo alcance**. Luz utilizada para alumbrar una distancia larga de la vía por delante del vehículo.

41. **Luz de cruce o de corto alcance**. Luz utilizada para alumbrar la vía por delante del vehículo, sin deslumbrar ni molestar a los conductores que vengan en sentido contrario, ni a los demás usuarios de la vía.

42. **Luz de posición delantera**. Luz utilizada para indicar la presencia y la anchura del vehículo, cuando se le vea desde delante.

43. **Luz de posición trasera**. Luz utilizada para indicar la presencia y la anchura del vehículo, cuando se le vea desde detrás.

44. **Catadióptrico**. Dispositivo utilizado para indicar la presencia del vehículo mediante la reflexión de la luz procedente de una fuente luminosa independiente de dicho vehículo, hallándose el observador cerca de la fuente.

    No se considerarán catadióptricos:

    – Las placas de matrícula retrorreflectantes.

    – Las señales retrorreflectantes mencionadas en el ADR.

    – Las demás placas y señales retrorreflectantes que deban llevarse para cumplir la reglamentación vigente sobre la utilización de determinadas categorías de vehículos o de determinados modos de funcionamiento.

45. **Luz de marcha atrás**. Luz utilizada para iluminar la vía por detrás del vehículo y para advertir a los demás usuarios de la vía que el vehículo va, o está a punto de ir, marcha atrás.

46. **Luz indicadora de dirección**. Luz utilizada para indicar a los demás usuarios de la vía que el conductor quiere cambiar de dirección hacia la derecha o hacia la izquierda.

47. **Luz de frenado**. Luz utilizada para indicar, a los usuarios de la vía que circulan detrás del vehículo, que el conductor de este está accionando el freno de servicio.

48. **Luz de gálibo**. Luz instalada lo más cerca posible del borde exterior más elevado del vehículo y destinada claramente a indicar la anchura total del vehículo. En determinados vehículos y remolques, esta luz sirve de complemento a las luces de posición delanteras y traseras del vehículo para señalar su volumen.

49. **Señal de emergencia**. El funcionamiento simultáneo de todas las luces indicadoras de dirección del vehículo para advertir que el vehículo representa temporalmente un peligro para los demás usuarios de la vía.

50. **Luz antiniebla delantera**. Luz utilizada para mejorar el alumbrado de la carretera en caso de niebla, nevada, tormenta o nube de polvo.

51. **Luz antiniebla trasera**. Luz utilizada para hacer el vehículo más visible por detrás en caso de niebla densa.

52. **Luz de alumbrado interior**. Luz destinada a la iluminación del habitáculo del vehículo en forma tal que no produzca deslumbramiento ni moleste indebidamente a los demás usuarios de la vía.

53. **Luz de estacionamiento**. Luz utilizada para señalizar la presencia de un vehículo estacionado en zona edificada. En tales circunstancias sustituye a las luces de posición delanteras y traseras.

54. **Plataforma**. Zona de la carretera dedicada al uso de vehículos, formada por la calzada y los arcenes.

55. **Calzada**. Parte de la carretera dedicada a la circulación de vehículos. Se compone de un cierto número de carriles.

56. **Carril**. Banda longitudinal en que puede estar subdividida la calzada, delimitada o no por marcas viales longitudinales, siempre que tenga una anchura suficiente para permitir la circulación de una fila de automóviles que no sean motocicletas.

57. **Carril para vehículos con alta ocupación**. Aquel especialmente reservado o habilitado para la circulación de los vehículos con alta ocupación.

58. **Acera**. Zona longitudinal de la carretera elevada o no, destinada al tránsito de peatones.

59. **Zona peatonal**. Parte de la vía, elevada o delimitada de otra forma, reservada a la circulación de peatones. Se incluye en esta definición la acera, el andén y el paseo.

60. **Refugio**. Zona peatonal situada en la calzada y protegida del tránsito rodado.

61. **Arcén**. Franja longitudinal afirmada contigua a la calzada, no destinada al uso de vehículos automóviles, más que en circunstancias excepcionales.

62. **Intersección**. Nudo de la red viaria en el que todos los cruces de trayectorias posibles de los vehículos que lo utilizan se realizan a nivel.

63. **Glorieta**. Tipo especial de intersección caracterizado por que los tramos que en él confluyen se comunican a través de un anillo en el que se establece una circulación rotatoria alrededor de una isleta central. No son glorietas propiamente dichas las denominadas glorietas partidas en las que dos tramos, generalmente opuestos, se conectan directamente a través de la isleta central, por lo que el tráfico pasa de uno a otro y no la rodea.

64. **Paso a nivel**. Cruce a la misma altura entre una vía y una línea de ferrocarril con plataforma independiente.

65. **Carretera**. Vía pública pavimentada situada fuera de poblado, salvo los tramos en travesía.

66. **Autopista**. Carretera especialmente proyectada, construida y señalizada como tal para la exclusiva circulación de automóviles y que tiene las siguientes características:

    a) No tener acceso a la misma las propiedades colindantes.

    b) No cruzar a nivel ninguna otra senda, vía, línea de ferrocarril o tranvía, ni ser cruzada a nivel por senda, vía de comunicación o servidumbre de paso alguna.

    c) Constar de distintas calzadas para cada sentido de circulación, separadas entre sí, salvo en puntos singulares o con carácter temporal, por una franja de terreno no no destinada a la circulación o, en casos excepcionales, por otros medios.

67. **Autovía**. Carretera especialmente proyectada, construida y señalizada como tal que tiene las siguientes características:

    a) Tener acceso limitado a ella las propiedades colindantes.

    b) No cruzar a nivel ninguna otra senda, vía, línea de ferrocarril o tranvía, ni ser cruzada a nivel por senda, vía de comunicación o servidumbre de paso alguna.

    c) Constar de distintas calzadas para cada sentido de circulación, separadas entre sí, salvo en puntos singulares o con carácter temporal, por una franja de terreno no no destinada a la circulación, o por otros medios.

68. **Vía para automóviles**. Vía reservada exclusivamente a la circulación de automóviles, con una sola calzada y con limitación total de accesos a las propiedades colindantes, y señalizada con las señales S-3 y S-4, respectivamente.

69. **Carretera convencional**. Carretera que no reúne las características propias de las autopistas, autovías y vías para automóviles.

70. **Poblado**. Espacio que comprende edificios y en cuyas vías de entrada y de salida están colocadas, respectivamente, las señales de entrada a poblado y de salida de poblado.

71. **Travesía**. Tramo de carretera que discurre por poblado. No tendrán la consideración de travesías aquellos tramos que dispongan de una alternativa viaria o variante a la cual tiene acceso.

72. **Vía interurbana**. Vía pública situada fuera de poblado.

73. **Vía urbana**. Vía pública situada dentro de poblado, excepto las travesías.

74. **Vía ciclista**. Vía específicamente acondicionada para el tráfico de ciclos, con la señalización horizontal y vertical correspondiente, y cuyo ancho permite el paso seguro de estos vehículos.

75. **Carril-bici**. Vía ciclista que discurre adosada a la calzada, en un solo sentido o en doble sentido.

76. **Carril-bici protegido**. Carril-bici provisto de elementos laterales que lo separan físicamente del resto de la calzada, así como de la acera.

77. **Acera-bici**. Vía ciclista señalizada sobre la acera.

78. **Pista-bici**. Vía ciclista segregada del tráfico motorizado, con trazado independiente de las carreteras.

79. **Senda ciclable**. Vía para peatones y ciclos, segregada del tráfico motorizado, y que discurre por espacios abiertos, parques, jardines o bosques.

80. **Detención**. Inmovilización de un vehículo por emergencia, por necesidades de la circulación o para cumplir algún precepto reglamentario.

81. **Parada**. Inmovilización de un vehículo durante un tiempo inferior a dos minutos, sin que el conductor pueda abandonarlo.

82. **Estacionamiento**. Inmovilización de un vehículo que no se encuentra en situación de detención o parada.

 Recuerda que...

Conductor habitual es la persona que, contando con el permiso o licencia de conducción necesarios, inscrito en el Registro de Conductores e Infractores y previo su consentimiento, se comunica por el titular del vehículo o, en su caso, por el arrendatario a largo plazo al Registro de Vehículos, por ser aquella que de manera usual o con mayor frecuencia conduce dicho vehículo.

3.6. Régimen competencial

3.6.1. Introducción

Se recogen en los arts. 4 a 7 TRLTSV, con arreglo a los cuales deben distinguirse entre las competencias atribuidas a la Administración General del Estado y, dentro de ella, al Ministerio del Interior, que las ejercerá a través de la Dirección General de Tráfico (que depende de la Subsecretaría del Interior, a tenor del Real Decreto 734/2020, de 4 de agosto, –RD 734/2020 en otras llamadas–, por el que se desarrolla la estructura orgánica básica del Ministerio del Interior), que ejerce sus competencias a través del Organismo Autónomo Jefatura Central de Tráfico, y las que se confieren a los Municipios.

Actividad 1

¿Cómo se denomina el tramo de carretera que discurre por poblado?

☐ a) Travesía.

☐ b) Vía urbana.

☐ c) Vía interurbana.

Pcr otra parte, se regula, en el art. 8 TRLTSV, la composición y funciones del Consejo Superior de Tráfico y Seguridad Vial, junto al que estudiaremos la nueva Conferencia Sectorial de Tráfico y Seguridad Vial, regulada por el art. 9 TRLTSV.

3.6.2. Competencias de la Administración General del Estado

3.6.2.1. Régimen competencial general

Conforme al art. 4 TRLTSV, sin perjuicio de las competencias que tengan asumidas las Comunidades Autónomas y, además de las que se asignan al Ministerio del Interior en el artículo siguiente, corresponde a la Administración General del Estado:

a) La aprobación de la normativa técnica básica que afecte de manera directa a la seguridad vial.

b) La previa homologación, en su caso, de los elementos de los vehículos, remolques y semirremolques que afecten a la seguridad vial, así como dictar instrucciones y directrices en materia de inspección técnica de vehículos.

c) La aprobación de las normas básicas y mínimas para la programación de la educación vial para la movilidad segura y sostenible, en las distintas modalidades de la enseñanza, incluyendo la formación en conducción ciclista y en vehículos de movilidad personal.

d) La determinación del cuadro de las enfermedades y discapacidades que inhabilitan para conducir y los requisitos sanitarios mínimos para efectuar los reconocimientos para su detección, así como la inspección, control y, en su caso, suspensión o cierre de los establecimientos dedicados a esta actividad.

e) La determinación de las drogas que puedan afectar a la conducción, así como de las pruebas para su detección y, en su caso, sus niveles máximos.

f) La coordinación de la prestación de la asistencia sanitaria en las vías públicas o de uso público.

g) La suscripción de Tratados y Acuerdos internacionales relativos a la seguridad de los vehículos y de sus partes y piezas, así como dictar las disposiciones pertinentes para implantar en España la reglamentación internacional derivada de los mismos.

h) La regulación de aquellas actividades industriales que tengan una incidencia directa sobre la seguridad vial y, en especial, la de los talleres de reparación de vehículos.

i) La regulación del transporte de personas y, especialmente, el transporte escolar y de menores, a los efectos relacionados con la seguridad vial.

j) La regulación del transporte de mercancías, especialmente, el de mercancías peligrosas, perecederas y contenedores, de acuerdo con la reglamentación internacional, a los efectos relacionados con la seguridad vial.

k) La regulación del vehículo automatizado, de conformidad con lo dispuesto en la ley.

3.6.2.2. Competencias del Ministerio del Interior

Sin perjuicio de las competencias que tengan asumidas las Comunidades Autónomas y de las previstas en el artículo anterior, corresponde al Ministerio del Interior (art. 5 TRLTSV):

a) La expedición y revisión de los permisos y licencias para conducir vehículos a motor y ciclomotores, y de la autorización especial para conducir vehículos que transporten mercancías peligrosas con los requisitos sobre conocimientos, aptitudes técnicas y psicofísicas y periodicidad que se determinen reglamentariamente, así como la declaración de la nulidad, lesividad o pérdida de vigencia de aquellos.

b) El canje, de acuerdo con las normas reglamentarias aplicables, de los permisos de conducción y de la autorización especial para conducir vehículos que transporten mercancías peligrosas expedidos en el ámbito militar y policial por los correspondientes en el ámbito civil, así como el canje, la inscripción o la renovación de los permisos expedidos en el extranjero cuando así lo prevea la legislación vigente.

c) Las autorizaciones de los centros de formación de conductores y de los centros de sensibilización y reeducación vial; la declaración de nulidad, lesividad o pérdida de vigencia de aquéllas; los cursos de sensibilización y reeducación vial; los certificados de aptitud y autorizaciones que permitan acceder a la actuación profesional en materia de enseñanza de la conducción y reeducación vial, y la acreditación de la destinada al reconocimiento de las aptitudes psicofísicas de los conductores, con los requisitos y condiciones que reglamentariamente se determinen.

d) La matriculación y expedición de los permisos de circulación de los vehículos a motor, remolques, semirremolques y ciclomotores, así como la declaración de nulidad, lesividad o pérdida de vigencia de dichos permisos, con los requisitos y condiciones que reglamentariamente se determine.

e) Las autorizaciones o permisos temporales y provisionales para la circulación de vehículos.

f) Las normas especiales que posibiliten la circulación de vehículos históricos y fomenten la conservación y restauración de los que integran el patrimonio histórico.

g) La retirada de los vehículos de la vía fuera de poblado y la baja temporal o definitiva de la circulación de dichos vehículos.

h) Los registros de vehículos, de conductores e infractores, de profesionales de la enseñanza de la conducción, de centros de formación de conductores, de los centros de reconocimiento destinados a verificar las aptitudes psicofísicas de los conductores y de manipulación de placas de matrícula, en los términos que reglamentariamente se determine.

i) La vigilancia y disciplina del tráfico en toda clase de vías interurbanas y en travesías cuando no exista policía local, así como la denuncia y sanción de las infracciones a las normas de circulación y de seguridad en dichas vías.

j) La denuncia y sanción de las infracciones por incumplimiento de la obligación de someterse a la inspección técnica de vehículos, así como a las prescripciones derivadas de aquella, y por razón del ejercicio de actividades industriales que afecten de manera directa a la seguridad vial.

k) La regulación, ordenación y gestión del tráfico en vías interurbanas y en travesías, estableciendo para estas últimas fórmulas de cooperación o delegación con las Entidades locales, y sin perjuicio de lo establecido en otras disposiciones y de las facultades de otros departamentos ministeriales.

l) Las directrices básicas y esenciales para la formación y actuación de los agentes de la autoridad encargados de la vigilancia del tráfico, sin perjuicio de las atribuciones de las corporaciones locales, con cuyos órganos se instrumentará, de común acuerdo, la colaboración necesaria.

m) La autorización de pruebas deportivas que tengan que celebrarse utilizando en todo o parte del recorrido carreteras estatales o travesías, previo informe de las Administraciones titulares de las vías públicas afectadas, e informar, con carácter vinculante, las que vayan a conceder otros órganos autonómicos o municipales, cuando tengan que circular por vías públicas o de uso público en que la Administración General del Estado tiene atribuida la ordenación, gestión, control y vigilancia del tráfico.

n) El cierre a la circulación de carreteras o tramos de ellas por razones de seguridad o fluidez del tráfico o la restricción en ellas del acceso de determinados vehículos por motivos medioambientales, en los términos que reglamentariamente se determine.

ñ) La coordinación de la estadística y la investigación de accidentes de tráfico, así como las estadísticas de inspección de vehículos, en colaboración con otros organismos oficiales y privados, en los términos que reglamentariamente se determine.

o) La realización de las pruebas, reglamentariamente establecidas, para determinar el grado de intoxicación alcohólica, o por drogas, de los conductores que circulen por las vías públicas en las que tienen atribuida la ordenación, gestión, control y vigilancia del tráfico.

p) Suprimida por Real Decreto-ley 5/2023, de 28 de junio.

q) La garantía de igualdad de oportunidades, no discriminación y accesibilidad universal de las personas con discapacidad, especialmente en su calidad de conductores, en todos los ámbitos regulados en esta Ley.

r) La determinación de la duración, el contenido y los requisitos de los cursos de conducción segura y eficiente cuya realización conlleve la recuperación o bonificación de puntos, así como de los mecanismos de certificación y control de los mismos a tal efecto.

s) La inspección de los centros y otros operadores cuya actividad esté vinculada con el ejercicio de funciones en el ámbito de las competencias establecidas en este artículo.

t) La auditoría de los centros, operadores, servicios y trámites de competencia del organismo autónomo Jefatura Central de Tráfico, con objeto de supervisar y garantizar el correcto funcionamiento y la calidad de aquéllos, que se llevará a cabo, con arreglo a las normas legales que le sean de aplicación, directamente por empleados públicos formados para estas funciones, o mediante la colaboración de entidades acreditadas.

u) De conformidad con lo dispuesto en la Ley, las normas en materia de tráfico y seguridad vial que deberán cumplir los vehículos dotados de un sistema de conducción automatizado para su circulación, a excepción de los requisitos técnicos para la homologación de los vehículos cuyo desarrollo corresponde al Ministerio competente en materia de industria.

3.6.2.3. Dirección General de Tráfico

A tenor del art. 12 del Real Decreto 207/2024, de 27 de febrero, por el que se desarrolla la estructura orgánica básica del Ministerio del Interior, corresponden a la Dirección General de Tráfico, a través de la cual el Ministerio ejerce sus competencias sobre el organismo autónomo Jefatura Central de Tráfico, las siguientes funciones:

a) La planificación y programación estratégica del organismo.

b) La gestión de los recursos humanos del organismo, a través de la relación de puestos de trabajo, tanto de personal funcionario como laboral, sus retribuciones, y la ejecución de medidas de formación, acción social y prevención de riesgos laborales.

c) La gestión presupuestaria y económica del organismo, mediante la preparación, ejecución y control de sus presupuestos, así como la gestión de su patrimonio.

d) El diseño e implantación de nuevos métodos de trabajo, la función inspectora del organismo, sin perjuicio de las funciones atribuidas a otros órganos de la Administración General del Estado, la dirección y coordinación de los programas de calidad, y la dirección de la unidad de transparencia del organismo y la dirección del Centro de Tratamiento de Denuncias Automatizadas, así como de sus funciones de apoyo telemático y administrativo para la tramitación a través de la sede electrónica del organismo.

e) El desarrollo y el mantenimiento de los registros informáticos y de las bases de datos esenciales para el ejercicio de las funciones del organismo, junto con la ordenación del acceso a los mismos, así como el liderazgo, la coordinación y la puesta en marcha de servicios de administración electrónica orientados a la modernización y digitalización de los procesos internos.

f) La gestión de las tecnologías de la información y de las comunicaciones, asegurando una infraestructura tecnológica eficiente, segura e innovadora mediante el diseño de la estrategia digital del organismo, facilitando asistencia a las diferentes unidades funcionales en éste ámbito, formulando políticas y diseñando programas de capacitación en habilidades digitales, así como la supervisión de la adopción efectiva de tecnologías emergentes y el impulso, junto con el Observatorio Nacional de Seguridad Vial, del análisis de datos para mejorar la toma de decisiones.

g) La elaboración de estudios, propuestas, anteproyectos y proyectos de disposiciones sobre tráfico y seguridad vial y la coordinación con las Entidades Locales respecto de la normativa estatal que les afecte.

h) La tramitación de procedimientos sancionadores en materia de tráfico, la elaboración de instrucciones sobre esta materia y sus procedimientos administrativos relacionados, así como la tramitación de los recursos administrativos de los procedimientos de declaración de nulidad y de lesividad y de los procedimientos de responsabilidad patrimonial.

i) La coordinación y el establecimiento de directrices sobre los instrumentos jurídicos de colaboración que firme el organismo, así como la garantía del cumplimiento de los derechos y obligaciones sobre protección de datos personales.

j) La elaboración de instrucciones sobre vehículos y los procedimientos administrativos relacionados con el Registro de Vehículos, así como facilitar la implantación del vehículo conectado, el desarrollo de la conducción autónoma y el impulso de plataformas tecnológicas para su gestión en el ámbito de las competencias del organismo.

k) La regulación, ordenación, gestión, vigilancia y disciplina del tráfico en vías interurbanas y travesías; la implantación, mantenimiento y explotación de los medios y sistemas inteligentes de transporte necesarios, así como propuestas de mejora de la seguridad vial en las vías para reducir la accidentalidad, sin perjuicio de las competencias del Ministerio de Transportes y Movilidad Sostenible.

l) La dirección de los Centros de Gestión de Tráfico, así como la resolución sobre la instalación de videocámaras y dispositivos para el control, regulación, vigilancia y disciplina del tráfico en el ámbito de la Administración General del Estado.

m) El suministro de información sobre el estado del tráfico en tiempo real e incidencias.

n) El establecimiento de las directrices para la formación y actuación de los agentes de la autoridad en materia de tráfico y circulación de vehículos, sin perjuicio de las atribuciones de las Corporaciones Locales, con cuyos órganos se instrumentará la colaboración necesaria.

ñ) La planificación, elaboración y divulgación de las estadísticas, indicadores y datos sobre accidentes de tráfico y otras materias incluidas en el ámbito de las competencias del organismo, en coordinación con las demás unidades. La coordinación con otros órganos con competencias en materia estadística.

o) El desarrollo y gestión del Registro Nacional de Víctimas de Accidentes de Tráfico, velando por la incorporación de todas las fuentes de información relacionadas con las características de los accidentes y sus consecuencias, así como la elaboración de instrucciones sobre recogida de información de los accidentes de tráfico.

p) La elaboración y gestión de los planes y estrategias en el ámbito del tráfico y la seguridad vial, tanto generales como referidos a ámbitos y colectivos específicos, en colaboración con los agentes sociales y las Administraciones Públicas. La elaboración y gestión de las actuaciones para la mejora de la seguridad vial laboral, en colaboración con otras Administraciones Públicas y agentes sociales.

q) El diseño de la estrategia y marco de referencia en materia de datos abiertos y reutilización de información en el ámbito del organismo, velando por el cumplimiento de los objetivos nacionales en estos ámbitos y garantizando un marco adecuado de gobernanza con entidades públicas y privadas y ciudadanos. El diseño de las políticas internas en materia de gobernanza, promoción de la cultura del dato y estándares en la gestión, análisis y difusión de datos e informes. La coordinación con la Oficina del Dato de la Administración General del Estado

r) Los procesos de consulta y participación, a través del Consejo Superior de Tráfico y Seguridad Vial. El ejercicio de la secretaría del Consejo Superior y el seguimiento de la actividad de sus Comisiones Autonómicas y Provinciales.

s) La información a víctimas del tráfico y el impulso de las actividades promovidas por las entidades y organizaciones sin ánimo de lucro cuyo objeto primordial sea la atención, defensa o representación de las víctimas.

t) La elaboración y ejecución de los planes de estudios e investigaciones en materia de seguridad vial, factores influyentes e impacto de medidas específicas, en coordinación con el resto de unidades, las instituciones de carácter científico y técnico y otras Administraciones Públicas competentes.

u) La gestión de la educación vial, la formación de conductores, la organización de pruebas de aptitud, incluida la formación de examinadores; la regulación, el registro y el control de las escuelas particulares de conductores y de los centros habilitados para la evaluación de las aptitudes psicofísicas de los conductores

v) La determinación de requisitos de aptitud psicofísica para la obtención y renovación de las autorizaciones administrativas para conducir en colaboración con la autoridad sanitaria y de acuerdo con el avance científico y técnico.

w) El establecimiento de las directrices básicas para la programación de la educación vial, la formación e información al usuario y la divulgación en materia de seguridad vial, sin perjuicio de las competencias del Ministerio de Transportes y Movilidad Sostenible.

x) La coordinación y el seguimiento de la actividad en materia de relaciones internacionales del organismo. La planificación y desarrollo de los programas de cooperación en Iberoamérica en materia de tráfico y seguridad vial.

y) La comunicación y divulgación relacionada con el tráfico y la seguridad vial.

La Dirección General de Tráfico está integrada por los siguientes órganos, con nivel orgánico de subdirección general (apartado 2 del art. 12 Real Decreto 207/2024):

a) La Secretaría General, a la que corresponde la colaboración con la persona titular de la Dirección General para la coordinación entre los distintos servicios centrales y periféricos del organismo y la realización de las actuaciones y gestiones necesarias para el ejercicio de las funciones atribuidas al órgano directivo en los párrafos b), c) y d) del apartado 1, así como la colaboración con la Gerencia de Informática en las funciones atribuidas en los párrafos e) y f) del apartado 1.

b) La Subdirección General de Gestión de la Movilidad y Tecnología a la que corresponde la realización de las actuaciones y gestiones necesarias para el ejercicio de las funciones atribuidas al órgano directivo en los párrafos j), k), l), m) y n) del apartado 1.

c) El Observatorio Nacional de Seguridad Vial a la que corresponde la realización de las actuaciones y gestiones necesarias para el ejercicio de las funciones atribuidas al órgano directivo en los párrafos ñ), o), p),r), s), t) y x) del apartado 1, así como la colaboración con la Gerencia de Informática en las funciones atribuidas en el párrafo q) del apartado 1.

d) La Subdirección General de Formación y Educación Vial a la que corresponde la realización de las actuaciones y gestiones necesarias para el ejercicio de las funciones atribuidas al órgano directivo en los párrafos u), v) y w) del apartado 1.

Actividad 2

Relaciona mediante flechas, a qué órgano corresponde la competencia de las siguientes materias:

La expedición de los permisos para conducir vehículos a motor.	Administración General del Estado
La elaboración de los planes y estrategias en el ámbito de las políticas viales.	Ministro del Interior
La determinación de las drogas que puedan afectar a la conducción.	DGT

Por último, y conforme a los apartados 3 y 4 del art. 12 del RD 207/2024, la Gerencia de Informática, dependiente directamente de la persona titular del organismo, a la que corresponde la realización de las actuaciones y gestiones necesarias para el ejercicio de las funciones atribuidas al órgano directivo en los párrafos e) y f) del apartado 1, así como la colaboración con el Observatorio Nacional de Seguridad vial en las funciones atribuidas en el párrafo q) del apartado 1, tendrá el nivel orgánico que determine la relación de puestos de trabajo.

La Unidad de Normativa, dependiente directamente de la persona titular del organismo, realiza las actuaciones y gestiones necesarias para el ejercicio de las funciones de los párrafos g), h) e i), del apartado 1. Tendrá el nivel orgánico que determine la relación de puestos de trabajo.

Asimismo, las funciones de los párrafos a) e y) del apartado 1 se ejercerán bajo la dependencia directa de la persona titular del organismo.

ORGANISMO	FUNCIONES
Titular del organismo	a) La planificación y programación estratégica del organismo. y) La comunicación y divulgación relacionada con el tráfico y la seguridad vial.
Unidad de Normativa (dependiente directamente de la persona titular del organismo)	g) La elaboración de estudios, propuestas, anteproyectos y proyectos de disposiciones sobre tráfico y seguridad vial y la coordinación con las Entidades Locales respecto de la normativa estatal que les afecte. h) La tramitación de procedimientos sancionadores en materia de tráfico, la elaboración de instrucciones sobre esta materia y sus procedimientos administrativos relacionados, así como la tramitación de los recursos administrativos de los procedimientos de declaración de nulidad y de lesividad y de los procedimientos de responsabilidad patrimonial. i) La coordinación y el establecimiento de directrices sobre los instrumentos jurídicos de colaboración que firme el organismo, así como la garantía del cumplimiento de los derechos y obligaciones sobre protección de datos personales.

.../...

Secretaría General	b) La gestión de los recursos humanos del organismo, a través de la relación de puestos de trabajo, tanto de personal funcionario como laboral, sus retribuciones, y la ejecución de medidas de formación, acción social y prevención de riesgos laborales. c) La gestión presupuestaria y económica del organismo, mediante la preparación, ejecución y control de sus presupuestos, así como la gestión de su patrimonio. d) El diseño e implantación de nuevos métodos de trabajo, la función inspectora del organismo, sin perjuicio de las funciones atribuidas a otros órganos de la Administración General del Estado, la dirección y coordinación de los programas de calidad, y la dirección de la unidad de transparencia del organismo y la dirección del Centro de Tratamiento de Denuncias Automatizadas, así como de sus funciones de apoyo telemático y administrativo para la tramitación a través de la sede electrónica del organismo.
Gerencia de Informática (dependiente de la persona titular del organismo	e) El desarrollo y el mantenimiento de los registros informáticos y de las bases de datos esenciales para el ejercicio de las funciones del organismo, junto con la ordenación del acceso a los mismos, así como el liderazgo, la coordinación y la puesta en marcha de servicios de administración electrónica orientados a la modernización y digitalización de los procesos internos. f) La gestión de las tecnologías de la información y de las comunicaciones, asegurando una infraestructura tecnológica eficiente, segura e innovadora mediante el diseño de la estrategia digital del organismo, facilitando asistencia a las diferentes unidades funcionales en éste ámbito, formulando políticas y diseñando programas de capacitación en habilidades digitales, así como la supervisión de la adopción efectiva de tecnologías emergentes y el impulso, junto con el Observatorio Nacional de Seguridad Vial, del análisis de datos para mejorar la toma de decisiones.
La Subdirección General de Gestión de la Movilidad y Tecnología	j) La elaboración de instrucciones sobre vehículos y los procedimientos administrativos relacionados con el Registro de Vehículos, así como facilitar la implantación del vehículo conectado, el desarrollo de la conducción autónoma y el impulso de plataformas tecnológicas para su gestión en el ámbito de las competencias del organismo. k) La regulación, ordenación, gestión, vigilancia y disciplina del tráfico en vías interurbanas y travesías; la implantación, mantenimiento y explotación de los medios y sistemas inteligentes de transporte necesarios, así como propuestas de mejora de la seguridad vial en las vías para reducir la accidentalidad, sin perjuicio de las competencias del Ministerio de Transportes y Movilidad Sostenible. l) La dirección de los Centros de Gestión de Tráfico, así como la resolución sobre la instalación de videocámaras y dispositivos para el control, regulación, vigilancia y disciplina del tráfico en el ámbito de la Administración General del Estado. m) El suministro de información sobre el estado del tráfico en tiempo real e incidencias. n) El establecimiento de las directrices para la formación y actuación de los agentes de la autoridad en materia de tráfico y circulación de vehículos, sin perjuicio de las atribuciones de las Corporaciones Locales, con cuyos órganos se instrumentará la colaboración necesaria
La Subdirección General de Gestión de la Movilidad y Tecnología	m) El suministro de información sobre el estado del tráfico en tiempo real e incidencias. n) El establecimiento de las directrices para la formación y actuación de los agentes de la autoridad en materia de tráfico y circulación de vehículos, sin perjuicio de las atribuciones de las Corporaciones Locales, con cuyos órganos se instrumentará la colaboración necesaria

.../...

.../...

Observatorio Nacional de Seguridad Vial	ñ) La planificación, elaboración y divulgación de las estadísticas, indicadores y datos sobre accidentes de tráfico y otras materias incluidas en el ámbito de las competencias del organismo, en coordinación con las demás unidades. La coordinación con otros órganos con competencias en materia estadística.
	o) El desarrollo y gestión del Registro Nacional de Víctimas de Accidentes de Tráfico, velando por la incorporación de todas las fuentes de información relacionadas con las características de los accidentes y sus consecuencias, así como la elaboración de instrucciones sobre recogida de información de los accidentes de tráfico.
	p) La elaboración y gestión de los planes y estrategias en el ámbito del tráfico y la seguridad vial, tanto generales como referidos a ámbitos y colectivos específicos, en colaboración con los agentes sociales y las Administraciones Públicas. La elaboración y gestión de las actuaciones para la mejora de la seguridad vial laboral, en colaboración con otras Administraciones Públicas y agentes sociales.
	q) El diseño de la estrategia y marco de referencia en materia de datos abiertos y reutilización de información en el ámbito del organismo, velando por el cumplimiento de los objetivos nacionales en estos ámbitos y garantizando un marco adecuado de gobernanza con entidades públicas y privadas y ciudadanos. El diseño de las políticas internas en materia de gobernanza, promoción de la cultura del dato y estándares en la gestión, análisis y difusión de datos e informes. La coordinación con la Oficina del Dato de la Administración General del Estado
	r) Los procesos de consulta y participación, a través del Consejo Superior de Tráfico, Seguridad Vial y Movilidad Sostenible. El ejercicio de la secretaría del Consejo Superior y el seguimiento de la actividad de sus Comisiones Autonómicas y Provinciales.
	s) La información a víctimas del tráfico y el impulso de las actividades promovidas por las entidades y organizaciones sin ánimo de lucro cuyo objeto primordial sea la atención, defensa o representación de las víctimas.
	t) La elaboración y ejecución de los planes de estudios e investigaciones en materia de seguridad vial, factores influyentes e impacto de medidas específicas, en coordinación con el resto de unidades, las instituciones de carácter científico y técnico y otras Administraciones Públicas competentes.
	x) La coordinación y el seguimiento de la actividad en materia de relaciones internacionales del organismo. La planificación y desarrollo de los programas de cooperación en Iberoamérica en materia de tráfico y seguridad vial.
Subdirección General de Formación y Educación Vial	u) La gestión de la educación vial, la formación de conductores, la organización de pruebas de aptitud, incluida la formación de examinadores; la regulación, el registro y el control de las escuelas particulares de conductores y de los centros habilitados para la evaluación de las aptitudes psicofísicas de los conductores
	v) La determinación de requisitos de aptitud psicofísica para la obtención y renovación de las autorizaciones administrativas para conducir en colaboración con la autoridad sanitaria y de acuerdo con el avance científico y técnico.
	w) El establecimiento de las directrices básicas para la programación de la educación vial, la formación e información al usuario y la divulgación en materia de seguridad vial, sin perjuicio de las competencias del Ministerio de Transportes y Movilidad Sostenible.

3.6.3. Jefatura Central de Tráfico

El Ministerio del Interior ejerce las competencias relacionadas en el artículo anterior a través del organismo autónomo Jefatura Central de Tráfico.

Para el ejercicio de las competencias atribuidas al Ministerio del Interior en materia de regulación, ordenación, gestión y vigilancia del tráfico, así como para la denuncia de las infracciones a las normas contenidas en esta ley, y para las labores de protección y auxilio en las vías públicas o de uso público, actuará, en los términos que reglamentariamente se determine, la Guardia Civil, especialmente su Agrupación de Tráfico, que a estos efectos depende específicamente del organismo autónomo Jefatura Central de Tráfico.

3.6.4. Competencias de los Municipios

Corresponde a los Municipios:

a) La regulación, ordenación, gestión, vigilancia y disciplina, por medio de agentes propios, del tráfico en las vías urbanas de su titularidad, así como la denuncia de las infracciones que se cometan en dichas vías y la sanción de las mismas cuando no esté expresamente atribuida a otra Administración.

b) La regulación mediante Ordenanza Municipal de Circulación, de los usos de las vías urbanas, haciendo compatible la equitativa distribución de los aparcamientos entre todos los usuarios con la necesaria fluidez del tráfico rodado y con el uso peatonal de las calles, así como el establecimiento de medidas de estacionamiento limitado, con el fin de garantizar la rotación de los aparcamientos, prestando especial atención a las necesidades de las personas con discapacidad que tienen reducida su movilidad y que utilizan vehículos, todo ello con el fin de favorecer su integración social (en relación con este inciso final, debe tenerse en cuenta el Real Decreto 1056/2014, de 12 de diciembre, por el que se regulan las condiciones básicas de emisión y uso de la tarjeta de estacionamiento para personas con discapacidad).

c) La inmovilización de los vehículos en vías urbanas cuando no dispongan de título que habilite el estacionamiento en zonas limitadas en tiempo o excedan de la autorización concedida, hasta que se logre la identificación de su conductor.

La retirada de los vehículos de las vías urbanas y su posterior depósito cuando obstaculicen, dificulten o supongan un peligro para la circulación, o se encuentren incorrectamente aparcados en las zonas de estacionamiento restringido, en las condiciones previstas para la inmovilización en este mismo artículo. Las bicicletas solo podrán ser retiradas y llevadas al correspondiente depósito si están abandonadas o si, estando amarradas, dificultan la circulación de vehículos o personas o dañan el mobiliario urbano.

Igualmente, la retirada de vehículos en las vías interurbanas y el posterior depósito de estos, en los términos que reglamentariamente se determine.

d) La autorización de pruebas deportivas cuando discurran íntegra y exclusivamente por el casco urbano, exceptuadas las travesías.

e) La realización de las pruebas a que alude el apartado 5.o) en las vías urbanas, en los términos que reglamentariamente se determine.

f) El cierre de vías urbanas cuando sea necesario.

g) La restricción de la circulación a determinados vehículos en vías urbanas por motivos medioambientales.

3.6.5. El Consejo Superior de Tráfico y Seguridad Vial

3.6.5.1. Introducción

A tenor del art. 8 TRLTSV (modificado por la Ley 9/2025, de 3 de diciembre):

1. El Consejo Superior de Tráfico y Seguridad Vial es el órgano de consulta y partici-pación para el impulso y mejora del tráfico y la seguridad vial y para promover la concertación de las distintas Administraciones Públicas y entidades que desarro-llan actividades en esos ámbitos, sin perjuicio de las competencias de las Comu-nidades Autónomas que hayan recibido el traspaso de funciones y servicios en materia de tráfico y circulación de vehículos a motor.

2. La Presidencia del Consejo corresponde al Ministro del Interior y en él están represen-tados la Administración General del Estado, las comunidades autónomas y las ciudades de Ceuta y Melilla, las administraciones locales, así como las fundaciones, las asociacio-nes de víctimas, el sector social de la discapacidad, las asociaciones de prevención de accidentes de tráfico y de fomento de la seguridad vial y los centros de investigación y organizaciones profesionales, económicas y sociales más representativas directamente relacionadas con el tráfico, la seguridad vial y la movilidad sostenible.

3. El Consejo funciona en Pleno, en Comisión Permanente, en Comisiones y en Gru-pos de Trabajo.

4. En las Comunidades Autónomas que no hayan recibido el traspaso de funciones y servicios en materia de tráfico y circulación de vehículos a motor, y en las ciuda-des de Ceuta y Melilla existe una Comisión del Consejo. Asimismo, funciona una Comisión del Consejo para el estudio del tráfico, la seguridad vial y la movilidad sostenible en las vías urbanas.

    Las Comunidades Autónomas que hayan recibido el traspaso de funciones y ser-vicios en materia de tráfico y circulación de vehículos a motor pueden establecer sus propios Consejos Autonómicos de Tráfico y Seguridad Vial.

5. El Consejo Superior de Tráfico y Seguridad Vial ejerce las siguientes funciones:

    a) Informar y, en su caso, proponer planes de actuación conjunta en materia de tráfico y seguridad vial para dar cumplimiento a las directrices del Gobierno o para someterlos a su aprobación. Dichas propuestas, que no son vinculantes, deben considerar, en particular, la viabilidad técnica y financiera de las medi-das que incluyan.

    b) Asesorar a los órganos superiores y directivos del Ministerio del Interior en esta materia.

    c) Informar los convenios o tratados internacionales sobre tráfico, seguridad vial o movilidad sostenible antes de la prestación del consentimiento del Estado para obligarse por ellos.

    d) Informar o proponer, en su caso, los proyectos de disposiciones generales que afecten al tráfico, la seguridad vial o la movilidad sostenible.

e) Informar sobre la publicidad de los vehículos a motor.

f) Impulsar, mediante las correspondientes propuestas, la actuación de los distintos organismos, entidades y asociaciones que desarrollen actividades en esta materia.

g) Conocer e informar sobre la evolución de la siniestralidad vial en España.

6. La composición, organización y funcionamiento del Consejo se determinarán reglamentariamente. A estos efectos, podrán crearse Consejos Territoriales de Seguridad Vial. En todo caso, debe haber un equilibrio entre los colectivos representados y entre los distintos sectores que representan.

3.6.5.2 Regulación

La organización y funcionamiento de este Consejo se regula en la actualidad por el Real Decreto 317/2003, de 14 de marzo, que, tras reproducir lo expuesto en cuanto a la naturaleza y funciones del Consejo (añadiendo una mención a las ciudades de Ceuta y Melilla), señala la estructura orgánica del mismo.

 Actividad 3

Rellena el hueco con las palabras que faltan:

La Presidencia del Consejo Superior de Tráfico y Seguridad Vial corresponde _____.

3.6.5.3. Estructura orgánica

1. El Pleno

Conforme al art. 2 de este RD 317/2003, el Consejo funcionará en Pleno o en Comisión Permanente; contará con una Comisión de Tráfico y Seguridad de la Circulación Vial en cada Comunidad Autónoma y en las ciudades de Ceuta y Melilla, y con una Comisión para el Estudio del Tráfico y la Seguridad en las Vías Urbanas.

El art. 3 RD 317/2003, al efecto, dispone que el Pleno estará integrado por los siguientes miembros:

A) Representantes de las Administraciones Públicas:

a) Presidente: El Ministro del Interior.

b) Vicepresidente primero: El Subsecretario del Interior.

c) Vicepresidente segundo: El Director General de Tráfico.

d) Vocales: con categoría, al menos, de Director General:

  − Dos representantes del Ministerio del Interior y otros dos del Ministerio de Transportes y Movilidad Sostenible.

  − Un representante por cada uno de los siguientes Ministerios: Presidencia, Justicia y Relaciones con las Cortes; Defensa; Hacienda; Educación; Trabajo y Economía Social; Economía, Comercio y Empresa; Industria y Turismo; Agricultura, Pesca y Alimentación; para la Transición Ecológica y el Reto Demográfico; de Política Territorial y Memoria Democrática; Igualdad; y Sanidad.

  − El General Jefe de la Agrupación de Tráfico de la Guardia Civil.

  − Un vocal representante de cada una de las Comunidades Autónomas y de las ciudades de Ceuta y Melilla.

  − Diecinueve representantes de las Entidades Locales elegidos por la federación o asociación de Municipios y Provincias de ámbito estatal con mayor implantación (la FEMP, en la actualidad).

e) Secretario: Se atribuye a un Subdirector General del organismo autónomo Jefatura Central de Tráfico, que asistirá con voz pero sin voto.

f) Cuando así lo aconsejen los asuntos a tratar podrán ser convocados a las reuniones del Pleno, con voz pero sin voto, otros representantes de las Administraciones públicas.

B) Representantes de organizaciones profesionales, económicas y sociales:

Las organizaciones profesionales, económicas y sociales relacionadas con el tráfico y la seguridad vial se integran en el Consejo, en cuyo Pleno habrá un representante por cada uno de los siguientes sectores o entidades:

a) Real Automóvil Club de España.

b) Cruz Roja Española.

c) Centros de reconocimiento de conductores.

d) Compañías aseguradoras de automóviles.

e) Concesionarios de autopistas.

f) Constructoras y consultoras de carreteras.

g) Consumidores y usuarios.

h) Empresas de conservación de carreteras.

i) Empresas especializadas en señalización, control y gestión de tráfico.

k) Entidades de asistencia en carretera.

l) Escuelas de conductores.

m) Estaciones de inspección técnica de vehículos.

n) Fabricantes de automóviles.

ñ) Fabricantes de motocicletas, ciclomotores y bicicletas.

o) Talleres de reparación.

p) Investigación en materia de tráfico y seguridad vial.

q) Medios de comunicación.

r) Organizaciones religiosas con interés en materia de educación vial.

s) Organizaciones sin ánimo de lucro con especial interés en materia de educación o seguridad vial.

t) Organizaciones de automovilistas en general.

u) Organizaciones de ciclistas.

v) Organizaciones de motoristas.

w) Departamento de transporte de viajeros del Comité Nacional del Transporte por Carretera.

x) Departamento de transporte de mercancías del Comité Nacional del Transporte por Carretera.

y) Organizaciones profesionales y sindicales, específicas o genéricas, relacionadas con el transporte de viajeros y mercancías por las vías públicas.

C) Representantes de otros sectores:

Cuando así lo aconsejen los asuntos a tratar, podrán ser convocados a las reuniones del pleno, con voz pero sin voto, representantes de organizaciones profesionales, económicas y sociales directa o indirectamente relacionadas con el tráfico y la seguridad vial que pertenezcan a sectores distintos de los antes enumerados o que, aun perteneciendo a estos, no hayan obtenido representación en el Pleno, siendo convocados por el Presidente o, en su caso, el Secretario, por propia iniciativa o a instancia de alguno de los miembros del Pleno.

Asimismo, el Pleno podrá decidir la incorporación al Consejo de algún otro miembro no comprendido entre los anteriores y cuya representación se estime de interés para la mejora del tráfico y la seguridad vial y demás actividades relacionadas con las competencias del Consejo, siempre que ello no suponga superar los límites establecidos por la Ley en lo que a su composición se refiere, procediéndose a la reestructuración del propio Consejo en este caso (art. 4 RD 317/2003).

En cuanto a las funciones del Pleno, que es el máximo órgano colegiado del Consejo, reuniéndose, previa convocatoria de su Presidente, siempre que sea necesario, y, al menos, una vez al año, son las siguientes (art. 5 RD 317/2003):

a) Elaborar planes de actuación conjunta para el logro de los fines determinados por el Gobierno en materia de tráfico y seguridad vial.

b) Proponer planes nacionales de tráfico y seguridad vial para su elevación a la Comisión Interministerial de Seguridad Vial.

c) Asesorar en materia de tráfico y seguridad vial a los correspondientes órganos de decisión.

d) Informar sobre criterios generales en materia de publicidad de vehículos a motor.

e) Informar o proponer, en su caso, los proyectos de disposiciones de carácter general, así como la normativa comunitaria y los Convenios y Tratados Internacionales que afecten al tráfico, a la seguridad vial y a la circulación por carretera.

f) Coordinar e impulsar mediante las correspondientes propuestas la actuación de los distintos Organismos, Entidades y Asociaciones que desarrollen actividades relacionadas con el tráfico y la seguridad vial.

g) Decidir sobre la integración de nuevos miembros en el Consejo, previo informe de la Comisión Permanente.

h) Modificar la composición de los miembros de la Comisión Permanente en los términos establecidos en el art. 4 del RD 317/2003.

El Pleno, finalmente, podrá delegar en la Comisión Permanente o en los Grupos de Trabajo creados en el seno del Consejo las funciones previstas en los apartados c), d), e) y f) que estime conveniente, así como encomendarle la realización de determinadas tareas relativas a sus funciones propias.

2. Comisión Permanente

La Comisión Permanente está integrada por los siguientes miembros:

1. Presidente: El Subsecretario del Interior.

2. Vicepresidente: El Director General de Tráfico.

3. Vocales:

   a) Los representantes en el Pleno de los siguientes Ministerios: Interior, Transportes y Movilidad Sostenible, Presidencia, Justicia y Relaciones con las Cortes, Educación, Industria y Turismo. Sanidad.

   b) El General Jefe de la Agrupación de Tráfico de la Guardia Civil.

   c) Cuatro representantes de las Comunidades Autónomas o ciudades de Ceuta y Melilla, elegidos entre sí por los vocales que representen a dichas Comunidades o ciudades en el Pleno, de modo anual y rotativo.

   d) Cuatro representantes de Entidades Locales, designados por los vocales que representen a dichas Entidades en el Pleno, entre ellos mismos, de forma anual y rotativa.

4. Secretario: El mismo del Pleno, que asistirá igualmente con voz pero sin voto.

   Cuando la Comisión Permanente o un Grupo de Trabajo ejerza las funciones contenidas en las letras c), d), e) y f) antes mencionadas, se convocará a los representantes de las organizaciones profesionales, económicas y sociales cuya participación se estime conveniente en función de los asuntos a tratar.

   Asimismo, cuando los asuntos a tratar así lo aconsejen, podrán ser convocados a sus reuniones, con voz pero sin voto, otros vocales del Pleno y cualquier otra persona que se estime pertinente.

   Respecto a las funciones de la Comisión Permanente, que se reunirá siempre que sea necesario, cuando su Presidente la convoque, son, además de las que le encomiende o delegue el Pleno, las siguientes:

   a) Garantizar la efectiva aplicación de los acuerdos del Pleno, preparar el orden del día de sus reuniones e informarle de sus propias actuaciones.

   b) Emitir directamente el informe previsto en los apartados d) y e) del art. 5, dando cuenta posteriormente al Pleno, cuando por la urgencia o índole de la cuestión no resulte aconsejable esperar a una sesión del mismo o convocarlo con tal objeto.

   c) Estudiar el resultado de las actuaciones de las Comisiones de Tráfico y Seguridad de la Circulación Vial en las Comunidades Autónomas y ciudades de Ceuta y Melilla, adoptando, en su caso, las medidas que procedan.

   d) Constituir los grupos de trabajo que se consideren necesarios, supervisar su actuación y recibir sus informes, elevando, cuando proceda, sus propuestas al Pleno.

e) Impulsar de modo especial la permanente actualización de la normativa en materia de tráfico y seguridad vial, así como el establecimiento de las medidas adecuadas mediante las correspondientes propuestas.

f) Resolver aquellos asuntos que por su carácter no necesiten acceder al Pleno, despachando directamente el Vicepresidente cuantos pudieran serle delegados y el Secretario los de trámite.

g) Reconocer o denegar la participación en el Pleno del Consejo de las organizaciones profesionales, económicas y sociales relacionadas con el tráfico y la seguridad vial y elaborar el informe correspondiente según el procedimiento previsto en el art. 3.

h) Estudiar, a iniciativa propia o a petición de las organizaciones interesadas, la posible integración en el Consejo de nuevos miembros y elaborar, en su caso, el correspondiente informe para su elevación al Pleno, según el procedimiento previsto en el art. 4.

3. Comisiones Autonómicas de Tráfico y Seguridad de la Circulación Vial

A las mismas se refieren los arts. 8 y 9 RD 317/2003, estando integradas por los siguientes miembros:

1. Presidente: El Delegado del Gobierno en la Comunidad o Ciudad correspondiente.

2. Vocal-ponente: El Jefe Provincial de Tráfico de la provincia en que radique la Delegación del Gobierno.

3. Vocales:

   a) Hasta doce representantes de la Administración General del Estado con competencia directa o indirectamente relacionada con el tráfico y la seguridad vial nombrados por el Delegado del Gobierno en la correspondiente Comunidad Autónoma o ciudad de Ceuta y Melilla.

   b) Hasta doce representantes de la Comunidad Autónoma o ciudad de Ceuta y Melilla, designados por esta. Uno de estos vocales, elegido al efecto por la Comunidad o ciudad, la representará en el Pleno y, en su caso, en la Comisión Permanente.

   c) Hasta doce representantes de Entidades Locales, elegidos por las dos federaciones o asociaciones de Municipios y Provincias de ámbito autonómico con mayor implantación en proporción a su representatividad respectiva, atendiendo al número de Entidades asociadas y a su población, siempre que las Entidades integradas en aquellos representen, al menos, el 20 por cien de la población de la Comunidad. En el caso de que exista una sola federación o asociación que reúna tal requisito, esta designará a todos los representantes.

   d) En las Comunidades Autónomas donde existan Consejos o Cabildos, se podrá convocar un representante por cada Cabildo o Consejo insular existente.

4. Secretario: Un funcionario de la Jefatura Provincial de Tráfico de la provincia en que radique la Delegación del Gobierno, que asistirá con voz pero sin voto.

Cuando los asuntos a tratar así lo aconsejen, podrán ser convocados a sus reuniones tanto cualquiera de los vocales del Pleno, que podrán designar un representante, como cualquier otra persona que se estime pertinente, compareciendo todos ellos con voz pero sin voto. Especialmente se cuidará la posible participación de las organizaciones profesionales, económicas y sociales que, teniendo presencia activa en la Comunidad o ciudad, representen a los sectores o entidades enumerados en el apartado 2 del art. 3 antes examinado.

Asimismo, en virtud de resolución de las Comisiones en las Comunidades Autónomas, se podrán crear Comisiones Provinciales para el estudio de asuntos delimitados geográficamente, de cuya actuación se dará cuenta a las primeras, cuyos miembros llevarán a cabo el correspondiente seguimiento. A estos efectos, las primeras designarán los componentes de las segundas en función de las cuestiones a tratar, supervisarán su actuación y elevarán, en su caso, sus propuestas a la Comisión Permanente. Las Comisiones Provinciales serán presididas por el Subdelegado del Gobierno y actuará como vocal-ponente el Jefe de Tráfico de la provincia respectiva.

Las funciones de estas Comisiones en las Comunidades Autónomas y en las ciudades de Ceuta y Melilla, que se reunirán cuando sus Presidentes las convoquen y, al menos, una vez al año, son las siguientes (art. 9):

a) Cooperar en la elaboración y ejecución de los Planes Nacionales de Seguridad Vial.

b) Coordinar e impulsar mediante las correspondientes propuestas la actuación de los distintos organismos, entidades y asociaciones que desarrollen actividades relacionadas con el tráfico y la seguridad vial en el ámbito de la Comunidad Autónoma o ciudad.

c) Estudiar los problemas específicos que el tráfico y la seguridad vial puedan presentar en el ámbito de la Comunidad Autónoma o ciudad y proponer soluciones, así como realizar las funciones de asesoramiento y coordinación que sean necesarias para la resolución de problemas específicamente autonómicos y provinciales.

d) Constituir, si se estima conveniente para facilitar el desempeño de sus funciones, los grupos de trabajo que se consideren necesarios, supervisar su actuación, recibir sus informes y elevar, en su caso, sus propuestas a la Comisión Permanente del Consejo Superior de Tráfico y Seguridad de la Circulación Vial.

e) Asesorar en materia de tráfico y seguridad vial si, en el ámbito de sus competencias, tal asesoramiento le fuera solicitado por los correspondientes órganos de decisión de las Comunidades Autónomas o ciudades, o por cualquier otro órgano de la Administración en el ámbito provincial o local.

f) Constituir, en su caso, las Comisiones Provinciales de Tráfico y Seguridad Vial a que se refiere el art. 8, determinar su composición y supervisar sus actuaciones.

g) Asesorar, impulsar y resolver los asuntos que le sean planteados por las Comisiones Provinciales creadas al efecto.

4. Comisión para el Estudio del Tráfico y la Seguridad Vial en las Vías Urbanas

A la misma se refieren los arts. 10 y 11 RD 317/2003, estando integrada por los siguientes miembros:

1. Presidente: El Director General de Tráfico, que podrá delegar en un Subdirector General.

2. Vocales:

   a) Un representante por cada uno de los siguientes Ministerios: Interior, Transportes y Movilidad Sostenible, Hacienda y Economía, Comercio y Empresa.

   b) Dos representantes de las Comunidades Autónomas o ciudades de Ceuta y Melilla elegidos por los que representen a estas Administraciones Públicas en el Pleno.

   c) Cuatro representantes de Entidades Locales, elegidos por la federación o asociación de Municipios de ámbito estatal con mayor implantación.

3. Secretario: Un funcionario de la Jefatura Central de Tráfico, que asistirá con voz pero sin voto.

   Cuando así lo aconsejen los asuntos a tratar podrán ser convocados a sus reuniones, con voz pero sin voto, los vocales del Pleno, quienes podrás designar un representante, u otras personas que se estimen pertinentes.

   Las funciones de esta Comisión, que se reunirá, previa convocatoria de su Presidente, siempre que sea necesario son (art. 11):

   a) Efectuar y canalizar estudios relativos al tráfico y la seguridad en las vías urbanas.

   b) Proponer medidas en el ámbito de su competencia para su inclusión en la planificación nacional de seguridad vial o para su directa elevación al Pleno.

   c) Proponer normas de carácter general dentro del ámbito de sus competencias.

   d) Coordinar el tráfico y la seguridad vial en el ámbito urbano.

5. Grupos de trabajo

Se ocuparán del estudio de aquellos asuntos para los que hayan sido creados y funcionarán bajo la dirección y control de la Comisión que los haya establecido.

Podrán formar parte de los mismos personal especializado de las Administraciones Públicas, de las entidades, asociaciones y sectores profesionales que desarrollen actividades relacionadas con la seguridad vial y otras personas cuya presencia se estime pertinente.

En especial, se tratará de fomentar la creación de grupos para el estudio de determinados temas como:

a) Comunicación y divulgación.

b) Investigación y reconstrucción de accidentes.

c) Normativa y asuntos jurídicos.

d) Educación vial.

e) Formación vial y exámenes de conducir.

f) Telemática aplicada al tráfico.

6. Normas de funcionamiento

Para concluir, se ha de señalar que el funcionamiento de los órganos Colegiados del Consejo se atendrá a lo establecido en los arts. 15 a 19 de la Ley 40/2015, de 1 de octubre, de Régimen Jurídico del Sector Público (LRJSP), con la siguiente especialidad: las convocatorias podrán ser efectuadas directamente por el Presidente o por el Secretario en virtud de delegación del mismo.

Finalmente, ha de indicarse que el art. 8 TRLTSV prevé la constitución de Consejos Territoriales de Seguridad Vial.

 Actividad 4

Indica si la siguiente cuestión es verdadera o falsa:

No es posible crear Comisiones Autonómicas del Consejo Superior de Tráfico y Seguridad Vial en las ciudades de Ceuta y Melilla al no estar constituidas como tal.

Verdadera ☐   Falsa ☐

3.6.5.4. Conferencia Sectorial de Tráfico y Seguridad Vial

Según el art. 9 TRLTSV:

1. Se crea la Conferencia Sectorial de Tráfico y Seguridad Vial como órgano de cooperación entre la Administración General del Estado y las administraciones de las Comunidades Autónomas que hayan asumido competencias para la protección de personas y bienes y el mantenimiento del orden público y que hayan recibido el traspaso de funciones y servicios en materia de tráfico y circulación de vehículos a motor. La conferencia sectorial desarrollará una actuación coordinada en esta materia, con atención a los principios de lealtad institucional y respeto recíproco en el ejercicio de las competencias atribuidas a dichas administraciones.

2. La conferencia sectorial aprobará su reglamento interno, que regulará su organización y funcionamiento, si bien aún no se ha llevado a cabo.

Solución a las actividades

Actividad 1.

- ☑ a) Travesía.
- ☐ b) Vía urbana.
- ☐ c) Vía interurbana.

Actividad 2.

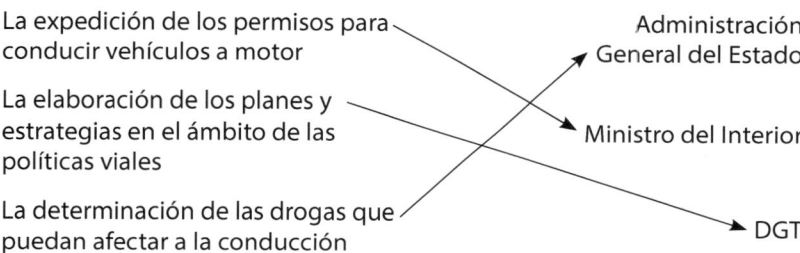

La expedición de los permisos para conducir vehículos a motor

La elaboración de los planes y estrategias en el ámbito de las políticas viales

La determinación de las drogas que puedan afectar a la conducción

Administración General del Estado

Ministro del Interior

DGT

Actividad 3.

La Presidencia del Consejo Superior de Tráfico y Seguridad Vial corresponde **al Ministro del Interior**.

Actividad 4.

Falsa.

TEMA 10

Normas generales de circulación: lugar en la vía, velocidad, prioridad de paso, cambios de dirección y sentido. Adelantamientos. Parada y estacionamiento. Vehículos y transportes especiales. Cinto y casco de seguridad

Un **temario organizado** es el primer paso hacia tu plaza. El resto te lo enseñamos en nuestro Curso MAD360.

Índice

1. Normas de comportamiento en la circulación

1.1. Introducción

Se contienen en los arts. 10 a 14 TRLTSV, y en los arts. 2 a 7 RGC con las adaptaciones necesarias al vigente texto refundido.

1.2. Usuarios, conductores y titulares de vehículos

El art. 10 TRLTSV dispone que:

1. El usuario de la vía está obligado a comportarse de forma que no entorpezca indebidamente la circulación, ni cause peligro, perjuicios o molestias innecesarias a las personas o daños a los bienes o al medioambiente.

2. El conductor debe utilizar el vehículo con la diligencia, precaución y atención necesarias para evitar todo daño, propio o ajeno, cuidando de no poner en peligro, tanto a sí mismo como a los demás ocupantes del vehículo y al resto de usuarios de la vía, especialmente a aquellos cuyas características les hagan más vulnerables. El conductor debe verificar que las placas de matrícula del vehículo no presentan obstáculos que impidan o dificulten su lectura e identificación.

3. El titular y, en su caso, el arrendatario de un vehículo tiene el deber de actuar con la máxima diligencia para evitar los riesgos que conlleva su utilización, mantenerlo en las condiciones legal y reglamentariamente establecidas, someterlo a los reconocimientos e inspecciones que correspondan e impedir que sea conducido por quien nunca haya obtenido el permiso o la licencia de conducción correspondiente.

Por su parte, el art. 11, bajo en enunciado de "obligaciones del titular del vehículo y del conductor habitual", añade que:

1. El titular de un vehículo tiene las siguientes obligaciones:

   a) Facilitar a la Administración la identificación del conductor del vehículo en el momento de cometerse una infracción. Los datos facilitados deben incluir el número del permiso o licencia de conducción que permita la identificación en el Registro de Conductores e Infractores del organismo autónomo Jefatura Central de Tráfico.

   Si el conductor no figura inscrito en el aludido Registro de Conductores e Infractores, el titular deberá disponer de copia de la autorización administrativa que le habilite a conducir en España y facilitarla a la Administración cuando le sea requerida. Si el titular fuese una empresa de alquiler de vehículos sin conductor, la copia de la autorización administrativa podrá sustituirse por la copia del contrato de arrendamiento.

b) Impedir que el vehículo sea conducido por quien nunca haya obtenido el permiso o la licencia de conducción correspondiente.

2. El titular puede comunicar al Registro de Vehículos del organismo autónomo Jefatura Central de Tráfico la identidad del conductor habitual del mismo. En este supuesto, el titular quedará exonerado de las obligaciones anteriores, que se trasladan al conductor habitual.

3. Las obligaciones establecidas en el apartado 1 y la comunicación descrita en el apartado anterior corresponden al arrendatario a largo plazo del vehículo, en el supuesto de que haya constancia de este en el Registro de Vehículos del organismo autónomo Jefatura Central de Tráfico.

4. El titular del vehículo en régimen de arrendamiento a largo plazo debe comunicar al Registro de Vehículos del organismo autónomo Jefatura Central de Tráfico la identidad del arrendatario.

Con efectos de 21 de marzo de 2022, por el art. único.5 de la Ley 18/2021, de 20 de diciembre se ha añadido el art. 11 bis, que regula las obligaciones del titular de un sistema de conducción automatizado, según el cual, este deberá comunicar al Registro de Vehículos del organismo autónomo Jefatura Central de Tráfico las capacidades o funcionalidades del sistema de conducción automatizada, así como su dominio de diseño operativo, en el momento de la matriculación, y con posterioridad, siempre que se produzca cualquier actualización del sistema a lo largo de la vida útil del vehículo.

 Sabías que...

El propietario de un vehículo a motor que preste el mismo a una persona a sabiendas de que este carece de permiso de conducción, puede ser considerado cooperador necesario de un delito contra la seguridad vial, y en consecuencia, ser condenado penalmente por ello.

2. Lugar en la vía, velocidad, prioridad de paso, cambios de dirección y sentido. Adelantamientos. Parada y estacionamiento

Bajo este epígrafe el TRLTSV recoge una serie de prescripciones relativas al lugar en la vía, velocidad, prioridad de paso, incorporación a la circulación, cambios de dirección, sentido y marcha atrás, adelantamientos, paradas y estacionamientos, cruces de pasos a nivel y puentes levadizos, utilización de alumbrado y advertencias a los conductores, todo ello a lo largo de los arts. 15 a 52, desarrollados por los arts. 29 a 113 RGC.

2.1. Lugar en la vía

El TRLTSV y el RGC abordan los siguientes aspectos en relación con esta materia:

2.1.1. Sentido de la circulación (art. 15 TRLTSV y 29 RGC)

Como norma general, y muy especialmente en las curvas y cambios de rasante de redu-cida visibilidad, el vehículo circulará en todas las vías objeto del TRLTSV por la derecha y lo más cerca posible del borde de la calzada con las excepciones que reglamentariamente se determinen, manteniendo la separación lateral suficiente para realizar el cruce con seguridad.

Aun cuando no exista señalización expresa que los delimite, en los cambios de rasan-te y curvas de reducida velocidad, todo conductor, salvo en los supuestos de rebasamien-to de un vehículo inmovilizado que ocupe la calzada en el sentido de la marcha, debe dejar completamente libre la mitad de la calzada que corresponda a los que puedan cir-cular en sentido contrario.

Los supuestos de circulación por la izquier-da, en sentido contrario al estipulado en una vía de doble sentido de la circulación, tendrán la consideración de infracciones muy graves, conforme se prevé en el art. 77.f) TRLTSV (art. 29.2 RGC, modificado por RDL 6/2015).

2.1.2. Utilización de los carriles (art. 16 TRLTSV)

El conductor de un automóvil, que no sea un vehículo para personas de movilidad reducida, o de un vehículo especial con masa máxima autorizada superior a 3.500 kilo-gramos, debe circular por la calzada y no por el arcén, salvo por razones de emergencia, y debe, además, atenerse a las reglas siguientes:

a) En las calzadas con doble sentido de circulación y dos carriles, separados o no por marcas viales, circulará por el de su derecha.

b) En las calzadas con doble sentido de circulación y tres carriles, separados por marcas longitudinales discontinuas, debe circular también por el de su derecha, y en ningún caso por el situado más a su izquierda. Los supuestos de circulación por la izquierda, en sentido contrario al estipulado, tendrán la consideración de infracciones muy graves, conforme se prevé en el art. 77.f) TRLTSV (art. 30.2 RGC, modificado por RDL 6/2015).

c) Fuera de poblado, en las calzadas con más de un carril reservado para su sentido de marcha, debe circular normalmente por el situado más a su derecha, si bien podrá utilizar el resto de los de dicho sentido cuando las circunstancias del tráfico o de la vía lo aconsejen, a condición de que no entorpezca la marcha de otro vehículo que le siga.

Cuando una de dichas calzadas tenga tres o más carriles en el sentido de su mar-cha, los conductores de camiones o furgones con masa máxima autorizada superior a 3.500 kilogramos, los de vehículos especiales que no estén obligados a circular por el arcén y los de conjuntos de vehículos de más de siete metros de longitud, deben circular normalmente por el situado más a su derecha, pudiendo utilizar el inmediato en las mismas circunstancias y con igual condición a las citadas en el párrafo anterior.

d) Cuando se circule por calzadas de poblados con al menos dos carriles reservados para el mismo sentido, delimitados por marcas longitudinales, puede utilizar el que mejor convenga a su destino, pero no debe abandonarlo más que para prepararse a cambiar de dirección, adelantar, parar o estacionar.

Finalmente, para el cómputo de carriles, no se tendrá en cuenta los reservados al tráfico lento ni los reservados a determinados vehículos, de acuerdo con lo dispuesto en el art. 35 RGC según el cual la utilización de estos carriles destinados al tráfico lento, al tráfico rápido y al de los reservados a determinados vehículos (singularmente, para los vehículos de alta ocupación –VAO–: automóviles destinados exclusivamente al transporte de personas, cuya masa autorizada no exceda de 3.500 kilogramos, que estén ocupados por el número de personas que para cada tramo de la red viaria se fije por el organismo autónomo Jefatura Central de Tráfico o, en su caso, la autoridad autonómica o local responsable de la regulación del tráfico) y a ciertas maniobras se ajustará a lo que indiquen las señales reguladas en el art. 160 RGC, es decir, las que establecen una reglamentación especial para uno o más carriles de la calzada.

La utilización de los carriles para VAO se atendrá a lo siguiente (art. 35 RGC):

a) La utilización del carril habilitado para VAO queda limitada a motocicletas, turismos y vehículos mixtos adaptables, y está prohibida, por tanto, al resto de los vehículos y conjuntos de vehículos, incluidos los turismos con remolque, así como a peatones, ciclos, ciclomotores, vehículos de tracción animal y animales.

Los carriles para VAO podrán ser utilizados por los vehículos autorizados de acuerdo con el párrafo anterior, aun cuando solo lo ocupe su conductor, si el vehículo ostenta la señal V-15, y por autobuses con masa máxima autorizada superior a

3.500 kilogramos y autobuses articulados, con independencia de su número de ocupantes, en las mismas condiciones de circulación establecidas para los VAO, de forma simultánea si así se indica en la relación a que se refiere el párrafo d).

b) La habilitación o reserva de uno o varios carriles paran la circulación de VAO podrá ser permanente o temporal, con horario fijo o en función del estado de la circulación, según lo establezca el organismo autónomo Jefatura Central de Tráfico o, en su caso, la autoridad autonómica o local responsable de la regulación del tráfico, quien, en circunstancias no habituales y por razones de seguridad vial o fluidez de la circulación, podrá permitir, recomendar u ordenar a otros vehículos la utilización del carril reservado para aquellos, todo ello sin perjuicio de las competencias de los organismos titulares de las carreteras y, en su caso, de las sociedades concesionarias de aquellas.

c) Los vehículos de policía, extinción de incendios, protección civil y salvamento y asistencia sanitaria en servicio de urgencia, así como los equipos de mantenimiento de las instalaciones y de la infraestructura de la vía, podrán utilizar los carriles reservados.

d) El organismo autónomo Jefatura Central de Tráfico o, en su caso, la autoridad autonómica o local responsable de la regulación del tráfico, previo informe vinculante del organismo titular de la carretera, determinará los tramos de la red viaria en los que funcionarán carriles reservados para VAO, fijará las condiciones de utilización y publicará, en la forma prevista en el art. 39,4.º RGC, la relación de tramos de la red viaria en los que se habiliten dichos carriles.

Finalmente, las infracciones a estas normas relativas a la circulación en sentido contrario al establecido tendrán la consideración de muy graves, conforme al art. 77. f) TRLTSV (art. 35.3 RGC, modificado por RDL 6/2015).

2.1.3. Utilización del arcén (art. 17 TRLTSV)

El conductor de cualquier vehículo de tracción animal, vehículo especial con masa máxima autorizada no superior 3.500 kilogramos, ciclo, ciclomotor, vehículo para personas de movilidad reducida o vehículo en seguimiento de ciclistas, en el caso de que no exista vía o parte de la misma que les esté especialmente destinada, debe circular por el arcén de su derecha, si fuera transitable y suficiente, y, si no lo fuera, debe utilizar la parte imprescindible de la calzada. Debe también circular por el arcén de su derecha, o, en las circunstancias a que se refiere este apartado, por la parte imprescindible de la calzada, los conductores de motocicletas, de turismos y de camiones con masa máxima autorizada que no exceda de 3.500 kilogramos que, por razones de emergencia, lo hagan a velocidad anormalmente reducida, perturbando con ello gravemente la circulación. No obstante lo dispuesto en los párrafos anteriores, el conductor de bicicleta podrá superar la velocidad máxima fijada reglamentariamente para estos vehículos en aquellos tramos en los que las circunstancias de la vía aconsejen desarrollar una velocidad superior, pudiendo ocupar incluso la parte derecha de la calzada que necesite, especialmente en descensos prolongados con curvas. Se prohíbe que los vehículos relacionados en el apartado anterior circulen en posición paralela, salvo las bicicletas (que podrán hacerlo en columna de a dos, orillándose todo lo posible al extremo derecho de la vía y colocándose en hilera en tramos sin visibilidad, y cuando formen aglomeraciones de tráfico; en la autovías solo podrán circular por el arcén, sin invadir la calzada en ningún caso) y ciclomotores de dos ruedas (que, excepcionalmente, cuando el arcén sea transitable y suficiente, podrán circular por el arcén, sin invadir la calzada en ningún caso), atendiendo a las circunstancias de la vía o a la peligrosidad del tráfico.

El conductor de cualquiera de dichos vehículos, excepto las bicicletas, no podrá adelantar a otro si la duración de la marcha de los vehículos colocados paralelamente excede los quince segundos o el recorrido efectuado en dicha forma supera los 200 metros. La infracción a esta previsión se considerará grave, conforme a lo dispuesto en el art. 76. z) TRLTSV (art. 36.5 RGC, modificado por RDL 6/2015).

Por lo que respecta a los vehículos históricos, se estará a lo dispuesto en su reglamento específico.

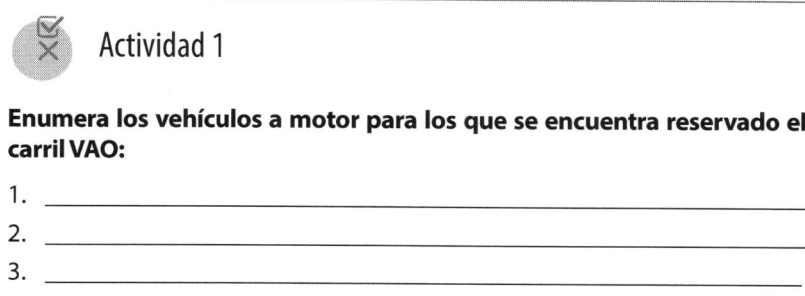

2.1.4. Supuestos especiales del sentido de circulación y de utilización de calzadas, carriles y arcenes

Bajo este enunciado los arts. 37 a 42 RGC tratan de los siguientes aspectos:

A) Ordenación especial del tráfico por razones de seguridad o fluidez de la circulación

Conforme al art. 18 TRLTSV (art. 37 RGC), cuando razones de seguridad o fluidez de la circulación lo aconsejen, o por motivos medioambientales, se podrá ordenar por la Autoridad competente otro sentido de circulación, la prohibición total o parcial de acceso a partes de la vía, bien con carácter general o para determinados vehículos, el cierre de determinadas vías, el seguimiento obligatorio de itinerarios concretos, o la utilización de arcenes o carriles en sentido opuesto al normalmente previsto.

Para evitar entorpecimiento a la circulación y garantizar la fluidez de la misma, se podrán imponer restricciones o limitaciones a determinados vehículos y para vías concretas, que serán obligatorias para los usuarios afectados.

El cierre a la circulación de una vía objeto de la legislación sobre tráfico, circulación de vehículos a motor y seguridad vial solo se realizará con carácter excepcional y deberás ser expresamente autorizado por el organismo autónomo Jefatura Central de Tráfico o, en su caso, por la autoridad autonómica o local responsable de la regulación del tráfico, salvo que esté motivada por deficiencias físicas de la infraestructura o por la realización de obras en esta; en tal caso, la autorización corresponderá al titular de la vía, y deberá contemplarse, siempre que sea posible, la habilitación de un itinerario alternativo y su señalización. El cierre y la apertura al tráfico habrán de ser ejecutados, en todo caso, por los agentes de la autoridad responsable de la vigilancia y disciplina del tráfico o del personal dependiente del organismo titular de la vía responsable de la explotación de esta. Las autoridades competentes antes aludidas se comunicarán los cierres que hayan acordado.

El organismo autónomo Jefatura Central de Tráfico o, en su caso, la autoridad autonómica o local responsable de la regulación del tráfico, así como los organismos titulares de las vías, podrán imponer restricciones o limitaciones a la circulación por razones de seguridad vial o fluidez del tráfico, a petición del titular de la vía o de otras entidades, como las sociedades concesionarias de autopistas de peaje, y quedará obligado el peticionario a la señalización del correspondiente itinerario alternativo fijado por las autoridad de tráfico, en todo su recorrido.

Los supuestos de circulación en sentido contrario al estipulado tendrán la consideración de infracción muy grave conforme al art. 77. f) TRLTSV (art. 37.5.1 RGC, modificado por RDL 6/2015). Por su parte, la circulación sin la correspondiente autorización por vías sujetas a restricciones o limitaciones impuestas por razones de seguridad vial o fluidez del tráfico será sancionada con arreglo al art. 76. c) TRLTSV (art. 37.5.2 RGC, modificado por RDL 6/2015).

B) Circulación en autopistas y autovías (art. 20 TRLTSV)

A tenor del art. 38 RGC, se prohíbe circular por autopistas y autovías con vehículos de tracción animal, bicicletas, ciclomotores, vehículos de movilidad personal y vehículos para personas de movilidad reducida.

No obstante lo dispuesto en el párrafo anterior, los conductores de bicicletas mayores de 14 años podrán circular por los arcenes de las autovías, salvo que, por razones de seguridad vial, se prohíba mediante la señalización correspondiente. Dicha prohibición se complementará con un panel que informe del itinerario alternativo.

Todo conductor que, por razones de emergencia, se vea obligado a circular con su vehículo por una autopista o autovía a velocidad anormalmente reducida (inferior a 60 kilómetros por hora, con arreglo al art. 49,1.º RGC), deberá abandonarla por la primera salida.

Por su parte, los vehículos especiales o en régimen de transporte especial que excedan de las masas o dimensiones establecidos en el Reglamento General de Vehículos podrán circular, excepcionalmente, por autopistas y autovías cuando así se indique en la autorización complementaria de la que deben ir provistos, y los que no excedan de dichas masas o dimensiones cuando, con arreglo a sus características, puedan desarrollar una velocidad superior a 60 kilómetros por hora en llano y cumplan las condiciones que se señalan en el anexo III del RGC.

Se prohíbe circular por travesías, vías interurbanas y autopistas y autovías que transcurren dentro de poblado con vehículos de movilidad personal. Asimismo, queda prohibida la circulación de estos vehículos en túneles urbanos

La circulación por autopistas o autovías sujetas a peaje, tasa o precio público requerirá el pago del correspondiente peaje, tasa o precio público (art. 20,3.º TRLTSV).

C) Limitaciones a la circulación

Con arreglo al art. 39 RGC:

1. Con sujeción a lo dispuesto en los apartados siguientes, se podrán establecer limitaciones de circulación, temporales o permanentes, en las vías objeto de la legislación sobre tráfico, circulación de vehículos a motor y seguridad vial, cuando así lo exijan las condiciones de seguridad o fluidez de la circulación.

2. En determinados itinerarios, o en partes o tramos de ellos comprendidos dentro de las vías públicas interurbanas, así como en tramos urbanos, incluso travesías, se podrán establecer restricciones temporales o permanentes a la circulación de camiones con masa máxima autorizada superior a 3.500 kilogramos, furgones, conjuntos de vehículos, vehículos articulados y vehículos especiales, así como a vehículos en general que no alcance o no les esté permitido alcanzar la velocidad mínima que pudiera fijarse, cuando, por razón de festividades, vacaciones estacionales o desplazamientos masivos de vehículos, se prevean elevadas intensidades de tráfico, o cuando las condiciones en que ordinariamente se desarrolle aquel lo hagan necesario o conveniente.

Asimismo por razones de seguridad podrán establecerse restricciones temporales o permanentes a la circulación de vehículos en los que su propia peligrosidad o la de su carga aconsejen su alejamiento de núcleos urbanos, de zonas ambientalmente sensibles o de tramos singulares como puentes o túneles, o su tránsito fuera de horas de gran intensidad de circulación.

3. Corresponde establecer las aludidas restricciones al organismo autónomo Jefatura Central de Tráfico o, en su caso, a la autoridad de tráfico de la comunidad autónoma que tenga transferida la ejecución de la referida competencia.

4. Las restricciones serán publicadas, en todo caso, con una antelación mínima de ocho días hábiles, en el Boletín Oficial del Estado y, facultativamente, en los diarios oficiales de las comunidades autónomas citadas en el apartado anterior.

   En casos imprevistos o por circunstancias excepcionales, cuando se estime necesario para lograr una mayor fluidez o seguridad en la circulación, serán los agentes de la autoridad responsable de la vigilancia y disciplina del tráfico los que, durante el tiempo necesario, determinen las restricciones mediante la adopción de las medidas oportunas.

5. En caso de reconocida urgencia podrán concederse autorizaciones especiales para la circulación de vehículos dentro de los itinerarios y plazos objeto de las restricciones impuestas conforme a lo establecido en los apartados anteriores, previa justificación de la necesidad ineludible de efectuar el desplazamiento por esos itinerarios y en los períodos objeto de restricción.

   En estas autorizaciones especiales se hará constar la matrícula y características principales del vehículo a que se refieran, mercancía transportada, vías a la que afecta y las condiciones a que en cada caso deben sujetarse.

6. Corresponde otorgar las autorizaciones a que se refiere el apartado anterior a la autoridad que estableció las restricciones.

7. Las restricciones a la circulación reguladas en este artículo son independientes y no excluyen las que establezcan otras autoridades con arreglo a sus específicas competencias.

8. Los supuestos de circulación en vías restringidas sin la autorización contemplada en el apartado 5 tendrán la consideración de infracción leve, que se sancionará conforme prevé el art. 75. c) TRLTSV (art. 39.8 RGC, modificado por RDL 6/2015), o en el caso de que, además, se vulnere la seguridad o fluidez de la circulación, dará lugar a una infracción grave sancionable conforme al art. 76. c) TRLTSV.

D) Carriles reversibles

Según el art. 40, en las calzadas con doble sentido de la circulación, cuando las marcas dobles discontinuas delimiten un carril por ambos lados, indican que estés reversible, es decir, que en él la circulación puede estar regulada en uno o en otro sentido mediante semáforos de carril u otros medios. Los conductores que circulen por dicho carril deberán llevar encendida, al menos, la luz de corto alcance o de cruce en sus vehículos tanto de día como de noche, de acuerdo con lo dispuesto en el art. 104.

Los supuestos de circulación en sentido contrario al estipulado tendrán la consideración de infracciones muy graves, conforme al art. 77. f) TRLTSV (art. 40.2 RGC, modificado por RDL 6/2015).

E) Carriles de utilización en sentido contrario al habitual

A los mismos se refiere el art. 41 RGC, a cuyo tenor, cuando las calzadas dispongan de más de un carril de circulación en cada sentido de marcha, la autoridad encargada de la regulación del tráfico podrá habilitar, por razones de fluidez de la circulación, carriles para su utilización en sentido contrario al habitual, debidamente señalizados con arreglo a lo dispuesto en el art. 144.

La utilización de estos carriles queda limitada a las motocicletas y turismos, y está prohibida, por lo tanto, al resto de los vehículos, incluidos los turismos con remolque. Los usuarios de este tipo de carriles circularán siempre, al menos, con la luz de corto alcance o de cruce encendida, tanto de día como de noche, a una velocidad máxima de 80 kiló-metros por hora y a una mínima de 60, o inferiores si así estuviera establecido o específi-camente señalizado, y no podrán desplazarse lateralmente invadiendo el carril o carriles destinados al sentido normal de la circulación, ni siquiera para adelantar.

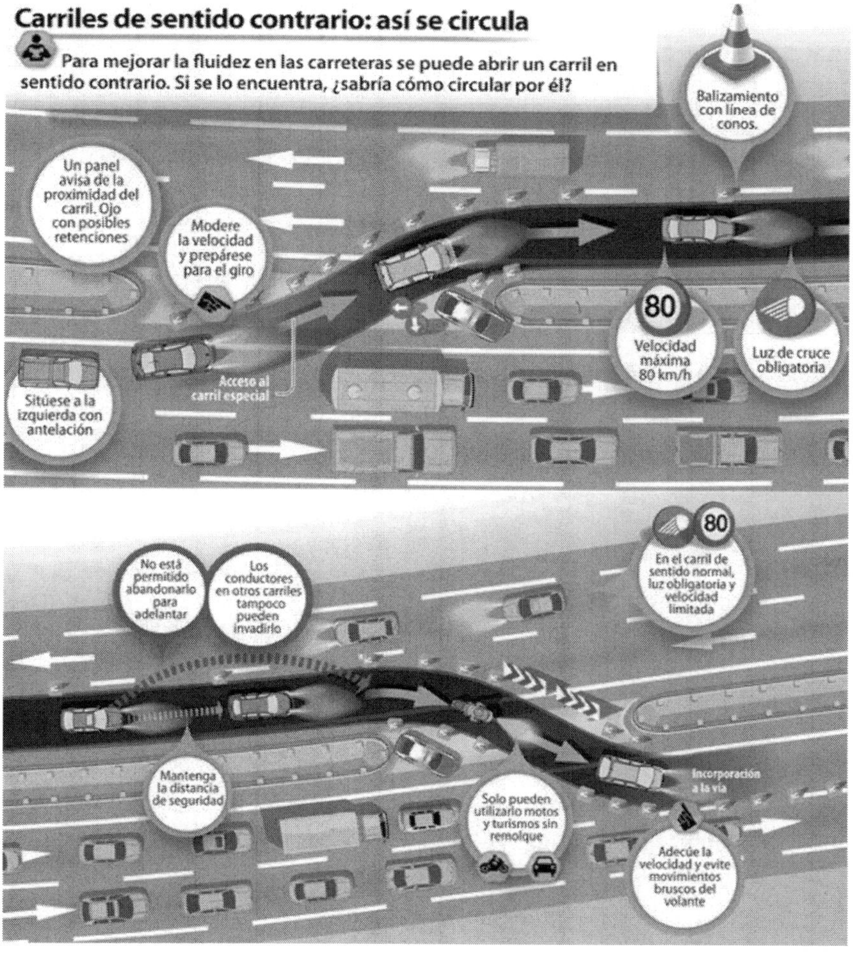

Carriles de sentido contrario: así se circula

Para mejorar la fluidez en las carreteras se puede abrir un carril en sentido contrario. Si se lo encuentra, ¿sabría cómo circular por él?

Balizamiento con línea de conos.

Un panel avisa de la proximidad del carril. Ojo con posibles retenciones

Modere la velocidad y prepárese para el giro

Velocidad máxima 80 km/h

Luz de cruce obligatoria

Sitúese a la izquierda con antelación

Acceso al carril especial

No está permitido abandonarlo para adelantar

Los conductores en otros carriles tampoco pueden invadirlo

En el carril de sentido normal, luz obligatoria y velocidad limitada

Mantenga la distancia de seguridad

Solo pueden utilizarlo motos y turismos sin remolque

Incorporación a la vía

Adecúe la velocidad y evite movimientos bruscos del volante

Los conductores de los vehículos que circulen por carriles destinados al sentido normal de circulación, contiguos al habilitado para circulación en sentido contrario al habitual, tampoco podrán desplazarse lateralmente invadiendo los habilitados para ser utilizados en sentido contrario al habitual; llevarán encendida la luz de corto alcance o cruce, al menos, tanto de día como de noche; y, además, si disponen de un solo carril en su sentido de circulación, lo harán a una velocidad máxima de 80 kilómetros por hora y a una mínima de 60, o inferiores si así estuviera establecido o específicamente señalado, y si disponen de más de un carril en su sentido de circulación, lo harán a las velocidades que se establecen en los arts. 48,1.º, a), 1.ª y 2.ª, 49 y 50. Dichos usuarios y conductores pondrán especial cuidado en evitar alterar los elementos de balizamiento permanentes o móviles.

La autoridad titular de la carretera también podrá habilitar carriles para su utilización en sentido contrario al habitual, de acuerdo con el organismo autónomo Jefatura Central de Tráfico o, en su caso, con la autoridad autonómica responsable del tráfico, cuando la realización de trabajos en la calzada lo haga necesario, y, en este caso, podrán circular por dichos carriles todos los tipos de vehículos que estén autorizados a circular por la vía en obra, salvo prohibición expresa, en las mismas condiciones establecidas en los párrafos anteriores.

Los supuestos de circulación en sentido contrario al estipulado o con vulneración de los límites de velocidad tendrán la consideración de infracciones muy graves, en el primer caso, y de infracciones graves o muy graves, según corresponda, por el exceso de velocidad, conforme a los arts. 77. f), 76. a) y 77. a), respectivamente, TRLTSV (art. 41.2 RGC, modificado por RDL 6/2015).

F) Carriles adicionales circunstanciales de circulación

Según el art. 42 RGC, en las calzadas con doble sentido de la circulación y arcenes, cuando la anchura de la plataforma lo permita, la autoridad encargada de la regulación del tráfico podrá habilitar un carril adicional de circulación en uno de los sentidos de la marcha, mediante la utilización de elementos provisionales de señalización y balizamiento, que modifiquen la zona de rodadura de los vehículos en el centro de la calzada.

La habilitación de este carril adicional circunstancial de circulación supone, mediante la utilización de ambos arcenes, disponer de dos carriles en un sentido de circulación y de uno en el otro. En cualquier caso, esta circunstancia estará debidamente señalizada. Los vehículos que circulen por los arcenes y por dicho carril adicional lo harán a una velocidad máxima de 80 kilómetros por hora y a una mínima de 60, o inferiores si así estuviera establecido o específicamente señalado, deberán utilizar el alumbrado de corto alcance o de cruce tanto de día como de noche y deberán observarse, en cuanto sean aplicables, las normas contenidas en el artículo anterior.

Finalmente, los supuestos de circulación en sentido contrario al estipulado o con vulneración de los límites de velocidad tendrán la consideración de infracciones muy graves, en el primer caso, y de infracciones graves o muy graves, según corresponda, por el exceso de velocidad, conforme a los arts. 77. f), 76. a) y 77. a), respectivamente, TRLTSV (art. 42.2 RGC, modificado por RDL 6/2015).

Recuerda que...

Los conductores que circulen por un carril reversible de circulación deberán llevar encendida, al menos, la luz de corto alcance o de cruce en sus vehículos, tanto de día como de noche.

2.1.5. Refugios, isletas o dispositivos de guía (art. 19 TRLTSV)

Cuando en la vía existan refugios, isletas o dispositivos de guía, se circulará por la parte de la calzada que quede a la derecha de los mismos, en el sentido de la marcha, salvo cuando estén situados en una vía de sentido único o dentro de la parte correspondiente a un solo sentido de circulación, en cuyo caso podrá hacerse por cualquiera de los dos lados.

En las plazas, glorietas y encuentros de vías, los vehículos circularán dejando a su izquierda el centro de aquellas.

Glorieta - Giro obligatorio   *Glorieta - Peligro*

Los supuestos de circulación en sentido contrario al estipulado tendrán la consideración de infracciones muy graves, aunque no existan refugios, isletas o dispositivos de guía, conforme al art. 77. f) TRLTSV (art. 43.3 RGC, modificado por RDL 6/2015).

2.1.6. División de las vías en calzadas

Conforme al art. 44 RGC, en las vías divididas en dos calzadas, en el sentido de su longitud, por medianas, separadores o dispositivos análogos, los vehículos deben utilizar la calzada de la derecha en relación con el sentido de su marcha.

Cuando la división determine tres calzadas, la central podrá estar destinada a la circulación en los dos sentidos, o en un sentido único, permanente o temporal, según se disponga mediante las correspondientes señales, y las laterales para la circulación en uno solo, sin perjuicio de que el organismo autónomo Jefatura Central de Tráfico o, en su caso, la autoridad autonómica o local responsable de la regulación del tráfico pueda establecer para estas últimas o para alguno de los carriles otro sentido de circulación, que habrá de estar convenientemente señalizado.

Los supuestos de circulación en sentido contrario al estipulado tendrán la consideración de infracciones muy graves, conforme al art. 77. f) TRLTSV (art. 44.3 TRLTSV, modificado por RDL 6/2015).

2.2. Velocidad

2.2.1. Adecuación de la velocidad a las circunstancias

Con arreglo al art. 21,1.º TRLTSV, (art. 45 RGC), el conductor está obligado a respetar los límites de velocidad establecidos y a tener en cuenta, además, sus propias condiciones físicas y psíquicas, las características y el estado de la vía, del vehículo y de su carga, las condiciones meteorológicas, ambientales y de circulación y, en general, cuantas circunstancias concurran en cada momento, a fin de adecuar la velocidad de su vehículo a las mismas, de manera que siempre pueda detenerlo dentro de los límites de su campo de visión y ante cualquier obstáculo que pueda presentarse.

2.2.2. Supuestos de moderación de la velocidad

A tenor del art. 46 RGC, se circulará a velocidad moderada y, si fuera preciso, se detendrá el vehículo, cuando las circunstancias lo exijan, especialmente en los casos siguientes:

a) Cuando haya peatones en la parte de la vía que se esté utilizando o pueda preverse racionalmente su irrupción en ella, principalmente si se trata de niños, ancianos, invidentes u otras personas manifiestamente impedidas.

b) Al aproximarse a ciclos circulando, así como en las intersecciones y en las proximidades de vía de uso exclusivo de ciclos y de los pasos de peatones no regulados por semáforo o agentes de la circulación, así como al acercarse a mercados, centros docentes o a lugares en que sea previsible la presencia de niños.

c) Cuando haya animales en la parte de la vía que se esté utilizando o pueda preverse racionalmente su irrupción en la misma.

d) En los tramos con edificios de inmediato acceso a la parte de la vía que se esté utilizando.

e) Al aproximarse a un autobús en situación de parada, principalmente si se trata de un autobús de transporte escolar.

f) Fuera de poblado al acercarse a vehículos inmovilizados en la calzada, a vehículos de auxilio prestando servicio y a ciclos que circulan por ella o por su arcén.

g) Al circular por pavimento deslizante o cuando pueda salpicarse o proyectarse agua, gravilla u otras materias a los demás usuarios de la vía.

h) Al aproximarse a pasos a nivel, glorietas e intersecciones en que no se goce de prioridad, a lugares de reducida visibilidad o a estrechamientos. Si las intersecciones están debidamente señalizadas y la visibilidad de la vía es prácticamente nula, la velocidad de los vehículos no deberá exceder de 50 kilómetros por hora.

i) En el cruce con otro vehículo, cuando las circunstancias de la vía, de los vehículos, o las meteorológicas o ambientales no permitan realizarlo con seguridad.

j) En caso de deslumbramiento, de conformidad con lo dispuesto en el art. 102,3.º del RGC.

k) En los casos de niebla densa, lluvia intensa, nevada, o nubes de polvo o humo.

Las infracciones a las normas de este precepto tendrán la consideración de graves o muy graves, tal y como disponen los arts. 76. a) y 77. a) TRLTSV, y según corresponda por el exceso de velocidad conforme al cuadro que figura en el Anexo IV de la propia TRLTSV (art. 46.2 RGC, modificado por RDL 6/2015)TRLTSV.

2.2.3. Velocidades máximas y mínimas

Los apartados 2 a 5 del art. 21 TRLTSV, a excepción del 4 que se ha suprimido por la Ley 18/2021, de 20 de diciembre, disponen que:

2. Las velocidades máximas y mínimas autorizadas para la circulación de vehículos serán las fijadas de acuerdo con las condiciones que reglamentariamente se determinen, con carácter general, para los conductores, los vehículos y las vías objeto de esta ley, en función de sus propias características. Los lugares con prohibiciones u obligaciones específicas de velocidad serán señalizados con carácter permanente o temporal. En defecto de señalización específica, se cumplirá la genérica establecida para cada vía (art. 21.2 TRLTSV).

3. Se establecerá también reglamentariamente un límite máximo, con carácter general, para la velocidad autorizada en las vías urbanas. Este límite podrá ser rebajado en las travesías especialmente peligrosas, por acuerdo de la autoridad municipal con el titular de la vía, y en las vías urbanas, por decisión del órgano competente de la Corporación Municipal (art. 21.3 TRLTSV).

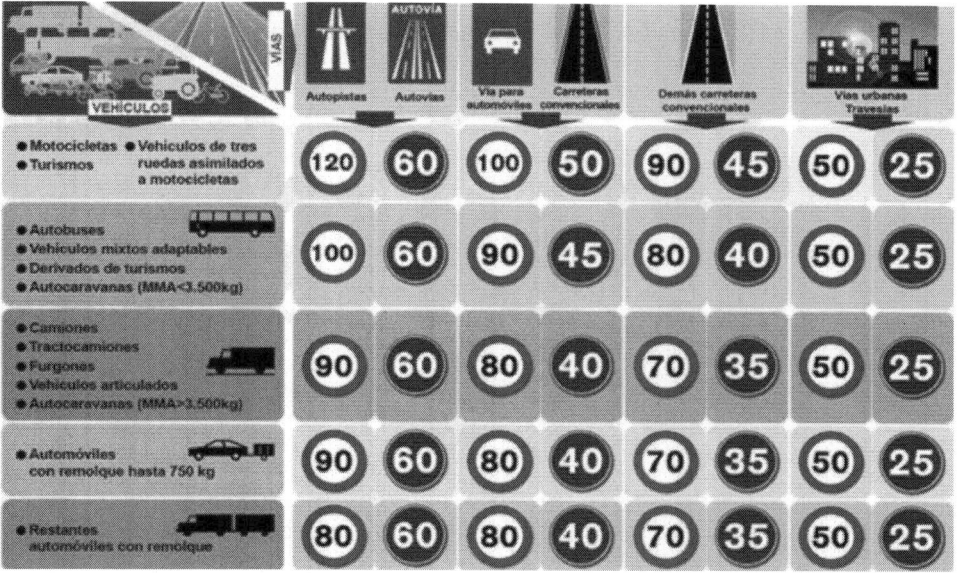

5. Se podrá circular por debajo de los límites mínimos de velocidad en los casos de los ciclos, vehículos de tracción animal, transportes y vehículos especiales, o cuando las circunstancias de tráfico impidan el mantenimiento de una velocidad superior a la mínima sin riesgo para la circulación, así como en los supuestos de protección o acompañamiento a otros vehículos, en las condiciones que reglamentariamente se determine (art. 21.5 TRLTSV).

En relación con lo anterior el RGC (que deberá acomodarse a los cambios efectuados en este artículo), señala que los titulares de la vía fijarán, empleando la señalización correspondiente, las limitaciones de velocidad específicas que correspondan con arreglo a las características del tramo de la vía. En defecto de señalización específica, se cumplirá la genérica establecida para cada vía.

El organismo autónomo Jefatura Central de Tráfico o, en su caso, la autoridad autonómica o local responsable de la regulación y control del tráfico, cuando las condiciones bajo las que se desarrolla la circulación así lo aconsejen, podrá fijar limitaciones de velocidad con carácter temporal mediante la correspondiente señalización circunstancial o variable (art. 47 RGC).

A estos efectos, los arts. 48 a 50 RGC establecen las siguientes previsiones:

1. **Velocidades máximas** en vías fuera de poblado: las velocidades máximas que no deberán ser rebasadas son las siguientes:

   a)

	Turismos, motocicletas, autocaravanas de masa máxima autorizada igual o inferior a 3.500 kg, Pick-up	Camiones, tractocamiones, furgonetas, autocaravanas de masa máxima autorizada superior a 3.500 kg, vehículos articulados, automóviles con remolque y resto de vehículos	Autobuses, vehículos derivados de turismo y vehículos mixtos adaptables
Autopista y autovía	120	90	100
Convencional	90	80	90

   1.º En carreteras convencionales con separación física de los dos sentidos de circulación, el titular de la vía podrá fijar un límite máximo de 100 km/h para turismos, motocicletas y autocaravanas con masa máxima autorizada igual o inferior a 3.500 kg.

   2.º A los vehículos de tres ruedas asimilados a las motocicletas, se aplican los mismos límites de velocidad que se establecen para las motocicletas de dos ruedas.

   b) Para los vehículos que realicen transporte escolar y de menores o que transporten mercancías peligrosas, se reducirá en 10 kilómetros por hora la velocidad máxima fijada en el párrafo a) en función del tipo de vehículo y de la vía por la que circula.

   En el supuesto de que en un autobús viajen pasajeros de pie porque así esté autorizado o en caso de que el autobús no esté dotado de cinturón de seguridad, la velocidad máxima en vías convencionales será de 80 kilómetros por hora.

c) Para vehículos especiales y conjuntos de vehículos, también especiales, aunque sólo tenga tal naturaleza uno de los que integran el conjunto:

1.º Si carecen de señalización de frenado, llevan remolque o son motocultores: 25 kilómetros por hora.

2.º Los restantes vehículos especiales: 40 kilómetros por hora, salvo cuando puedan desarrollar una velocidad superior a los 60 kilómetros por hora en llano con arreglo a sus características, y cumplan las condiciones que se señalan en las normas reguladoras de los vehículos; en tal caso, la velocidad máxima será de 70 kilómetros por hora.

d) Para vehículos en régimen de transporte especial, oscilan entre los 70 km/h. para vehículos con autorización genérica y los 60 km/h para vehículos con autorización específica; para los vehículos con autorización excepcional será la fijada en la autorización, que en ningún caso superará los 60 km/h., prevaleciendo en todos los casos las más restrictivas que figuren en la tarjeta ITV

e) Para ciclos, ciclomotores de dos y tres ruedas y cuadriciclos ligeros: 45 kilómetros por hora. No obstante, los conductores de bicicletas podrán superar dicha velocidad máxima en aquellos tramos en los que las circunstancias de la vía permitan desarrollar una velocidad superior.

f) En las vías sin pavimentar el límite de velocidad máximo será de 30 km/h.

g) Los vehículos a los que, por razones de ensayo o experimentación, les haya sido concedido un permiso especial para ensayos podrán rebasar las velocidades establecidas como máximas en 30 kilómetros por hora, pero sólo dentro del itinerario fijado y en ningún caso cuando circulen por vías urbanas, travesías o por tramos en los que exista señalización específica que limite la velocidad.

h) A los vehículos de tres ruedas y cuadriciclos en cualquier tipo de vía donde esté permitida su circulación se aplica el límite de 70 kilómetros por hora.

Las infracciones a las normas de este precepto tendrán la consideración de graves o muy graves, según corresponda por el exceso de velocidad, conforme se prevé en los artículos 76.a) y 77.a) TRLTSV.

2. **Velocidades mínimas**: No se deberá entorpecer la marcha normal de otro vehículo circulando sin causa justificada a velocidad anormalmente reducida. A estos efectos, se prohíbe la circulación en autopistas y autovías de vehículos a motor a una velocidad inferior a 60 kilómetros por hora y en las restantes vías a una velocidad inferior a la mitad de la genérica señalada para cada categoría de vehículos de cada una de ellas, aunque no circulen otros vehículos. No obstante, se podrá circular por debajo de los límites mínimos de velocidad en los casos de vehículos especiales y de vehículos en régimen de transporte especial o cuando las circunstancias del tráfico, del vehículo o de la vía impidan el mantenimiento de una velocidad superior a la mínima sin riesgo para la circulación, así como en los supuestos de protección o acompañamiento a otros vehículos en que se adecuará la veloci-

dad a la del vehículo acompañado, debiendo llevar los vehículos de acompañamiento en la parte superior las señales V-21 o V-22, según proceda, previstas en el anexo XI RGC (arts. 21.5 TRLTSV y 49 RGC).

Cuando un vehículo no pueda alcanzar la velocidad mínima exigida y exista peligro de alcance, se deberán utilizar durante la circulación las luces indicadoras de dirección con señal de emergencia.

Las infracciones a estas previsiones se considerarán graves o muy graves, conforme a los arts. 76. a) y 77. a) TRLTSV, dependiendo del exceso de velocidad conforme al cuadro que figura en el Anexo IV de la propia TRLTSV (art. 52.3 RGC).

3. **Límites de velocidad en vías urbanas y travesías**: El límite genérico de velocidad en vías urbanas será de:

   a) 20 km/h en vías que dispongan de plataforma única de calzada y acera.

   b) 30 km/h en vías de un único carril por sentido de circulación.

   c) 50 km/h en vías de dos o más carriles por sentido de circulación.

   A estos efectos, los carriles reservados para la circulación de determinados usuarios o uso exclusivo de transporte público no serán contabilizados.

   Las velocidades genéricas establecidas podrán ser rebajadas previa señalización específica, por la Autoridad municipal. Excepcionalmente, la Autoridad Municipal podrá aumentar la velocidad en vías de un único carril por sentido hasta una velocidad máxima de 50 km/h, previa señalización específica. En las vías urbanas y en travesías, los vehículos que transporten mercancías peligrosas circularán como máximo a 40 km/h.

   El límite genérico de velocidad en travesías es de 50 km/h para todo tipo de vehículos. Este límite podrá ser rebajado por acuerdo de la Autoridad Municipal con el titular de la vía, previa señalización específica. El límite genérico de velocidad en autopistas y autovías que transcurren dentro de poblado será de 80 km/h, no obstante podrá ser ampliados por acuerdo de la Autoridad Municipal y el titular de la vía, previa señalización específica, sin rebasar en ningún caso los límites genéricos establecidos para dichas vías fuera de poblado. Las autoridades municipales y titulares de la vía podrán adoptar las medidas necesarias para lograr el calmado del tráfico y facilitar la percepción de los límites de velocidad establecidos.

   Las infracciones a las normas de este precepto tendrán la consideración de graves conforme se prevé en el artículo 76. a), salvo que tengan la consideración de muy graves, de conformidad con lo dispuesto en el artículo 77.a), ambos del texto refundido de la Ley sobre tráfico, circulación de vehículos a motor y seguridad vial (art. 50 RGC).

4. **Velocidades prevalentes**: Sobre las velocidades máximas indicadas en los apartados anteriores prevalecerán las que se fijen:

   a) A través de las correspondientes señales.

   b) A determinados conductores en razón a sus circunstancias personales.

c) A los conductores noveles.

d) A determinados vehículos o conjuntos de vehículos por sus especiales características o por la naturaleza de la carga.

En los supuestos del apartado b) y de vehículos especiales y conjuntos de vehículos, también especiales, aunque solo tenga tal naturaleza uno de los que integran el conjunto, así como de vehículos en régimen de transporte especial, será obligatorio llevar en la parte posterior del vehículo, visible en todo momento, la señal de limitación de velocidad a que se refiere el anexo XI RGC.

Las infracciones a estas previsiones serán graves o muy graves, conforme a los arts. 76. a) y 77. a) TRLTSV (art. 52.3 RGC).

5. El titular de la vía deberá comunicar a las autoridades competentes en materia de gestión del tráfico, con una antelación mínima de un mes, los cambios que realice en las limitaciones de velocidad (art. 21.6 TRLTSV).

2.2.4. Distancias y velocidad exigibles

Conforme al art. 22 TRLTSV, salvo en caso de inminente peligro, el conductor, para reducir considerablemente la velocidad de su vehículo, debe cerciorarse de que puede hacerlo sin riesgo para otros conductores y está obligado a advertirlo previamente y a realizarlo de forma que no produzca riesgo de colisión con los vehículos que circulan detrás del suyo, mediante el empleo reiterado de las luces de frenado o bien moviendo el brazo alternativamente de arriba abajo con movimientos cortos y rápidos, a tenor del art. 109 RGC, sin que pueda realizarlo de forma brusca, para que no produzca riesgo de colisión con los vehículos que circulan detrás del suyo. Las infracciones a estas previsiones serán graves, conforme al art. 76. c) TRLTSV (art. 53.2 RGC).

Asimismo, el conductor de un vehículo que circule detrás de otro debe dejar entre ambos un espacio libre que le permita detenerse, en caso de frenado brusco, sin colisionar con él, teniendo en cuenta especialmente la velocidad y las condiciones de adherencia y frenado. No obstante, se permite a los conductores de bicicletas circular en grupo sin mantener tal separación, poniendo en esta ocasión especial atención a fin de evitar alcances entre ellos. Además de lo dispuesto en el párrafo anterior, la separación que debe guardar el conductor de un vehículo que circule detrás de otro sin señalar su propósito de adelantamiento, debe ser tal que permita al que a su vez le siga adelantarlo con seguridad, excepto si se trata de ciclistas que circulan en grupo. Los vehículos con masa máxima autorizada superior a 3.500 kilogramos y los vehículos o conjuntos de vehículos de más de 10 metros de longitud total deben guardar, a estos efectos, una separación mínima de 50 metros (art. 54,2.º RGC).

Lo dispuesto en el párrafo anterior no será de aplicación:

a) En poblado.

b) Donde esté prohibido el adelantamiento.

c) Donde haya más de un carril destinado a la circulación en su mismo sentido.

d) Cuando la intensidad de la circulación no permita el adelantamiento.

Las infracciones a estas previsiones serán graves, conforme al art. 76. ñ) TRLTSV (art. 54.4 RGC).

Finalmente, la celebración de pruebas deportivas cuyo objeto sea competir en espacio o tiempo por las vías o terrenos objeto de la legislación sobre tráfico, circulación de vehículos a motor y seguridad vial, así como la realización de marchas ciclistas u otros eventos, requerirá autorización previa que será expedida conforme a las normas indicadas del anexo II del RGC, las cuales regularán dichas actividades. Se prohíbe entablar competiciones de velocidad en las vías públicas o de uso público, salvo que, con carácter excepcional, se hubiera autorizado por la autoridad competente. Las infracciones a estas previsiones serán muy graves, conforme al art. 77. g) TRLTSV, sin perjuicio de las medidas que adopten los agentes encargados de la vigilancia del tráfico para suspender, interrumpir o disolver las pruebas deportivas no autorizadas (art. 55.3 RGC).

2.3. Prioridad de paso

2.3.1. Normas generales

A tenor del art. 23 TRLTSV (art. 56 RGC), la preferencia de paso en las intersecciones se ajustará a la señalización que la regule.

Distintas señales reguladas por agente

Los conductores de vehículos que se aproximen a una intersección regulada por un agente de la circulación deberán detener sus vehículos cuando así lo ordene mediante las señales previstas en el art. 141 RGC, desarrolladas en el apartado 1 del anexo I; si está regulada por semáforo, deben actuar de acuerdo con la forma ordenada respecto de los semáforos circulares para vehículos; si está señalizada con señal de intersección con prioridad, o circulan por una vía señalizada con señal de calzada con prioridad, tendrán prioridad de paso sobre los vehículos que circulen por otra vía o procedan de ella; si está señalizada con señal de «ceda el paso», «detención obligatoria» o de «stop», cederán siempre el paso a los vehículos que transiten por la vía preferente, sea cualquiera el lado por el que se aproximen, llegando a detener por completo su marcha cuando sea preciso, y en todo caso, cuando así lo indique la señal correspondiente.

Las infracciones a estas previsiones serán graves, conforme al art. 76. c) TRLTSV (art. 56 RGC).

En defecto de señal que regule la preferencia de paso, el conductor está obligado a cederlo a los vehículos que se aproximen por su derecha, salvo en los siguientes supuestos:

a) Tendrán derecho de preferencia de paso los vehículos que circulen por una vía pavimentada frente a los procedentes de otra sin pavimentar.

b) Los vehículos que circulen por raíles tienen derecho de prioridad de paso sobre los demás usuarios.

c) En las glorietas, los que se hallen dentro de la vía circular tendrán preferencia de paso sobre los que pretendan acceder a aquellas.

d) Aquellas otras excepciones que se establezcan reglamentariamente.

Las infracciones a estas previsiones serán graves, conforme al art. 76. c) TRLTSV (art. 57.2 RGC).

2.3.2. Tramos estrechos y de gran pendiente (art. 24 TRLTSV)

En los tramos de la vía en los que por su escasa anchura sea imposible o muy difícil el paso simultáneo de dos vehículos que circulen en sentido contrario, donde no haya señalización expresa al efecto, tiene preferencia de paso el que haya entrado primero. En caso de duda sobre dicha circunstancia, tiene preferencia el vehículo con mayores dificultades de maniobra, de acuerdo con lo dispuesto en el art. 62 RGC, conforme al cual, sin perjuicio de lo que pueda ordenar el agente de la autoridad o, en su caso, indicar el personal de obras y el de acompañamiento de vehículos especiales o en régimen de transporte especial, el orden de preferencia entre los distintos tipos de vehículos cuando uno de ellos tenga que dar marcha atrás es el siguiente:

a) Vehículos especiales y en régimen de transporte especial que excedan de las masas o dimensiones establecidas en las normas reguladoras de los vehículos.

b) Conjuntos de vehículos, excepto los contemplados en el párrafo d).

c) Vehículos de tracción animal.

d) Turismos que arrastren remolques de hasta 750 kilogramos de masa máxima autorizada y autocaravanas.

e) Vehículos destinados al transporte colectivo de viajeros.

f) Camiones, tractocamiones y furgones.

g) Turismos y vehículos derivados de turismos.

h) Vehículos especiales que no excedan de las masas o dimensiones establecidas en las normas reguladoras de los vehículos, cuadriciclos y cuadriciclos ligeros.

i) Motocicletas de tres ruedas y motocicletas con sidecar y ciclomotores de tres ruedas.

j) Motocicletas, ciclomotores de dos ruedas y bicicletas.

Cuando se trate de vehículos del mismo tipo o de supuestos no enumerados, la preferencia de paso se decidirá a favor del que tuviera que dar marcha atrás mayor distancia y, en caso de igualdad, del que tenga mayor anchura, longitud o masa máxima autorizada.

Cuando en una vía se estén efectuando obras de reparación, los vehículos, caballerías y toda especie de ganado marcharán por el sitio señalado al efecto. Siempre que sea posible efectuarlo sin peligro ni daño a la obra realizada, se permitirá el paso por el trozo de vía en reparación a los vehículos de servicios de policía, extinción de incendios, protección civil y salvamento, y de asistencia sanitaria, pública o privada, que circulen en servicio urgente y cuyos conductores lo adviertan mediante el uso de la correspondiente señalización.

En todo caso, cualquier vehículo que se acerque a una obra de reparación de la vía y encuentre esperando a otro llegado con anterioridad y en el mismo sentido, se colocará detrás de él, lo más arrimado que sea posible al borde de la derecha, y no intentará pasar sino siguiendo al que tiene delante.

En todos estos casos, los usuarios de la vía están obligados a seguir las indicaciones del personal destinado a la regulación del paso de vehículos.

Por lo que se refiere al paso de puentes u obras de paso señalizado, dispone el art. 61 RGC que el orden de preferencia de paso por puentes u obras de paso cuya anchura no permita el cruce de vehículos se realizará conforme a la señalización que lo regule.

En caso de encuentro de dos vehículos que no se puedan cruzar en puentes u obras de paso en uno de cuyos extremos se hubiera colocado la señal de prioridad en sentido contrario o la de ceda el paso, el que llegue por ese extremo habrá de retroceder para dejar paso al otro.

En ausencia de señalización, el orden de preferencia entre los distintos tipos de vehículos se ajustará a lo establecido en el art. 62 antes estudiado.

Sabías que...

Debido a la obligación que afecta al conductor de un vehículo que circule detrás de otro de dejar entre ambos un espacio libre que le permita detenerse, en caso de frenada brusca, sin colisionar con él, determina que, en la praxis de los Tribunales de Justicia, el último de los vehículos implicados en una colisión se presume responsable del accidente.

Los vehículos que necesitan autorización especial para circular no podrán cruzarse en los puentes si el ancho de la calzada es inferior a seis metros, de suerte que para cada vehículo pueda contarse con un ancho de vía no inferior a tres metros. En caso de encuentro o cruce entre dichos vehículos, se estará a lo antes señalado.

En los tramos de gran pendiente, en los que se den las circunstancias de escasa anchura antes señaladas, tiene preferencia de paso el vehículo que circule en sentido ascendente, salvo si este pudiera llegar antes a una zona prevista para apartarse. En caso de duda se estará a lo establecido en el apartado anterior. Las infracciones a todas estas previsiones serán graves, conforme al art. 76. c) TRLTSV (arts. 60.6, 61.4, 62.2 y 63.2 RGC).

2.3.3. Conductores, peatones y animales (art. 25 TRLTSV)

A tenor del art. 64 RGC, como regla general, y siempre que sus trayectorias se corten, los conductores tienen prioridad de paso para sus vehículos en la calzada y en el arcén, respecto de los peatones y animales, salvo en los casos enumerados en los arts. 65 y 66 de este RGC, en que deberán dejarlos pasar, llegando a detenerse si fuera necesario.

El conductor de un vehículo tiene preferencia de paso respecto de los peatones, salvo en los casos siguientes (arts. 25 TRLTSV y 65 RGC):

a) En los pasos para peatones, en las aceras y en las demás zonas peatonales.

b) Cuando vaya a girar con su vehículo para entrar en otra vía y haya peatones cruzándola, aunque no exista paso para estos.

c) Cuando el vehículo cruce un arcén por el que estén circulando peatones que no dispongan de zona peatonal.

d) A los peatones que vayan a subir o hayan bajado de un vehículo de transporte colectivo de viajeros, en una parada señalizada como tal, y se encuentren entre dicho vehículo y la zona peatonal o refugio más próximo.

e) A las tropas en formación, filas escolares o comitivas organizadas.

En las zonas peatonales, cuando los vehículos las crucen por los pasos habilitados al efecto, los conductores tienen la obligación de dejar pasar a los peatones que circulen por ellas.

Las infracciones a estas previsiones serán graves, conforme al art. 76. c) TRLTSV (art. 65.4 RGC).

Los conductores tienen prioridad de paso para sus vehículos, respecto de los animales, salvo en los casos siguientes (arts. 25.3 TRLTSV y 66 RGC):

a) En las cañadas señalizadas.

b) Cuando vayan a girar con su vehículo para entrar en otra vía y haya animales cruzándola, aunque no exista paso para estos.

c) Cuando el vehículo cruce un arcén por el que estén circulando animales que no dispongan de cañada.

Las cañadas o pasos de ganado de carácter general se señalarán por medio de paneles complementarios, con la inscripción «cañada», que se colocarán debajo de la señal «paso de animales domésticos», con su plano perpendicular a la dirección de la circulación y al lado derecho de esta de forma fácilmente visible para los conductores de los vehículos afectados. Esta señalización deberá ser complementada con las correspondientes señales de limitación de velocidad.

El conductor de una bicicleta tiene preferencia de paso respecto a otros vehículos:

a) Cuando circule por un carril-bici, paso para ciclistas o arcén debidamente autorizado para uso exclusivo de conductores de bicicletas.

b) Cuando para entrar en otra vía el vehículo gire a derecha o izquierda, en los supuestos permitidos, existiendo un ciclista en sus proximidades.

c) Cuando los conductores de bicicleta circulen en grupo, serán considerados como una única unidad móvil a los efectos de la preferencia de paso, y serán aplicables las normas generales sobre preferencia de paso entre vehículos.

En circulación urbana se estará a lo dispuesto por la ordenanza municipal correspondiente.

Los vehículos de movilidad personal y las bicicletas y ciclos no podrán circular por las aceras. Reglamentariamente se fijarán las excepciones que se determinen.

Las infracciones a estas previsiones serán graves, conforme al art. 76.c) TRLTSV (art. 66.3 RGC).

2.3.4. Cesión de paso e intersección

Según el art. 26 TRLTSV (arts. 58 y 59 RGC), el conductor de un vehículo que tenga que ceder el paso a otro no debe iniciar o continuar su marcha o su maniobra, ni reemprenderlas, hasta asegurarse de que con ello no obliga al conductor del vehículo que tiene la preferencia a modificar bruscamente su trayectoria o su velocidad, y debe mostrar con suficiente antelación, por su forma de circular, y especialmente con la reducción paulatina de la velocidad, que efectivamente va a cederlo. Las infracciones a estas previsiones serán graves, conforme al art. 76. c) TRLTSV (art. 58.3 RGC).

Aun cuando goce de prioridad de paso, ningún conductor deberá penetrar con su vehículo en una intersección o en un paso para peatones o para ciclistas si la situación de la circulación es tal que, previsiblemente, pueda quedar detenido de forma que impida u obstruya la circulación transversal.

Todo conductor que tenga detenido su vehículo en una intersección regulada por semáforo y la situación del mismo constituya obstáculo para la circulación deberá salir de aquella sin esperar a que se permita la circulación en la dirección que se propone tomar, siempre que al hacerlo no entorpezca la marcha de los demás usuarios que avancen en el sentido permitido.

Las infracciones a estas previsiones serán graves, conforme al art. 76. c) TRLTSV (art. 59.3 RGC).

2.3.5. Vehículos en servicios de urgencia

Tienen preferencia de paso sobre los demás vehículos y otros usuarios de la vía los vehículos de servicio de urgencia, cuando se hallen en servicio de tal carácter, así como los equipos de mantenimiento de las instalaciones y de la infraestructura de la vía y los vehículos que acudan a realizar un servicio de auxilio en carretera. Pueden circular por encima de los límites de velocidad establecidos y están exentos de cumplir otras normas o señales, en los términos que reglamentariamente se determine. Tienen prioridad de paso sobre los demás vehículos y otros usuarios de la vía los vehículos de servicio de urgencia, cuando se hallen en servicio de tal carácter, así como los equipos de mantenimiento de las instalaciones y de la infraestructura de la vía y los vehículos que acudan a realizar un servicio de auxilio en carretera. Pueden circular por encima de los límites de velocidad establecidos y estarán exentos de cumplir otras normas o señales, en los términos que reglamentariamente se determine (art. 27 TRLTSV), debiendo estarse a lo dispuesto por el momento en los arts. 67 a 70 RGC.

En este sentido, los conductores de los vehículos destinados a estos servicios harán un uso ponderado de su régimen especial únicamente cuando circulen en prestación de un servicio urgente y cuidarán de no vulnerar la prioridad de paso en las intersecciones de vías o las señales de los semáforos, sin antes adoptar extremadas precauciones, hasta cerciorarse de que no existe riesgo de atropello a peatones y de que los conductores de otros vehículos han detenido su marcha o se disponen a facilitar la suya.

La instalación de aparatos emisores de luces y señales acústicas especiales en vehículos prioritarios requerirá autorización de la Jefatura Provincial de Tráfico correspondiente, de conformidad con lo dispuesto en las normas reguladoras de los vehículos (art. 67 RGC).

A tenor del art. 68 RGC, los conductores de los vehículos prioritarios deberán observar los preceptos de este reglamento, si bien, a condición de haberse cerciorado de que no ponen en peligro a ningún usuario de la vía, podrán dejar de cumplir bajo su exclusiva responsabilidad las normas de los Títulos II, III y IV, salvo las órdenes y señales de los agentes, que son siempre de obligado cumplimiento.

Los conductores de dichos vehículos podrán igualmente, con carácter excepcional, cuando circulen por autopista o autovía en servicio urgente y no comprometan la seguridad de ningún usuario, dar media vuelta o marcha atrás, circular en sentido contrario al correspondiente a la calzada, siempre que lo hagan por el arcén, o penetrar en la mediana o en los pasos transversales de esta.

Los agentes de la autoridad responsable de la vigilancia, regulación y control del tráfico podrán utilizar o situar sus vehículos en la parte de la vía que resulte necesaria cuando presten auxilio a los usuarios de esta o lo requieran las necesidades del servicio o de la circulación. Asimismo, determinarán en cada caso concreto los lugares donde deben situarse los vehículos de servicios de urgencia o de otros servicios especiales.

En concreto, se le concede el carácter de prioritarios a los vehículos de los servicios de policía, extinción de incendios, protección civil y salvamento, y de asistencia sanitaria, pública o privada, que circulen en servicio urgente y cuyos conductores adviertan su presencia mediante la utilización simultánea de la señal luminosa y del aparato emisor de señales acústicas especiales, o de la primera si la omisión de las señales acústicas especiales no entraña peligro alguno para los demás usuarios.

Las infracciones a estas normas se consideran graves, conforme al art. 76. c) TRLTSV (art. 68.3 RGC).

El art. 69 RGC, por su parte, trata del comportamiento de los demás conductores respecto de los vehículos prioritarios, disponiendo que el resto de los conductores, al percibir este tipo de señales especiales, adoptarán las medidas adecuadas, según las circunstancias del momento y lugar, para facilitarles el paso, apartándose normalmente a su derecha o deteniéndose si fuera preciso.

Cuando un vehículo de policía que manifiesta su presencia en la forma anterior, se sitúa detrás de cualquier otro vehículo y activa además un dispositivo de emisión de luz roja hacia delante de forma intermitente o destellante, el conductor de este deberá detenerlo con las debidas precauciones en el lado derecho, delante del vehículo policial, en un lugar donde no genere mayores riesgos o molestias para el resto de los usuarios, y permanecerá en su interior. En todo momento el conductor ajustará su comportamiento a las instrucciones que imparta el agente a través de la megafonía o por cualquier otro medio que pueda ser percibido claramente por aquel.

Finalmente, según el art. 70 RGC, en el caso de que el conductor de un vehículo no prioritario, por circunstancias especialmente graves, se viera forzado, sin poder recurrir a otro medio, a efectuar un servicio de los reservados a aquellos, advertirá esta circunstancia utilizando el avisador acústico en forma intermitente y conectando la luz de emergencia, si la tuviere, o agitando un pañuelo o procedimiento similar. Estos conductores deberán respetar las normas de circulación, sobre todo en las intersecciones, y los demás usuarios de la vía adoptarán las medidas adecuadas, según las circunstancias del momento y lugar, para facilitarles el paso, apartándose normalmente a su derecha o deteniéndose si fuera preciso.

En cualquier momento los agentes de la autoridad podrán exigir la justificación de estas circunstancias.

Finalmente, las infracciones a estas normas se consideran graves, conforme al art. 76. c) TRLTSV (art. 70.4).

☑
☒   **Actividad 2**

Por regla general, y en ausencia de señal que lo regule, ¿quiénes tie-nen preferencia de paso en una intersección?

2.4. Incorporación a la circulación

Conforme a los arts. 28 y 29 TRLTSV (arts. 72 y 73 RGC), el conductor de un vehículo parado o estacionado en una vía o procedente de las vías de acceso a la misma, de sus zonas de servicio o de una propiedad colindante que pretenda incorporarse a la circulación debe cerciorarse de que puede hacerlo sin peligro para los demás usuarios. Debe advertirlo con las señales obligatorias para estos casos y ceder el paso a los otros vehículos, teniendo en cuenta la posición, trayectoria y velocidad de éstos. Si la vía a la que se accede está dotada de un carril de aceleración, el conductor debe incorporarse a aquélla a la velocidad adecuada.

Siempre que un conductor salga a una vía de uso público por un camino exclusivamente privado, debe asegurarse previamente de que puede hacerlo sin peligro para nadie y efectuarlo a una velocidad que le permita detenerse en el acto, cediendo el paso a los vehículos que circulen por aquélla, cualquiera que sea el sentido en que lo hagan.

El conductor que se incorpore a la circulación advertirá ópticamente la maniobra en la forma prevista en el artículo 109.

En vías dotadas de un carril de aceleración, el conductor de un vehículo que pretenda utilizarlo para incorporarse a la calzada deberá cerciorarse, al principio de dicho carril, de que puede hacerlo sin peligro para los demás usuarios que transiten por dicha calzada, teniendo en cuenta la posición, trayectoria y velocidad de éstos, e incluso deteniéndose, en caso necesario. A continuación, acelerará hasta alcanzar la velocidad adecuada al final del carril de aceleración para incorporarse a la circulación de la calzada.

Los supuestos de incorporación a la circulación sin ceder el paso a otros vehículos tendrán la consideración de infracciones graves, conforme se prevé en el artículo 76.c) del texto articulado.

Con independencia de la obligación del conductor del vehículo que se incorpore a la circulación de cumplir las prescripciones del artículo anterior, los demás conductores facilitarán, en la medida de lo posible, dicha maniobra, especialmente si se trata de un vehículo de transporte colectivo de viajeros que pretende incorporarse a la circulación desde una parada señalizada.

En los poblados, con el fin de facilitar la circulación de los vehículos de transporte colectivo de viajeros, los conductores de los demás vehículos deberán desplazarse lateralmente, siempre que fuera posible, o reducir su velocidad, dando cumplimiento a lo dispuesto en el artículo 53, llegando a detenerse, si fuera preciso, para que los vehículos de transporte colectivo puedan efectuar la maniobra necesaria para proseguir su marcha a la salida de las paradas señalizadas como tales.

Lo dispuesto en el apartado anterior no modifica la obligación que tienen los conductores de vehículos de transporte colectivo de viajeros de adoptar las precauciones necesarias para evitar todo riesgo de accidente, después de haber anunciado por medio de sus indicadores de dirección su propósito de reanudar la marcha.

2.5. Cambios de dirección, sentido y marcha atrás

2.5.1. Cambios de vía, calzada y carril

Dispone el art. 30 TRLTSV que el conductor de un vehículo que pretenda girar a la derecha o a la izquierda para utilizar una vía distinta de aquella por la que circula, para incorporarse a otra calzada de la misma vía o para salir de la misma, debe advertirlo previamente y con suficiente antelación a los conductores de los vehículos que circulan detrás del suyo y cerciorarse de que la velocidad y la distancia de los vehículos que se acerquen en sentido contrario le permiten efectuar la maniobra sin peligro, absteniéndose de realizarla de no darse estas circunstancias. También debe abstenerse de realizar la maniobra cuando se trate de un cambio de dirección a la izquierda y no exista visibilidad suficiente (art. 74.1 RGC).

Toda maniobra de desplazamiento lateral que implique cambio de carril debe llevarse a efecto respetando la preferencia del que circule por el carril que se pretende ocupar (art. 74.2 RGC).

Las infracciones a estas previsiones serán graves, conforme al art. 76.c) TRLTSV (art. 74.3 RGC).

Reglamentariamente se establecerá la manera de efectuar las maniobras necesarias para los distintos supuestos de cambio de dirección.

En los arts. 75 a 77 RGC se establece la manera de efectuar las maniobras necesarias para los distintos supuestos de cambio de dirección, estableciendo el primero de ellos, respecto de la ejecución de la maniobra de cambio de dirección, que, para efectuarla, el conductor:

a) Advertirá su propósito en la forma prevista en el art. 109.

b) Salvo que la vía esté acondicionada o señalizada para realizarla de otra manera, se ceñirá todo lo posible al borde derecho de la calzada, si el cambio de dirección es a la derecha, y al borde izquierdo, si es a la izquierda y la calzada es de un solo sentido. Si es a la izquierda, pero la calzada por la que circula es de doble sentido de la circulación, se ceñirá a la marca longitudinal de separación entre sentidos o, si esta no existiera, al eje de la calzada, sin invadir la zona destinada al sentido contrario; cuando la calzada sea de doble sentido de circulación y tres carriles, separados por líneas longitudinales discontinuas, deberá colocarse en el carril central. En cualquier caso, la colocación del vehículo en el lugar adecuado se efectuará con la necesaria antelación y la maniobra en el menor espacio y tiempo posibles.

c) Si el cambio de dirección es a la izquierda, dejará a la izquierda el centro de la intersección, a no ser que esta esté acondicionada o señalizada para dejarlo a su derecha.

Las infracciones a estas previsiones serán graves, conforme al art. 76.c) TRLTSV (art. 75.2 RGC).

El art. 76 trata de supuestos especiales, prescribiendo que, por excepción, si, por las dimensiones del vehículo o por otras circunstancias que lo justificaran, no fuera posible realizar el cambio de dirección con estricta sujeción a lo dispuesto en el artículo anterior, el conductor deberá adoptar las precauciones necesarias para evitar todo peligro al llevarlo a cabo.

En vías interurbanas, los ciclos y ciclomotores de dos ruedas, si no existe un carril especialmente acondicionado para el giro a la izquierda, deberán situarse a la derecha, fuera de la calzada siempre que sea posible, e iniciarlo desde ese lugar.

Las infracciones a estas previsiones serán graves, conforme al art. 76.c) TRLTSV (art. 76.3 RGC).

Por último, el art. 77 RGC dispone que, para abandonar una autopista, autovía o cualquier otra vía, los conductores deberán circular con suficiente antelación por el carril más próximo a la salida y penetrar lo antes posible en el carril de deceleración, si existe.

2.5.2. Cambios de sentido

Conforme al art. 31 TRLTSV (art. 78 RGC), el conductor de un vehículo que pretenda invertir el sentido de su marcha debe elegir un lugar adecuado para efectuar la maniobra, de forma que intercepte la vía el menor tiempo posible, advertir con la antelación suficiente su propósito con las señales preceptivas con la antelación suficiente y cerciorarse de que no va a poner en peligro u obstaculizar a otros usuarios de la misma. En caso de que no concurran estas circunstancias, debe abstenerse de realizar dicha maniobra y esperar el momento oportuno para efectuarla. Cuando su permanencia en la calzada, mientras espera para efectuar la maniobra de cambio de sentido, impida continuar la marcha de los vehículos que circulan detrás del suyo, debe salir de la misma por su lado derecho, si fuera posible, hasta que las condiciones de la circulación le permitan efectuarlo.

Las señales con las que el conductor del vehículo debe advertir su propósito de invertir el sentido de su marcha son las previstas en el art. 109.

Las infracciones a estas previsiones serán graves, conforme al art. 76.c) TRLTSV (art. 78.3 RGC).Se prohíbe efectuar el cambio de sentido en toda situación que impida comprobar las circunstancias a que alude el apartado anterior, en los pasos a nivel y en los tramos de vía afectados por la señal túnel, así como en las autopistas y autovías, salvo en los lugares habilitados al efecto y, en general, en todos los tramos de la vía en que esté prohibido el adelantamiento, salvo que el cambio de sentido esté expresamente autorizado (arts. 29.2 TRLTSV). Las infracciones a estas previsiones serán graves, conforme al art. 76.c) TRLTSV (art. 79.2 RGC).

2.5.6. Marcha atrás (arts. 32 TRLTSV y 80 y 81 RGC)

Se prohíbe circular marcha atrás, salvo en los casos en que no sea posible marchar hacia adelante ni cambiar de dirección o sentido de marcha, y en las maniobras com-plementarias de otra que las exija, y siempre con el recorrido mínimo indispensable para efectuarla.

La maniobra de marcha atrás debe efectuarse lentamente, después de haberlo ad-vertido con las señales preceptivas y de haberse cerciorado, incluso apeándose o si-guiendo las indicaciones de otra persona si fuera necesario, de que, por las circunstancias de visibilidad, espacio y tiempo necesarios para efectuarla, no va a constituir peligro para los demás usuarios de la vía. El conductor de un vehículo que pretenda dar marcha hacia atrás deberá advertir su propósito en la forma prevista en el artículo 109. Igualmente, deberá efectuar la maniobra con la máxima precaución y detendrá el vehículo con toda rapidez si oyera avisos indicadores o se apercibiera de la proximidad de otro vehículo o de una persona o animal, o tan pronto lo exija la seguridad, desistiendo de la maniobra si fuera preciso.

El recorrido hacia atrás, como maniobra complementaria de la parada, el estacio-namiento o la incorporación a la circulación, no podrá ser superior a 15 metros ni invadir un cruce de vías.

Se prohíbe la maniobra de marcha atrás en autovías y autopistas.

Las infracciones a estas, cuando constituyan un supuesto de circulación en sentido contrario al estipulado, tendrán la consideración de muy graves, conforme se prevé en el artículo 77.f) TRLTSV.

2.6. Adelantamientos

2.6.1. Sentido del adelantamiento

Conforme al art. 33 TRLTSV (arts. 82 y 83 RGC), en todas las carreteras, como norma general, el adelantamiento deberá efectuarse por la izquierda del vehículo que se preten-de adelantar. Por excepción, y si existe espacio suficiente para ello, el adelantamiento se efectuará por la derecha y adoptando las máximas precauciones, cuando el conductor del vehículo al que se pretenda adelantar esté indicando claramente su propósito de cambiar de dirección a la izquierda o parar en ese lado, así como en las vías con circulación en am-bos sentidos, a los tranvías que marchen por la zona central.

Dentro de los poblados, en las calzadas que tengan, por lo menos, dos carriles reser-vados a la circulación en el mismo sentido de marcha, delimitados por marcas longitudi-nales, se permite el adelantamiento por la derecha a condición de que el conductor del vehículo que lo efectúe se cerciore previamente de que puede hacerlo sin peligro para los demás usuarios.

En todos los casos en que el adelantamiento implique un desplazamiento lateral, de-berá advertirse la maniobra, mediante la correspondiente señal óptica, con arreglo al art. 109 RGC.

En las calzadas que tengan, por lo menos, dos carriles reservados a la circulación en el sentido de su marcha, el conductor que vaya a efectuar un nuevo adelantamiento podrá permanecer en el carril que haya utilizado para el anterior, a condición de cerciorarse de que puede hacerlo sin molestia indebida para los conductores de vehículos que circulen detrás del suyo más velozmente.

Ahora bien, cuando la densidad de la circulación sea tal que los vehículos ocupen toda la anchura de la calzada y solo puedan circular a una velocidad que dependa de la del que los precede en su carril, el hecho de que los de un carril circulen más rápidamente que los de otro no será considerado como un adelantamiento. En esta situación, ningún conductor deberá cambiar de carril para adelantar ni para efectuar cualquier maniobra que no sea prepararse a girar a la derecha o a la izquierda, salir de la calzada o tomar determinada dirección.

En todo tramo de vía en que existan carriles de aceleración o deceleración o carriles o partes de la vía destinadas exclusivamente a tráfico de determinados vehículos, tampoco se considerará adelantamiento el hecho de que se avance más rápidamente por aquellos que por los normales de circulación o viceversa.

Las infracciones a estas previsiones serán graves, conforme al art. 76. c) TRLTSV (arts. 82.5 y 83.4 RGC).

2.6.2. Normas generales del adelantamiento

Vienen determinadas por el art. 34 TRLTSV (art. 84 RGC), según el cual, antes de iniciar un adelantamiento que requiera desplazamiento lateral, el conductor que se proponga adelantar debe advertirlo con suficiente antelación, con las señales preceptivas, y comprobar que en el carril que pretende utilizar para el adelantamiento, existe espacio libre suficiente para que la maniobra no ponga en peligro ni entorpezca a quienes circulen en sentido contrario, teniendo en cuenta la velocidad propia y la de los demás usuarios afectados. En caso contrario, debe abstenerse de efectuarla. Ningún conductor deberá adelantar a varios vehículos, si no tiene la total seguridad de que, al presentarse otro en sentido contrario, puede desviarse hacia el lado derecho sin causar perjuicios o poner en situación de peligro a alguno de los vehículos adelantados.

En calzadas con doble sentido de circulación y tres carriles separados por marcas longitudinales discontinuas, el adelantamiento solamente se podrá efectuar cuando los conductores que circulen en sentido contrario no hayan ocupado el carril central para efectuar un adelantamiento a su vez.

También, antes de iniciar un adelantamiento, debe cerciorarse de que el conductor del vehículo que le precede en el mismo carril no ha indicado su propósito de iniciar el adelantamiento, en cuyo caso deberá respetar la preferencia que le asiste. No obstante, si después de un tiempo prudencial, el conductor del citado vehículo no la ejerciera, podrá iniciar la maniobra de adelantamiento, advirtiéndole previamente con señal acústica u óptica.

Se prohíbe, en todo caso, adelantar a los vehículos que ya estén adelantando a otro, si el conductor del tercer vehículo, para efectuar dicha maniobra, ha de invadir la parte de la calzada reservada a la circulación en sentido contrario.

Asimismo, debe asegurarse de que no se ha iniciado la maniobra de adelantar a su vehículo por parte de ningún conductor que le siga por el mismo carril, y de que dispone de espacio suficiente para volver a su carril cuando termine el adelantamiento.

No se considerará adelantamiento a efectos de estas normas, los realizados entre ciclistas que circulen en grupo. Las infracciones a estas previsiones serán graves, conforme al art. 76. c) TRLTSV (art. 84.6 RGC).

Así se adelanta con seguridad

2.6.3. Ejecución del adelantamiento

A ella se refiere el art. art. 35 TRLTSV, conforme al cual, durante la ejecución del adelantamiento, el conductor que lo efectúe debe llevar su vehículo a una velocidad notoriamente superior a la del que pretende adelantar y dejar entre ambos una separación lateral suficiente para realizarlo con seguridad. Si después de iniciar la maniobra de adelantamiento advierte que se producen circunstancias que puedan hacer difícil la finalización del mismo sin provocar riesgos, reducirá rápidamente su marcha y regresará de nuevo a su carril, advirtiéndolo a los que le siguen con las señales preceptivas.

El conductor del vehículo que ha efectuado el adelantamiento debe volver a su carril tan pronto como le sea posible y de modo gradual, sin obligar a otros usuarios a modificar su trayectoria o velocidad, y advirtiéndolo a través de las señales preceptivas.

El conductor de un vehículo que pretenda realizar un adelantamiento a un ciclo o ciclomotor, o conjunto de ellos, debe realizarlo ocupando parte o la totalidad del carril contiguo o contrario, en su caso, de la calzada y guardando una anchura de seguridad de, al menos, 1,5 metros, salvo cuando la calzada cuente con más de un carril por sentido, en cuyo caso será obligatorio el cambio completo de carril. Queda prohibido adelantar poniendo en peligro o entorpeciendo a ciclistas que circulen en sentido contrario, incluso si estos ciclistas circulan por el arcén. Al efecto el art. 85.4 RGC, señala que, cuando se adelante fuera de poblado a peatones, animales, a vehículos de dos ruedas o de tracción animal, **a vehículos inmovilizados en la vía o a los vehículos de auxilio** cuando estén realizando operaciones de auxilio y rescate, se deberá realizar la maniobra ocupando parte o la totalidad del carril contiguo de la calzada, siempre y cuando existan las condiciones precisas para realizar el adelantamiento en las condiciones previstas en este reglamento; en todo caso, la separación lateral no será inferior a 1,50 metros. Queda expresamente prohibido adelantar poniendo en peligro o entorpeciendo a ciclistas que circulen en sentido contrario.

Cuando el adelantamiento se efectúe a cualquier otro vehículo distinto de los aludidos en el párrafo anterior, o tenga lugar en poblado, el conductor del vehículo que ha de adelantar dejará un margen lateral de seguridad proporcional a la velocidad y a la anchura y características de la calzada.

El conductor de un vehículo de dos ruedas que pretenda adelantar fuera de poblado a otro cualquiera lo hará de forma que entre aquel y las partes más salientes del vehículo que adelanta quede un espacio no inferior a 1,50 metros.

Las infracciones a estas previsiones serán graves, conforme al art. 76.c) TRLTSV (art. 85.6 RGC).

2.6.4. Vehículo adelantado

A tenor del art. 36 TRLTSV (art. 86 RGC), el conductor que advierta que otro que le sigue tiene el propósito de adelantar a su vehículo estará obligado a ceñirse al borde derecho de la calzada, salvo en el supuesto de cambio de dirección a la izquierda o de parada en ese mismo lado a que se refiere el artículo 33.2, en que deberá ceñirse a la izquierda todo lo posible, pero sin interferir la marcha de los vehículos que puedan circular en sentido contrario.

En el caso de que no sea posible ceñirse por completo al borde derecho de la calzada y, sin embargo, el adelantamiento pueda efectuarse con seguridad, el conductor de cualquiera de los vehículos a que se refiere el número 3 del art. 86 RGC (es decir, pesados, de grandes dimensiones u obligados a respetar un límite específico de velocidad) que vaya a ser adelantado indicará la posibilidad de ello al que se acerque, extendiendo el brazo horizontalmente y moviéndolo repetidas veces de atrás adelante, con el dorso de la mano hacia atrás o poniendo en funcionamiento el intermitente derecho, cuando no crea conveniente hacer la señal con el brazo.

Se prohíbe al conductor del vehículo que va a ser adelantado aumentar la velocidad o efectuar maniobras que impidan o dificulten el adelantamiento. Asimismo está obligado a disminuir la velocidad de su vehículo cuando, una vez iniciada la maniobra de adelantamiento, se produzca alguna situación que entrañe peligro para su propio vehículo, para el vehículo que la esté efectuando, para los que circulan en sentido contrario o para cualquier otro usuario de la vía. No obstante, cuando el adelantante diere muestras inequívocas de desistir de la maniobra reduciendo su velocidad, el conductor del vehículo al que se pretende adelantar no estará obligado a reducir la suya, si con ello pone en peligro la seguridad de la circulación, aunque sí estará obligado a facilitar al conductor adelantante la vuelta a su carril.

Los conductores de vehículos pesados, de grandes dimensiones u obligados a respetar un límite específico de velocidad, deberán bien aminorar la marcha, o bien apartarse cuanto antes al arcén, si resulta practicable, para dejar paso a los que le siguen, cuando la densidad de la circulación en sentido contrario, la anchura insuficiente de la calzada, su perfil o estado, no permitan ser adelantados con facilidad y sin peligro.

Las infracciones a estas previsiones serán graves, conforme al art. 76.c) TRLTSV (art. 86.4 RGC).

2.6.5. Prohibiciones de adelantamiento

Se establecen en el art. 37 TRLTSV y 87 RGC, conforme a los cuales queda prohibido adelantar:

a) En las curvas y cambios de rasante de visibilidad reducida y, en general, en todo lugar o circunstancia en que la visibilidad disponible no sea suficiente para poder efectuar la maniobra o desistir de ella una vez iniciada, a no ser que los dos sentidos de circulación estén claramente delimitados y la maniobra pueda efectuarse sin invadir la zona reservada al sentido contrario. Se prohíbe, en concreto, el adelantamiento detrás de un vehículo que realiza la misma maniobra, cuando las dimensiones del vehículo que la efectúa en primer lugar impiden la visibilidad de la parte delantera de la vía al conductor del vehículo que le sigue.

b) En los pasos para peatones señalizados como tales y en los pasos a nivel y en sus proximidades. No obstante, esta prohibición no será aplicable cuando el adelantamiento se realice a vehículos de dos ruedas que por sus reducidas dimensiones no impidan la visibilidad lateral, en un paso a nivel o sus proximidades, previas las oportunas señales acústicas u ópticas, o cuando tratándose de un paso para peatones señalizado el adelantamiento a cualquier vehículo se realice a una velocidad tan suficientemente reducida que permita detenerse a tiempo si surgiera peligro de atropello.

c) En las intersecciones y en sus proximidades, salvo cuando:

1. Se trate de una glorieta.

2. El adelantamiento deba efectuarse por la derecha, según lo previsto en el art. 33.2 TRLTSV y 82.2 RGC.

3. La calzada en que se realice tenga preferencia en la intersección y haya señal expresa que lo indique.

4. El adelantamiento se realice a vehículos de dos ruedas.

d) En los túneles, pasos inferiores y tramos de vía afectados por la señal "Túnel" (S-5) en los que solo se disponga de un carril para el sentido de circulación del vehículo que pretende adelantar.

Las infracciones a estas previsiones serán graves, conforme al art. 76.c) TRLTSV (art. 87.2 RGC).

2.6.6. Supuestos especiales de adelantamiento

Según el art. 38 TRLTSV, cuando un vehículo se encuentre inmovilizado en un tramo de vía en que esté prohibido el adelantamiento, ocupando en todo o en parte la calzada en el carril del sentido de la marcha, y siempre que la inmovilización no responda a las necesidades del tráfico, puede ser rebasado, aunque para ello haya que ocupar parte del carril izquierdo de la calzada. En todo caso, hay que cerciorarse previamente de que la maniobra se puede realizar sin peligro. En estas mismas circunstancias se podrá adelantar a las bicicletas. Igualmente, en las circunstancias antes señaladas, todo vehículo que encuentre cualquier obstáculo en su camino que le obligue a ocupar el espacio dispuesto para el sentido contrario de su marcha, podrá rebasarlo siempre que se haya cerciorado de que puede efectuarlo sin peligro. La misma precaución se observará cuando el obstáculo o el vehículo inmovilizado se encuentren en un tramo de vía en el que esté permitido el adelantamiento (art. 89 RGC).

Las infracciones a estas previsiones serán graves, conforme al art. 76.c) TRLTSV (arts. 88.2 y 89.2 RGC).

 Actividad 3

Rellena el hueco con la cifra que falta:

El conductor de un automóvil que pretenda realizar un adelantamiento a un ciclo o ciclomotor, o conjunto de ellos, debe realizarlo ocupando parte o la totalidad del carril contiguo o contrario, en su caso, de la calzada y guardando una anchura de seguridad de, al menos, _____metros.

2.7. Parada y estacionamiento

2.7.1. Normas generales de paradas y estacionamientos

Se contienen en el art. 39 TRLTSV (art. 90 RGC), a cuyo tenor la parada o el estacionamiento de un vehículo en vías interurbanas debe efectuarse siempre fuera de la calzada, en el lado derecho de la misma y dejando libre, cuando exista, la parte transitable del arcén.

Cuando por razones de emergencia no sea posible situar el vehículo fuera de la calzada y de la parte transitable del arcén, se observarán las normas contenidas en los arts. 91 a 94 RGC y las previstas en el art. 130 RGC (referido a inmovilización del vehículo y caída de la carga).

Cuando en vías urbanas tenga que realizarse en la calzada o en el arcén, se situará el vehículo lo más cerca posible de su borde derecho, salvo en las vías de único sentido, en las que se podrá situar también en el lado izquierdo. Debe, asimismo, observarse lo dispuesto al efecto en las Ordenanzas que dicten las autoridades municipales de acuerdo con lo establecido en el art. 93 RGC. La parada y el estacionamiento deben efectuarse de tal manera que el vehículo no obstaculice la circulación ni constituya un riesgo para el resto de los usuarios de la vía, cuidando especialmente la colocación del mismo y evitando que pueda ponerse en movimiento en ausencia del conductor, de acuerdo con las normas que reglamentariamente se establezcan. En vías urbanas, se permite la parada o el estacionamiento de las grúas de auxilio en carretera por el tiempo indispensable para efectuar la retirada de los vehículos averiados o accidentados, siempre que no se cree un nuevo peligro, ni se cause obstáculo a la circulación (art. 39,3.º TRLTSV). El art. 91 RGC, por su parte, señala que la parada y el estacionamiento deberán efectuarse de tal manera que el vehículo no obstaculice la circulación ni constituya un riesgo para el resto de los usuarios de la vía, cuidando especialmente la colocación del mismo y el evitar que pueda ponerse en movimiento en ausencia del conductor. Se consideran paradas o estacionamientos en lugares peligrosos o que obstaculizan gravemente la circulación, los que constituyan un riesgo u obstáculo a la circulación en los siguientes supuestos:

a) Cuando la distancia entre el vehículo y el borde opuesto de la calzada o una marca longitudinal sobre ella que indique prohibición de atravesarla sea inferior a tres metros o, en cualquier caso, cuando no permita el paso de otros vehículos.

b) Cuando se impida incorporarse a la circulación a otro vehículo debidamente parado o estacionado.

c) Cuando se obstaculice la utilización normal del paso de salida o acceso a un inmueble de personas o animales, o de vehículos en un vado señalizado correctamente.

d) Cuando se obstaculice la utilización normal de los pasos rebajados para disminuidos físicos.

e) Cuando se efectúe en las medianas, separadores, isletas u otros elementos de canalización del tráfico.

f) Cuando se impida el giro autorizado por la señal correspondiente.

g) Cuando el estacionamiento tenga lugar en una zona reservada a carga y descarga, durante las horas de utilización.

h) Cuando el estacionamiento se efectúe en doble fila sin conductor.

i) Cuando el estacionamiento se efectúe en una parada de transporte público, señalizada y delimitada.

j) Cuando el estacionamiento se efectúe en espacios expresamente reservados a servicios de urgencia y seguridad.

k) Cuando el estacionamiento se efectúe en espacios prohibidos en vía pública calificada de atención preferente, especialmente señalizados.

l) Cuando el estacionamiento se efectúe en medio de la calzada.

m) Las paradas o estacionamientos que, sin estar incluidos en los apartados anteriores, constituyan un peligro u obstaculicen gravemente el tráfico de peatones, vehículos o animales.

Las infracciones a estas previsiones serán graves, conforme al art. 76. d) TRLTSV (art. 91.3 RGC).

En cuanto a la colocación del vehículo, dispone el art. 92 RGC que la parada y el estacionamiento se realizarán situando el vehículo paralelamente al borde de la calzada, permitiéndose, por excepción, otra colocación cuando las características de la vía u otras circunstancias así lo aconsejen. Todo conductor que pare o estacione su vehículo deberá hacerlo de forma que permita la mejor utilización del restante espacio disponible. Y cuando se trate de un vehículo a motor o ciclomotor y el conductor tenga que abandonar su puesto, deberá observar, además, en cuanto le fueren de aplicación, las siguientes reglas:

a) Parar el motor y desconectar el sistema de arranque y, si se alejara del vehículo, adoptar las precauciones necesarias para impedir su uso sin autorización.

b) Dejar accionado el freno de estacionamiento.

c) En un vehículo provisto de caja de cambios, dejar colocada la primera velocidad, en pendiente ascendente y la marcha atrás, en descendente, o, en su caso, la posición de estacionamiento.

d) Cuando se trate de un vehículo de más de 3.500 kilogramos de masa máxima autorizada, de un autobús o de un conjunto de vehículos y la parada o el estacionamiento se realice en una pendiente sensible, su conductor deberá, además, dejarlo debidamente calzado, bien sea por medio de la colocación de calzos, sin que se puedan emplear a tales fines elementos como piedras u otros no destinados de modo expreso a dicha función, o bien por apoyo de una de las ruedas directrices en el bordillo de la acera, inclinando aquellas hacia el centro de la calzada en las pendientes ascendentes y hacia afuera en las pendientes descendentes. Los calzos, una vez utilizados, deberán ser retirados de la vía al reanudar la marcha.

El régimen de parada y estacionamiento en vías urbanas se regulará por Ordenanza Municipal, pudiendo adoptarse las medidas necesarias para evitar el entorpecimiento del tráfico, entre ellas limitaciones horarias de duración del estacionamiento, así como las medidas correctoras precisas incluida la retirada del vehículo o su inmovilización cuando no disponga de título que autorice el estacionamiento en zonas limitadas en tiempo o exceda del tiempo autorizado hasta que se logre la identificación del conductor (arts. 39.4 TRLTSV y 93 RGC). Su inmovilización cuando no disponga de título que autorice el estacionamiento en zonas limitadas en tiempo o exceda del tiempo autorizado hasta que se logre la identificación del conductor.

En ningún caso podrán las Ordenanzas Municipales oponerse, alterar, desvirtuar o inducir a confusión con los preceptos de este RGC.

2.7.2. Prohibiciones

Se explicitan en los arts. 40 TRLTSV y 94 RGC, que prohíben parar:

a) En las curvas y cambios de rasante de visibilidad reducida, en sus proximidades y en los túneles.

b) En los pasos a nivel, pasos para ciclistas y pasos para peatones.

c) En los carriles o partes de la vía reservados exclusivamente para la circulación o para el servicio de determinados usuarios.

d) En las intersecciones y en sus proximidades si se dificulta el giro a otros vehículos, o en vía interurbanas, si se genera peligro por falta de visibilidad.

e) Sobre los raíles de tranvías o tan cerca de ellos que pueda entorpecerse su circulación.

f) En los lugares donde se impida la visibilidad de la señalización a los usuarios a quienes les afecte u obligue a hacer maniobras.

g) En autovías o autopistas, salvo en las zonas habilitadas al efecto.

h) En los carriles destinados al uso exclusivo del transporte público urbano, o en los reservados para las bicicletas.

i) En las zonas destinadas para estacionamiento y parada de uso exclusivo para el transporte público urbano.

j) En zonas señalizadas para uso exclusivo de personas con discapacidad y pasos para peatones.

Y se prohíbe estacionar en los siguientes casos:

a) En todos los descritos en el apartado anterior.

b) En los lugares habilitados por la autoridad municipal como de estacionamiento con limitación horaria, conforme a la regulación del sistema utilizado para ello, sin disponer del título que lo autorice o cuando, disponiendo de él, se mantenga estacionado el vehículo en exceso sobre el tiempo máximo permitido por la autorización.

c) En zonas señalizadas para carga y descarga.

d) En zonas señalizadas para uso exclusivo de personas con discapacidad.

e) Sobre las aceras, paseos y demás zonas destinadas al paso de peatones. No obstante, los Municipios, a través de Ordenanza Municipal, podrán regular la parada y el estacionamiento de los vehículos de dos ruedas sobre las aceras y paseos siempre que no se perjudique ni se entorpezca el tránsito de los peatones por ellas, atendiendo a las necesidades de aquellos que puedan llevar algún objeto voluminoso y, especialmente, las de aquellas personas que tengan alguna discapacidad.

f) Delante de los vados señalizados correctamente.

g) En doble fila.

Las paradas o estacionamientos en los lugares enumerados en los párrafos a), d), e), f), g) e i) de las prohibiciones de parar, en los pasos a nivel, en los carriles destinados al uso del transporte público urbano y, en general, siempre que se obstaculice gravemente la circulación o constituya un riesgo, especialmente para los peatones, serán graves, conforme al art. 76. d) TRLTSV (art. 94.3 RGC).

3. Vehículos y transportes especiales

3.1. El transporte: regulación jurídica general

3.1.1. Introducción

Como señala el Preámbulo de la Ley 16/1987, de 30 de julio, de Ordenación de los Transportes Terrestres (LOTT, en adelante), sucesivamente modificada con posterioridad, los profundos cambios habidos en esta materia, que afectan a los aspectos técnicos, económico, social y político del transporte, han hecho necesario revisar la profusa legislación existente, alguna del siglo pasado (como la ferroviaria), adecuándola, por lo demás, a la normativa comunitaria.

La LOTT se aplica tanto al transporte interurbano como al urbano, respetándose en éste la competencia municipal, y acabando de esta forma con un vacío normativo que era causa de importantes disfunciones.

Por lo que se refiere a los principios económicos y sociales que la presiden, la LOTT, respetando en todo caso el sistema de mercado y el derecho de libertad de empresa, constitucionalmente reconocidos, tiende, en todo caso, a que la empresa de transportes actúe en el mercado con el mayor grado de autonomía posible, permitiendo, a la vez, una graduación de intervencionismo administrativo, según cuales sean las circunstancias existentes en cada momento.

Esta norma ha sido desarrollada por el Real Decreto 1211/1990, de 28 de septiembre, por el que se aprueba el Reglamento de la Ley de Ordenación de los Transportes Terrestres.

3.1.2. Ámbito de aplicación

A tenor del art. 1 LOTT:

1. Se regirán por lo dispuesto en esta Ley:

    1.º Los transportes por carretera, considerándose como tales aquellos que se realicen en vehículos de motor o conjuntos de vehículos que circulen sin camino de rodadura fijo, y sin medios fijos de captación de energía, por toda clase de vías terrestres, urbanas o interurbanas, de carácter público y, asimismo, por las de carácter privado cuando el transporte sea público.

    2.º Los transportes por ferrocarril, considerándose como tales aquellos que se realicen mediante vehículos que circulen por un camino de rodadura fijo que les sirva de sustentación y de guiado.

3.º Las actividades auxiliares y complementarias del transporte, considerándose como tales, a los efectos de esta ley, las desarrolladas por las agencias de transportes, los transitarios, los operadores logísticos, los almacenistas-distribuidores y las estaciones de transporte de viajeros y centros de transporte y logística de mercancías por carretera o multimodales. Asimismo, tendrá esta consideración el arrendamiento de vehículos de carretera sin conductor.

2. Los transportes que se lleven a cabo en trolebús, así como los realizados en teleféricos u otros medios en los que la tracción se haga por cable, y en los que no exista camino de rodadura fijo, estarán sometidos a las disposiciones de los títulos preliminar y primero de la presente Ley, rigiéndose en lo demás por sus normas específicas.

Serán de aplicación, no obstante, al transporte por cable las reglas establecidas en la disposición adicional tercera.

Respecto a la aplicación en función del reparto competencial de esta materia entre las distintas Administraciones Públicas, la LOTT se aplicará directamente a los transportes y actividades auxiliares o complementarias de los mismos cuya competencia corresponda a la Administración del Estado. Su aplicación a los demás transportes se efectuará en los términos previstos en su disposición final segunda (art. 2).

3.1.3. Principios generales

La organización y funcionamiento del sistema de transportes se ajustará a los siguientes principios (art. 3 LOTT):

a) Establecimiento y mantenimiento de un sistema común de transporte en todo el Estado, mediante la coordinación e interconexión de las redes, servicios o actividades que lo integran, y de las actuaciones de los distintos órganos y Administraciones Públicas competentes.

b) Satisfacción de las necesidades de la comunidad con el máximo grado de eficacia y con el mismo coste social.

A estos efectos, a tenor del art. 4 LOTT, los poderes públicos promoverán la adecuada satisfacción de las necesidades de transporte de los ciudadanos, en el conjunto del territorio español, en condiciones idóneas de seguridad, con atención especial a las categorías sociales desfavorecidas y a las personas con capacidad reducida, así como a las zonas y núcleos de población alejados o de difícil acceso.

Por su parte, la eficacia del sistema de transportes deberá, en todo caso, quedar asegurada mediante la adecuada utilización de los recursos disponibles, que posibilite la obtención del máximo rendimiento de los mismos. Los poderes públicos velarán, al respecto, por la coordinación de actuaciones, unidad de criterios, celeridad y simplificación procedimentales y eficacia en la gestión administrativa.

c) Mantenimiento de la unidad de mercado en todo el territorio español, conforme al art. 139,2º de la Constitución.

En el marco de este principio de unidad de mercado, los poderes públicos buscarán la armonización de las condiciones de competencias entre los diferentes modos y empresas de transporte, tenderán a evitar situaciones de competencia desleal, y protegerán el derecho de libre elección del usuario, y la libertad de gestión empresarial, que únicamente podrán ser limitadas por razones inherentes a la necesidad de promover el máximo aprovechamiento de los recursos y la eficaz prestación de los servicios.

3.1.4. Régimen de competencias y coordinación de las mismas

El art. 5 LOTT dispone que el ejercicio de sus competencias por los distintos órganos administrativos no podrá realizarse de tal manera que impidan u obstaculicen la efectividad de las encomendadas a los restantes en cuanto éstas fueran conducentes al cumplimiento de los principios establecidos en el art. 3.

La Administración General del Estado deberá promover la coordinación de sus competencias con las de las Comunidades Autónomas y las Entidades Locales estableciendo, en su caso, con las mismas, los convenios u otras fórmulas de cooperación que resulten precisas en orden a la efectividad de las mismas y a la adecuada consecución de los citados principios.

En este contexto, el Gobierno de la Nación, de conformidad con lo previsto en el art. 97 de la Constitución, fija los objetivos de la política general de transportes y, en el ámbito de su competencia, asegura la coordinación de los distintos tipos de transporte terrestre entre sí y con los demás modos de transporte, y procurará la adecuada dotación de las infraestructuras precisas para los mismos.

Por lo demás, como órganos de coordinación interadministrativa, se crean, con carácter de órganos consultivos y deliberantes:

a) La Conferencia Nacional de Transportes, constituida por el Ministerio de Transportes, Movilidad y Agenda Urbana, que la preside, y por los Consejeros a las Comunidades Autónomas competentes en el ramo de transportes.

b) Para llevar a cabo la coordinación inmediata y ordinaria de las competencias estatales y autonómicas y asegurar la efectividad del cumplimiento de los fines atribuidos a la anterior, la Comisión de Directores Generales de Transportes, integrada por los titulares de las Direcciones Generales competentes en materia de transporte terrestre de la Administración Central, que la preside, y de las Comunidades Autónomas.

3.1.5. Disposiciones comunes a los diferentes modos de transporte terrestre

Bajo este epígrafe, la LOTT regula aspectos como los siguientes:

3.1.5.1. Directrices generales

Partiendo de los principios ya examinados, se habilita a la Administración para adoptar medidas que promuevan la corrección de las posibles deficiencias estructurales del sistema de transporte, tendiendo a la eliminación de las insuficientes y de los excesos de capacidad, y vigilando la implantación y mantenimiento de servicios o actividades del transporte acordes con las necesidades de la demanda.

Asimismo, se habilita al Gobierno para suspender, prohibir o restringir total o parcialmente por el tiempo que resulte estrictamente necesario, la realización de alguna o algunas clases de servicios o actividades de transporte, ya fueren públicos o privados, por motivos de defensa nacional, orden público, sanitarios u otras causas graves de utilidad pública o interés social que igualmente lo justifiquen, estableciendo, en su caso, las indemnizaciones pertinentes.

3.1.5.2. Programación y planificación

La Administración podrá programar o planificar la evolución y desarrollo de los distintos tipos de transportes terrestres, a fin de facilitar el desarrollo equilibrado y armónico del sistema de transportes.

Los arts. 25 y 26 RD 1211/90, de 28 de septiembre, por el que se aprueba el Reglamento de la Ley de Ordenación de los Transportes Terrestres, desarrollan esta materia, distinguiendo entre Planes de Transportes generales o referidos únicamente a determinados modos o clases de transporte, y nacionales (cuando afecten a todo el Estado) y territoriales (cuando se extiendan únicamente a una parte de éste).

3.1.5.3. Régimen económico–financiero de los servicios y actividades de transporte terrestre

Según el art. 17 LOTT:

1. Las empresas transportistas o de actividades auxiliares o complementarias del transporte llevarán a cabo su actividad con plena autonomía económica, gestionándola a su riesgo y ventura.

2. No obstante, en la explotación de aquellos transportes a los que esta ley atribuye el carácter de servicios públicos de titularidad de la Administración se aplicarán las disposiciones de la Unión Europea en materia de servicios públicos de transporte de viajeros por ferrocarril y carretera y, en su caso, lo dispuesto en la legislación sobre contratos del sector público sobre régimen económico del contrato de gestión de servicios públicos.

El art. 18 LOTT dispone que el precio de los transportes discrecionales de viajeros y mercancías y el de las actividades auxiliares y complementarias de transporte, será libremente fijado por las partes contratantes.

No obstante, cuando una Comunidad Autónoma haya establecido tarifas de obligado cumplimiento para los transportes interurbanos de viajeros en vehículos de turismo que se desarrollen íntegramente en su territorio, éstas serán también de aplicación a cuantos servicios de esta clase se inicien en el mismo, sea cual fuere el lugar en que finalicen.

Tampoco estarán sometidos a tarifas aprobadas por la Administración los transportes regulares de viajeros temporales o de uso especial.

Estas previsiones se desarrollan por los arts. 28 y 29 del RD 1211/90, según el cual el Ministerio de Fomento (actual Ministerio de Transportes y Movilidad Sostenible) elaborará y mantendrá actualizados, previa audiencia del Comité Nacional del Transporte por Carretera y de las asociaciones más representativas de los usuarios del transporte, sendos observatorios en los que se contemple la evolución de los costes de los transportes de viajeros y de mercancías, a los que dará difusión a través de los medios que se consideren más eficaces para facilitar su conocimiento por empresas y particulares. De conformidad con lo dispuesto en el artículo 18 de la LOTT, el objeto de dichos observatorios será exclusivamente informativo y no supondrá, en ningún caso, limitación a la libre fijación de precios por las partes contratantes de transportes discrecionales de viajeros y mercancías o de actividades auxiliares y complementarias del transporte.

Las tarifas deberán cubrir la totalidad de los costes reales en condiciones normales de productividad y organización, y permitirán una adecuada amortización, un razonable beneficio empresarial y una correcta prestación del servicio o realización de la actividad, no dejando de retribuir, en su caso, las prestaciones complementarias. No obstante, excepcionalmente podrán establecerse en los servicios en los que existan motivos económicos o sociales para ello, tarifas a cargo del usuario más bajas de las que resultarían según lo antes expuesto, en cuyo caso se establecerá un régimen especial de compensación económica u otras fórmulas de apoyo a las correspondientes empresas por parte de las Administraciones afectadas o interesadas (art. 19 LOTT).

Finalmente, los contratos de transporte de viajeros, de carácter individual o por asiento, se entenderán convenidos de conformidad con las cláusulas de los contratos–tipo que en cada caso apruebe la Administración, y se formalizarán a través de la expedición del correspondiente billete. El art. 13 RD 1211/90 atribuye al Ministro de Fomento (actual Ministerio de Transportes, Movilidad y Agenda Urbana) la aprobación de estos contratos–tipo, que podrán extenderse a los transportes de mercancías o de viajeros contratados por vehículo completo y a los arrendamientos de vehículos.

3.1.5.4. Coordinación entre transportes con necesidades de Defensa y Protección Civil

Los arts. 25 a 28 LOTT impelen a la Administración a procurar la armonización de las condiciones de competencias de los distintos tipos de transporte terrestre entre sí y entre éstos y los demás modos de transporte, realizando, en su caso, las actuaciones precisas tendentes a su coordinación y complementación recíproca.

Por su parte, los arts. 29 a 31 LOTT, tras señalar que el Ministerio de Fomento (actual Ministerio de Transportes, Movilidad y Agenda Urbana) es el órgano de la Administración Civil del Estado con competencia en todo el territorio del Estado para ejecutar la política de defensa nacional en el sector de los transportes, bajo la coordinación del Ministerio de Defensa, le habilitan para controlar y coordinar las actividades de las Comunidades Autónomas en materia de transportes cuando la defensa nacional así lo requiera.

En el ámbito de la protección civil, también se le confiere una serie de funciones al citado Ministerio (como colaborar en la elaboración y homologación de los Planes Territoriales y Especiales de intervención en emergencias que puedan afectar a los transportes, así como a la ejecución de las previsiones relativas al empleo de éstos), de acuerdo con las reglas y normas coordinadoras establecidas por el Ministerio del Interior.

3.1.5.5. Inspección del transporte terrestre

Los arts. 32 a 35 LOTT y 14 a 24 RD 1211/90 regulan los Servicios de Inspección del Transporte Terrestre, que, además, de sus funciones de control del cumplimiento de la legalidad vigente asesorarán y colaborarán con las Empresas de transporte para facilitar el cumplimiento de dicha legalidad.

Su estructura orgánica será determinada por las Administraciones Públicas con competencia en la materia, contando con el personal de apoyo que sea necesario.

Los miembros de esta Inspección, que en el ejercicio de sus funciones tienen carácter de autoridad, en caso de necesidad para un eficaz cumplimiento de las mismas, podrán solicitar el apoyo necesario de las Unidades o Destacamentos de las Fuerzas y Cuerpos de Seguridad del Estado y Policías Autónomas o Locales.

La LOTT obliga, en este contexto, a los titulares de los servicios y actividades a los que se refiere y, en general, a las personas afectadas por sus preceptos, a facilitar al personal de la Inspección del Transporte Terrestre, en el ejercicio de sus funciones, la inspección de sus vehículos e instalaciones y el examen de los documentos, libros de contabilidad y datos estadísticos que estén obligados a llevar.

Finalmente, se perseguirá el aumento de la eficacia de la función inspectora a través de la elaboración periódica de planes de inspección que darán a las actuaciones inspectoras un carácter sistemático y determinarán las líneas generales directrices de las operaciones de control de los servicios o actividades que puedan requerir actuaciones especiales.

3.1.5.6. Consejo Nacional de Transportes Terrestres

El art. 36 LOTT se refiere al Consejo Nacional de Transportes Terrestres, disponiendo que:

1. El Consejo Nacional de Transportes Terrestres es el órgano superior de asesoramiento, consulta y debate sectorial de la Administración en asuntos que afecten al funcionamiento del sistema de transportes, y se encuentra estructurado en dos Secciones, una de Transporte de Viajeros y otra de Transporte de Mercancías.

2. El Consejo está integrado por expertos designados por la Administración General del Estado a propuesta de las empresas de transporte por carretera, a través del Comité Nacional del Transporte por Carretera; de las empresas de transporte por ferrocarril, a través de sus asociaciones; de los trabajadores de las empresas transportistas, a través de las centrales sindicales más representativas en dicho sector; de los usuarios del transporte, a través del Consejo de Consumidores y Usuarios, de las organizaciones representativas de las personas con discapacidad y de las asociaciones de empresas usuarias del transporte de mercancía, así como, en su caso, de las empresas de otros modos de transporte y de otros sectores de actividad relacionados con el transporte.

   Asimismo, la Administración podrá designar directamente a otros consejeros atendiendo exclusivamente a su competencia profesional, así como a representantes de la propia Administración especializados en materia de transporte terrestre.

3. A través del Reglamento de la Ley de Ordenación de los Transportes Terrestres se ha determinado la composición concreta del Consejo, el órgano competente para el nombramiento de sus miembros, así como los criterios y el procedimiento a través de los que los distintos sectores afectados propondrán sus candidatos (ver los artículos 31 y 32 del Reglamento).

4. Los miembros del Consejo no participan en éste en representación del sector que, en su caso, hubiese propuesto su nombramiento, sino como expertos a título individual. En consecuencia, no podrán ser representados en las deliberaciones del Consejo sino por otros consejeros.

   Sin perjuicio de ello, el Consejo podrá crear grupos de trabajo, de carácter permanente o coyuntural, que lo asistan en la elaboración de los estudios previos a la emisión de sus dictámenes. De estos grupos de trabajo podrán formar parte tanto consejeros como personas que no lo sean, si bien sus conclusiones sólo se tendrán en cuenta por la Administración cuando sean refrendadas por el pleno del Consejo.

5. El Consejo Nacional de Transportes Terrestres deberá informar, preceptivamente, en el procedimiento de elaboración de los Planes de Transporte y en todos aquellos otros asuntos en que así se establezca reglamentariamente. El Consejo podrá, además, proponer a la Administración las medidas que estime oportunas para mejorar la coordinación y eficacia del sistema de transportes. Independientemente de las consultas que le sean formuladas, el Consejo Nacional de Transportes Terrestres podrá proponer a los órganos administrativos competentes la elaboración de las normas o la adopción de los acuerdos de ordenación o control del transporte que estime necesarios, elaborando a tal efecto los correspondientes informes justificativos.

3.1.5.7. Juntas Arbitrales del Transporte

Como instrumento de protección y defensa de las partes intervinientes en el transporte, se crean las Juntas Arbitrales del Transporte, de las que forman parte, en los términos del art. 8 RD 1211/90, miembros de la Administración (a los que corresponde la presidencia), representantes de las Empresas de transporte y representantes de los cargadores y usuarios.

Estas Juntas decidirán con los efectos previstos en la legislación general de arbitraje, es decir, la Ley 60/2003, de 23 de diciembre, de Arbitraje, las controversias surgidas en relación con el cumplimiento de los contratos de transporte terrestre y de las actividades auxiliares y complementarias del transporte por carretera que sean sometidas a su conocimiento, presumiéndose que existe acuerdo de sometimiento al arbitraje de las Juntas siempre que la cuantía de la controversia no exceda de 15.000 euros y ninguna de las partes intervinientes en el contrato hubiera manifestado expresamente a la otra su voluntad en contra antes del momento en que se inicie o debiera haberse iniciado la realización del servicio o actividad contratado (art. 38 LOTT).

Los arts. 6 a 12 del RD 1211/90 regulan, con detalle, el funcionamiento de estas Juntas Arbitrales.

3.1.5.8. Usuarios del transporte

Por último, dentro de las disposiciones comunes a todo tipo de transporte, los arts. 39 a 41 LOTT (y 30 RD 1211/90) tratan de los usuarios del transporte, quienes participarán en el procedimiento de elaboración de las disposiciones y de las resoluciones administrativas referentes al transporte que les afecten.

La Administración fomentará la constitución y desarrollo de Asociaciones de Usuarios, y potenciará su participación en la planificación y gestión del sistema de transporte.

Asimismo, mantendrá informados a los usuarios de las prestaciones del sistema de transporte que, en cada momento, se encuentren a su disposición, así como de sus modificaciones, y elaborará el catálogo de derechos y deberes de los usuarios, estando determinados estos últimos, fundamentalmente, por el establecimiento de las condiciones generales de utilización del servicio y de las obligaciones de los usuarios.

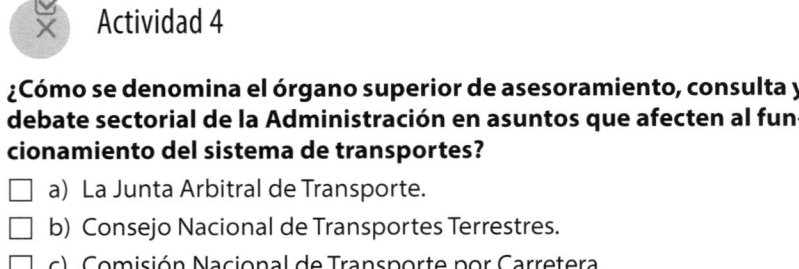

Actividad 4

¿Cómo se denomina el órgano superior de asesoramiento, consulta y debate sectorial de la Administración en asuntos que afecten al funcionamiento del sistema de transportes?

☐ a) La Junta Arbitral de Transporte.

☐ b) Consejo Nacional de Transportes Terrestres.

☐ c) Comisión Nacional de Transporte por Carretera.

3.1.6. Condiciones para el ejercicio del transporte y de las actividades auxiliares y complementarias del mismo

3.1.6.1. Introducción

Bajo este epígrafe, los arts. 42 a 56 LOTT y los arts. 33 a 51 RD 1211/90, establecen la normativa general para poder desarrollar el transporte y estas actividades, distinguiendo entre las condiciones previas de carácter personal, los títulos habilitantes y las reglas y exigencias generales, en la forma que, sintéticamente, exponemos a continuación.

3.1.6.2. Condiciones previas de carácter personal para el ejercicio de la actividad

Según el art. 43:

1. El otorgamiento de la autorización de transporte público estará condicionado a que la empresa solicitante acredite, de acuerdo con lo que reglamentariamente se determine, el cumplimiento de los siguientes requisitos:

   a) Tener nacionalidad española o la de algún otro Estado miembro de la Unión Europea o, en caso contrario, contar con las autorizaciones exigidas por la legislación reguladora del régimen general de extranjería para la realización de la actividad profesional de transportista en nombre propio.

   b) Cuando no se trate de una persona física, tener personalidad jurídica propia e independiente de la de aquellas personas que, en su caso, la integren.

   En ningún supuesto podrán otorgarse autorizaciones de forma conjunta a más de una persona ni a comunidades de bienes. Tampoco se otorgarán autorizaciones a personas jurídicas sin ánimo de lucro.

   Tratándose de personas jurídicas, la realización de transporte público debe formar parte de su objeto social de forma expresa.

   c) Contar con un domicilio situado en España en el que se conserven, a disposición de los Servicios de Inspección del Transporte Terrestre, los documentos relativos a su gestión y funcionamiento que reglamentariamente se determinen.

   d) Disponer de uno o más vehículos matriculados en España o en otro Estado miembro conforme a lo que en cada caso resulte exigible de acuerdo con lo que reglamentariamente se determine, atendiendo a razones de interés general, los cuales deberán cumplir las condiciones que, en su caso, se establezcan, teniendo en cuenta principios de proporcionalidad y no discriminación.

   e) Disponer de dirección y firma electrónica, así como del equipo informático necesario para documentar a distancia el contrato y otras formalidades mercantiles con sus clientes.

   f) Cumplir las obligaciones de carácter fiscal, laboral y social exigidas por la legislación vigente.

g) Cumplir, en su caso, aquellas otras condiciones específicas necesarias para la adecuada prestación de los servicios que reglamentariamente se establezcan, atendiendo a principios de proporcionalidad y no discriminación, en relación con la clase de transporte de que se trate en cada caso.

2. Además de las condiciones señaladas en el punto anterior, cuando la autorización habilite para la realización de transporte público de viajeros en autobús o de mercancías en vehículos o conjuntos de vehículos con capacidad de tracción propia cuya masa máxima autorizada sea superior a 3,5 toneladas, deberán cumplir los requisitos de establecimiento, honorabilidad, capacidad financiera y competencia profesional exigidos por la reglamentación de la Unión Europea por la que se establecen normas comunes relativas a las condiciones que han de cumplirse para el ejercicio de la profesión de transportista por carretera, de conformidad con lo que en dicha reglamentación se dispone y con lo que en esta ley y en sus normas de desarrollo se señala para la ejecución de tales disposiciones.

Reglamentariamente se podrá prever, no obstante, algún supuesto en que, a solicitud del interesado, la Administración podría autorizar que una empresa continúe funcionando, aunque transitoriamente incumpla alguna de las condiciones señaladas en este punto, por un plazo que en ningún caso podrá ser superior a seis meses.

Los arts. 44 a 47 LOTT desarrollan estas previsiones, disponiendo el primero de ellos que, de conformidad con lo dispuesto en la reglamentación de la Unión Europea por la que se establecen normas comunes relativas a las condiciones que han de cumplirse para el ejercicio de la profesión de transportista por carretera, a fin de cumplir el requisito de establecimiento a que se refiere el punto 2 del artículo 43, una empresa deberá:

a) Tener un establecimiento situado en España con locales en los que se conserven, a disposición de los Servicios de Inspección del Transporte Terrestre, los documentos principales de la empresa, en particular sus documentos contables, los documentos de gestión del personal, los documentos con los datos relativos a los tiempos de conducción y descanso de los conductores, así como cualesquiera otros que resulten exigibles en aplicación de lo que se dispone en el apartado c) del artículo 43.1.

b) Disponer de uno o más vehículos en los términos y condiciones que resulten de aplicación de conformidad con lo dispuesto en los artículos 43.1, 54.2 y 55.

c) Disponer en los centros de explotación en que la empresa ejerza su actividad en España del equipamiento administrativo y técnico y de las instalaciones que resulten adecuados, conforme a lo que reglamentariamente se determine.

El art. 45, por su parte, prescribe que, de conformidad con lo dispuesto en la reglamentación de la Unión Europea por la que se establecen normas comunes relativas a las condiciones que han de cumplirse para el ejercicio de la profesión de transportista por carretera, a fin de cumplir el requisito de honorabilidad, ni la empresa ni su gestor de transporte podrán haber sido condenados por la comisión de delitos o faltas penales ni sancionados por la comisión de infracciones relacionadas con los ámbitos mercantil, social o laboral, de seguridad vial o de ordenación de los transportes terrestres que den lugar a la pérdida de este requisito, de conformidad con lo que se dispone en esta ley y en la reglamentación de la Unión Europea.

De conformidad con lo dispuesto en la reglamentación de la Unión Europea por la que se establecen normas comunes relativas a las condiciones que han de cumplirse para el ejercicio de la profesión de transportista por carretera, a fin de cumplir el requisito de capacidad financiera, la empresa deberá (art. 46):

a) Ser capaz de hacer frente permanentemente a sus obligaciones económicas a lo largo del ejercicio contable anual.

   Deberá considerarse que incumplen esta condición quienes hayan sido declarados insolventes en cualquier procedimiento. Asimismo, deberá considerarse que la incumplen quienes hayan sido declarados en concurso, salvo que la Administración competente sobre la autorización de transporte llegue al convencimiento de que existen perspectivas realistas de saneamiento financiero en un plazo razonable.

   En todo caso, el cumplimiento del requisito se restablecerá desde que la empresa se encuentre protegida por la eficacia del convenio alcanzado en el procedimiento concursal.

   Por el contrario, no podrá considerarse en ningún caso que el requisito se cumple desde que el procedimiento concursal entre en la fase de liquidación.

b) Disponer, al menos, de capital y reservas por un importe mínimo de 9.000 euros, cuando se utilice un solo vehículo, y de 5.000 euros más por cada vehículo adicional utilizado.

   No obstante, la Administración podrá aceptar o exigir que una empresa demuestre su capacidad financiera mediante la garantía prestada por una entidad financiera o de seguros, que se convertirá en garante solidario de dicha empresa hasta las cuantías anteriormente señaladas, de conformidad con lo que reglamentariamente se determine.

Finalmente, a tenor del art. 47, de conformidad con lo dispuesto en la reglamentación de la Unión Europea por la que se establecen normas comunes relativas a las condiciones que han de cumplirse para el ejercicio de la profesión de transportista por carretera, a fin de cumplir el requisito de competencia profesional, la empresa deberá acreditar que cuenta al menos con una persona física que ejerce las funciones de gestor de transporte y que, a tal efecto, cumple las siguientes condiciones:

a) Dirigir efectiva y permanentemente las actividades de transporte de la empresa, conforme a lo que reglamentariamente se determine.

b) Tener un vínculo real con la empresa, conforme a lo que reglamentariamente se determine.

c) Estar en posesión del certificado expedido por la Administración que acredite su competencia profesional para el transporte por carretera de viajeros o mercancías, según corresponda, de conformidad con lo que reglamentariamente se establezca.

d) Cumplir ella misma, a título personal, el requisito de honorabilidad en los términos señalados en el artículo 45.

3.1.6.3. Títulos administrativos habilitantes para el ejercicio de la actividad

Según el art. 42 LOTT:

1. La realización de transporte público de viajeros y mercancías estará supeditada a la posesión de una autorización que habilite para ello, expedida por el órgano competente de la Administración General del Estado o, en su caso, por el de aquella Comunidad Autónoma en que se domicilie dicha autorización, cuando esta facultad le haya sido delegada por el Estado.

   Como regla general, las autorizaciones de transporte público deberán domiciliarse en el lugar en que su titular tenga su domicilio fiscal.

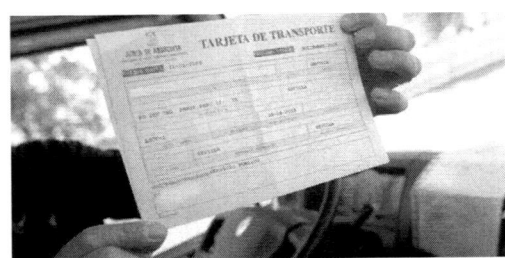

   No obstante, la autorización podrá domiciliarse en un lugar distinto cuando su titular justifique que su actividad principal no es la de transporte y que, como consecuencia, tiene su domicilio fiscal allí donde realiza dicha actividad principal, si bien cuenta con un establecimiento en el lugar en que pretende domiciliarla, en el que centralizará su actividad de transporte y cumplirá las exigencias de contar con un domicilio situado en España en el que se conserven, a disposición de los Servicios de Inspección del Transporte Terrestre, los documentos relativos a su gestión y funcionamiento que reglamentariamente se determinen. conforme al apartado c) del artículo 43.1.

2. No obstante lo dispuesto en el punto anterior, no será necesaria la previa obtención de autorización para realizar las siguientes modalidades de transporte:

   a) Transporte de viajeros o mercancías realizado en vehículos cuya velocidad máxima autorizada no supere los 40 kilómetros por hora, salvo que reglamentariamente se fije un umbral menor.

   b) Transporte realizado en vehículos que lleven unidos de forma permanente máquinas o instrumentos tales como los destinados a grupos electrógenos, grúas de elevación, equipos de sondeo, etc., constituyendo dichas máquinas o instrumentos el uso exclusivo del vehículo. Esta exención incluirá el transporte a bordo de tales vehículos de aquellas piezas, herramientas u otros adminículos que resulten necesarios para el correcto funcionamiento de la máquina o equipo o la adecuada prestación de los servicios a que se encuentran destinados.

   c) Además, podrá exonerarse reglamentariamente de la obligación de contar con autorización a quienes realicen exclusivamente otras formas de transporte que tengan una escasa incidencia en el mercado de transporte, en razón de la naturaleza de la mercancía transportada, de las cortas distancias recorridas o de la pequeña capacidad de carga de los vehículos en que se realicen.

3. La exención de la obligación de estar en posesión de autorización en los casos señalados en el punto anterior no exime a quienes realicen los transportes afectados del cumplimiento del resto de las exigencias contenidas en esta Ley y en las normas dictadas para su desarrollo, en los términos en que les resulten de aplicación, ni de obtener los permisos, licencias o habilitaciones que, en su caso, procedan de conformidad con la legislación sobre seguridad, sanidad o tráfico, circulación de vehículos a motor y seguridad vial.

Los arts. 48 a 52 LOTT desarrollan estas previsiones.

 Recuerda que...

Las autorizaciones de transporte público deberán domiciliarse en el lugar en que su titular tenga su domicilio fiscal, como regla general.

3.1.6.4. Requisitos generales de ejercicio de la actividad

A los mismos se dedican los arts. 53 a 56 LOTT, señalando, en concreto, el art. 53, en relación con el Registro de Empresas y Actividades de Transporte que:

1. El Registro de Empresas y Actividades de Transporte tiene por objeto:

   a) La inscripción de las empresas y personas que obtengan alguno de los títulos que habilitan para el ejercicio de las actividades y profesiones reguladas en esta ley o en las normas dictadas para su desarrollo.

   b) La inscripción de los contratos de gestión de los servicios públicos de transporte regular de viajeros de uso general.

   c) La anotación de todas las incidencias y datos relativos a las empresas, personas, títulos y contratos señalados en los apartados anteriores que reglamentariamente se determinen.

   d) Las sanciones impuestas por la comisión de las infracciones tipificadas en esta ley, así como aquellas otras anotaciones relativas a expedientes sancionadores que se consideren relevantes reglamentariamente.

2. La inscripción en el Registro tendrá carácter obligatorio y se realizará de oficio por la Administración.

3. La organización del Registro, integrada por los Registros territoriales y el Registro Central, se articulará conforme a lo que reglamentariamente se determine.

4. El contenido del Registro se presume exacto y válido.

5. Realizada una inscripción o anotación en el Registro, no podrá realizarse otra de igual o anterior fecha que resulte opuesta o incompatible con aquélla.

6. El Registro es público en los términos siguientes:

a) Publicidad plena: todo ciudadano podrá conocer los títulos habilitantes en vigor que posea cualquier otra persona física o jurídica en el momento de hacer su consulta, así como la tarifa y aquella otra parte del contenido de los contratos de gestión de servicios públicos de transporte regular de viajeros de uso general que reglamentariamente se determine.

b) Publicidad restringida: las anotaciones relativas a un procedimiento sancionador únicamente podrán ser conocidas por la persona o personas a que estén referidas.

c) Publicidad ordinaria: el acceso a datos obrantes en el Registro no incluidos en los apartados anteriores y que no pertenezcan a la intimidad de las personas podrá ser ejercido, además de por el propio sujeto al que estén referidos, por terceros que acrediten un interés legítimo.

El tratamiento del contenido de los asientos registrales a efectos de posibilitar su publicidad directa deberá garantizar, al mismo tiempo, la imposibilidad de su manipulación o televaciado.

Esta publicidad se realizará de acuerdo con lo que reglamentariamente se determine.

Lo dispuesto en este punto se entenderá sin perjuicio de cuanto resulte de aplicación en virtud de los principios y reglas que, conforme a lo que se establece en la legislación sobre régimen jurídico y procedimiento administrativo común de las Administraciones públicas, informan las relaciones entre éstas y la coordinación de competencias entre órganos administrativos. Asimismo, serán de aplicación en la gestión y tratamiento de los datos registrales las exigencias derivadas de la reglamentación de la Unión Europea en materia de normas comunes relativas a las condiciones que han de cumplirse para el ejercicio de la profesión de transportista por carretera.

 Actividad 5

Rellena el hueco con la cifra que falta:

No será necesaria la previa obtención de autorización para realizar el transporte privado de mercancías en vehículos cuya masa máxima autorizada no supere las ⬚ toneladas.

3.1.7. Colaboración con la Administración y cooperación entre empresas

Bajo este epígrafe, los arts. 57 a 61 LOTT y 52 a 60 RD 1211/90 regulan las funciones de colaboración del sector empresarial del transporte por carretera con la Administración, así como la participación en el Comité Nacional de Transportes por Carretera en representación de dicho sector, lo que se reserva a la Asociaciones Profesionales de Transportistas y de Empresas de Actividades Auxiliares y Complementarias del Transporte por Carretera debidamente inscritas.

Asimismo, se obliga a la Administración a promover la agrupación y cooperación entre sí de los pequeños y medianos empresarios de transporte, protegiendo el establecimiento de fórmulas de colaboración y, especialmente, de cooperativas.

3.1.8. Otros aspectos de la LOTT

Antes de entrar a tratar del transporte de mercancías peligrosas, ha de señalarse, someramente, que la LOTT regula las Actividades Auxiliares y Complementarias del Transporte por Carretera, dentro de las que se incluyen:

a) Las Agencias de Transporte, esto es, las empresas especializadas en intermediar en la contratación de transportes de mercancías, como organización auxiliar interpuesta entre los usuarios y los transportistas.

   En el ejercicio de su actividad las agencias podrán desarrollar todas las actuaciones previas de gestión, información, oferta y organización de cargas y servicios necesarias para llevar a cabo la contratación de los transportes.

b) Los transitarios, es decir, las empresas especializadas en organizar, por cuenta ajena, transportes internacionales de mercancías, recibiendo mercancías como consignatarios o entregándolas a quienes hayan de transportarlas y, en su caso, realizando las gestiones administrativas, fiscales, aduaneras y logísticas inherentes a esa clase de transportes o intermediando en su contratación.

c) Los operadores logísticos: empresas especializadas en organizar, gestionar y controlar, por cuenta ajena, las operaciones de aprovisionamiento, transporte, almacenaje o distribución de mercancías que precisan sus clientes en el desarrollo de su actividad empresarial.

   En el ejercicio de su función, el operador logístico podrá utilizar infraestructuras, tecnología y medios propios o ajenos.

d) Los almacenistas-distribuidores: las empresas especializadas en actuar como depositarias de mercancías ajenas que, además, se encarguen de distribuirlas o de gestionar su distribución, conforme a las instrucciones recibidas del depositante.

   En el ejercicio de su función, el almacenista-distribuidor podrá desarrollar otras tareas tales como consolidación o ruptura de cargas, gestión de existencias u otras que resulten preparatorias o complementarias del transporte y distribución de las mercancías almacenadas.

e) Las Estaciones de Transporte por Carretera, como centros destinados a concentrar las salidas, llegadas y tránsitos a las poblaciones de los vehículos de transporte público, prestando o facilitando el desarrollo de servicios preparatorios y complementarios del transporte a usuarios y transportistas.

f) El arrendamiento de vehículos.

Asimismo, regula la LOTT, en lo que al transporte por carretera se refiere, aparte de los preceptos que dedica al transporte ferroviario, el régimen sancionador y de control de los transportes por carretera y de las actividades auxiliares y complementarias de los mismos, tipificando legalmente las infracciones leves, graves y muy graves, así como las sanciones, de carácter pecuniario, sin perjuicio de lo cual podrá, en determinados supuestos, precintarse el vehículo y retirar la autorización, incluso con clausura de locales, y estableciendo un plazo de prescripción de las infracciones de tres meses.

En cuanto a los documentos de control, trata con detalle la Declaración de Porte, documento que tiene una finalidad de control administrativo de la prestación o realización del transporte y que contendrá los datos de identificación del vehículo utilizado y de la autorización con que se realiza el transporte; la clase de mercancía transportada, el precio del transporte cuando se trate de transporte público y el resto de los datos que reglamentariamente se exijan.

3.2. El transporte de mercancías peligrosas por carretera

3.2.1. Introducción

El art. 140 RD 1211/90 dispone, respecto de esta modalidad de transporte, que deberá realizarse respetando las reglas específicas dirigidas a prevenir los riesgos inherentes al mismo, las cuales serán establecidas por el Gobierno y, de conformidad con lo que éste determine, por el Ministerio de Fomento (actual Ministerio de Transportes, Movilidad y Agenda Urbana) o por otros Ministerios afectados dentro de sus respectivas competencias, previo informe de la Comisión Interministerial de Coordinación del Transporte de Mercancías Peligrosas, teniendo en cuenta lo dispuesto en la normativa internacional para el transporte de dichas mercancías.

Por su parte, el transporte de mercancías peligrosas realizado por las Fuerzas Armadas y de Seguridad del Estado se regirá por sus propias normas específicas, las cuales se ajustarán, en cuanto sus peculiares características con carácter general.

3.2.2. Regulación

Actualmente, este tipo de transporte se encuentra regulado en el Real Decreto 97/2014, de 14 de febrero, por el que se regulan las operaciones de transporte de mercancías peligrosas por carretera en territorio español (RD 97/2014, en otras llamadas), junto al que debe tenerse en cuenta el Real Decreto 1256/2003, de 3 de octubre, por el que se determinan las autoridades competentes de la Administración General del Estado en materia de transporte de mercancías peligrosas y se regula la Comisión para la Coordinación de dicho Transporte.

3.2.3. Normas de conducción

Conforme al art. 4 RD 97/2014, las empresas transportistas (es decir, la persona física o jurídica que asume la obligación de realizar el transporte, contando a tal fin con su propia organización empresarial) adoptarán las medidas precisas para que los vehículos cumplan las condiciones reglamentarias y para que los miembros de la tripulación sean informados sobre las características especiales de los vehículos y tengan la formación exigida en la normativa vigente.

El expedidor (es decir, la persona física o jurídica por cuya orden y cuenta se realiza el envío de la mercancía peligrosa, para el cual se realiza el transporte, figurando como tal en la carta de porte) deberá proporcionar al transportista la información necesaria para la elección del vehículo al contratar el transporte, y este se responsabilizará de que dicho material móvil, sus equipos, su señalización, y la tripulación del vehículo reúnan las condiciones establecidas en la normativa vigente, en función de la mercancía a cargar (art. 34 RD 97/2014).

Para conducir vehículos que transporten mercancías peligrosas, cuando así lo requieran las disposiciones del Acuerdo Europeo sobre Transporte Internacional de Mercancías Peligrosas por Carretera celebrado en Ginebra el 30 de septiembre de 1957 (ADR), se exigirá una autorización administrativa especial que habilite para ello, conforme a lo dispuesto en los artículos 25 y siguientes del Reglamento general de conductores, aprobado por Real Decreto 818/2009, de 8 de mayo.

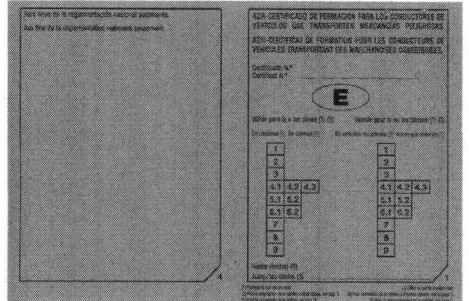 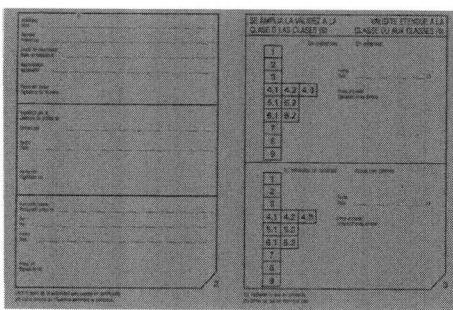

Modelo de autorización ADR para el transporte de mercancías peligrosas

El Organismo Autónomo Jefatura Central de Tráfico o, en su caso, la autoridad autonómica o local responsable de la regulación, el control y la vigilancia de la circulación podrá fijar restricciones a la circulación de vehículos que transporten mercancías peligrosas.

Deberá contar, para ello, con el informe previo del Consejo Superior de Seguridad Vial, que dictaminará la procedencia de las medidas y propondrá las modificaciones que se estimen oportunas para lograr la indispensable coordinación interterritorial en esta materia, salvo en casos imprevistos o por circunstancias excepcionales.

Los vehículos que transporten mercancías peligrosas deberán utilizar los itinerarios que se establezcan en las disposiciones previstas en el apartado anterior.

Asimismo, cuando existan itinerarios coincidentes por autopista, autovía o plataforma desdoblada para ambos sentidos de circulación, en todo o parte del recorrido, deberán seguirlos obligatoriamente, salvo en aquellos tramos que sean objeto de las restricciones a que se refiere el punto anterior.

Cuando existan circunvalaciones, variantes o rondas exteriores a las poblaciones deberán utilizarlas inexcusablemente, y siempre la más externa, en su caso, al casco urbano. Tales vías deberán estar debidamente señalizadas para la circulación de estos vehículos.

Por las fuerzas de vigilancia encargadas de la regulación y control del tráfico se adoptarán las medidas oportunas tendentes a que se lleve a efecto lo establecido en el presente artículo, desviando y encauzando la circulación de estos vehículos por los itinerarios que se consideren más idóneos en cada momento, tanto desde el punto de vista de la seguridad vial como de la fluidez del tráfico.

Lo dispuesto en el párrafo anterior no será de aplicación al transporte de mercancías peligrosas realizado de acuerdo con alguna de las exenciones recogidas en el ADR, salvo que, por motivos de seguridad, la autoridad competente considere que las citadas restricciones sean aplicadas también a estos transportes exentos.

 Sabías que...

Con carácter general, los vehículos que transporten mercancías peligrosas tendrán prohibida la circulación en las carreteras señaladas para mercancías general, así como los **domingos y festivos** (nacionales o autonómicos), desde las 8.00 h hasta las 24.00 h y las vísperas, **no sábados de festivos**, desde las 13.00 h hasta las 24.00 h, los **miércoles o jueves**, vísperas de festivos (nacionales), desde las 16 h hasta las 24.00 h, y las **vísperas de festivo**, que no sean sábados, desde las 16.00 h hasta las 24.00 h.

3.2.4. Permisos excepcionales y especiales

Por la Dirección General de Transporte Terrestre o por el órgano competente de las Comunidades Autónomas o de las Ciudades de Ceuta y Melilla, previo informe de la Comisión para la Coordinación del Transporte de Mercancías Peligrosas, se establecerán los criterios referentes a la obtención de permisos excepcionales para aquellas mercancías no incluidas en el ADR, cuyo transporte pueda implicar especiales riesgos por razón de su innovación tecnológica, de la carga o de su ordenación, que se complementarán con las instrucciones que, con respecto a la circulación, proceda dictar por la autoridad competente en materia de tráfico y seguridad vial.

Los transportistas que hayan de utilizar tramos de carretera o vías urbanas que estén sometidos a restricciones o prohibiciones de circulación para los vehículos que transporten mercancías peligrosas, deberán solicitar permiso especial del órgano administrativo que las estableció, previa justificación de su necesidad, con indicación del calendario, horario, itinerario, necesidad de acompañamiento, en su caso, y demás circunstancias específicas, de acuerdo con el art. 39 RGC.

Por último, la citada Dirección General o, en su caso, los órganos competentes de las Comunidades Autónomas o de las Ciudades de Ceuta y Melilla podrán autorizar excepcionalmente, previo informe favorable de la Comisión para la Coordinación del Transporte de Mercancías Peligrosas, el transporte de mercancías peligrosas prohibidas por el ADR o el transporte realizado en condiciones diferentes de las previstas en el ADR, en la medida en que esos transportes sean claramente definidos y de duración limitada. Estas autorizaciones se completarán con las instrucciones que, con respecto a la circulación, proceda dictar por las autoridades competentes en materia de tráfico y seguridad vial.

A estos efectos, los interesados en obtener estas autorizaciones deberán presentar ante el órgano competente una solicitud acompañada de un estudio técnico que la justifique, que deberá completarse, a petición de dicho órgano, con los documentos y estudios que, en su caso, se estimen pertinentes. El procedimiento para el otorgamiento de estas autorizaciones se adecuará a lo dispuesto en la normativa internacional y, en su defecto a la Ley 30/1992, de 26 de noviembre, de Régimen Jurídico de las Administraciones Públicas y del Procedimiento Administrativo Común (actualmente esta norma está derogada, por lo que la referencia se entiende hecha a la Ley 39/2015, de 1 de octubre, del Procedimiento Administrativo Común de las Administraciones Públicas).

3.2.5. Control

Los arts. 8 a 19 RD 97/2014 establecen una serie de normas técnicas sobre los vehículos de transporte, envases y embalajes, grandes recipientes para granel, grandes embalajes y contenedores a granel (pulverulentos o granulares), debiendo tenerse en cuenta la citada Resolución de 21 de noviembre de 2005, de la entonces Dirección General de Transportes por Carretera, sobre la inspección y control por riesgos inherentes al transporte de mercancías peligrosas por carretera.

3.2.6. Normas de actuación en caso de accidente o avería

Se recogen en los arts. 20 a 23 RD 97/2014, disponiendo el primero de ellos que, en caso de que un vehículo que transporte mercancías peligrosas, a causa de una avería o accidentes, no pueda continuar su marcha, se actuará de la siguiente forma:

a) Actuación de los miembros de la tripulación. Los miembros de la tripulación tomarán inmediatamente las medidas que se determinen en las instrucciones escritas según el ADR y adoptarán aquellas otras que figuran en la legislación vigente. Seguidamente se procederá a informar de la avería o accidente al teléfono de emergencia que corresponda, de acuerdo con la relación que, a tal efecto, se publica, con carácter periódico, en el «Boletín Oficial del Estado» mediante Resolución de la Dirección General de Protección Civil y Emergencias del Ministerio del Interior. Posteriormente, y siempre que sea posible, se comunicará también a la empresa transportista y a la empresa expedidora, identificadas como tales en la carta de porte o documentos de transporte.

b) En caso de imposibilidad de actuación de los miembros de la tripulación. En este supuesto, la autoridad o su agente más cercano o el servicio de intervención que ha recibido la información inicial del hecho (Agrupación de Tráfico de la Guardia Civil, Fuerzas y Cuerpos de seguridad, Bomberos, Cruz Roja, etc.), se asegurará, a través de los mecanismos y protocolos establecidos, de que sean informados los responsables en materia de tráfico y seguridad vial, y el Centro de Coordinación Operativa designado en el correspondiente plan de la Comunidad Autónoma o, en su defecto, las Delegaciones/Subdelegaciones del Gobierno de la provincia en la que el suceso se produzca, llamando a los números de teléfono que se publican, con carácter periódico, en el Boletín Oficial del Estado mediante Resolución de la Dirección General de Protección Civil y Emergencias del Ministerio del Interior, para que, en cada caso, se adopten las medidas de prevención o protección que resulten más adecuadas, contando para ello con lo dispuesto en las fichas de intervención de los servicios operativos en situaciones de emergencia provocadas por accidentes en el transporte de mercancías peligrosas por carretera y ferrocarril.

La comunicación a que se refieren los apartados anteriores se efectuará por el medio más rápido posible e incluirá, los siguientes datos:

a) Localización del suceso.

b) Estado del vehículo implicado y características del suceso.

c) Datos sobre las mercancías peligrosas transportadas.

d) Existencia de víctimas.

e) Condiciones meteorológicas.

f) Otras circunstancias que se consideren de interés para valorar los posibles efectos del suceso sobre la seguridad de las personas, los bienes o el medio ambiente y las posibilidades de intervención preventiva.

En función de las necesidades de intervenciones derivadas de las características del accidente y de sus consecuencias ya producidas o previsibles, las autoridades competentes aplicarán las medidas previstas en los planes especiales de protección civil ante el riesgo de accidentes en los transportes de mercancías peligrosas por carretera y ferrocarril. Dichos Planes serán elaborados de acuerdo con lo establecido en la Directriz básica de planificación de protección civil ante el riesgo de accidentes en los transportes de mercancías peligrosas por carretera y ferrocarril, aprobada mediante Real Decreto 387/1996, de 1 de marzo (art. 21 RD 97/2014).

Por otra parte, a tenor del art. 22 RD 97/2014, por el Ministerio del Interior, o por los órganos competentes de las Comunidades Autónomas en cada caso, así como por aquellas entidades que representen sectores profesionales interesados (expedidores, transportistas, etc.), y con el fin de colaborar en las actuaciones en caso de accidente, se fomentarán acuerdos o pactos de ayuda mutua entre las propias empresas de los sectores profesionales, y acuerdos o convenios de colaboración de dichas empresas con las autoridades competentes en tales circunstancias. De los mismos se dará información a la Comisión Nacional de Protección Civil y, según proceda, a la Comisión para la Coordinación del Transporte de Mercancías Peligrosas.

Los daños que se deriven directa o indirectamente del empleo de personal y materiales de las empresas incorporadas a los acuerdos o convenios de colaboración con las autoridades competentes, las lesiones producidas a las personas por estas actividades de colaboración en los planes de protección civil frente a estos accidentes y, asimismo, los daños que causen a terceros, por la acción de aquellos en tales circunstancias, serán indemnizables de conformidad con lo dispuesto en la legislación sobre responsabilidad de la Administración por el funcionamiento de los servicios públicos (es decir, la contenida en los arts. 32 a 35 de la Ley 40/2015, de 1 de octubre, de Régimen Jurídico del Sector Público, y en los artículos 91 y 92 de la Ley 39/2015, de 1 de octubre, del Procedimiento Administrativo Común de las Administraciones Públicas), sin perjuicio de su resarcimiento por la misma con cargo al responsable del accidente.

El art. 23, por último, sobre los informes a emitir, prescribe que:

1. De las actuaciones que realicen los órganos competentes en materia de control de tráfico y seguridad vial, como consecuencia de accidentes o incidentes de vehículos de mercancías peligrosas, en los que se vea implicada la mercancía, se remitirá un informe a la Dirección General de Protección Civil y Emergencias, que dará traslado del mismo a la Comisión para la Coordinación del Transporte de Mercancías Peligrosas.

2. En el caso de que, como consecuencia de accidentes o incidentes de cisternas de mercancías peligrosas, se vean afectados el depósito o sus equipos, los órganos competentes en la ordenación y el control de tráfico remitirán un informe fotográfico, relativo al estado de la cisterna, a la Comisión para la Coordinación del Transporte de Mercancías Peligrosas. Asimismo, el órgano competente en materia de industria podrá requerir al propietario de la cisterna un informe de un organismo de control legalmente establecido.

3. La empresa remitirá el informe sobre sucesos notificables, que figura en el ADR, cuando concurran las circunstancias enumeradas en el mismo, en un plazo no superior a treinta días naturales desde la fecha del suceso, a la Dirección General de Transporte Terrestre y al órgano competente de la Comunidad Autónoma o de las Ciudades de Ceuta y Melilla en cuyo territorio hubiera tenido lugar el suceso. Todo ello sin perjuicio de una posterior ampliación de este informe.

3.2.7. Operaciones de carga y descarga de mercancías peligrosas

Los arts. 34 a 48 RD 97/2014 regulan minuciosamente las reglas a seguir, partiendo de la información previa a proporcionar al transportista para la elección del vehículo a contratar, la documentación exigible, las operaciones previas a la carga o la descarga, la operación de carga y descarga, la asunción de responsabilidades en estas operaciones, etc.

3.2.8. Régimen sancionador

El art. 49 RD 97/2014 dispone que. sin perjuicio de lo dispuesto en la Ley 21/1992, de 16 de julio, de Industria, y de las responsabilidades de otro orden en que se pueda incurrir, será de aplicación al transporte de mercancías peligrosas por carretera el régimen sancionador establecido en la Ley 16/1987, de 30 de julio, de Ordenación de los Transportes Terrestres, sus normas de desarrollo y, en su caso, lo dispuesto en el Real Decreto Legislativo 6/2015, de 30 de octubre, por el que se aprueba el texto refundido de la Ley sobre Tráfico, Circulación de Vehículos a Motor y Seguridad Vial.

3.3. Los transportes públicos de viajeros y de mercancías

3.3.1. Introducción

A los servicios y actividades del transporte por carretera se refiere el Título III LOTT cuyos arts. 62 a 66 contienen la siguiente clasificación de los transportes:

A) Según su naturaleza

a) Públicos: aquellos que se llevan a cabo por cuenta ajena mediante retribución económica.

A su vez, los transportes públicos de viajeros por carretera pueden ser:

- Regulares: los que se efectúan dentro de itinerarios preestablecidos, y con sujeción a calendarios y horarios prefijados.

- Discrecionales: los que se llevan a cabo sin sujeción a itinerario, calendario ni horario preestablecido.

- A demanda: los que se prestan previa solicitud del usuario, pudiendo estar sujetos o no a un itinerario, calendario y horario prefijado y son desempeñados en el marco de un contrato del sector público.

Por su parte, los transportes públicos de mercancías por carretera tendrán en todo caso la consideración de discrecionales, aun cuando se produzca en los mismos una reiteración de itinerarios, calendario u horario.

b) Privados: aquellos que se llevan a cabo por cuenta propia, bien sea para satisfacer necesidades particulares, bien como complemento de otras actividades principales realizadas por Empresas o Establecimientos del mismo sujeto, y directamente vinculados al adecuado desarrollo de dichas actividades.

Los servicios de movilidad colaborativa, entendidos como aquellos efectuados a título no oneroso excepto por la compartición de gastos, en los que varios usuarios comparten un vehículo de turismo en un mismo viaje, se consideran transportes privados particulares. En estos servicios, los usuarios pueden ponerse en contacto a través de una plataforma de intermediación, pudiendo las empresas que realizan esta actividad de intermediación hacerlo a título oneroso.

B) Por razón de su objeto

a) De viajeros, cuando estén dedicados a realizar los desplazamientos de las personas y sus equipajes en vehículos construidos y acondicionados para tal fin.

b) De mercancías, cuando estén dedicados a realizar desplazamientos de mercancías, en vehículos construidos y acondicionados para tal fin.

Estos tendrán en todo caso la consideración de discrecionales, aun cuando se produzca en los mismos una reiteración de itinerario, calendario u horario.

C) Por el ámbito en que se realicen

a) Interiores: los que tiene su origen y destino dentro del territorio del Estado español discurriendo como regla general íntegramente dentro de éste, si bien, por razón de sus rutas y en régimen de transporte multimodal, podrán atravesar aguas o espacios aéreos no pertenecientes a la soberanía española.

b) Internacionales: aquellos cuyo itinerario discurre parcialmente por el territorio de Estado extranjeros.

D) En razón a la especificidad de su objeto y de su régimen jurídico

a) Ordinarios.

b) Especiales: aquellos en los que, por razón de su peligrosidad, urgencia, incompatibilidad con otro tipo de transporte, repercusión social u otras causas similares, están sometidos a normas administrativas especiales, pudiendo exigirse para su prestación, conforme a los previsto en el art. 90 LOTT, una autorización específica.

La determinación concreta de los transportes de carácter especial, así como el establecimiento de las condiciones específicas aplicables a cada uno de los mismos, se realizan en el RD 1211/90. En todo caso, se consideran transportes especiales el de mercancías peligrosas, productos perecederos cuyo transporte haya de ser realizado en vehículos bajo temperatura dirigida, el de personas enfermas o accidentadas y el funerario.

3.3.2. Transportes públicos regulares de viajeros

A los mismos se dedican los arts. 67 a 89.

3.3.2.1. Clasificación

Pueden ser, por su utilización:

a) De uso general: los que van dirigidos a satisfacer una demanda general siendo utilizable por cualquier interesado.

b) De uso especial: los que están destinados a servir, exclusivamente, a un grupo específico de usuarios tales como escolares, trabajadores, militares, o grupos homogéneos similares.

3.3.2.2. Régimen jurídico

La LOTT explicita el régimen jurídico de estos transportes, distinguiendo entre los transportes públicos regulares permanentes de viajeros de uso general y los transportes regulares temporales y de uso especial, en la forma que, a continuación, señalamos.

3.3.2.3. Transportes públicos regulares permanentes de viajeros de uso general

El art. 61 RD 1211/90 dispone que el establecimiento de un nuevo servicio público de transporte regular de viajeros de uso general se acordará por la Administración, bien por propia iniciativa o bien por iniciativa de los particulares, teniendo en cuenta las demandas actuales y potenciales de transporte, los medios existentes para servirlas, las repercusiones de su inclusión en la red de transporte, y el resto de las circunstancias sociales que afecten o sean afectadas por dicho establecimiento.

A tenor del art. 70 LOTT la prestación de los servicios regulares permanentes de transporte de viajeros de uso general, deberá ser precedida del correspondiente y fundado acuerdo del Consejo de Ministros sobre el establecimiento o creación de dichos servicios, el cual deber ser acompañado de la aprobación del correspondiente proyecto de prestación de los mismos.

El art. 71 LOTT dispone que los transportes públicos regulares de viajeros de uso general tienen el carácter de servicios públicos de titularidad de la Administración, pudiendo ser utilizados, sin discriminación, por cualquier persona que lo desee en las condiciones establecidas en esta ley y en las normas dictadas para su ejecución y desarrollo.

Como regla general, la prestación de los mencionados servicios se llevará a cabo por la empresa a la que la Administración adjudique el correspondiente contrato de concesión de servicios. No obstante, la Administración podrá optar por la gestión directa de un servicio cuando estime que resulta más adecuado al interés general en función de su naturaleza y características.

En lo no previsto en esta ley ni en la reglamentación de la Unión Europea acerca de los servicios públicos de transporte de viajeros por carretera o en las normas reglamentarias dictadas para la ejecución y desarrollo de tales disposiciones, la prestación de los referidos servicios de transportes se regirá por las reglas establecidas en la legislación general sobre contratación del sector público que resulten de aplicación.

Los arts. 72 a 86 LOTT regulan el régimen de los contratos de concesión de los servicios públicos en este tipo de transporte.

 Recuerda que...

Los transportes públicos regulares de viajeros de uso general tienen el carácter de servicios públicos de titularidad de la Administración, pudiendo ser utilizados, sin discriminación, por cualquier persona que lo desee en las condiciones establecidas en la LOTT y en las normas dictadas para su ejecución y desarrollo.

3.3.2.4. Transportes de uso especial

En cuanto a los transportes regulares de uso especial, el art. 89, prescribe que:

1. Los transportes regulares de viajeros de uso especial únicamente podrán prestarse cuando se cuente con una autorización especial que habilite para ello, otorgada por la Administración.

   El otorgamiento de dichas autorizaciones se llevará a cabo de conformidad a lo que reglamentariamente se establezca (los arts. 105 a 108 RD 1211/90, por el momento) y estará supeditado a que la empresa transportista haya convenido previamente con los usuarios o sus representantes la realización del transporte a través del oportuno contrato o precontrato.

   La autorización sólo podrá ser otorgada a una persona, física o jurídica, que previamente sea titular de la autorización de transporte público de viajeros regulada en el artículo 42 LOTT.

   Las autorizaciones para la realización de transportes regulares de uso especial se otorgarán por el plazo a que se refiera el contrato con los usuarios, sin perjuicio de que la Administración pueda exigir su visado con una determina periodicidad a fin de constatar el mantenimiento de las condiciones que justificaron su otorgamiento.

   Cuando el transporte sea contratado por alguno de los entes, organismos y entidades que forman parte del sector público, el contrato deberá atenerse, en cuanto no se encuentre expresamente previsto en esta ley y en las normas dictadas para su desarrollo, a las reglas contenidas en la legislación sobre contratos del sector público.

2. Los transportes a los que se refiere este artículo podrán realizarse, cuando resulten insuficientes los vehículos propios, utilizando los de otros transportistas que cuenten con la autorización de transporte público de viajeros regulada en el artículo 42 LOTT, de conformidad con lo que reglamentariamente se establezca.

3.3.3. Transportes públicos discrecionales de viajeros y mercancías

3.3.3.1. Reglas comunes

Al margen de la normativa general (por ejemplo, que la empresa cumpla los requisitos necesarios y cuente con la habilitación administrativa), los arts. 90 a 97 LOTT establecen una serie de reglas comunes a estos transportes, señalando el art. 91 que las autorizaciones de transporte público habilitarán para realizar servicios en todo el territorio nacional, sin limitación alguna por razón del origen o destino del servicio.

Quedan exceptuadas de lo anterior tanto las autorizaciones habilitantes para realizar transporte interurbano de viajeros en vehículos de turismo como las que habilitan para el arrendamiento de vehículos con conductor, que deberán respetar las condiciones que, en su caso, se determinen reglamentariamente en relación con el origen, destino o recorrido de los servicios.

El art. 94, a su vez, prescribe que:

1. La actuación de los titulares de licencias o autorizaciones de transporte público en relación con la prestación de servicios de carácter discrecional se regirá por el principio de libertad de contratación.

2. No obstante lo anterior, en aquellos supuestos, individuales o generales, de absentismo empresarial, que puedan implicar trastornos importantes para el interés público, la Administración podrá establecer un régimen de servicios mínimos de carácter obligatorio.

Finalmente, según el art. 95:

1. Durante la realización de transportes por carretera deberán respetarse los límites legal o reglamentariamente establecidos con carácter general en relación con la masa máxima de los vehículos, así como los específicamente señalados para el vehículo utilizado en su permiso de circulación y demás documentación en que se ampare para circular.

2. Durante la realización de transportes por carretera deberán respetarse los límites legal o reglamentariamente establecidos en relación con los tiempos de conducción y descanso de los conductores que, en su caso, resulten de aplicación.

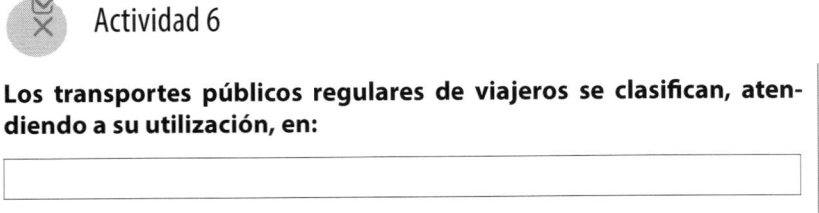

Actividad 6

Los transportes públicos regulares de viajeros se clasifican, atendiendo a su utilización, en:

Para concluir este subapartado, señalemos que, como transportes de carácter específico, regula el RD 1211/90:

a) El transporte público en automóviles de turismo (taxis), que requerirá, además de la autorización para la prestación de servicios interurbanos, que el solicitante sea previamente titular de la licencia municipal que habilite para la prestación de la misma clase de servicios en el ámbito urbano, salvo que fuere denegada o no se conceda en el plazo de tres meses, que los vehículos estén residenciados en núcleos de población de menos de 5.000 habitantes o que el número de vehículos residenciados en el Municipio de que se trate, provistos de la pertinente licencia de transporte urbano y autorización de transporte interurbano, sea insuficiente para satisfacer adecuadamente las necesidades públicas de transporte interurbano.

b) Transportes turísticos y realizados con contratación individual, disponiendo el art. 128 RD 1211/90, en cuanto a los primeros, que habrán de prestarse, en todo caso, en el marco de una combinación previa, vendida u ofrecida en venta por una agencia de viajes con arreglo a un precio global y con inclusión de las prestaciones complementarias que señala este mismo artículo, y permitiendo los segundos el art. 131 RD 1211/90, cuando revistan carácter ocasional y esporádico y vayan dirigidos a un grupo homogéneo de usuarios, teniendo el transporte un objetivo o finalidad común a todos ellos.

c) Transporte sanitario, que es aquel que se realiza para el desplazamiento de personas enfermas, accidentadas o por otra razón sanitaria en vehículos especialmente acondicionados al efecto, debiendo contar los vehículos, ya fueren de transporte público, privado u oficial, con una certificación técnico-sanitaria expedida por el órgano competente en materia de sanidad en el lugar en que dicho vehículo esté residenciado, acreditativa del cumplimiento de las condiciones técnico-sanitarias vigentes.

d) Transporte funerario, que deberá ser realizado por Empresas de pompas fúnebres legalmente establecidas y autorizadas por los correspondientes Ayuntamientos, teniendo la consideración de transporte privado complementario. Los vehículos deberán cumplir los requisitos técnicos, sanitarios y de antigüedad que se establezcan, respetándose en todo caso las normas de policía mortuoria.

e) Transporte de mercancías peligrosas y de mercancías perecederas, que se ajustará a la normativa específica sobre una y otra materia.

 Sabías que...

A los transportes especiales se les aplicarán las restricciones previstas para los transportes de carga general y de mercancías peligrosas *en los mismos tramos, fechas y horarios.*

3.3.3.2. Reglas específicas sobre el transporte discrecional de mercancías

El art. 98 LOTT dispone, al efecto, que:

1. La autorización de transporte público de mercancías habilita para realizar transportes de esta clase, en las condiciones señaladas en el artículo 54.

    Asimismo, habilitará para intermediar en la contratación de esta clase de transportes cuando se den las circunstancias previstas en los apartados a) y b) del artículo 119.1.

2. Durante la realización de transportes de mercancías, únicamente podrán ocupar el vehículo personas distintas a su conductor y tripulación cuando así lo posibilite el correspondiente permiso de circulación y su transporte no dé lugar a retribución alguna a favor del transportista.

 Actividad 7

Indica si la siguiente cuestión es verdadera o falsa:

De conformidad con lo dispuesto en la reglamentación de la Unión Europea por la que se establecen normas comunes relativas a las condiciones que han de cumplirse para el ejercicio de la profesión de transportista por carretera, a fin de cumplir el requisito de capacidad financiera, la empresa deberá de disponer, al menos, de capital y reservas por un importe mínimo de 5.000 euros, cuando se utilice un solo vehículo, y de 3.000 euros más por cada vehículo adicional utilizado.

Verdadera ☐   Falsa ☐

3.3.3.3. Reglas específicas sobre el transporte discrecional de viajeros

Como tales, señala el art. 99 LOTT que:

1. La autorización de transporte público de viajeros habilita tanto para realizar transportes de esta clase, en las condiciones señaladas en el artículo 54, como para intermediar en su contratación.

    No obstante, los titulares de dicha autorización únicamente podrán prestar alguna de las formas de transporte regular de viajeros definidas en esta ley cuando se cumplan las condiciones legal y reglamentariamente señaladas para ello.

2. En todo caso, la autorización habilita para transportar el equipaje de los viajeros que ocupen el vehículo utilizado.

Asimismo, los vehículos amparados en una autorización de transporte de viajeros podrán transportar, conforme a lo que reglamentariamente se determine, objetos o encargos distintos de los equipajes de los viajeros, cuando su transporte resulte compatible con las características del vehículo y no implique molestias o inconvenientes injustificados para los viajeros.

3. Los transportes discrecionales de viajeros deberán ser contratados, como regla general, por toda la capacidad del vehículo utilizado.

No obstante lo anterior, reglamentariamente podrán determinarse supuestos excepcionales en que, por razones de la adecuada ordenación del sistema de transportes, pueda admitirse su contratación por plaza con pago individual.

4. Fuera de los supuestos de colaboración previstos en esta ley, únicamente podrán arrendarse con conductor los vehículos de turismo.

El arrendamiento de vehículos de turismo con conductor constituye una modalidad de transporte de viajeros y su ejercicio estará condicionado a la obtención de la correspondiente autorización, de conformidad con lo dispuesto en los artículos 42 y 43.1 y lo que reglamentariamente se establezca con carácter específico en relación con dicha modalidad de transporte.

4. Cinturón y casco de seguridad

A tenor del art. 47 TRLTSV, el conductor y ocupantes de vehículos a motor y ciclomotores están obligados a utilizar el cinturón de seguridad, el casco y demás elementos de protección en los términos que se determinan en los arts. 116 a 119 RGC y en las normas reguladoras de los vehículos, con las excepciones que igualmente se fijan en dichos artículos, de acuerdo con las recomendaciones internacionales en la materia y atendiendo a las especiales condiciones de los conductores discapacitados.

El conductor de un vehículo de movilidad personal estará obligado a utilizar casco de protección en los términos que reglamentariamente se determine.

El conductor y, en su caso, los ocupantes de bicicletas y ciclos en general estarán obligados a utilizar el casco de protección en las vías urbanas, interurbanas y travesías, en los términos que reglamentariamente se determine siendo obligatorio su uso por los menores de dieciséis años, y también por quienes circulen por vías interurbanas. Reglamentariamente se fijarán las excepciones a lo previsto en este apartado.

Las infracciones a las normas de utilización de los cinturones de seguridad, el casco y otros dispositivos de seguridad de uso obligatorio previstos en este capítulo tendrán la consideración de graves, conforme se establece en el art. 76.h) TRLTSV (art. 116.2 RGC, modificado por RDL 6/2015).

4.1. Cinturones de seguridad u otros sistemas de retención homologados

Conforme al art. 117 RGC:

1. El conductor y los ocupantes de los vehículos estarán obligados a utilizar, debidamente abrochados, los cinturones de seguridad homologados, tanto en la circulación por vías urbanas como interurbanas. Esta obligación, en lo que se refiere a los cinturones de seguridad, no será exigible en aquellos vehículos que no los tengan instalados.

    En todo caso, los menores de edad de estatura igual o inferior a 135 centímetros deberán utilizar sistemas de retención infantil y situarse en el vehículo de acuerdo con lo dispuesto en los apartados siguientes.

2. En los vehículos de más de nueve plazas, incluido el conductor, se informará a los pasajeros de la obligación de llevar abrochados los cinturones de seguridad u otros sistemas de retención infantil homologados, por el conductor, por el guía o por la persona encargada del grupo, a través de medios audiovisuales o mediante letreros o pictogramas, de acuerdo con el modelo que figura en el anexo IV, colocado en lugares visibles de cada asiento.

    En estos vehículos, los ocupantes a que se refiere el párrafo segundo del apartado 1 de tres o más años deberán utilizar sistemas de retención infantil homologados debidamente adaptados a su talla y peso. Cuando no se disponga de estos sistemas utilizarán los cinturones de seguridad, siempre que sean adecuados a su talla y peso.

3. En los vehículos de hasta nueve plazas, incluido el conductor, los ocupantes a que se refiere el párrafo segundo del apartado 1 deberán utilizar sistemas de retención infantil homologados debidamente adaptados a su talla y peso.

    Dichos ocupantes deberán situarse en los asientos traseros. Excepcionalmente podrán ocupar el asiento delantero, siempre que utilicen sistemas de retención infantil homologados debidamente adaptados a su talla y peso, en los siguientes casos:

    1.º Cuando el vehículo no disponga de asientos traseros.

    2.º Cuando todos los asientos traseros estén ya ocupados por los menores a que se refiere el párrafo segundo del apartado 1.

    3.º Cuando no sea posible instalar en dichos asientos todos los sistemas de retención infantil.

    En caso de que ocupen los asientos delanteros y el vehículo disponga de airbag frontal, únicamente podrán utilizar sistemas de retención orientados hacia atrás si el airbag ha sido desactivado.

4. Los sistemas de retención infantil se instalarán en el vehículo siempre de acuerdo con las instrucciones que haya facilitado su fabricante a través de un manual, folleto o publicación electrónica. Las instrucciones indicarán de qué forma y en qué tipo de vehículos se pueden utilizar de forma segura.

5. La falta de instalación y la no utilización de los cinturones de seguridad y otros sistemas de retención infantil homologados tendrá la consideración de infracción grave o
muy grave, conforme a lo establecido en los arts. 76. h) e i) o 77. ll), respectivamente,
del texto refundido (art. 117.5 RGC, modificado por RDL 6/2015), sin perjuicio de lo
establecido en la Disposición Adicional Segunda RGC, según la cual, el cumplimiento de la obligación de utilizar cinturones de seguridad u otros sistemas de retención
homologados, correctamente abrochados o colocados tanto en circulación en vías
urbanas como en interurbanas impuesta por este artículo 117 a los conductores y a
los pasajeros de asientos determinados de los vehículos que se especifican en este
precepto, solo será exigible respecto de aquellos vehículos que se hayan matriculado
con posterioridad al 15 de junio de 1992. Los mencionados vehículos que no llevasen
en esa fecha instalados, en dichos asientos, los citados mecanismos no vendrán obligados a hacerlo, pero sí a utilizarlos sus pasajeros cuando los llevasen instalados.

4.2. Cascos y otros elementos de protección

Según el art. 118 RGC (afectado por el reiterado Real Decreto 965/2006, de 1 de septiembre), los conductores y pasajeros de motocicletas o motocicletas con sidecar, de vehículos de tres ruedas y cuadriciclos, de ciclomotores y de vehículos especiales tipo «quad»,
deberán utilizar adecuadamente cascos de protección homologados o certificados según
la legislación vigente, cuando circulen tanto en vías urbanas como en interurbanas.

Cuando las motocicletas, los vehículos de tres ruedas o los cuadriciclos y los ciclomotores cuenten con estructuras de autoprotección y estén dotados de cinturones de
seguridad y así conste en la correspondiente tarjeta de inspección técnica o en el certificado de características de ciclomotor, sus conductores y viajeros quedarán exentos de
utilizar el caso de protección, viniendo obligados a usar el referido cinturón de seguridad cuando circulen tanto en vías urbanas como interurbanas.

Según el art. 47 TRLTSV, el conductor de un vehículo de movilidad personal, el conductor y, en su caso, los ocupantes de bicicletas y ciclos en general estarán obligados a
utilizar el casco de protección en las vías urbanas, interurbanas y travesías, en los términos que reglamentariamente se determinen, siendo obligatorio su uso por los menores
de dieciséis años, y también por quienes circulen en vías interurbanas. Reglamentariamente se fijarán las excepciones a lo previsto en este apartado.

El art. 118 RGC, que deberá acomodarse a lo previsto en el mencionado art. 47, señala, por su parte, que los conductores de bicicletas y, en su caso, los ocupantes estarán
obligados a utilizar cascos de protección homologados o certificados según la legislación
vigente, cuando circulen en vías interurbanas, salvo en rampas ascendentes prologadas, o
por razones médicas que se acreditarán conforme establece el art. 119,3.º (con arreglo al
cual se eximirá de lo dispuesto en el art. 118,1.º a las personas provistas de un certificado
de exención por razones médicas graves, expedido de conformidad con lo dispuesto en
el apartado 1,b, del art. 119. Este certificado deberá expresar su período de validez y estar
firmado por un facultativo colegiado en ejercicio. Deberá, además, llevar o incorporar el
símbolo establecido por la normativa vigente), o en condiciones extremas de calor.

Los conductores de bicicletas en competición, y los ciclistas profesionales, ya sea durante los entrenamientos o en competición, se regirán por sus propias normas.

La instalación, en cualquier vehículo, de apoya-cabezas u otros elementos de protección estará subordinada a que cumplan las condiciones que se determinen en las normas reguladoras de vehículos.

Finalmente, los conductores de turismos, de autobuses, de automóviles destinados al transporte de mercancías, de vehículos mixtos, de conjuntos de vehículos no agrícolas, así como los conductores y personal auxiliar de los vehículos piloto de protección y acompañamiento deberán utilizar un chaleco reflectante de alta visibilidad, certificado según el Real Decreto 1407/1992, de 20 de noviembre, por el que se regulan las condiciones para la comercialización y libre circulación intracomunitaria de los equipos de protección individual, que figura entre la dotación obligatoria del vehículo, cuando salgan de este y ocupen la calzada o el arcén de las vías interurbanas.

La obligación de que los conductores de turismos deban utilizar el chaleco reflectante de alta visibilidad será exigible transcurridos seis meses desde la entrada en vigor del RGC. Para los restantes conductores aludidos en este art. 118, así como para los conductores y personal auxiliar de los vehículos pilotos de protección y acompañamiento, será exigible al día siguiente de su entrada en vigor (Disposición Final Primera RGC).

En cuanto a las exenciones a estas normas, se recogen en el art. 119 RGC (cuyo apartado 3 ya hemos examinado), según el cual:

1. No obstante, podrán circular sin los cinturones u otros sistemas de retención homologados:

   a) Los conductores, al efectuar la maniobra de marcha atrás o de estacionamiento.

   b) Las personas provistas de un certificado de exención por razones médicas graves o discapacitadas.

   Este certificado deberá ser presentado cuando lo requiera cualquier agente de la autoridad responsable del tráfico.

   Todo certificado de este tipo expedido por la autoridad competente de un Estado miembro de la Unión Europea será válido en España acompañado de su traducción oficial.

2. La exención alcanzará igualmente cuando circulen en poblado, pero en ningún caso cuando lo hagan por autopistas, autovías o carreteras convencionales a:

   a) Los conductores de taxis cuando estén de servicio. Asimismo, cuando circulen en tráfico urbano o áreas urbanas de grandes ciudades, podrán transportar a personas cuya estatura no alcance los 135 centímetros sin utilizar un dispositivo de retención homologado adaptado a su talla y a su peso, siempre que ocupen un asiento trasero.

   b) Los distribuidores de mercancías, cuando realicen sucesivas operaciones de carga y descarga de mercancías en lugares situados a corta distancia unos de otros.

c) Los conductores y pasajeros de los vehículos en servicios de urgencia.

d) Las personas que acompañen a un alumno o aprendiz durante el aprendizaje de la conducción o las pruebas de aptitud y estén a cargo de los mandos adicionales del automóvil, responsabilizándose de la seguridad de la circulación.

3. Se eximirá del uso del caso a las personas provistas de un certificado de exención por razones médicas graves, expedido por autoridad competente. Este certificado deberá expresar su período de validez y estar firmado por un facultativo colegiado en ejercicio. Deberá, además, llevar o incorporar el símbolo establecido por la normativa vigente.

Solución a las actividades

Actividad 1.

    1. Motocicletas.

    2. Turismos.

    3. Vehículos mixtos adaptables.

Actividad 2.

> Los que se aproximen por la derecha.

Actividad 3.

El conductor de un automóvil que pretenda realizar un adelantamiento a un ciclo o ciclomotor, o conjunto de ellos, debe realizarlo ocupando parte o la totalidad del carril contiguo o contrario, en su caso, de la calzada y guardando una anchura de seguridad de, al menos, **1,5** metros.

Actividad 4.

    ☐ a) La Junta Arbitral de Transporte.

    ☑ b) Consejo Nacional de Transportes Terrestres.

    ☐ c) Comisión Nacional de Transporte por Carretera.

Actividad 5.

No será necesaria la previa obtención de autorización para realizar el transporte privado de mercancías en vehículos cuya masa máxima autorizada no supere las **3,5** toneladas.

Actividad 6.

> Uso general y uso especial.

Actividad 7.

Falsa.

TEMA 11

Circulación por zonas peatonales.
Comportamiento en caso de
emergencia. Señales de circulación.
Clasificación y orden de prioridad.
Carencia del seguro obligatorio

¿Y si pruebas las nuevas Técnicas de Memoria 360 que te proponemos?
De esta forma potenciarás tu estudio.

1. El Reglamento General de Circulación: introducción. Circulación por zonas peatonales

El Reglamento General de Circulación aprobado por Real Decreto 1428/03, de 21 de noviembre dedica el capítulo IV de su Título III (Otras normas de circulación) a los peatones, del artículo 121 al 125.

> Artículo 121. Circulación por zonas peatonales. Excepciones.
>
> Artículo 122. Circulación por la calzada o arcén.
>
> Artículo 123. Circulación nocturna.
>
> Artículo 124. Pasos para peatones y cruce de calzadas.
>
> Artículo 125. Normas relativas a autopistas y autovías.

1.1. Circulación por zonas peatonales. Excepciones

Los peatones están obligados a transitar por la zona peatonal, salvo cuando esta no exista o no sea practicable; en tal caso, podrán hacerlo por el arcén o, en su defecto, por la calzada, de acuerdo con las normas que se determinan en este capítulo.

Sin embargo, aun cuando haya zona peatonal, siempre que adopte las debidas precauciones, podrá circular por el arcén o, si este no existe o no es transitable, por la calzada:

a) El que lleve algún objeto voluminoso o empuje o arrastre un vehículo de reducidas dimensiones que no sea de motor, si su circulación por la zona peatonal o por el arcén pudiera constituir un estorbo considerable para los demás peatones.

b) Todo grupo de peatones dirigido por una persona o que forme cortejo.

c) El impedido que transite en silla de ruedas con o sin motor, a velocidad del paso humano.

Todo peatón debe circular por la acera de la derecha con relación al sentido de su marcha, y cuando circule por la acera o paseo izquierdo debe ceder siempre el paso a los que lleven su mano y no debe detenerse de forma que impida el paso por la acera a los demás, a no ser que resulte inevitable para cruzar por un paso de peatones o subir a un vehículo.

Los que utilicen monopatines, patines o aparatos similares no podrán circular por la calzada, salvo que se trate de zonas, vías o partes de estas que les estén especialmente destinadas, y solo podrán circular a paso de persona por las aceras o por las calles debidamente señalizadas, sin que en ningún caso se permita que sean arrastrados por otros vehículos.

Recuerda que...

Los que utilicen monopatines, patines o aparatos similares no podrán circular por la calzada, salvo que se trate de zonas, vías o partes de estas que les estén especialmente destinadas, y solo podrán circular a paso de persona por las aceras o por las calles debidamente señalizadas.

La circulación de toda clase de vehículos en ningún caso deberá efectuarse por las aceras y demás zonas peatonales.

ARTÍCULO 121. Circulación por zonas peatonales: Excepciones.

Hecho	Multa	Puntos	Responsable	Observación
Transitar un peatón por la calzada, existiendo zona peatonal practicable	80		Peatón	
Circular por la calzada sobre un monopatín, patín o aparato similar sin causa justificada	80		Peatón	Deberá indicarse el aparato utilizado
Circular con el vehículo reseñado por la acera o zona peatonal	200		Conductor	Deberá indicarse el vehículo utilizado

1.2. Circulación por la calzada o el arcén

Fuera de poblado, en todas las vías objeto de la ley, y en tramos de poblado incluidos en el desarrollo de una carretera que no disponga de espacio especialmente reservado para peatones, como norma general, la circulación de estos se hará por la izquierda.

No obstante, la circulación de peatones se hará por la derecha cuando concurran circunstancias que así lo justifiquen por razones de mayor seguridad.

En poblado, la circulación de peatones podrá hacerse por la derecha o por la izquierda, según las circunstancias concretas del tráfico, de la vía o de la visibilidad.

No obstante lo dispuesto, deberán circular siempre por su derecha los que empujen o arrastren un ciclo o ciclomotor de dos ruedas, carros de mano o aparatos similares, todo grupo de peatones dirigido por una persona o que forme cortejo y los impedidos que se desplacen en silla de ruedas, todos los cuales habrán de obedecer las señales dirigidas a los conductores de vehículos: las de los agentes y semáforos, siempre; las demás, en cuanto les sean aplicables.

La circulación por el arcén o por la calzada se hará con prudencia, sin entorpecer innecesariamente la circulación, y aproximándose cuanto sea posible al borde exterior de aquellos. Salvo en el caso de que formen un cortejo, deberán marchar unos tras otros si la seguridad de la circulación así lo requiere, especialmente en casos de poca visibilidad o de gran densidad de circulación de vehículos.

Cuando exista refugio, zona peatonal u otro espacio adecuado, ningún peatón debe permanecer detenido en la calzada ni en el arcén, aunque sea en espera de un vehículo, y para subir a este, solo podrá invadir aquella cuando ya esté a su altura.

Al apercibirse de las señales ópticas y acústicas de los vehículos prioritarios, despejarán la calzada y permanecerán en los refugios o zonas peatonales.

 Actividad 1

En poblado, la circulación de peatones podrá hacerse por la derecha o por la izquierda, según las circunstancias concretas del tráfico, de la vía o de la visibilidad, no obstante, ¿quiénes deberán circular siempre por su derecha?

1.3. Circulación nocturna

Fuera del poblado, entre el ocaso y la salida del sol o en condiciones meteorológicas o ambientales que disminuyan sensiblemente la visibilidad, todo peatón, cuando circule por la calzada o el arcén, deberá ir provisto de un elemento luminoso o retrorreflectante homologado y que responda a las prescripciones técnicas contenidas en el Real Decreto 1407/1992, de 20 de noviembre, por el que se regulan las condiciones para la comercialización y libre circulación intracomunitaria de los equipos de protección individual, que sea visible a una distancia mínima de 150 metros para los conductores que se le aproximen, y los grupos de peatones dirigidos por una persona o que formen cortejo llevarán, además, en el lado más próximo al centro de la calzada, las luces necesarias para precisar su situación y dimensiones, las cuales serán de color blanco o amarillo hacia adelante y rojo hacia atrás y, en su caso, podrán constituir un solo conjunto.

1.4. Pasos para peatones y cruce de calzadas

En zonas donde existen pasos para peatones, los que se dispongan a atravesar la calzada deberán hacerlo precisamente por ellos, sin que puedan efectuarlo por las proximidades, y cuando tales pasos sean a nivel, se observarán, además, las reglas siguientes:

a) Si el paso dispone de semáforos para peatones, obedecerán sus indicaciones.

b) Si no existiera semáforo para peatones pero la circulación de vehículos estuviera regulada por agente o semáforo, no penetrarán en la calzada mientras la señal del agente o del semáforo permita la circulación de vehículos por ella.

c) En los restantes pasos para peatones señalizados mediante la correspondiente marca vial, aunque tienen preferencia, solo deben penetrar en la calzada cuando la distancia y la velocidad de los vehículos que se aproximen permitan hacerlo con seguridad.

ARTÍCULO 124. Paso para peatones y cruce de calzadas.

Hecho	Multa	Puntos	Responsable	Observación
Atravesar la calzada fuera del paso de peatones existente	80		Peatón	
Atravesar una plaza o glorieta por su calzada, sin rodear la misma	80		Peatón	

Para atravesar la calzada fuera de un paso para peatones, deberán cerciorarse de que pueden hacerlo sin riesgo ni entorpecimiento indebido.

Al atravesar la calzada, deben caminar perpendicularmente al eje de esta, no demorarse ni detenerse en ella sin necesidad y no entorpecer el paso a los demás.

Los peatones no podrán atravesar las plazas y glorietas por su calzada, por lo que deberán rodearlas.

1.5. Normas relativas a autopistas y autovías

Queda prohibida la circulación de peatones por autopistas y autovías, salvo en los casos y condiciones que se determinan en los apartados siguientes.

Los conductores de vehículos que circulen por autopistas o autovías deberán hacer caso omiso a las peticiones de pasaje que reciban en cualquier tramo de ellas, incluidas las explanadas de estaciones de peaje.

Si por accidente, avería, malestar físico de sus ocupantes u otra emergencia tuviera que inmovilizarse un vehículo en una autopista o autovía y fuese necesario solicitar auxilio, se utilizará el poste de socorro más próximo, y si la vía no estuviese dotada de este servicio, podrá requerirse el auxilio de los usuarios, sin que ninguno de los ocupantes del vehículo pueda transitar por la calzada.

Los ocupantes o servidores de los vehículos de los servicios de urgencia o especiales podrán circular por las autopistas y autovías siempre que sea estrictamente indispensable para la prestación del correspondiente servicio y adopten las medidas oportunas para no comprometer la seguridad de ningún usuario.

1.6. Circulación de animales

En las vías objeto de la legislación sobre tráfico, circulación de vehículos a motor y seguridad vial, sólo se permite el tránsito de animales de tiro, carga o silla, cabezas de ganado aisladas, en manada o rebaño, cuando no exista itinerario practicable por vía pecuaria y siempre que vayan custodiados por alguna persona. Dicho tránsito se efectuará por la vía alternativa que tenga menor intensidad de circulación de vehículos. Se prohíbe la circulación de animales por autopistas o autovías. Dicha prohibición incluye la circulación de vehículos de tracción animal.

2. Comportamiento en caso de emergencia

El art. 51 del Real Decreto Legislativo 6/2015, de 30 de octubre, por el que se aprueba el texto refundido de la Ley sobre Tráfico, Circulación de Vehículos a Motor y Seguridad Vial regula las obligaciones de los usuarios de las vías en caso de accidente o avería.

Así, determina que el usuario de la vía que se vea implicado en un accidente de tráfico, lo presencie o tenga conocimiento de él está obligado a auxiliar o solicitar auxilio para atender a las víctimas que pueda haber, prestar su colaboración, evitar mayores peligros o daños, restablecer, en la medida de lo posible, la seguridad de la circulación y esclarecer los hechos.

Si por causa de accidente o avería el vehículo o su carga obstaculizan la calzada, el conductor, tras señalizar convenientemente el vehículo o el obstáculo creado, adoptará las medidas necesarias para que sea retirado en el menor tiempo posible debiendo sacarlo de la calzada y situarlo cumpliendo las normas de estacionamiento siempre que sea factible.

Finalmente, dispone que reglamentariamente se determinarán las condiciones en las que realizarán sus funciones los servicios de auxilio en carretera que acudan al lugar de un accidente o avería, así como las características que deban cumplir las empresas que los desarrollen o los vehículos y demás medios que se hayan de utilizar.

El desarrollo de esta norma, relativa al comportamiento en caso de emergencia, se realiza por el capítulo IV del Título III, en sus artículos 129 y 130, del Real Decreto 1428/2003, de 21 de noviembre, por el que se aprueba el Reglamento General de Circulación (RGC, en adelante).

Artículo 129. Obligación de auxilio.
Artículo 130. Inmovilización del vehículo y caída de la carga.

2.1. Obligación de auxilio

Los usuarios de las vías que se vean implicados en un accidente de tráfico, lo presencien o tengan conocimiento de él estarán obligados a auxiliar o solicitar auxilio para atender a las víctimas, si las hubiera, prestar su colaboración para evitar mayores peligros o daños, restablecer, en la medida de lo posible, la seguridad de la circulación y esclarecer los hechos.

Todo usuario de la vía implicado en un accidente de circulación deberá, en la medida de lo posible:

- Detenerse de forma que no cree un nuevo peligro para la circulación.

- Hacerse una idea de conjunto de las circunstancias y consecuencias del accidente, que le permita establecer un orden de preferencias, según la situación, respecto a las medidas a adoptar para garantizar la seguridad de la circulación, auxiliar a las víctimas, facilitar su identidad y colaborar con la autoridad o sus agentes.

- Esforzarse por restablecer o mantener la seguridad de la circulación y si, aparentemente, hubiera resultado muerta o gravemente herida alguna persona o se hubiera avisado a la autoridad o sus agentes, evitar la modificación del estado de las cosas y de las huellas u otras pruebas que puedan ser útiles para determinar la responsabilidad, salvo que con ello se perjudique la seguridad de los heridos o de la circulación.

- Prestar a los heridos el auxilio que resulte más adecuado, según las circunstancias, y, especialmente, recabar auxilio sanitario de los servicios que pudieran existir al efecto.

- Avisar a la autoridad o a sus agentes si, aparentemente, hubiera resultado herida o muerta alguna persona, así como permanecer o volver al lugar del accidente hasta su llegada, a menos que hubiera sido autorizado por estos a abandonar el lugar o debiera prestar auxilio a los heridos o ser él mismo atendido; no será necesario, en cambio, avisar a la autoridad o a sus agentes, ni permanecer en el lugar del hecho, si solo se han producido heridas claramente leves, la seguridad de la circulación está restablecida y ninguna de las personas implicadas en el accidente lo solicita.

- Comunicar, en todo caso, su identidad a otras personas implicadas en el accidente, si se lo pidiesen; cuando solo se hubieran ocasionado daños materiales y alguna parte afectada no estuviera presente, tomar las medidas adecuadas para proporcionarle, cuanto antes, su nombre y dirección, bien directamente, bien, en su defecto, por intermedio de los agentes de la autoridad.

– Facilitar los datos del vehículo a otras personas implicadas en el accidente, si lo pidiesen.

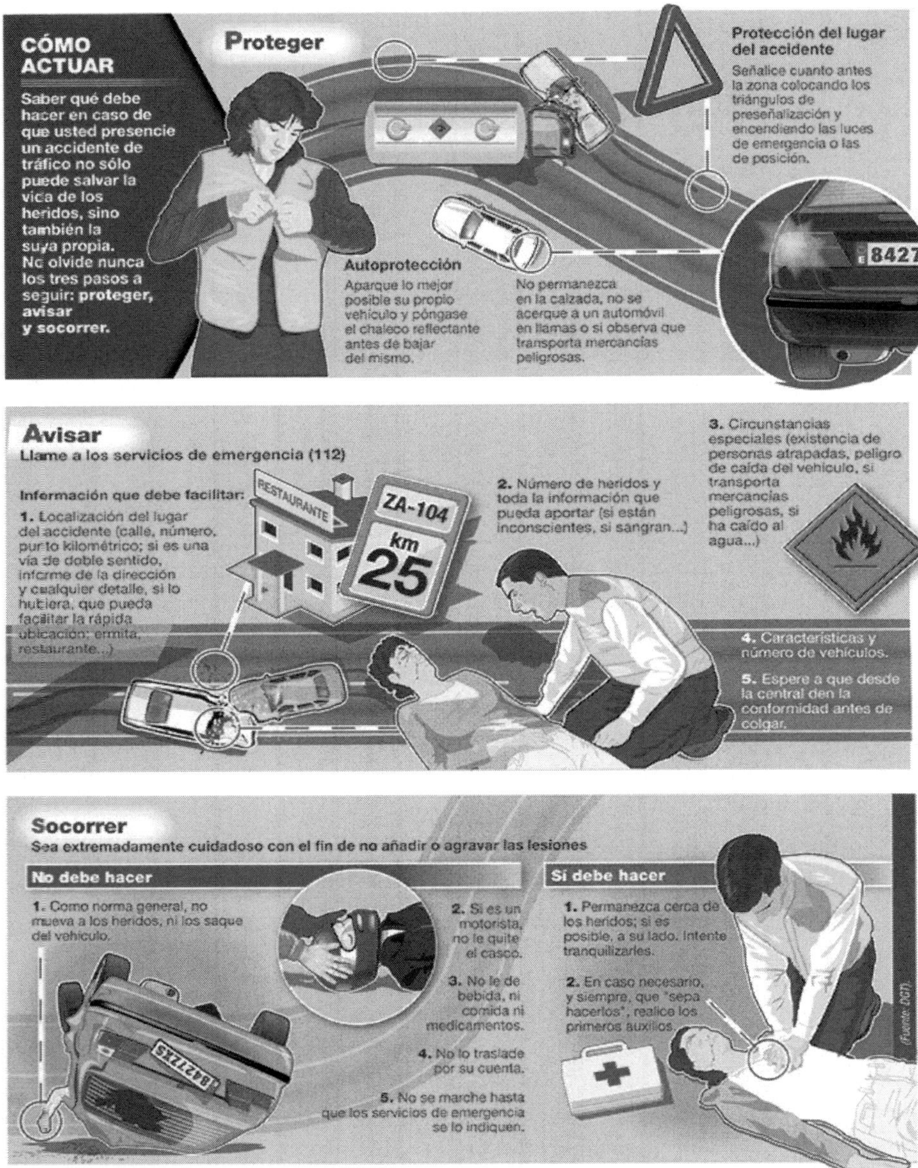

CÓMO ACTUAR

Saber qué debe hacer en caso de que usted presencie un accidente de tráfico no sólo puede salvar la vida de los heridos, sino también la suya propia. No olvide nunca los tres pasos a seguir: **proteger, avisar y socorrer.**

Proteger

Protección del lugar del accidente

Señalice cuanto antes la zona colocando los triángulos de preseñalización y encendiendo las luces de emergencia o las de posición.

Autoprotección

Aparque lo mejor posible su propio vehículo y póngase el chaleco reflectante antes de bajar del mismo.

No permanezca en la calzada, no se acerque a un automóvil en llamas o si observa que transporta mercancías peligrosas.

84272

Avisar

Llame a los servicios de emergencia (112)

Información que debe facilitar:

1. Localización del lugar del accidente (calle, número, punto kilométrico; si es una vía de doble sentido, informe de la dirección y cualquier detalle, si lo hubiera, que pueda facilitar la rápida ubicación: ermita, restaurante...)

RESTAURANTE

ZA-104
km
25

2. Número de heridos y toda la información que pueda aportar (si están inconscientes, si sangran...)

3. Circunstancias especiales (existencia de personas atrapadas, peligro de caída del vehículo, si transporta mercancías peligrosas, si ha caído al agua...)

4. Características y número de vehículos.

5. Espere a que desde la central den la conformidad antes de colgar.

Socorrer

Sea extremadamente cuidadoso con el fin de no añadir o agravar las lesiones

No debe hacer

1. Como norma general, no mueva a los heridos, ni los saque del vehículo.

2. Si es un motorista, no le quite el casco.

3. No le de bebida, ni comida ni medicamentos.

4. No lo traslade por su cuenta.

5. No se marche hasta que los servicios de emergencia se lo indiquen.

Si debe hacer

1. Permanezca cerca de los heridos; si es posible, a su lado. Intente tranquilizarles.

2. En caso necesario, y siempre, que "sepa hacerlos", realice los primeros auxilios.

(Fuente: DGT)

Salvo en los casos en que, manifiestamente, no sea necesaria su colaboración, todo usuario de la vía que advierta que se ha producido un accidente de circulación, sin estar implicado en él, deberá cumplimentar, en cuanto le sea posible y le afecten, las prescripciones establecidas anteriormente, a no ser que se hubieran personado en el lugar del hecho la autoridad o sus agentes.

ARTÍCULO 129 RGC. Comportamiento en caso de emergencia: Obligación de auxilio.

Hecho	Multa	Puntos	Responsable	Observación
No facilitar su identidad, y colaborar con la Autoridad o sus agentes, estando implicado en un accidente de circulación	200		Titular Conductor Usuario	
No comunicar, en todo caso, su identidad a otras personas implicadas en el accidente de tráfico, si estas se lo pidiesen	200		Conductor Usuario	
Estar implicado en un accidente de tráfico con daños materiales y no comunicar su identidad a los afectados que se hallasen ausentes	200		Propietario o responsable	

2.2. Inmovilización del vehículo y caída de la carga

Si por causa de accidente o avería el vehículo o su carga obstaculizasen la calzada, los conductores, tras señalizar convenientemente el vehículo o el obstáculo creado, adoptarán las medidas necesarias para que sea retirado en el menor tiempo posible, deberán sacarlo de la calzada y situarlo cumpliendo las normas de estacionamiento siempre que sea factible

Los vehículos que habiendo sufrido un accidente o avería puedan continuar su marcha, lo harán de forma inmediata, asegurándose de circular con seguridad. Si precisaran de un servicio de auxilio, deberán abandonar lo antes posible los carriles de circulación y dirigirse hacia la primera salida disponible utilizando para ello el arcén derecho. Si ello no fuera posible, deberán detenerse en el arcén derecho de la vía o en el lugar donde cause menor obstáculo a la circulación.

En el caso de accidente o avería, como norma general, si el vehículo está inmovilizado sin posibilidad de reemprender la marcha, los ocupantes deberán abandonar el vehículo, siempre que exista un lugar seguro fuera de la plataforma de circulación y, en todo caso, deberán salir del vehículo por el lado contrario al flujo de tráfico sin transitar o permanecer en los carriles y arcenes que conforman dicha plataforma. Si las condiciones de circulación no permitieran a los ocupantes abandonar el vehículo con seguridad, permanecerán en el habitáculo con el cinturón abrochado.

En los supuestos anteriores, sin perjuicio de encender la luz de emergencia si el vehículo la lleva y, cuando proceda, las luces de posición y de gálibo, en tanto se deja expedita la vía, todo conductor deberá emplear el dispositivo de preseñalización de peligro reglamentario para advertir dicha circunstancia.

Se prohíbe a los usuarios de las vidas cuyo vehículo haya sufrido un accidente cumplimentar el parte de accidente en la plataforma de circulación. Este proceso se llevará a cabo en un lugar seguro fuera de la vía.

 Recuerda que...

El artículo 385.2 del Código Penal castiga con pena de prisión de seis meses a dos años o a las de multa de doce a veinticuatro meses y trabajos en beneficio de la comunidad de diez a cuarenta días, al que origine un grave riesgo para la circulación no restableciendo la seguridad en la vía cuando tenga obligación de hacerlo. La alteración en las condiciones de seguridad de la vía que obliga a restablecerla puede originarse por su mera utilización, por causas fortuitas o por cualquier otra circunstancia.

ARTÍCULO 130. Inmovilización del vehículo y caída de la carga.

Hecho	Multa	Puntos	Responsable	Observación
No emplear, o no emplearlos adecuadamente, los dispositivos de preseñalización de peligro reglamentarios para advertir la circunstancia de la inmovilización del vehículo o caída de su carga a la calzada	80		Conductor	
No colocar adecuadamente los dispositivos de preseñalización de peligro para advertir la circunstancia de la inmovilización del vehículo o caída de su carga a la calzada	80		Conductor	

2.3. Retirada y depósito del vehículo

La autoridad encargada de la gestión del tráfico podrá proceder, si el obligado a ello no lo hiciera, a la retirada del vehículo de la vía y su depósito en el lugar que se designe en los siguientes casos:

a) Siempre que constituya peligro, cause graves perturbaciones a la circulación de vehículos o peatones o deteriore algún servicio o patrimonio público.

b) En caso de accidente que impida continuar su marcha.

c) Cuando, procediendo legalmente la inmovilización del vehículo, no hubiere lugar adecuado para practicarla sin obstaculizar la circulación de vehículos o personas.

d) Cuando, inmovilizado un vehículo por las razones legalmente previstas, no cesasen las causas que motivaron la inmovilización.

e) Cuando un vehículo permanezca estacionado en lugares habilitados por la autoridad municipal como zonas de aparcamiento reservado para el uso de personas con discapacidad sin colocar el distintivo que lo autoriza.

f) Cuando un vehículo permanezca estacionado en los carriles o partes de las vías reservados exclusivamente para la circulación o para el servicio de determinados usuarios y en las zonas reservadas a la carga y descarga.

g) Cuando un vehículo permanezca estacionado en lugares habilitados por la autoridad municipal como de estacionamiento con limitación horaria sin colocar el distintivo que lo autoriza, o cuando se rebase el triple del tiempo abonado conforme a lo establecido en la ordenanza municipal.

h) Cuando obstaculicen, dificulten o supongan un peligro para la circulación.

Salvo en los casos de sustracción u otras formas de utilización del vehículo en contra de la voluntad de su titular, debidamente justificadas, los gastos que se originen como consecuencia de la retirada a la que se refiere el apartado anterior serán por cuenta del titular, del arrendatario o del conductor habitual, según el caso, que deberá abonarlos como requisito previo a la devolución del vehículo, sin perjuicio del derecho de recurso y de la posibilidad de repercutirlos sobre el responsable del accidente, del abandono del vehículo o de la infracción que haya dado lugar a la retirada. El agente de la autoridad podrá retirar el permiso de circulación del vehículo hasta que se haya acreditado el abono de los gastos referidos.

La Administración deberá comunicar la retirada y depósito del vehículo al titular en el plazo de veinticuatro horas. La comunicación se efectuará a través de la Dirección Electrónica Vial, si el titular dispusiese de ella.

 Actividad 2

Enumera las obligaciones de todo usuario de la vía implicado en un accidente de circulación:

1. _____
2. _____
3. _____
4. _____
5. _____
6. _____
7. _____

3. Señales de circulación. Clasificación y orden de prioridad

A la misma se dedican los arts. 53 a 58 del Real Decreto Legislativo 6/2015, de 30 de octubre, por el que se aprueba el texto refundido de la Ley sobre Tráfico, Circulación de Vehículos a Motor y Seguridad Vial, TRLTSV en adelante (arts. 131 a 172 del Real Decreto 1428/2003, de 21 de noviembre, por el que se aprueba el Reglamento General de Circulación para la aplicación y desarrollo del texto articulado de la Ley sobre tráfico, circulación de vehículos a motor y seguridad vial, aprobado por el Real Decreto Legislativo 339/1990, de 2 de marzo, RGC en adelante, con las adaptaciones necesarias al texto legal vigente, como ya se ha comentado), definiéndola el art. 131 RGC como «el conjunto de señales y órdenes de agentes de la circulación, señales circunstanciales que modifican el régimen normal de utilización de la vía y señales de balizamiento fijo, semáforos, señales verticales de circulación y marcas viales, destinadas a los usuarios de la vía y que tienen por misión advertir e informar a estos u ordenar o reglamentar su comportamiento con la necesaria antelación, de determinadas circunstancias de la vía o de la circulación».

En su estudio podemos distinguir los siguientes apartados:

3.1. Normas generales sobre señales

Conforme al artículo 53 (art. 132 RGC), el usuario de las vías está obligado a obedecer las señales de la circulación que establezcan una obligación o una prohibición y a adaptar su comportamiento al mensaje del resto de las señales reglamentarias que se encuentren en las vías por las que circula. A estos efectos, cuando la señal imponga una obligación de detención, el conductor del vehículo no puede reanudar su marcha hasta haber cumplido lo prescrito por la señal. En los peajes dinámicos o telepeajes, los vehículos que los utilicen deberán estar provistos del medio técnico que posibilite su uso en condiciones operativas.

Salvo circunstancias especiales que lo justifiquen, el usuario debe obedecer las prescripciones indicadas por las señales, aun cuando parezcan estar en contradicción con las normas de comportamiento en la circulación.

Los usuarios deben obedecer las indicaciones de los semáforos y de las señales verticales de circulación situadas inmediatamente a su derecha, encima de la calzada o encima de su carril, y si no existen en los citados emplazamientos y pretendan girar a la izquierda o seguir de frente, las de los situados inmediatamente a su izquierda.

Si existen semáforos o señales verticales de circulación con indicaciones distintas a la derecha y a la izquierda, quienes pretendan girar a la izquierda o seguir de frente solo deben obedecer las de los situados inmediatamente a su izquierda.

 Sabías que...

No existe una homogeneización internacional de la señalización vial, de tal manera que en Europa rige un tipo distinto del que lo hace en los países americanos. No obstante, Irlanda sigue el esquema de señalización americano.

3.2. Preferencia

A tenor del art. 54 TRLTSV (art. 133 RGC), el orden de preferencia entre los distintos tipos de señales de circulación es el siguiente:

a) Señales y órdenes de los agentes de la autoridad encargados de la vigilancia del tráfico en el ejercicio de las funciones que tengan encomendadas.

b) Señalización y balizamiento circunstancial que modifique el régimen normal de utilización de la vía, dispositivos delimitadores y señales de balizamient.

c) Semáforos.

d) Señales verticales de circulación.

e) Marcas viales.

En el caso de que las prescripciones indicadas por diferentes señales parezcan estar en contradicción entre sí, prevalecerá la preferente, según este orden, o la más restrictiva si se trata de señales del mismo tipo.

3.3. Formato

El art. 55 TRLTSV dispone que:

1. Reglamentariamente se establecerá el Catálogo Oficial de Señales de la Circulación y Marcas Viales, de acuerdo con las reglamentaciones y recomendaciones internacionales en la materia.

2. Dicho Catálogo especificará necesariamente la forma, color, diseño y significado de las señales, así como las dimensiones de las mismas en función de cada tipo de vía y sus sistemas de colocación de las siguientes señales de circulación:

   a) Señalización de tramos con obras o tareas de conservación.

   b) Señales de advertencia de peligro.

   c) Señales de reglamentación.

   d) Señales de indicación.

   e) Marcas viales.

3. Las señales y marcas viales deberán cumplir las especificaciones que reglamentariamente se establezca.

   La forma, símbolos y nomenclaturas de las señales figuran en el Anexo I del RGC.

En relación con esta materia, ha de hacerse mención a la Resolución de 1 de junio de 2009, de la Dirección General de Tráfico, por la que se aprueba el Manual de Señalización Variable.

3.4. Aplicación de las señales

Dentro de este apartado, podemos distinguir los siguientes subapartados.

3.4.1. Aplicación

Toda señal se aplicará a toda la anchura de la calzada que estén autorizados a utilizar los conductores a quienes se dirija esa señal. No obstante, su aplicación podrá limitarse a uno o más carriles, mediante marcas en la calzada.

3.4.2. Visibilidad

Con el fin de que sean más visibles y legibles por la noche, las señales viales, especialmente las de advertencia de peligro y las de reglamentación, deben estar iluminadas o provistas de materiales o dispositivos reflectantes, según lo dispuesto en la regulación básica establecida a estos fines por el Ministerio de Fomento, actualmente Ministerio de Transportes, Movilidad y Agenda Urbana, para las siguientes citas.

3.4.3. Inscripciones

Para facilitar la interpretación de las señales, se podrá añadir una inscripción en un panel complementario rectangular colocado debajo aquellas o en el interior de un panel rectangular que contenga la señal. Excepcionalmente, cuando las autoridades competentes estimen conveniente concretar el significado de una señal o de un símbolo o, respecto de las señales de reglamentación, limitar su alcance a ciertas categorías de usuarios de la vía o a determinados períodos, y no se pudieran dar las indicaciones necesarias por medio de un símbolo adicional o de cifras en las condiciones definidas en el Catálogo oficial de señales de circulación, se colocará una inscripción debajo de la señal, en un panel complementario rectangular, sin perjuicio de la posibilidad de sustituir o completar esas inscripciones mediante uno o varios símbolos expresivos colocados en la misma placa.

En el caso de que la señal esté colocada en un cartel fijo o de mensaje variable, la inscripción a la que se hacer referencia podrá ir situada junto a ella.

3.4.4. Lengua

Las indicaciones escritas que se incluyan o acompañen a los paneles de señalización de las vías públicas, e inscripciones, figurarán en idioma castellano y, además, en la lengua oficial de la Comunidad autónoma reconocida en el respectivo estatuto de autonomía, cuando la señal esté ubicada en el ámbito territorial de dicha comunidad. Los núcleos de población y demás topónimos serán designados en su denominación oficial y, cuando fuese necesario a efectos de identificación, en castellano.

3.4.5. Mantenimiento de señales y señales circunstanciales

A tenor del artículo 57 TRLTSV (art. 139 RGC), corresponde al titular de la vía la responsabilidad del mantenimiento de la misma en las mejores condiciones posibles de seguridad para la circulación y de la instalación y conservación en ella de las adecuadas señales y marcas viales. También corresponde al titular de la vía la autorización previa para la instalación en ella de otras señales de circulación. En caso de emergencia, los agentes de la autoridad encargados de la vigilancia del tráfico, en el ejercicio de las funciones que tengan encomendadas, podrán instalar señales circunstanciales sin autorización previa. La autoridad encargada de la regulación, ordenación y gestión del tráfico será responsable de la señalización de carácter circunstancial en razón de las contingencias del mismo y de la señalización variable necesaria para su control, de acuerdo con la normativa de carreteras. En tal sentido, corresponde al organismo autónomo Jefatura Central de Tráfico o, en su caso, a la autoridad autonómica o local responsable de la regulación del tráfico la determinación de las clases o tramos de carreteras que deban contar con señalización circunstancial o variable o con otros medios de regulación, ordenación, gestión y vigilancia telemática del tráfico; la determinación de las características de los elementos físicos y tecnológicos que tengan como finalidad auxiliar a la autoridad de tráfico; la instalación y mantenimiento de dicha señalización y elementos físicos o tecnológicos, así como la determinación en cada momento de los usos y mensajes de los paneles de mensaje variable, sin perjuicio de las competencias que, en cada caso, puedan corresponder a los órganos titulares de la vía.

Corresponde asimismo a la autoridad encargada de la regulación, ordenación y gestión del tráfico la instalación de las señales que indican la ubicación de los elementos de control y vigilancia del tráfico cuando lo considere, previa autoriza-ción del titular la vía.

La responsabilidad de la señalización de las obras que se realicen en las vías objeto de esta Ley corresponderá a los Organismos que las realicen o las Empresas adjudicatarias de las mismas, en los términos que reglamentariamente se determine. Los usuarios de la vía están obligados a seguir las indicaciones del personal destinado a la regulación del tráfico en dichas obras. Cuando las obras sean realizadas por empresas adjudicatarias o por entidades distintas del titular, estas, con anterioridad a su inicio, lo comunicarán al organismo autónomo Jefatura Central de Tráfico o, en su caso, a la autoridad autonómica o local responsable del tráfico, que dictará las instrucciones que resulten procedentes en relación a la regulación, gestión y control del tráfico.

La realización de las obras sin autorización previa del titular de la vía se regirá por lo dispuesto en la normativa de carreteras o, en su caso, en las normas municipales.

La realización de las obras sin autorización previa del titular de la vía se regirá por lo dispuesto en la normativa de carreteras o, en su caso, en las normas municipales.

La realización y señalización de las obras que incumpla las instrucciones dictadas tendrá la consideración de infracción grave, de conformidad con lo establecido en el artículo 76.b) TRLTSV (art.139.4 RGC, modificado por RDL 6/2015).

3.4.6. Obligaciones relativas a la señalización

El titular de la vía o, en su caso, la autoridad encargada de la ordenación y gestión del tráfico ordenará la inmediata retirada y, cuando proceda, la sustitución por las que sean adecuadas a la normativa vigente de las señales que hayan perdido su objeto y de las que no lo cumplan por causa de su deterioro.

Salvo por causa justificada, nadie debe instalar, retirar, trasladar, ocultar o modificar la señalización de una vía sin permiso del titular de la misma o, en su caso, de la autoridad encargada de la regulación, ordenación y gestión del tráfico o de la responsable de las instalaciones.

Se prohíbe modificar el contenido de las señales o colocar sobre ellas o en sus inmediaciones placas, carteles, marcas u otros objetos que puedan inducir a confusión, reducir su visibilidad o su eficacia, deslumbrar a los usuarios de la vía o distraer su atención, sin perjuicio de las competencias de los titulares de las vías.

El organismo autónomo Jefatura Central de Tráfico o, en su caso, la autoridad autonómica o local responsable de la regulación del tráfico podrá alterar, en todo momento, el contenido de las señales para adaptarlas a las circunstancias cambiantes del tráfico, sin perjuicio de las competencias de los titulares de las vías.

3.5. Retirada, sustitución y alteración de señales

Esta materia se regula en el artículo 58 TRLTSV, a cuyo tenor, el titular de la vía o, en su caso, la Autoridad encargada de la ordenación y gestión del tráfico, ordenará la inmediata retirada y, cuando proceda, la sustitución por las que sean adecuadas a la normativa vigente, de las que hayan perdido su objeto y de las que no lo cumplan por causa de su deterioro. Salvo por causa justificada, nadie debe instalar, retirar, trasladar, ocultar o modificar la señalización de una vía sin permiso del titular de la misma o, en su caso, de la Autoridad encargada de la regulación, ordenación y gestión del tráfico o de la responsable de las instalaciones.

Se prohíbe modificar el contenido de las señales o colocar sobre ellas o en sus inmediaciones placas, carteles, marcas u otros objetos que puedan inducir a confusión, reducir su visibilidad o su eficacia, deslumbrar a los usuarios de la vía o distraer su atención, sin perjuicio de las competencias de los titulares de las vías.

La realización en la vía de obras sin autorización correspondiente, así como los supuestos de retirada, ocultación, alteración o deterioro de la señalización permanente u ocasional tendrán la consideración de infracciones muy graves, conforme se prevé en el artículo 77.n) TRLTSV.

3.6. Tipos y significados de las señales de circulación

Como se expuso, se contienen en el RGC, arts. 141 a 150, recogiéndose en la forma que, a continuación, se explica.

Actividad 3

Ordena por orden de preferencia los tipos de señales de circulación siguientes:

- Semáforos. ☐

- Marcas viales. ☐

- Señalización circunstancial que modifique el régimen normal de utilización de la vía. ☐

- Señales y órdenes de los agentes de la autoridad encargados de la vigilancia del tráfico en el ejercicio de las funciones que tengan encomendadas. ☐

- Señales verticales de circulación. ☐

3.6.1. De las señales y órdenes de los agentes de circulación

Señales con el brazo y otras:

A tenor del art. 141 RGC:

1. Los agentes de la autoridad responsable del tráfico que estén regulando la circulación lo harán de forma que sean fácilmente reconocibles como tales a distancia, tanto de día como de noche, y sus señales, que han de ser visibles, y sus órdenes deben ser inmediatamente obedecidas por los usuarios de la vía.

    Tanto los agentes de la autoridad que regulen la circulación como la Policía Militar, el personal de obras y el de acompañamiento de los vehículos en régimen de transporte especial, que regulen la circulación, y, en su caso, las patrullas escolares, el personal de protección civil y el de organizaciones de actividades deportivas o de cualquier otro acto, debidamente habilitado a los efectos contemplados en el apartado 4 de este artículo, deberán utilizar prendas de colores llamativos y dispositivos o elementos retrorreflectantes que permitan a los conductores y demás usuarios de la vía que se aproximen distinguirlos a una distancia mínima de 150 metros.

2. Como norma general, los agentes de la autoridad responsable del tráfico utilizarán las siguientes señales:

    a) Brazo levantado verticalmente: obliga a detenerse a todos los usuarios de la vía que se acerquen al agente, salvo a los conductores que no puedan hacerlo en condiciones de seguridad suficiente. Si esta señal se efectúa en una intersección, no obligará a detenerse a los conductores que hayan entrado ya en ella.

La detención debe efectuarse ante la línea de detención más cercana o, en su defecto, inmediatamente antes del agente. En una intersección, la detención debe efectuarse antes de entrar en ella. Con posterioridad a esta señal, el agente podrá indicar, en su caso, el lugar donde debe efectuarse la detención.

b) Brazo o brazos extendidos horizontalmente: obliga a detenerse a todos los usuarios de la vía que se acerquen al agente desde direcciones que corten la indicada por el brazo o los brazos extendidos y cualquiera que sea el sentido de su marcha. Esta señal permanece en vigor aunque el agente baje el brazo o los brazos, siempre que no cambie de posición o efectúe otra señal.

c) Balanceo de una luz roja o amarilla: obliga a detenerse a los usuarios de la vía hacia los que el agente dirija la luz.

d) Brazo extendido moviéndolo alternativamente de arriba abajo: esta señal obliga a disminuir la velocidad de su vehículo a los conductores que se acerquen al agente por el lado correspondiente al brazo que ejecuta la señal y perpendicularmente a dicho brazo.

e) Serie de toques de silbato cortos y frecuentes: ordena la detención de vehículos. Toque largo de silbato: ordena la reanudación de la marcha.

f) Otras señales: cuando las circunstancias así lo exijan, los agentes podrán utilizar cualquier otra indicación distinta a las anteriores realizada de forma clara.

3. Los agentes podrán dar órdenes o indicaciones a los usuarios desde los vehículos mientras hacen uso de la señal V-1 que establece el Reglamento General de Vehículos, a través de la megafonía o por cualquier otro medio que pueda ser percibido claramente por aquellos, entre los cuales estarán:

a) Bandera roja: indica que a partir del paso del vehículo que la porta, la calzada queda temporalmente cerrada al tráfico de todos los vehículos y usuarios, excepto para aquellos que son acompañados o escoltados por los agentes de la autoridad encargados de la vigilancia del tráfico.

b) Bandera verde: indica que, a partir del paso del vehículo que la porta, la calzada queda de nuevo abierta al tráfico.

c) Bandera amarilla: indica al resto de los conductores y usuarios la necesidad de extremar la atención o la proximidad de un peligro. Esta bandera podrá ser también utilizada por el personal auxiliar habilitado que realice funciones de orden, control o seguridad durante el desarrollo de marchas ciclistas o de cualquiera otra actividad, deportiva o no, en las vías objeto de la legislación sobre tráfico, circulación de vehículos a motor y seguridad vial.

d) Brazo extendido hacia abajo inclinado y fijo: el agente desde un vehículo indica la obligación de detenerse en el lado derecho a aquellos usuarios a los que va dirigida la señal.

e) Luz roja intermitente o destellante hacia delante: el agente desde un vehículo indica al conductor del que le precede que debe detener el vehículo en el lado derecho, delante del vehículo policial, en un lugar donde no genere mayores riesgos o molestias para el resto de los usuarios, y siguiendo las instrucciones que imparta el agente mediante la megafonía.

4. En ausencia de agentes de la circulación o para auxiliar a estos, y en las circunstancias y condiciones establecidas en este RGC, la Policía Militar podrá regular la circulación, y el personal de obras en la vía y el de acompañamiento de los vehículos en régimen de transporte especial podrá regular el paso de vehículos mediante el empleo de las señales verticales R-2 y R-400 incorporadas a una paleta y, por este mismo medio, las patrullas escolares invitar a los usuarios de la vía a que detengan su marcha. Cuando la autoridad competente autorice la celebración de actividades deportivas o actos que aconsejen establecer limitaciones a la circulación en vías urbanas o interurbanas, la autoridad responsable del tráfico podrá habilitar al personal de protección civil o de la organización responsable para impedir el acceso de vehículos o peatones a la zona o itinerario afectados, en los términos del **anexo II del RGC**.

Cuando las Fuerzas y Cuerpos de Seguridad del Estado, en el ámbito de sus funciones, establezcan controles policiales de seguridad ciudadana en la vía pública, podrán regular el tráfico exclusivamente en el caso de ausencia de agentes de la circulación.

La forma y significado de las señales y órdenes de los agentes de la circulación se ajustará a lo que establece el Catálogo oficial de señales de circulación. Estas señales figuran también en el anexo I del RGC.

3.6.2. Señalización circunstancial que modifica el régimen normal de utilización de la vía, elementos de balizamiento y sistemas de contención de vehículos

Conforme al art. 142 RGC:

1. La señalización circunstancial tiene por objeto regular la circulación adaptándola a las circunstancias cambiantes del tráfico. Se utilizarán para dar información a los conductores, advertirles de posibles peligros y dar recomendaciones o instrucciones de obligado cumplimiento.

   Las modificaciones que la señalización circunstancial introduce respecto de la habitual señalización vertical y horizontal terminan cuando lo establezca la propia señalización, o las causas que motivaron su imposición, momento a partir del cual aquellas vuelven a regir.

2. Los símbolos utilizados en la señalización circunstancial se ajustarán al Catálogo oficial de señales de la circulación y marcas viales. Justificadamente y siempre que no exista equivalente en el Catálogo se podrán usar otros símbolos.

3. El anexo I, apartado 2, recoge el listado de vialidades consecuencia de incidentes e información y medidas que generará la señalización circunstancial, sin perjuicio de la señalización de otras circunstancias de tráfico, circulación de vehículos y seguridad vial.

4. Entre los elementos de balizamiento se distinguen:

a) Dispositivos delimitadores: prohíben el paso a la parte de la vía que delimitan.

b) Dispositivos de guía: tienen por finalidad indicar el borde de la calzada, la presencia de una curva y el sentido de circulación; indicar los límites de obras de fábrica u otros obstáculos; delimitar carriles y advertir de riesgos.

c) Otros elementos de balizamiento: tienen por finalidad advertir de riesgos.

d) Señales de balizamiento: orientar la circulación, delimitar las zonas de incorporación a carriles, restringir los cambios de carril y advertir riesgos.

e) Sistemas de contención de vehículos. Son elementos de las carreteras cuya función es mitigar las consecuencias de un accidente de circulación por salida de la vía, haciéndolas más predecibles y menos graves, pero no evitan que el mismo se produzca, ni están exentas de algún tipo de riesgo para los ocupantes del vehículo.

5. Los tipos y significado de los elementos de balizamiento y de los sistemas de contención de vehículos son:

a) Dispositivos delimitadores:

1.º Dispositivo delimitador fijo: prohíbe el paso a la vía o parte de esta que delimita.

2.º Dispositivo delimitador móvil: prohíbe temporalmente el paso, mientras se encuentre en posición transversal a la calzada en un paso a nivel, puesto de peaje o de aduana, acceso a un establecimiento u otros.

3.º Panel direccional provisional: prohíbe el paso e informa, además, sobre el sentido de la circulación.

4.º Balizas de borde provisionales, conos o dispositivos análogos: prohíben el paso a través de la línea real o imaginaria que los une.

5.º Luz roja fija: indica que la calzada está totalmente cerrada al tránsito.

6.º Luces amarillas fijas o intermitentes: prohíben el paso a través de la línea imaginaria que las une.

b) Dispositivos de guía:

1.º Hito de vértice: elemento de balizamiento en forma semicilíndrica en su cara frontal, provisto de triángulos simétricamente opuestos, de material retrorreflectante, que indica el punto donde separan dos corrientes de tráfico.

2.º Hito de arista: elemento cuya finalidad primordial es balizar los bordes de las carreteras principalmente durante las horas nocturnas o de baja visibilidad.

3.º Paneles direccionales permanentes: elementos cuya finalidad es la de marcar el trazado de una curva en relación con la reducción de velocidad que se tenga que realizar para circular por ella con mayor seguridad, además de indicar el sentido de circulación, facilitando al conductor su percepción.

4.º Baliza o captafaros horizontal retrorreflectante: dispositivo que se fija en el pavimento dotado de elementos retrorreflectantes cuya finalidad primordial es facilitar el guiado óptico del trazado de la carretera, fundamentalmente en condiciones nocturnas o de escasa luminosidad.

5.º Baliza o captafaro vertical: elemento que se fija en los sistemas de contención de vehículos de la carretera o en paramento, dotado de elementos retrorreflectantes o luminosos, cuya finalidad primordial es facilitar el guiado óptico del trazado de la carretera, fundamentalmente en condiciones nocturnas o de escasa luminosidad.

6.º Paneles verticales: Indican la presencia de un estrechamiento en la plataforma de la carretera o cualquier obstáculo próximo a la misma, facilitando al conductor su percepción. Como, por ejemplo, en casos de obras de fábrica, pretiles, impostas, entradas a túnel, etc.

7.º Balizas cilíndricas: Elementos cuya finalidad es servir de guía o referencia en zonas singulares de la carretera, especialmente en delimitación de carriles, convergencias, divergencias e intersecciones.

8.º Balizamiento circunstancial luminoso: instalado en tramos de niebla intensa para adecuación de la distancia mínima de seguridad. Cons-ta de dos conjuntos luminosos de forma rectangular o cuadrada: color ámbar fijo para la señalización de sentido y delimitación de vía, y un color rojo fijo para la señalización de paso de vehículo.

9.º Jalones de nieve: delimitan la plataforma de la carretera cuando esta no es visible por encontrarse cubierta de nieve favoreciendo así el guiado óptico.

10.º Guías sonoras longitudinales: pequeñas hendiduras en el firme o resaltes en la marca vial que al ser pisadas por el neumático del vehículo producen una vibración y/o sonido que pretende alertar al conductor de desvíos involuntarios de la trayectoria del vehículo.

c) Otros elementos de balizamiento:

1.º Manga de viento: complementa la advertencia de peligro indicada por la señal P-29, informando al conductor sobre la existencia, sentido e intensidad de un viento continuo o racheado.

2.º Pórtico de control de gálibo: Estructura que sirve para advertir o impedir el paso de vehículos que sobrepasan la altura de una estructura, ya sea puente, paso superior o túnel, que viene a continuación del sentido de circulación del vehículo.

d) Señales de balizamiento:

1.º Baliza o captafaro horizontal luminoso: colocada sobre la calzada podrá delimitar carriles, orientar la circulación en desvíos obligatorios, delimitar las zonas de incorporación a carriles o restringir los cambios de carril. Emitirá luz de color verde, naranja o rojo, siendo el único franqueable el verde.

e) Sistemas de contención de vehículos:

1.º Barreras de seguridad. Protegen frente a salidas de la vía en los márgenes y medianas de la carretera.

2.º Pretiles. Protegen frente a salidas de la vía en las zonas de tableros de puentes y obras de paso, coronaciones de muros de sostenimiento y obras similares.

3.º Sistemas de protección para motoristas. Barreras específicamente diseñadas para la protección de los vehículos de dos ruedas.

4.º Atenuadores de impacto. Dispositivos diseñados para su empleo en el inicio de una divergencia o bifurcación que tienen la capacidad, al menos, de contener los vehículos que impactan contra ellos.

La forma, símbolos y nomenclaturas de las correspondientes señales figuran también en el anexo al presente Temario.

3.6.3. Semáforos

Los tipos de semáforos son:

a) Semáforos reservados para peatones.

b) Semáforos circulares para vehículos.

c) Semáforos cuadrados para vehículos, o de carril.

d) Semáforos reservados a determinados vehículos.

El significado de las luces de los distintos semáforos se regula en el apartado 4 del anexo I RGC.

3.6.3.1. Semáforos reservados para peatones

El significado de las luces de estos semáforos es el siguiente:

a) Una luz roja no intermitente, en forma de peatón inmóvil, indica a los peatones que no deben comenzar a cruzar la calzada.

b) Una luz verde no intermitente, en forma de peatón en marcha, indica a los peatones que pueden comenzar a atravesar la calzada. Cuando dicha luz pase a intermitente, significa que el tiempo de que aún disponen para terminar de atravesar la calzada está a punto de finalizar y que se va a encender la luz roja.

3.6.3.2. Semáforos circulares para vehículos

El significado de sus luces y flechas es el siguiente:

a) Una luz roja no intermitente prohíbe el paso. Mientras permanece encendida, los vehículos no deben rebasar el semáforo ni, si existe, la línea de detención anterior más próxima a aquel. Si el semáforo estuviese dentro o al lado opuesto de una intersección, los vehículos no deben internarse en esta ni, si existe, rebasar la línea de detención situada antes de aquella.

b) Una luz roja intermitente, o dos luces rojas alternativamente intermitentes, prohíben temporalmente el paso a los vehículos antes de un paso a nivel, una entrada a un puente móvil o a un pontón transbordador, en las proximidades de una salida de vehículos de extinción de incendios o con motivo de la aproximación de una aeronave a escasa altura.

c) Una luz amarilla no intermitente significa que los vehículos deben detenerse en las mismas condiciones que si se tratara de una luz roja fija, a no ser que, cuando se encienda, el vehículo se encuentre tan cerca del lugar de detención que no pueda detenerse antes del semáforo en condiciones de seguridad suficientes.

d) Una luz amarilla intermitente, o dos luces amarillas alternativamente intermitentes obligan a los conductores a extremar la precaución y, en su caso, ceder el paso. Además, no eximen del cumplimiento de otras señales que obliguen a detenerse.

e) Una luz verde no intermitente significa que está permitido el paso, excepto en la situación en la que, debido a la circulación, previsiblemente pueda quedar detenido en una intersección o paso para peatones o ciclistas, de forma que impida u obstruya la circulación transversal.

f) Una flecha negra sobre una luz roja no intermitente o sobre una luz amarilla no cambia el significado de dichas luces, pero lo limita exclusivamente al movimiento indicado por la flecha.

g) Una flecha verde que se ilumina sobre un fondo circular negro, significa que los vehículos pueden tomar la dirección y sentido indicados por aquella, cualquiera que sea la luz que esté simultáneamente encendida en el mismo semáforo o en otro contiguo.

Cualquier vehículo que, al encenderse la flecha verde, se encuentre en un carril reservado exclusivamente para la circulación en la dirección y sentidos indicados por la flecha o que, sin estar reservado, sea el que esta circulación tenga que utilizar, deberá avanzar en dicha dirección y sentido.

Los vehículos que avancen siguiendo la indicación de una flecha verde deben hacerlo con precaución, dejando pasar a los vehículos que circulen por el carril al que se incorporen y no poniendo en peligro a los peatones que estén cruzando la calzada.

3.6.3.3. Semáforos cuadrados para vehículos, o de carril

Los semáforos de ocupación de carril afectan exclusivamente a los vehículos que circulen por el carril sobre el que están situados o en el que se indique en el panel de señalización variable, y el significado de sus luces es el siguiente:

a) Una luz roja en forma de aspa determina la prohibición de ocupar el carril indicado. Los conductores de los vehículos que circulen por este carril deberán abandonarlo en el tiempo más breve posible.

b) Una luz verde en forma de flecha apuntada hacia abajo indica que está permitido circular por el carril correspondiente. Esta autorización de utilizar el carril no exime de la obligación de detenerse ante una luz roja circular o, por excepción a lo dispuesto sobre el orden de preeminencia en el artículo 133, de obedecer cualquier otra señal o marca vial que obligue a detenerse o a ceder el paso, o en su ausencia, del cumplimiento de las normas generales sobre prioridad de paso.

c) Una luz blanca o amarilla en forma de flecha, intermitente o fija, apuntada hacia abajo en forma oblicua indica, a los usuarios del carril correspondiente la necesidad de irse incorporando en condiciones de seguridad al carril hacia el que apunta la flecha, toda vez que aquel por el que circula va a quedar cerrado en corto espacio.

3.6.3.4. Semáforos reservados a determinados vehículos

Cuando las luces de los semáforos presentan la silueta iluminada de un ciclo, sus indicaciones se refieren exclusivamente a ciclos y ciclomotores.

Cuando, excepcionalmente, el semáforo consista en una franja blanca iluminada sobre fondo circular negro, sus indicaciones se refieren exclusivamente a los tranvías y a los autobuses de líneas regulares, a no ser que exista un carril reservado para autobuses o para autobuses, taxis y otros vehículos, en cuyo caso sólo se refieren a los que circulen por él. El significado de estos semáforos es el siguiente:

a) Una franja blanca horizontal iluminada prohíbe el paso en las mismas condiciones que la luz roja no intermitente.

b) Una franja blanca vertical iluminada permite el paso de frente.

c) Una franja blanca oblicua, hacia la izquierda o hacia la derecha, iluminada, indica que está permitido el paso para girar a la izquierda o a la derecha, respectivamente.

d) Una franja blanca, vertical u oblicua, iluminada intermitentemente, indica que los citados vehículos deben detenerse en las mismas condiciones que si se tratara de una luz amarilla fija.

Recuerda que...

Una luz amarilla no intermitente significa que los vehículos deben detenerse en las mismas condiciones que si se tratara de una luz roja fija,
a no ser que, cuando se encienda, el vehículo se encuentre tan cerca
del lugar de detención que no pueda detenerse antes del semáforo en
condiciones de seguridad suficientes.

3.6.4. Señales verticales de circulación

3.6.4.1. Señales de advertencia de peligro

Las señales de advertencia de peligro tienen por objeto indicar a los usuarios de la vía
la proximidad y la naturaleza de un peligro difícil de ser percibido a tiempo, con objeto
de que se cumplan las normas de comportamiento que, en cada caso, sean procedentes.

La distancia entre la señal y el principio del tramo peligroso podrá indicarse en un
panel complementario.

Asimismo, mediante un panel complementario podrá indicarse la longitud a lo largo de la cual existe el peligro indicado por la señal.

Cuando se trate de señales luminosas, podrá admitirse que los símbolos aparezcan
iluminados en blanco sobre fondo oscuro no luminoso.

La forma, color, diseño y significado de las señales, así como las dimensiones de
las mismas en función de cada tipo de vía y sistemas de colocación se regulan en el
apartado 5 del anexo.

Los tipos de señales de advertencia de peligro, con su nomenclatura y significado
respectivos, son los siguientes:

– **P-1. Intersección con prioridad.** Peligro por la proximidad de una intersección
   con una vía, cuyos usuarios deben ceder el paso.

– **P-1 a. Intersección con prioridad sobre la vía a la derecha**. Peligro por la proximidad de una intersección con una vía a la derecha, cuyos usuarios deben ceder el
   paso.

– **P-1 b. Intersección con prioridad sobre vía a la izquierda**. Peligro por la proximidad de una intersección con una vía a la izquierda, cuyos usuarios deben ceder
   el paso.

– **P-1 c. Intersección con prioridad sobre incorporación por la derecha**. Peligro
   por la proximidad de una incorporación por la derecha de una vía, cuyos usuarios deben ceder el paso.

- **P-1 d. Intersección con prioridad sobre incorporación por la izquierda**. Peligro por la proximidad de una incorporación por la izquierda de una vía, cuyos usuarios deben ceder el paso.

- **P-1 e. Tramos con accesos directos**. Peligro por la proximidad de un tramo en el que existen varios accesos directos a la vía, debiendo ceder el paso los usuarios de dichos accesos directos.

- **P-2. Intersección con prioridad de la derecha**. Peligro por la proximidad de una intersección en la que rige la regla general de prioridad de paso.

- **P-3. Semáforos**. Peligro por la proximidad de una intersección aislada o tramo con la circulación regulada por semáforos.

- **P-4. Glorieta**. Peligro por la proximidad de una glorieta con circulación en el sentido indicado por las flechas.

- **P-5. Puente móvil**. Peligro ante la proximidad de un puente que puede ser levantado o girado, interrumpiéndose así temporalmente la circulación.

- **P-6. Cruce de tranvía**. Peligro por la proximidad de cruce con una línea de tranvía, que tiene prioridad de paso.

- **P-7. Paso a nivel con barreras**. Peligro por la proximidad de un paso a nivel provisto de barreras o semibarreras.

- **P-8. Paso a nivel sin barreras**. Peligro por la proximidad de un paso a nivel no provisto de barreras o semibarreras.

- **P-9 a. Proximidad de un paso a nivel, puente móvil o muelle (lado derecho)**. Indica, en el lado derecho, la proximidad de peligro señalizado de un paso a nivel, de un puente móvil o de un muelle. Esta baliza va siempre acompañada de la señal P-5, P-7, P-8 o P-27.

- **P-9 b. Aproximación a un paso a nivel, puente móvil o muelle (150 m, lado derecho)**. Indica la existencia de un paso a nivel, un puente móvil o un muelle a una distancia de 150 m. Esta baliza se sitúa en el lado derecho de la calzada.

- **P-9 c. Cercanía de un paso a nivel, puente móvil o muelle (100 m, lado derecho)**. Indica la existencia de un paso a nivel, un puente móvil o un muelle a una distancia de 100 m. Esta baliza se sitúa en el lado derecho de la calzada.

- **P-10 a. Proximidad de un paso a nivel, puente móvil o muelle (200 m, lado izquierdo)**. Indica la existencia de un paso a nivel, un puente móvil o un muelle a una distancia de 200 m. Esta baliza se sitúa en el lado izquierdo e la calzada y va siempre acompañada de la señal P-5, P-7, P-8 o P-27.

- **P-10 b. Aproximación a un paso a nivel, puente móvil o muelle (100 m, lado izquierdo)**. Indica la existencia de un paso a nivel, un puente móvil o un muelle a una distancia de 150 m. Esta baliza se sitúa en el lado izquierdo de la calzada.

- **P-10 c. Cercanía de un paso a nivel, puente móvil o muelle (100 m, lado izquierdo)**. Indica la existencia de un paso a nivel, un puente móvil o un muelle a una distancia de 100 m. Esta baliza se sitúa en el lado izquierdo de la calzada.

- **P-11. Situación de un paso a nivel sin barreras**. Peligro por la presencia inmediata de un paso a nivel sin barreras.

- **P-11 a. Situación de un paso a nivel sin barreras de más de una vía férrea**. Peligro por la presencia inmediata de un paso a nivel sin barreras con más de una vía férrea.

- **P-12. Aeropuerto**. Peligro por la proximidad de un lugar donde frecuentemente vuelan aeronaves a baja altura sobre la vía y que pueden originar ruidos imprevistos.

- **P-13 a. Curva peligrosa hacia la derecha**. Peligro por la proximidad de una curva peligrosa hacia la derecha.

- **P-13 b. Curva peligrosa hacia la izquierda**. Peligro por la proximidad de una curva peligrosa hacia la izquierda.

- **P-14 a. Curvas peligrosas hacia la derecha**. Peligro por la proximidad de una sucesión de curvas próximas entre sí; la primera, hacia la derecha.

- **P-14 b. Curvas peligrosas hacia la izquierda**. Peligro por la proximidad de una sucesión de curvas próximas entre sí; la primera, hacia la izquierda.

- **P-15. Perfil irregular**. Peligro por la proximidad de un resalto o badén en la vía o pavimento en mal estado.

- **P-15 a. Resalte**. Peligro por la proximidad de un resalte en la vía.

- **P-15 b. Badén**. Peligro por la proximidad de un badén en la vía.

- **P-16 a. Bajada con fuerte pendiente**. Peligro por la existencia de un tramo de vía con fuerte pendiente descendente. La cifra indica la inclinación de la pendiente en porcentaje.

- **P-16 b. Subida con fuerte pendiente**. Peligro por la existencia de un tramo de vía con fuerte pendiente ascendente. La cifra indica la inclinación de la pendiente en porcentaje.

- **P-17. Estrechamiento de calzada**. Peligro por la proximidad de una zona de la vía en la que se estrecha la calzada. También puede ser utilizada cuando se reduzca la anchura de los arcenes de la calzada. No se utilizará cuando, tras una reducción del número de carriles de la calzada, la anchura de los carriles restantes y de los arcenes no haya variado.

– **P-17 a. Estrechamiento de calzada por la derecha**. Peligro por la proximidad de una zona de la vía en la que la calzada se estrecha por el lado de la derecha. También puede ser utilizada cuando se reduzca la anchura del arcén derecho de la calzada. No se utilizará cuando, tras una reducción del número de carriles de la calzada por la derecha, la anchura de los carriles restantes y de los arcenes no haya variado.

– **P-17 b. Estrechamiento de calzada por la izquierda**. Peligro por la proximidad de una zona de la vía en la que la calzada se estrecha por el lado de la izquierda. También puede ser utilizada cuando se reduzca la anchura del arcén izquierdo de la calzada cuando esta sea de un solo sentido de circulación. No se utilizará cuando, tras una reducción del número de carriles de la calzada por la izquierda, la anchura de los carriles restantes y de los arcenes no haya variado.

– **P-18. Obras**. Peligro por la proximidad de un tramo de vía en obras.

– **P-19. Pavimento deslizante**. Peligro por la proximidad de una zona de la calzada cuyo pavimento puede resultar muy deslizante.

– **P-20 a. Paso para peatones**. Peligro por la proximidad de uno o varios pasos para peatones.

– **P-20 b. Peatones**. Peligro por la proximidad de un lugar o tramo con elevado tránsito de peatones.

– **P-20 c. Pasos para peatones y ciclistas**. Peligro por la proximidad de un paso para peatones adosado o compartido con un paso para ciclistas.

– **P-21 a. Niños**. Peligro por la proximidad de un lugar frecuentado por niños, como una escuela, una zona de juegos, etc.

– **P-21 b. Personas con dificultades motrices**. Peligro por la proximidad de un lugar frecuentado por personas con dificultades motrices o sensoriales.

– **P-22 a. Paso para ciclistas**. Peligro por la proximidad de uno o varios pasos para ciclistas.

– **P-22 b. Ciclistas**. Peligro por la proximidad de un tramo con circulación frecuente de ciclistas.

– **P-23. Paso de animales domésticos o ganado**. Peligro por la proximidad de un lugar donde frecuentemente la vía puede ser atravesada por animales domésticos o ganado.

– **P-24. Paso de animales en libertad**. Peligro por la proximidad de un lugar donde frecuentemente la vía puede ser atravesada por animales en libertad.

– **P-24 a. Paso de animales en libertad (jabalíes)**. Peligro por la proximidad de un lugar donde frecuentemente la vía puede ser atravesada por animales en libertad, tratándose en una proporción muy significativa de jabalíes.

– **P-25. Circulación en los dos sentidos**. Peligro por la proximidad de un tramo con circulación en ambos sentidos.

- **P-26. Desprendimiento**. Peligro por la proximidad a una zona con desprendimientos frecuentes y la consiguiente posible presencia de obstáculos en la calzada.
- **P-27. Muelle**. Peligro debido a que la vía desemboca en un muelle o en una corriente de agua.
- **P-28. Proyección de gravilla**. Peligro por la proximidad de un tramo de vía donde existe el riesgo de que se proyecte gravilla al pasar los vehículos.
- **P-29. Viento transversal**. Peligro por la proximidad de una zona donde sopla frecuentemente viento fuerte en dirección transversal.
- **P-30. Escalón lateral**. Peligro por la existencia de un desnivel a lo largo de la vía en el lado que indique el símbolo.
- **P-31. Congestión**. Peligro por la proximidad de un tramo en que la circulación se encuentra detenida o dificultada por congestión de tráfico.
- **P-32. Obstrucción en la calzada**. Peligro por la proximidad de un lugar en que hay vehículos que obstruyen la calzada debido a avería, accidente u otras causas.
- **P-33. Visibilidad reducida**. Peligro por la proximidad de un tramo en que la circulación se ve dificultada por una pérdida notable de visibilidad debida a niebla, lluvia, nieve, humos, etc.
- **P-34. Presencia de hielo o nieve**. Peligro por la proximidad de un tramo en el que frecuentemente, durante la época invernal, hay presencia de hielo o nieve y los consiguientes peligros asociados.
- **P-35. Trenzado**. Peligro por la proximidad de un tramo comprendido entre una confluencia y una bifurcación donde se producen distintos movimientos de cambio de carril por parte de los vehículos, cruzándose sus trayectorias y aumentando por ello el riesgo de que se produzcan colisiones.
- **P-50. Otros peligros**. Indica la proximidad de un peligro distinto de los advertidos por otras señales.

3.6.4.2. Señales de reglamentación

1. Objeto, clases y normas comunes

Las señales de reglamentación tienen por objeto indicar a los usuarios de la vía las obligaciones, limitaciones o prohibiciones especiales que deben observar.

Las señales de reglamentación se subdividen en:

a) Señales de prioridad.

b) Señales de prohibición de entrada.

c) Señales de restricción de paso.

d) Otras señales de prohibición o restricción.

e) Señales de obligación.

f) Señales de fin de prohibición o restricción.

Las señales de reglamentación colocadas al lado o en la vertical de una señal que indique el nombre del poblado significan que la reglamentación se aplica a todo el poblado, excepto si en este se indicara otra reglamentación distinta mediante otras señales en ciertos tramos de la vía.

Las obligaciones, limitaciones o prohibiciones especiales establecidas por las señales de reglamentación regirán a partir de la sección transversal donde estén colocadas dichas señales, salvo que mediante un panel complementario colocado debajo de ellas se indique la distancia a la sección donde empiecen a regir las citadas señales.

A) Señales de prioridad

Las señales de prioridad están destinadas a poner en conocimiento de los usuarios de la vía reglas especiales de prioridad en las intersecciones o en los pasos estrechos.

La nomenclatura y significado de las señales de prioridad son los siguientes:

- **R-1. Ceda el paso**. Obligación para todo conductor de ceder el paso en la próxima intersección a los vehículos que circulen por la vía a la que se aproxime al carril al que pretende incorporarse.

- **R-2. Detención obligatoria o _stop_**. Obligación para todo conductor de detener su vehículo ante la próxima línea de detención o, si no existe, inmediatamente antes de la intersección, y ceder el paso en ella a los vehículos que circulen por la vía a la que se aproxime.

  Si, por circunstancias excepcionales, desde el lugar donde se ha efectuado la detención no existe visibilidad suficiente, el conductor deberá detenerse de nuevo en el lugar desde donde tenga visibilidad, sin poner en peligro a ningún usuario de la vía.

- **R-3. Calzada con prioridad**. Indica a los conductores de los vehículos que circulen por una calzada su prioridad en las intersecciones sobre los vehículos que circulen por otra calzada.

- **R-4. Fin de prioridad**. Indica la proximidad del lugar en que la calzada por la que se circula pierde su prioridad respecto a otra calzada.

- **R-5. Prioridad en sentido contrario**. Prohibición de entrada en un paso estrecho mientras no sea posible atravesarlo sin obligar a los vehículos que circulen en sentido contrario a detenerse.

- **R-6. Prioridad respecto al sentido contrario**. Indica a los conductores que, en un próximo paso estrecho, tienen prioridad con relación a los vehículos que circulen en sentido contrario.

Aunque no responden a los requisitos del artículo 150.1, son también señales de prioridad las P-1, P-1 a, P-1 b, P-1 c, P-1 d, P-2, P-6, P-7 y P-8.

B) Señales de prohibición de entrada

Las señales de prohibición de entrada, para quienes se las encuentren de frente en el sentido de su marcha y a partir del lugar en que están situadas, prohíben el acceso a los vehículos o usuarios, en la forma que a continuación se detalla:

–   **R-100. Circulación prohibida**. Prohibición de circulación de toda clase de vehículos en ambos sentidos.

–   **R-101. Entrada prohibida**. Prohibición de acceso a toda clase de vehículos.

–   **R-102. Entrada prohibida a vehículos de motor**. Prohibición de acceso a vehículos de motor.

–   **R-103. Entrada prohibida a vehículos de motor, excepto motocicletas de dos ruedas**. Prohibición de acceso a vehículos de motor. No prohíbe el acceso a motocicletas de dos ruedas ni a vehículos de tres ruedas asimilados a motocicletas.

–   **R-104. Entrada prohibida a motocicletas**. Prohibición de acceso a motocicletas y a vehículos de tres ruedas asimilados a motocicletas.

–   **R-105. Entrada prohibida a ciclomotores**. Prohibición de acceso a ciclomotores. Igualmente prohíbe la entrada a vehículos para personas de movilidad reducida.

–   **R-106. Entrada prohibida a vehículos destinados al transporte de mercancías**. Prohibición de acceso a vehículos destinados al transporte de mercancías, entendiéndose como tales camiones y furgones independientemente de su masa.

–   **R-107. Entrada prohibida a vehículos destinados al transporte de mercancías con mayor masa autorizada que la indicada**. Prohibición de acceso a toda clase de vehículos destinados al transporte de mercancías si su masa máxima autorizada es superior la indicada en la señal, entendiéndose como tales los camiones y furgones con mayor masa autorizada que la indicada en la señal. Prohíbe el acceso aunque circulen vacíos.

–   **R-108. Entrada prohibida a vehículos que transporten mercancías peligrosas**. Prohibición de paso a toda clase de vehículos que transporten mercancías peligrosas y que deban circular de acuerdo con su reglamentación especial.

–   **R-109. Entrada prohibida a vehículos que transporten mercancías explosivas o inflamables**. Prohibición de paso a toda clase de vehículos que transporten mercancías explosivas o fácilmente inflamables y que deban circular de acuerdo con su reglamentación especial.

–   **R-110. Entrada prohibida a vehículos que transporten productos contaminantes del agua**. Prohibición de paso a toda clase de vehículos que transporten más de 1.000 litros de productos capaces de contaminar el agua.

–   **R-111. Entrada prohibida a vehículos agrícolas de motor**. Prohibición de acceso a tractores y otras máquinas agrícolas autopropulsadas.

– **R-112. Entrada prohibida a vehículos de motor con remolque, que no sea un semirremolque o un remolque de un solo eje**. La inscripción de una cifra de tonelaje, ya sea sobre la silueta del remolque, ya en una placa suplementaria, significa que la prohibición de paso sólo se aplica cuando la masa máxima autorizada del remolque supere dicha cifra.

– **R-113. Entrada prohibida a vehículos de tracción animal**. Prohibición de acceso a vehículos de tracción animal.

– **R-114. Entrada prohibida a ciclos**. Prohibición de acceso a ciclos.

– **R-115. Entrada prohibida a carros de mano**. Prohibición de acceso a carros de mano.

– **R-116. Entrada prohibida a peatones**. Prohibición de acceso a peatones.

– **R-117. Entrada prohibida a animales de montura**. Prohibición de acceso a animales de montura.

– **R-118. Entrada prohibida a vehículos de movilidad personal**. Prohibición de acceso a vehículos de movilidad personal.

– **R-119. Entrada prohibida a ciclos y a vehículos de movilidad personal**. Prohibición de acceso a ciclos y a vehículos de movilidad personal.

– **R-120. Entrada prohibida a vehículos en función de su distintivo ambiental u otros criterios ambientales**. Prohibición de acceso a vehículos en función de su distintivo ambiental u otros criterios ambientales que se establezcan. Las condiciones se especificarán en un panel complementario S-860 o en un cartel en el que se incluya la señal, haciendo referencia en su caso a la clasificación de cada vehículo en función de su distintivo ambiental, según lo establecido reglamentariamente.

C) Señales de restricción de paso

Las señales de restricción de paso, para quienes se las encuentren de frente en el sentido de su marcha y a partir del lugar en que están situadas, prohíben o limitan el acceso de los vehículos en la forma que a continuación se detalla:

– **R-200. Prohibición de pasar sin detenerse**. Indica el lugar donde es obligatoria la detención por la proximidad, según la inscripción que contenga, de un puesto de aduana, de policía, de peaje u otro, y que tras ellos, pueden estar instalados medios mecánicos de detención. En todo caso, el conductor así detenido no podrá reanudar su marcha hasta haber cumplido la prescripción que la señal establece.

– **R-201. Limitación de masa**. Prohibición de paso de vehículos cuya masa en carga supere la indicada en toneladas.

– **R-202. Limitación de masa por eje**. Prohibición de paso de los vehículos cuya masa por eje transmitida por la totalidad de las ruedas acopladas a algún eje supere a la indicada en la señal.

– **R-203. Limitación de longitud**. Prohibición de paso de los vehículos o conjunto de vehículos cuya longitud máxima, incluida la carga, supere la indicada.

- **R-204. Limitación de anchura**. Prohibición de paso de los vehículos cuya anchura máxima, incluida la carga, supere la indicada.

- **R-205. Limitación de altura**. Prohibición de paso de los vehículos cuya altura máxima, incluida la carga, supere la indicada.

D) Otras señales de prohibición o restricción

La nomenclatura y significado de estas señales son las siguientes:

- **R-300. Separación mínima**. Prohibición de circular sin mantener con el vehículo precedente una separación igual o mayor a la indicada en la señal, excepto cuando se vaya a efectuar la maniobra de adelantamiento. Si no aparece ninguna cifra recuerda de forma genérica que debe guardare la distancia de seguridad entre vehículos establecida reglamentariamente.

- **R-301. Velocidad máxima**. Prohibición de circular a velocidad superior, en kilómetros por hora, a la indicada en la señal. Obliga desde el lugar en que esté situada hasta la próxima señal de «Fin de la limitación de velocidad», de «Fin de prohibiciones» u otra de «Velocidad máxima», salvo que esté colocada en el mismo poste que una señal de advertencia de peligro o en el mismo panel que esta, en cuyo caso la prohibición finaliza cuando termine el peligro señalado. Situada en una vía sin prioridad, deja de tener vigencia al salir de una intersección con una vía con prioridad. Si el límite indicado por la señal coincide con la velocidad máxima permitida para el tipo de vía, recuerda de forma genérica la prohibición de superarla.

- **R-302. Giro a la derecha prohibido**. Prohibición de girar a la derecha.

- **R-303. Giro a la izquierda prohibido**. Prohibición de girar a la izquierda. Incluye, también, la prohibición del cambio de sentido de marcha.

- **R-304. Cambio de sentido prohibido**. Prohibición de efectuar la maniobra de cambio de sentido de la marcha.

- **R-305. Adelantamiento prohibido**. Por añadidura a los principios generales sobre adelantamiento, indica la prohibición a todos los vehículos de adelantar a los vehículos de motor que circulen por la calzada, salvo que estos sean motocicletas de dos ruedas y siempre que no se invada la zona reservada al sentido contrario, a partir del lugar en que esté situada la señal y hasta la próxima señal de «Fin de prohibición de adelantamiento» o de «Fin de prohibiciones». Colocada en aquellos lugares donde por norma esté prohibido el adelantamiento, recuerda de forma genérica la prohibición de efectuar esta maniobra.

- **R-306. Adelantamiento prohibido para camiones**. Prohibición a los camiones cuya masa máxima autorizada exceda de 3.500 kilogramos de adelantar a los vehículos de motor que circulen por la calzada, salvo que estos sean motocicletas de dos ruedas y siempre que no se invada la zona reservada al sentido contrario, a partir del lugar en que esté situada la señal y hasta la próxima señal de «Fin de prohibición de adelantamiento para camiones» o de «Fin de prohibiciones».

– **R-307. Parada y estacionamiento prohibido**. Prohibición de parada y estacionamiento en el lado de la calzada en que esté situada la señal. Salvo indicación en contrario, la prohibición comienza en la vertical de la señal y termina en la intersección más próxima.

– **R-307 a. Parada y estacionamiento prohibido hacia ambos lados de la señal**. Prohibición de parada y estacionamiento en el lado de la calzada en que esté situada la señal, en el tramo comprendido entre las intersecciones o las señales R-307b y R-307c más próximas hacia ambos lados de la señal.

– **R-307 b. Parada y estacionamiento prohibido hacia el lado de la señal indicado por la flecha**. Prohibición de parada y estacionamiento en el lado de la calzada en que esté situada la señal, en el tramo comprendido entre la señal y la intersección o la señal R-307c más próximas en el sentido que indica la flecha.

– **R-307 c. Parada y estacionamiento prohibido hacia el lado de la señal indicado por la flecha**. Prohibición de parada y estacionamiento en el lado de la calzada en que esté situada la señal, en el tramo comprendido entre la señal y la intersección o la señal R-307b más próximas en el sentido que indica la flecha.

– **R-308. Estacionamiento prohibido**. Prohibición de estacionamiento en el lado de la calzada en que esté situada la señal. Salvo indicación en contrario, la prohibición comienza en la vertical de la señal y termina en la intersección más próxima. No prohíbe la parada.

– **R-308 c. Estacionamiento prohibido la primera quincena**. Prohibición de estacionamiento, en el lado de la calzada en que esté situada la señal, desde las nueve horas del día 1 hasta las nueve horas del día 16. Salvo indicación en contrario, la prohibición comienza en la vertical de la señal y termina en la intersección más próxima. No prohíbe la parada.

– **R-308 d. Estacionamiento prohibido la segunda quincena**. Prohibición de estacionamiento, en el lado de la calzada en que esté situada la señal, desde las nueve horas del día 16 hasta las nueve horas del día 1. Salvo indicación en contrario, la prohibición comienza en la vertical de la señal y termina en la intersección más próxima. No prohíbe la parada.

– **R-308 e. Estacionamiento prohibido en vado**. Prohíbe el estacionamiento delante de un vado.

– **R-308 f. Estacionamiento prohibido hacia ambos lados de la señal**. Prohibición de estacionamiento en el lado de la calzada en que esté situada la señal, en el tramo comprendido entre las intersecciones o las señales R-308g y R-308h más próximas hacia ambos lados de la señal. No prohíbe la parada.

– **R-308 g. Estacionamiento prohibido hacia el lado señal indicado por la flecha**. Prohibición de estacionamiento en el lado de la calzada en que esté situada la señal, en el tramo comprendido entre la señal y la intersección o la señal R-308h más próximas en el sentido que indica la flecha. No prohíbe la parada.

- **R-308 g. Estacionamiento prohibido hacia señal indicado por la flecha**. Prohibición de estacionamiento en el lado de la calzada en que esté situada la señal, en el tramo comprendido entre la señal y la intersección o la señal R-308g más próximas en el sentido que indica la flecha. No prohíbe la parada.

- **R-309. Zona de estacionamiento limitado**. Zona de estacionamiento de duración limitada y obligación al conductor de indicar, de forma reglamentaria, la hora de comienzo del estacionamiento. Se podrá incluir el tiempo máximo autorizado de estacionamiento y el horario de vigencia de la limitación. También se podrá incluir si el estacionamiento está sujeto a pago.

- **R-310. Advertencias acústicas prohibidas**. Recuerda la prohibición general de efectuar señales acústicas, salvo para evitar un accidente.

 Recuerda que...

La señal de estacionamiento prohibido no implica que no se pueda realizar parada. Pero la señal de prohibición de parada impide el estacionamiento.

E) Señales de obligación

Son aquellas que señalan una norma de circulación obligatoria. Su nomenclatura y significado son los siguientes:

- **R-400 a, b, c, d y e. Sentido obligatorio**. La flecha señala la dirección y sentido que los vehículos tienen la obligación de seguir.

- **R-401 a, b y c. Paso obligatorio**. La flecha señala el lado o los lados del refugio por los que los vehículos han de pasar.

- **R-402. Sentido obligatorio en glorieta**. Las flechas señalan la dirección y sentido del movimiento giratorio que los vehículos deben seguir.

- **R-403 a, b y c. Únicas direcciones y sentidos permitidos**. Las flechas señalan las únicas direcciones y sentidos que los vehículos pueden tomar.

- **R-404. Calzada para automóviles, excepto motocicletas sin sidecar**. Obligación para los conductores de automóviles, excepto motocicletas, de circular por la calzada a cuya entrada esté situada.

- **R-405. Calzada para motocicletas sin sidecar**. Obligación para los conductores de motocicletas de circular por la calzada a cuya entrada esté situada.

- **R-406. Calzada para camiones, furgones y furgonetas**. Obligación para los conductores de toda clase de camiones y furgones, independientemente de su masa, de circular por la calzada a cuya entrada esté situada. La inscripción de una cifra de tonelaje sobre la silueta del vehículo en una placa suplementaria, significa que la obligación sólo se aplica cuando la masa máxima autorizada del vehículo o del conjunto de vehículos supere la citada cifra.

– **R-407 a. Vía reservada y obligartoria para ciclos**. Obligación para los conductores de ciclos de circular por la vía a cuya entrada esté situada y prohibición a los demás usuarios de la vía de utilizarla.

– **R-407 b. Vía reservada y obligatoria para ciclomotores**. Obligación para los conductores de ciclomotores de circular por la vía a cuya entrada esté situada y prohibición a los demás usuarios de la vía de utilizarla.

– **R-408. Camino obligatorio para vehículos de tracción animal**. Obligación para los conductores de vehículos de tracción animal de utilizar el camino a cuya entrada esté situada.

– **R-409. Camino reservado y obligatorio para animales de montura**. Obligación para los jinetes de utilizar con sus animales de montura el camino a cuya entrada esté situada y prohibición a los demás usuarios de la vía de utilizarlo.

– **R-410. Camino reservado y obligatorio para peatones**. Obligación para los peatones de transitar por el camino a cuya entrada esté situada y prohibición a los demás usuarios de la vía de utilizarlo.

– **R-411. Velocidad mínima**. Obligación para los conductores de vehículos, de circular, por lo menos, a la velocidad indicada por la cifra, en kilómetros por hora, que figure en la señal, desde el lugar en que esté situada hasta otra de velocidad mínima diferente, o de fin de velocidad mínima o de velocidad máxima de valor igual o inferior.

– **R-412. Cadenas para nieve**. Obligación de no proseguir la marcha sin cadenas para nieve u otros dispositivos autorizados, que actúen al menos en una rueda a cada lado del mismo eje motor.

– **R-412 b. Neumáticos de invierno.** Obligación de no proseguir la marcha sin neumáticos especiales de invierno.

– **R-413. Alumbrado de corto alcance**. Obligación para los conductores de circular con el alumbrado de corto alcance al menos, con independencia de las condiciones de visibilidad e iluminación de la vía, desde el lugar en que esté situada la señal hasta otra de fin de esta obligación.

– **R-414. Calzada obligatoria para vehículos que transporten mercancías peligrosas**. Obligación para los conductores de toda clase de vehículos que transporten mercancías peligrosas de circular por la calzada a cuya entrada está situada y que deben circular de acuerdo con su reglamentación especial.

– **R-415. Calzada obligatoria para vehículos que transporten productos contaminantes del agua**. Obligación para los conductores de toda clase de vehículos que transporten más de 1.000 litros de productos capaces de contaminar el agua de circular por la calzada a cuya entrada está situada.

– **R-416. Calzada obligatoria para vehículos que transporten mercancías explosivas o inflamables**. Obligación para los conductores de toda clase de vehículos que transporten mercancías explosivas o fácilmente inflamables de circular por la calzada a cuya entrada está situada y que deben circular de acuerdo con su reglamentación especial.

- **R-417. Uso obligatorio del cinturón de seguridad**. Obligación de utilización del cinturón de seguridad.

- **R-418. Vía exclusiva para vehículos dotados de equipo de telepeaje operativo. Telepeaje obligatorio**. Obligación de efectuar el pago del peaje mediante el sistema de peaje dinámico o telepeaje; el vehículo que circule por el carril o carriles así señalizados deberá estar provisto del medio técnico que posibilite su uso en condiciones operativas de acuerdo con las disposiciones legales en la materia.

- **R-419. Camino obligatorio para tractores**, Obligación para los conductores de tractores de utilizar el camino a cuya entrada esté situada.

- **R-420. Vía reservada y obligatoria para vehículos de movilidad personal**. Obligación para los conductores de vehículos de movilidad personal de circular por la vía a cuya entrada esté situada y prohibición a los demás usuarios de la vía de utilizarla.

- **R-421. Vía reservada y obligatoria para ciclos y para vehículos de movilidad personal**. Obligación para los conductores de ciclos y de vehículos de movilidad personal de circular por la vía a cuya entrada esté Situada y prohibición a los demás usuarios de la vía de utilizarla

- **R-422. Desmontar y continuar a pie.** Obligación para los usuarios de ciclos de continuar a pie. Si dicha obligación se limita a ciertos periodos, se indicará mediante un panel complementario.

F) Señales de fin de prohibición o restricción

La nomenclatura y significado de las señales de fin de prohibición o restricción son los siguientes:

- **R-500. Fin de prohibiciones**. Señala el lugar desde el que todas las prohibiciones específicas indicadas por anteriores señales de prohibición para vehículos en movimiento dejan de tener aplicación.

- **R-501. Fin de la limitación de velocidad**. Señala el lugar desde donde deja de ser aplicable una anterior señal de velocidad máxima.

- **R-502. Fin de la prohibición de adelantamiento**. Señala el lugar desde donde deja de ser aplicable una anterior señal de adelantamiento prohibido.

- **R-503. Fin de la prohibición de adelantamiento para camiones**. Señala el lugar desde donde deja de ser aplicable una anterior señal de adelantamiento prohibido para camiones.

- **R-504. Fin de zona de estacionamiento limitado**. Señala el lugar desde donde deja de ser aplicable una anterior señal de zona de estacionamiento limitado.

- **R-505. Fin de vía reservada para ciclos**. Señala el lugar desde donde deja de ser aplicable una anterior señal de vía reservada para ciclos.

- **R-506. Fin de velocidad mínima**. Señala el lugar desde donde deja de ser aplicable una anterior señal de velocidad mínima.

– **R-507. Fin de calzada obligatoria para automóviles,** excepto motocicletas de dos ruedas. Señala el lugar desde donde deja de ser aplicable una señal anterior de calzada obligatoria para automóviles, excepto motocicletas de dos ruedas y vehículos de tres ruedas asimilados a motocicletas.

– **R-508. Fin de calzada obligatoria para motocicletas de dos ruedas**. Señala el lugar desde donde deja de ser aplicable una señal anterior de calzada obligatoria para motocicletas de dos ruedas y vehículos de tres ruedas asimilados a motocicletas.

– **R-509. Fin de calzada obligatoria para camiones, tractocamiones y furgones o furgonetas**. Señala el lugar desde donde deja de ser aplicable una señal anterior de calzada obligatoria para camiones, tractocamiones y furgones o furgonetas.

– **R-510. Fin de vía reservada y obligatoria para ciclomotores**. Señala el lugar desde donde deja de ser aplicable una señal anterior de vía reservada y obligatoria para ciclomotores

– **R-511. Fin de camino obligatorio para vehículos de tracción animal**. Señala el lugar desde donde deja de ser aplicable una señal anterior de camino obligatorio para vehículos de tracción animal.

– **R-512. Fin de camino reservado y obligatorio para animales de montura**. Señala el lugar desde donde deja de ser aplicable una señal anterior de camino reservado y obligatorio para animales de montura.

– **R-513. Fin de camino reservado y obligatorio para peatones**. Señala el lugar desde donde deja de ser aplicable una señal anterior de camino reservado y obligatorio para peatones.

– **R-514 1 Fin de camino obligatorio para tractores**. Señala el lugar desde donde deja de ser aplicable una señal anterior de camino obligatorio para tractores.

– **R-515. Fin de vía reservada y obligatoria para vehículos de movilidad personal**. Señala el lugar desde donde deja de ser aplicable una señal anterior de vía reservada y obligatoria para vehículos de movilidad personal.

– **R.516. Fin de vía reservada y obligatoria para ciclos y para vehículos de movilidad personal**. Señala el lugar desde donde deja de ser aplicable una señal anterior de vía reservada y obligatoria para ciclos y vehículos de movilidad personal.

3.6.4.3. Señales de indicación

1. Objeto y tipos

Las señales de indicación tienen por objeto facilitar al usuario de las vías ciertas indicaciones que pueden serle de utilidad.

Las señales de indicación pueden ser:

a) Señales de indicaciones generales.

b) Señales de carriles.

c) Señales de servicios.

d) Señales de orientación.

e) Paneles complementarios.

f) Otras señales.

Actividad 4

Indica el nombre de seis señales consideradas como de reglamentación:

- _____
- _____
- _____
- _____
- _____
- _____

Los paneles complementarios colocados debajo de una señal de indicación podrán expresar la distancia entre dicha señal y el lugar así señalado. La indicación de esta distancia podrá figurar también, en su caso, en la parte inferior de la propia señal.

A) Señales de indicaciones generales

La nomenclatura y significado de las señales de indicaciones generales son los siguientes:

- **S-1. Autopista**. Indica el principio de una autopista y, por tanto, el lugar a partir del cual se aplican las reglas especiales de circulación en este tipo de vía. Puede indicar también el ramal de un nudo que conduce a una autopista.

- **S-1 a. Autovía**. Indica el principio de una autovía y, por tanto, el lugar a partir del cual se aplican las reglas especiales de circulación en este tipo de vía. Puede indicar también el ramal de un nudo que conduce a una autopista.

- **S-1 b. Carretera multicarril.** Indica el principio de una carretera multicarril y, por tanto, el lugar a partir del cual se aplican las reglas especiales de circulación en este tipo de vía. Esta señal puede indicar el ramal de un nudo que conduce a una carretera multicarril.

- **S-1 c. Carretera 2+1.** Indica el principio de una carretera 2+1, es decir, aquella que 2+1 consta de tres carriles de circulación y permite la circulación en ambos sentidos. El carril central se destina a facilitar la maniobra de adelantamiento, estando reservado de manera alterna a uno y otro sentido de circulación. Esta señal pude indicar también el ramal de un nudo que conduce a una carretera 2+1.

- **S-2. Fin de autopista**. Indica el final de una autopista.

- **S-2 a. Fin de autovía**. Indica el final de una autovía.

- **S-2 b. Fin de carretera multicarril**. Indica el final de una carretera multicarril.

- **S-2 c. Fin de carretera 2+1**. Indica el final de una carretera 2+1.

- **S-3. Vía reservada para automóviles**. Indica el principio de una vía reservada a la circulación de automóviles.

- **S-4. Fin de vía reservada para automóviles**. Indica el final de una vía reservada para automóviles.

- **S-5. Túnel**. Indica el principio y eventualmente el nombre de un túnel, de un paso inferior o de un tramo de vía equiparado a túnel. Podrá llevar en su parte inferior la indicación de la longitud del túnel en metros.

- **S-7. Velocidad máxima aconsejable**. Recomienda una velocidad aproximada de circulación, en kilómetros por hora, que se aconseja no sobrepasar, aunque las condiciones meteorológicas y ambientales de la vía y de la circulación sean favorables. Cuando esté colocada bajo una señal de advertencia de peligro, la recomendación se refiere al tramo en que dicho peligro subsista.

- **S-8. Fin de velocidad máxima aconsejada**. Indica el final de un tramo en el que se recomienda circular a la velocidad en kilómetros por hora indicada en la señal.

- **S-9. Intervalo aconsejado de velocidades**. Recomienda mantener la velocidad entre los valores indicados, siempre que las condiciones meteorológicas y ambientales de la vía y de la circulación sean favorables. Cuando está colocada debajo de una señal de advertencia de peligro, la recomendación se refiere al tramo en que dicho peligro subsista.

- **S-10. Fin de intervalo aconsejado de velocidades**. Indica el lugar desde donde deja de ser aplicable una anterior señal de intervalo aconsejado de velocidades.

- **S-11. Calzada de sentido único**. Indica que, en la calzada que se prolonga en la dirección de la flecha, los vehículos deben circular en el sentido indicado por esta, y que está prohibida la circulación en sentido contrario.

- **S-11 a. Calzada de dos carriles de sentido único**. Indica que en la calzada de dos carriles que se prolonga en la dirección de las flechas los vehículos deben circular en el sentido indicado por estas, y que está prohibida la circulación en sentido contrario.

- **S-11 b. Calzada de tres carriles de sentido único**. Indica que en la calzada de tres carriles que se prolonga en la dirección de las flechas los vehículos deben circular en el sentido indicado por estas, y que está prohibida la circulación en sentido contrario. En caso de mayor número de carriles el número de flechas se adaptará a los mismos.

- **S-12 a y b. Tramo de calzada de sentido único**. Indica que, en el tramo de calzada que se prolonga en la dirección de la flecha, los vehículos deben circular en el sentido indicado por esta, y que está prohibida la circulación en sentido contrario.

- **S-13. Situación de un paso para peatones**. Indica la situación de un paso para peatones.

- **S-14 a. Paso superior para peatones**. Indica la situación de un paso superior para peatones.

- **S-14 b. Paso inferior para peatones**. Indica la situación de un paso inferior para peatones.

- **S-14 c. Paso superior para peatones con rampa.** Indica la situación de un paso superior para peatones acondicionado con rampa.

- **S-14 d. Paso inferior para peatones con rampa.** Indica la situación de un paso inferior para peatones acondicionado con rampa.

- **S-14 e. Paso superior para peatones con rail o rampa para ciclos.** Indica la situación de un paso superior para peatones acondicionado con rail o rampa para ciclos.

- **S-14 f. Paso inferior para peatones con rail o rampa para ciclos.** Indica la situación de un paso inferior para peatones acondicionado con rail o rampa para ciclos.

- **S-15 a, b, c y d. Preseñalización de calzada sin salida**. Indican que, de la calzada que figura en la señal con un recuadro rojo, los vehículos sólo pueden salir por el lugar de entrada.

- **S-15 e. Calzada ciclos sin salida excepto para peatones o ciclos**. Indica que la calzada que figura en la señal con un recuadro en rojo no tiene salida excepto para peatones o ciclos. Figurarán el o los pictogramas de los usuarios a los que afecte la excepción.

- **S-16. Zona de frenado de emergencia**. Indica la situación de una zona de escape de la calzada, acondicionada para que un vehículo pueda ser detenido en caso de fallo de su sistema de frenado.

- **S-17. Estacionamiento**. Indica un emplazamiento donde está autorizado el estacionamiento de vehículos. Una inscripción o un símbolo, que representa ciertas clases de vehículos, indica que el estacionamiento está reservado a esas clases. Una inscripción con indicaciones de tiempo limita la duración del estacionamiento señalado.

- **S-17 a. Estacionamiento de necesidad**. Indica el lugar donde está autorizado el estacionamiento de vehículos únicamente para un fin concreto (acceso a una farmacia, hospital, etc.) cuyo pictograma se incluirá en la señal, y durante un tiempo determinado. La duración de dicho tiempo será indicada en un panel complementario.

- **S-18. Lugar reservado para taxis**. Indica el lugar reservado a la parada y al estacionamiento de taxis libres y en servicio. La inscripción de un número indica el número total de espacios reservados a este fin.

– **S-19. Parada de autobuses**. Indica el lugar reservado para parada de autobuses.

– **S-20. Parada de tranvías.** Indica el lugar reservado para parada de tranvías.

– **S-22. Cambio de sentido al mismo nivel**. Indica la proximidad de un lugar en el que se puede efectuar un cambio de sentido al mismo nivel.

– **S-23. Hospital**. Indica, además, a los conductores de vehículos la conveniencia de tomar las precauciones que requiere la proximidad de establecimientos médicos, especialmente la de evitar la producción de ruido.

– **S-24. Fin de obligación de alumbrado de corto alcance (cruce)**. Indica el final de un tramo en que es obligatorio el alumbrado de cruce o corto alcance y recuerda la posibilidad de prescindir de este, siempre que no venga impuesto por circunstancias de visibilidad, horario o iluminación de la vía.

– **S-25. Cambio de sentido a distinto nivel**. Indica la proximidad de una salida a través de la cual se puede efectuar un cambio de sentido a distinto nivel.

– **S-26 a, b y c. Paneles de aproximación a salida**. Indican en una autopista, en una autovía o en una vía para automóviles que la próxima salida está situada, aproximadamente, a 300 metros, 200 metros y 100 metros, respectivamente.

  Si la salida fuera por la izquierda, la diagonal o diagonales serían descendentes de izquierda a derecha y las señales se situarían a la izquierda de la calzada.

– **S-27. Auxilio en carretera**. Indica la situación del poste o puesto de socorro más próximo desde el que se puede solicitar auxilio en caso de accidente o avería. La señal puede indicar la distancia a la que este se halla.

– **S-28. Zona de estancia y juego**. Indica las zonas de circulación que están destinadas en primer lugar a los peatones y en las que se aplican las normas especiales de circulación siguientes: la velocidad máxima de los vehículos está fijada en 10 kilómetros por hora y los conductores deben conceder prioridad a los peatones; los vehículos pueden estacionarse únicamente en los lugares designados por señales o por marcas; los ciclos y, en su caso, los VMP, pueden circular en ambos sentidos, salvo que la autoridad competente establezca lo contrario; los peatones pueden utilizar toda la zona de circulación y por tanto no se señalizan los pasos peatonales; los juegos y los deportes están autorizados en ella. Irá siempre acompañada de la señal R-301 que limitará la velocidad a 10 km/h.

– **S-29. Fin Zona de estancia y juego**. Indica que se aplican de nuevo las normas generales de circulación.

– **S-30. Zona peatonal**. Indica una zona reservada para el uso peatonal.

– **S-31. Fin de zona peatonal. Indica el fin de una zona reservada para el uso peatona**.

– **S-32. Telepeaje**. Indica que el vehículo que circule por el carril o carriles así señalizados puede efectuar el pago del peaje mediante el sistema de peaje dinámico o telepeaje, siempre que esté provisto del medio técnico que posibilite su uso.

- **S-33. Senda ciclopeatonal**. Indica la existencia de una vía para peatones, ciclos y, en su caso, VMP, segregada del tráfico motorizado, y que discurre habitualmente por espacios abiertos, parques, jardines o bosques, si bien fuera de poblado puede discurrir también paralela a la carretera. En presencia de personas caminando, los ciclos y, en su caso, los VMP deberán reducir su velocidad para garantizar la seguridad y la convivencia. Asimismo, las personas viandantes facilitarán el paso de los ciclos y, en su caso, los VMP.

- **S-34. Apartadero**. Indica la situación de un lugar donde se puede apartar el vehículo en caso de emergencia, a fin de dejar libre el paso.

 Sabías que...

En España existen dos tipos de vías para ciclistas segregadas del tráfico motorizado: Carril-bici y senda ciclable.

- **S-34 a. Apartadero en túneles con teléfono de emergencia**. Indica la situación de un lugar donde se puede apartar el vehículo en caso de emergencia, a fin de dejar libre el paso, y que dispone de teléfono de emergencia.

- **S-35. Vía reservada para ciclos**. Indica la existencia de una vía destinada a la circulación de ciclos y prohibición a los demás usuarios de la vía de utilizarla.

- **S-36. Fin de vía reservada para ciclos** Indica el final de una vía destinada a la circulación de ciclos.

- **S-37. Vía reservada para vehículos de movilidad personal**. Indica la existencia de una vía destinada a la circulación de vehículos de movilidad personal y prohibición a los demás usuarios de la vía de utilizarla.

- **S-38. Vía reservada para ciclos y vehículos de movilidad personal**. Indica la existencia de una vía destinada a la circulación de ciclos y vehículos de movilidad personal y prohibición a los demás usuarios de la vía de utilizarla.

- **S-39. Fin de vía reservada personal para vehículos de movilidad**. Indica el final de una vía destinada a la circulación de vehículos de movilidad personal y prohibición a los demás usuarios de la vía de utilizarla.

- **S-40. Fin de vía reservada para ciclos y vehículos de Movilidad personal**. Indica el final de una vía destinada a la circulación de ciclos y vehículos de movilidad personal y prohibición a los demás usuarios de la vía de utilizarla.

- **S-41. Vía reservada para ciclos y peatones con espacio de circulación diferenciado entre ellos**. Indica la existencia de una vía destinada a la circulación de ciclos y peatones con espacio diferenciado entre ambos. El diseño de la señal podrá adaptarse a la situación real de los espacios en cada vía.

– **S-42. Fin de vía reservada para ciclos y peatones con espacio de circulación diferenciado entre ellos.** Indica el final de una vía destinada a la circulación de ciclos y peatones con espacio diferenciado entre ambos. El diseño de la señal podrá adaptarse a la situación real de los espacios en cada vía.

– **S-43. Vía reservada para ciclos, vehículos de movilidad personal y peatones, con espacio de circulación diferenciado entre los dos primeros y los terceros.** Indica la existencia de una vía destinada a la circulación de ciclos, vehículos de movilidad personal y peatones con espacio diferenciado entre los dos primeros y los terceros. El diseño de la señal podrá adaptarse a la situación real de los espacios en cada vía.

– **S-44. Fin de vía reservada para ciclos,** vehículos de movilidad personal y peatones, con espacio de circulación diferenciado entre los dos primeros y los terceros. Indica el final de una vía destinada a la circulación de ciclos, vehículos de movilidad personal y peatones con espacio diferenciado entre los dos primeros y los terceros. El diseño de la señal podrá adaptarse a la situación real de los espacios en cada vía.

– **S-45. Situación de un paso para ciclistas**. Indica la situación de un paso para ciclistas.

– **S-46. Situación de un paso para peatones y ciclistas**. Indica la situación de un paso para peatones adosado o compartido con un paso para ciclistas.

– **S-47. Zona de coexistencia**. Indica una zona de circulación que está destinada en primer lugar a los peatones y en las que se aplican las normas especiales de circulación siguientes: la velocidad máxima de los vehículos será de 20 km/h; la circulación está compartida entre vehículos, ciclistas y peatones; los peatones tienen prioridad , pueden usar toda la zona de circulación y por tanto no se señalizan pasos peatonales; los ciclos y, en su caso, los VMP pueden circular en ambos sentidos, salvo que la autoridad competente establezca lo contrario; los vehículos pueden estacionarse únicamente en los lugares designados por señales o por marcas; los juegos y los deportes no están autorizados.

– **S-48. Fin de zona de coexistencia**. Indica que se aplican de nuevo las normas generales de circulación.

– **S-49. Avanza moto o bici**. Indica la existencia de una zona de espera previa a la línea de detención de una intersección regulada por semáforos reservada a los vehículos indicados en la señal (motocicletas, vehículos de tres ruedas asimilados a motocicletas y ciclomotores, representados los tres tipos por el pictograma de motocicleta, o ciclos).

B) Señales de carriles

Las señales de carriles indican una reglamentación especial para uno o más carriles de la calzada. Se pueden citar las siguientes:

– **S-50 a, b, c, d y e. Carriles reservados para el tráfico en función de la velocidad señalizada**. Indica que el carril sobre el que está situada la señal de velocidad mínima sólo puede ser utilizado por los vehículos que circulen a velocidad igual o superior a la indicada, aunque si las circunstancias lo permiten deben circular por el carril de la derecha. El final de la obligatoriedad de velocidad mínima vendrá establecido por la señal S-52 o R-506.

- **S-51 a. Carril reservado para autobuses**. Indica la prohibición a los conductores de los vehículos que no sean de transporte colectivo de circular por el carril indicado. La mención taxi autoriza también a los taxis la utilización de este carril. En los tramos en que la marca blanca longitudinal esté constituida, en el lado exterior de este carril, por una línea discontinua, se permite su utilización general exclusivamente para realizar alguna maniobra que no sea la de parar, estacionar, cambiar el sentido de la marcha o adelantar, dejando siempre preferencia a los autobuses y, en su caso, a los taxis.

- **S-51 b. Carril reservado para vehículos con alta ocupación (VAO)**. Indica uno o varios carriles destinados exclusivamente a la circulación de vehículos con alta ocupación. En la imagen figurará el número de personas a partir de las cuales se considera alta ocupación , lo que será determinado por el órgano gestor competente en cada caso. Si el carril o carriles está reservado no solo a VAO sino también a otro u otros tipos específicos de vehículos, se podrán combinar las imágenes correspondientes del mismo modo que en la señal S-51a.

- **S-52. Final de carril destinado a la circulación**. Indica en una calzada de tres carriles con un único sentido de circulación la desaparición del carril derecho y el cambio de carril preciso.

- **S-52 a y b. Final de carril destinado a la circulación**. Indica, en una calzada de doble sentido de circulación con dos carriles de circulación en el sentido de la marcha la desaparición del carril derecho o izquierdo, dependiendo de la señal, y el cambio de carril preciso.

- **S-52 c y d. Final de carril destinado a la circulación.** Indica, en una calzada de dos carriles con un único sentido de circulación, la desaparición del carril izquierdo y el cambio de carril preciso.

- **S-52 e. Final de carril destinado a la circulación.** Indica, en una calzada de tres carriles con un único sentido de circulación, la desaparición del carril izquierdo y el cambio de carril preciso.

- **S-52 f y g. Final de carril destinado a la circulación.** Indica, en una calzada de cuatro carriles con un único sentido de circulación, la desaparición del carril izquierdo y el cambio de carril preciso.

- **S-53. Paso de uno a dos carriles de circulación.** Indica, en un tramo con un sólo carril en un sentido de circulación, que en el próximo tramo se va a pasar a disponer de dos carriles en el mismo sentido de la circulación.

- **S-53 a. Paso de uno a dos carriles de circulación con especificación de la velocidad máxima en cada uno de ellos**. Indica, en un tramo con un sólo carril de circulación en un sentido, que en el próximo tramo se va a pasar a disponer de dos carriles en el mismo sentido de circulación. También indica la velocidad máxima que está permitido alcanzar en cada uno de ellos.

- **S-53 b. Paso de dos a tres carriles de circulación**. Indica, en un tramo con dos carriles en un sentido de circulación, que en el próximo tramo se va a pasar a disponer de tres carriles en el mismo sentido de circulación.

- **S-53 c. Paso de dos a tres carriles de circulación con especificación de la velocidad máxima en cada uno de ellos**. Indica, en un tramo con dos carriles en un sentido de circulación, que en el próximo tramo se va a pasar a disponer de tres carriles en el mismo sentido de circulación. También indica la velocidad máxima que está permitido alcanzar en cada uno de ellos.

- **S-60 a. Bifurcación hacia la izquierda en calzada de dos carriles**. Indica, en una calzada con dos carriles de circulación en el mismo sentido, que en el próximo tramo el carril de la izquierda se bifurcará hacia ese mismo lado.

- **S-60 b. Bifurcación hacia la derecha en calzada de dos carriles**. Indica, en una calzada de dos carriles de circulación en el mismo sentido, que en el próximo tramo el carril de la derecha se bifurcará hacia ese mismo lado.

- **S-61 a. Bifurcación hacia la izquierda en calzada de tres carriles.** Indica, en una calzada con tres carriles de circulación en el mismo sentido, que en el próximo tramo el carril de la izquierda se bifurcará hacia ese mismo lado.

- **S-61 b. Bifurcación hacia la derecha en calzada de tres carriles**. Indica, en una calzada con tres carriles de circulación en el mismo sentido, que en el próximo tramo el carril de la derecha se bifurcará hacia ese mismo lado.

- **S-62 a. Bifurcación hacia la izquierda en calzada de cuatro carriles**. Indica, en una calzada con cuatro carriles de circulación en el mismo sentido, que en el próximo tramo el carril de la izquierda se bifurcará hacia ese mismo lado.

- **S-62 b. Bifurcación hacia la derecha en calzada de cuatro carriles**. Indica, en una calzada con cuatro carriles de circulación en el mismo sentido, que en el próximo tramo el carril de la derecha se bifurcará hacia ese mismo lado.

- **S-63 a. Bifurcación en calzada de cuatro carriles**. Indica, en una calzada con cuatro carriles de circulación en el mismo sentido, que se producirá una bifurcación con cambio de dirección de dos carriles hacia la izquierda y dos carriles hacia la derecha.

- **S-63 b. Bifurcación en calzada de tres carriles.** Indica, en una calzada con tres carriles de circulación en el mismo sentido, que se producirá una bifurcación en el carril central con cambio de dirección de los cuatro carriles resultantes, dos hacia la izquierda y dos hacia la derecha.

- **S-63 c. Bifurcación de dos carriles hacia la izquierda en calzada de cuatro carriles.** Indica, en una calzada con cuatro carriles de circulación en el mismo sentido, que se producirá una bifurcación con cambio de dirección en los dos carriles izquierdos.

- **S-63. d. Bifurcación de dos carriles hacia la derecha en calzada de cuatro carriles.** Indica, en una calzada con cuatro carriles de circulación en el mismo sentido, que se producirá una bifurcación con cambio de dirección en los dos carriles derechos.

- **S-64 a. Vía reservada y obligatoria para ciclos adosada a calzada de un único sentido de circulación**. Indica, en calzadas de un único sentido de circulación, la obligación para los conductores de ciclos de circular por el carril sobre el que está situada la señal y la prohibición a los demás usuarios de la vía de utilizarlo. Las flechas indicarán el número de carriles de la calzada.

- **S-64 b. Vía reservada y obligatoria para ciclos adosada a calzada de doble sentido de circulación**. Indica, en calzadas de doble sentido de circulación, la obligación para los conductores de ciclos de circular por el carril sobre el que está situada la señal y la prohibición a los demás usuarios de la vía de utilizarlo. Las flechas indicarán el número de carriles de la calzada, así como el sentido de circulación.

- **S-65 a. Vía reservada para ciclos adosada a calzada de un único sentido de circulación**. Indica, en calzadas de un único sentido de circulación , que el carril sobre el que está situada la señal está reservado a la circulación de ciclos, quedando prohibida su utilización a los demás usuarios de la vía. Las flechas indicarán el número de carriles de la calzada.

- **S-65 b. Vía reservada para ciclos adosada a calzada de doble sentido de circulación**. Indica, en calzadas de doble sentido de circulación, que el carril sobre el que está situada la señal está reservado a la circulación de ciclos, quedando prohibida su utilización a los demás usuarios de la vía. Las flechas indicarán el número de carriles de la calzada, así como el sentido de circulación.

- **S-66. Carril bici en sentido opuesto**. Indica la existencia de un carril obligatorio para ciclos cuyo sentido de circulación es el opuesto al del carril contiguo.

- **S-68. Tramo de calzada con un carril para el sentido propio de circulación y dos carriles para el sentido opuesto**. Indica, en una calzada de doble sentido de circulación, que se dispone de un solo carril, mientras que el sentido opuesto dispone de dos. Se especificará la longitud en la que se mantiene esta configuración mediante un panel complementario S-810.

- **S-70 a. Confluencia de un carril por la izquierda en calzada de un carril**. Indica, en una calzada con un carril de circulación, que se producirá la confluencia de un carril por el lado izquierdo.

- **S-70 b. Confluencia de un carril por la derecha en calzada de un carril.** Indica, en una calzada con un carril de circulación , que se producirá la confluencia de un carril por el lado derecho.

- **S-71 a. Confluencia de un carril por la izquierda en calzada de dos carriles**. Indica, en una calzada con dos carriles de circulación en el mismo sentido, que se producirá la confluencia de un carril por el lado izquierdo.

- **S-71 b. Confluencia de un carril por la derecha en calzada de dos carriles**. Indica, en una calzada con dos carriles de circulación en el mismo sentido, que se producirá la confluencia de un carril por el lado derecho.

- **S-72 a. Confluencia de un carril por la izquierda en calzada de tres carriles.** Indica, en una calzada con tres carriles de circulación en el mismo sentido, que se producirá la confluencia de un carril por el lado izquierdo.

- **S-72 b. Confluencia de un carril por la derecha en calzada de tres carriles**. Indica, en una calzada con tres carriles de circulación en el mismo sentido, que se producirá la confluencia de un carril por el lado derecho.

- **S-73 a. Confluencia de dos carriles por la izquierda en calzada de dos carriles**. Indica, en una calzada con dos carriles de circulación en el mismo sentido, que se producirá la confluencia de dos carriles por el lado izquierdo.

- **S-73 b. Confluencia de dos carriles por la derecha en calzada de dos carriles**. Indica, en una calzada con dos carriles de circulación en el mismo sentido, que se producirá la confluencia de dos carriles por el lado derecho.

C) Señales de servicio

Informan de un servicio de posible utilidad para los usuarios de la vía. El significado y nomenclatura de las señales de servicio son los siguientes:

- **S-100. Puesto de socorro**. Indica la situación de un centro, oficialmente reconocido, donde puede realizarse una cura de urgencia.

- **S-101. Base de ambulancia**. Indica la situación de una ambulancia en servicio permanente para cura y traslado de heridos en accidentes de circulación.

- **S-102. Servicio de inspección técnica de vehículos**. Indica la situación de una estación de inspección técnica de vehículos.

- **S-103. Taller de reparación**. Indica la situación de un taller de reparación de automóviles.

- **S-104. Teléfono**. Indica la situación de un aparato telefónico.

- **S-105. Surtidor de carburante**. Indica la situación de un surtidor o estación de servicio de carburante.

- **S-105 b. Surtidor de carburante y GLP.** Indica la situación de un surtidor o estación de servicio de carburantes con disponibilidad de gas licuado de petróleo (GLP) o autogás.

- **S-105 c.** Indica la situación de un surtidor o estación de servicio de gas licuado de petróleo (GLP) o autogás.

- **S-105 d. Surtidor de carburante y estación de recarga eléctrica.** Indica la situación de un surtidor o estación de servicio de carburantes con disponibilidad de estación de recarga eléctrica.

- **S-105 e. Estación de recarga eléctrica.** Indica la situación de una estación de recarga eléctrica.

- **S-105 f. Surtidor de carburante, GLP y estación de recarga eléctrica.** Indica la situación de un surtidor o estación de servicio de carburantes con disponibilidad de gas licuado de petróleo (GLP) o autogás y estación de recarga eléctrica.

- **S-106. Taller de reparación y surtidor de carburante**. Indica la situación de una instalación que dispone de taller de reparación y surtidor de carburante.

- **S-107. Campamento**. Indica la situación de un lugar donde está permitida la acampada.

- **S-108. Agua**. Indica la situación de una fuente con agua.

- **S-109. Lugar pintoresco**. Indica un sitio pintoresco o el lugar desde el que se divisa. Su nombre podrá figurar inscrito en la señal.

- **S-110. Hotel o motel**. Indica la situación de un hotel o motel.

- **S-111. Restauración**. Indica la situación de un restaurante.

- **S-112. Cafetería**. Indica la situación de un bar o cafetería.

- **S-113. Terreno para remolques-vivienda**. Indica la situación de un terreno en el que puede acamparse con remolque-vivienda (caravana).

- **S-114. Merendero**. Indica el lugar que puede utilizarse para el consumo de comidas o bebidas.

- **S-115. Punto de partida para excursiones a pie**. Indica un lugar apropiado para iniciar excursiones a pie.

- **S-116. Campamento y terreno para remolques-vivienda**. Indica la situación de un lugar donde puede acamparse con tienda de campaña o con remolque-vivienda.

- **S-117. Albergue juvenil**. Indica la situación de un albergue.

- **S-118. Información turística**. Indica la situación de una oficina de información turística.

- **S-119. Coto de pesca**. Indica un tramo del río o lago en el que la pesca está sujeta a autorización especial.

- **S-120. Parque o espacio natural**. Indica la situación de un parque espacio natural. Su nombre podrá figurar inscrito en la señal.

- **S-121. Monumento**. Indica la situación de una obra histórica o artística declarada monumento.

- **S-122. Otros servicios**. Señal genérica para cualquier otro servicio, que se inscribirá en el recuadro blanco.

- **S-123. Área de descanso.** Indica la situación de un área de descanso.

- **S-124. Estacionamiento para usuarios del ferrocarril**. Indica la situación de una zona de estacionamiento conectada con una estación de ferrocarril y destinada principalmente para los vehículos de los usuarios que realizan una parte de su viaje en vehículo privado y la otra en ferrocarril.

- **S-125. Estacionamiento para usuarios del metro**. Indica la situación de una zona de estacionamiento conectada con una estación de ferrocarril inferior y destinada principalmente para los vehículos de los usuarios que realizan una parte de su viaje en vehículo privado y la otra en ferrocarril inferior.

- **S-126. Estacionamiento para usuarios de autobús**. Indica la situación de una zona de estacionamiento conectada con una estación o una terminal de autobuses y destinada principalmente para los vehículos privados de los usuarios que realizan una parte de su viaje en vehículo privado y la otra en autobús.

- **S-128. Punto de vaciado de caravanas y autocaravanas**. Indica la situación de un punto de vaciado de aguas residuales para caravanas y autocaravanas.

- **S-129. Estacionamiento de emergencia por nevadas**. Indica la situación de un estacionamiento de emergencia por nevadas y, excepcionalmente, para incidencias.

D) Señales de orientación

Las señales de orientación se subdividen en: señales de preseñalización, señales de dirección, señales de identificación de carreteras, señales de localización, señales de confirmación y señales de uso específico en poblado.

a) Señales de preseñalización

Las señales de preseñalización se colocarán a una distancia adecuada de la intersección para que su eficacia sea máxima, tanto de día como de noche, teniendo en cuenta las condiciones viales y de circulación, especialmente la velocidad habitual de los vehículos y la distancia a la que sea visible dicha señal. Esta distancia podrá reducirse a unos 50 metros en los poblados pero deberá ser, por lo menos, de 500 metros en las autopistas y autovías. Estas señales podrán repetirse. La distancia entre la señal y la intersección podrá indicarse por medio de panel complementario colocado encima de la señal; esa distancia se podrá indicar también en la parte superior de la propia señal.

La nomenclatura y significado de las señales de preseñalización son los siguientes:

- **S-201. Preseñalización de glorieta partida desde la calzada principal.** Indica las direcciones de las distintas salidas de una intersección cuya planta es similar a una glorieta pero la calzada principal, por la que en este caso el vehículo circula, no pierde continuidad. Si alguna inscripción figura sobre fondo azul, indica que la salida conduce hacia una autopista o una autovía.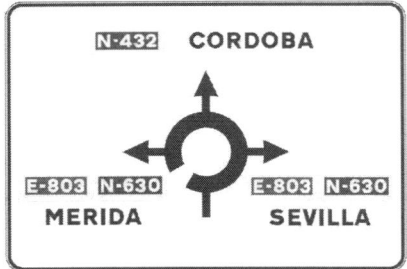

- **S-202. Preseñalización de glorieta partida desde las calzadas secundarias.** Indica las direcciones de las distintas salidas de una intersección cuya planta es similar a una glorieta pero la calzada principal, por la que en este caso el vehículo no circula, no pierde continuidad. Si alguna inscripción figura sobre fondo azul, indica que la salida conduce hacia una autopista o una autovía.

- **S-203. Preseñalización de glorieta con selección de carriles en función del movimiento a efectuar**. Indica las direcciones de las distintas salidas de la próxima glorieta y el carril por el que acceder a cada una de ellas.

- **S-220. Preseñalización, con cartel lateral, en carretera convencional o carretera multicarril hacia carretera convencional o carretera multicarril.** Indica, en una carretera convencional o una carretera multicarril, los destinos de las salidas del próximo nudo cuando estas dirigen hacia una carretera convencional o una carretera multicarril, así como la distancia a la que se encuentran dichas salidas.

- **S-220 a. Preseñalización, con cartel lateral, en carretera convencional o carretera multicarril hacia carretera convencional o carretera multicarril y dirección propia.** Indica, en una carretera convencional o una carretera multicarril, la dirección propia de la carretera por la que se circula y los destinos de las salidas del próximo nudo cuando estas dirigen hacia una carretera convencional o una carretera multicarril, así como la distancia a la que se encuentran dichas salidas.

- **S-222. Preseñalización, con cartel lateral, en carretera convencional o carretera multicarril hacia autopista o autovía.** Indica, en una carretera convencional o una carretera multicarril, los destinos de las salidas del próximo nudo cuando estas dirigen hacia una autopista o una autovía, así como la distancia a la que se encuentran dichas salidas.

- **S-222 a. Preseñalización, con cartel lateral, en carretera convencional o carretera multicarril hacia autopista o autovía y dirección propia.** Indica, en una carretera convencional o una carretera multicarril, la dirección propia de la carretera por la que se circula y los destinos de las salidas del próximo nudo cuando estas dirigen hacia una autopista o una autovía, así como la distancia a la que se encuentran dichas salidas.

- **S-225. Preseñalización, con cartel lateral, en autopista o autovía hacia cualquier tipo de carretera.** Indica, en una autopista o una autovía, los destinos de la salida del próximo enlace. También indica la distancia a dicha salida, su número y, en su caso, la letra.

- **S-230. Preseñalización, con cartel sobre lacalzada, en carretera convencional o carretera multicarril hacia carretera convencional o carretera multicarril.** Indica, en una carretera convencional o una carretera multicarril, los destinos de la salida del próximo nudo cuando esta dirige hacia una carretera convencional o una carretera multicarril, así como la distancia a la que se encuentra dicha salida.

- **S-230.a. Preseñalización, con carteles sobre la calzada, en carretera convencional o carretera multicarril hacia carretera convencional o carretera multicarril y dirección propia.** Indica, en una carretera convencional o una carretera multicarril, la dirección propia de la carretera por la que se circula y los destinos de la salida del próximo nudo cuando esta dirige hacia una carretera convencional o una carretera multicarril, así como la distancia a la que se encuentra dicha salida.

- **S-232. Preseñalización, con cartel sobre la calzada, en carretera convencional o carretera multicarril hacia autopista o autovía.** Indica, en una carretera convencional o una carretera multicarril, los destinos de la salida del próximo nudo cuando esta dirige hacia una autopista o una autovía, así como la distancia a la que se encuentra dicha salida.

535

– **S-232 a. Preseñalización, con carteles sobre la calzada, en carretera convencional o carretera multicarril hacia autopista o autovía y dirección propia**. Indica, en una carretera convencional o una carretera multicarril, la dirección propia de la carretera por la que se circula y los destinos de la salida del próximo nudo cuando esta dirige hacia una autopista o una autovía, así como la distancia a la que se encuentra dicha salida.

– **S-235. Preseñalización, con cartel sobre la calzada, en autopista o autovía hacia cualquier tipo de carretera.**. Indica, en una autopista o una autovía, los destinosde la salida del próximo enlace. También indica la distancia a dicha salida, su número y, en su caso, la letra.

– **S-235 a. Preseñalización, con carteles sobre la calzada, en autopista o autovía hacia cualquier tipo de carretera y dirección propia.** Indica, en una autopista o una autovía, la dirección propia de la carretera por la que se circula y los destinos de la salida del próximo enlace. También indica la distancia a dicha salida, su número y, en su caso, la letra.

– **S-242. Preseñalización, con cartel sobre la calzada en autopista o autovía, de dos salidas muy próximas hacia cualquier tipo de carretera**. Indica las direcciones de los ramales de las dos salidas consecutivas en una autopista o una autovía. También indica la distancia a dichas salidas, los números o el número y letras de cada una de ellas.

– **S-242 a. Preseñalización, con carteles sobre la calzada en autopista o autovía, de dos salidas muy próximas hacia cualquier tipo de carretera y dirección propia**. Indica, en una autopista o una autovía , la dirección propia de la carretera por la que se circula y las direcciones de los ramales de dos salidas consecutivas. También indica la distancia a dichas salidas, los números o el número y letras de cada una de ellas.

– **S-245 Preseñalización complementaria de poblaciones en carretera convencional o carretera multicarril**. Indica poblaciones cercanas de más de 5.000 habitantes a las que se puede acceder por el siguiente nudo y la distancia a la que este se encuentra.

– **S-246. Preseñalización complementaria de poblaciones en autopista o autovía**. Indica poblaciones cercanas de más de 5.000 habitantes a las que se puede acceder desde la salida que figura en el subcartel superior, así como la distancia hasta esta.

– **S-247. Preseñalización de salidas en variante de población**. Indica el número de las distintas salidas de la variante de una población acompañado por el nombre de la vía de penetración o el punto cardinal.

– **S-250. Preseñalización de itinerario**. Indica el itinerario que es preciso seguir para tomar la dirección que señala la flecha.

– **S-260. Preseñalización de carriles**. Indica las únicas direcciones permitidas en el próximo nudo a los usuarios que circulan por los carriles señalizados. Sobre las flechas que indican los carriles de permanencia en la carretera por la que se circula se dispondrá el cajetín indicativo de la misma. Se limitará su uso a situaciones excepcionales donde la línea continua de separación de carriles no implique la divergencia respecto de los carriles situados a la izquierda, o a enlaces o bifurcaciones entre dos autovías o autopistas con alta intensidad de tráfico en ambas.

– **S-261. Preseñalización servicios en carreteras convencionales con elevada intensidad de tráfico y en todas las carreteras multicarril.** Indica en carreteras convencionales con tráfico elevado y en todas las carreteras multicarril, la proximidad de una salida hacia los servicios señalizados. Si estos se encuentran ubicados en una población, el nombre de la misma podrá figurar en la primera línea del cartel y si están emplazados en una vía de servicio figurará la inscripción "vía de servicio". En caso de que entre los servicios exista una estación de servicio y/o una estación de recarga, se indicará la distancia hasta la misma así como su horario de apertura. En el subcartel inferior figurará la distancia y horario de apertura de la sigiente estación de servicio y/o estación de recarga en el sentido de la marcha. En el cajetín superior figurará la distancia a la salida.

– **S-263. Preseñalización de servicios en autopista o autovía..** Indica, en una autopista o una autovía, la proximidad de una salida hacia los servicios señalizados. Si estos se encuentran ubicados en una población, el nombre de la misma podrá figurar en la primera línea del cartel y si están emplazados en una vía de servicio figurará la inscripción "vía de servicio". En caso de que entre los servicios exista una estación de servicio y/o una estación de recarga, se indicará la distancia hasta la misma así como su horario de apertura. En el subcartel inferior figurará la distancia y horario de apertura de la siguiente estación de servicio y/o estación de recarga en el sentido de la marcha. En los subcarteles superiores figurará el número de salida y la distancia hasta esta.

– **S-263 a. Preseñalización de servicios varios en carretera convencional o carretera multicarril.** Indica, en una carretera convencional o una carretera multicarril, la proximidad de una salida hacia los servicios señalizados tales como urbanización, puerto deportivo, zona deportiva, zona comercial, polígono industrial, parque empresarial y zona de ocio. En el cajetín superior figurará la distancia a la salida.

– **S-267. Preseñalización de servicios varios en carretera convencional o carretera multicarril.** Indica, en una carretera convencional o una carretera multicarril, la proximidad de una salida hacia los servicios señalizados tales como urbanización, puerto deportivo, zona deportiva, zona comercial, polígono industrial, parque empresarial y zona de ocio. En el cajetín superior figurará la distancia a la salida.

– **S-268. Preseñalización de servicios varios en autopista o autovía.** Indica, en una autopista o una autovía, la proximidad de una salida hacia los servicios señalizados tales como urbanización, puerto deportivo, zona deportiva, zona comercial, polígono industrial, parque empresarial y zona de ocio. En los subcarteles superiores figurará el número de salida y la distancia hasta esta.

– **S-271. Preseñalización de área de servicio.** Indica, en una autopista o una autovía, la proximidad de una salida hacia un área de servicio, figurando su nombre y horario de apertura además de los pictogramas de los servicios que ofrece. En el cajetín superior figurará la distancia a la salida. En el subcartel inferior figurará la distancia y el horario de apertura de la siguiente área de servicio en el sentido de la marcha.

b) *Señales de dirección*

Su significado y nomenclatura son los siguientes:

– **S-300. Poblaciones de uno o varios itinerarios por carretera convencional o carretera multicarril.** Indica los nombres de poblaciones situadas en uno o varios itinerarios constituidos por una carretera convencional o una carretera multicarril y el sentido por el que aquéllas se alcanzan. Dentro de la señal puede figurar uno o varios cajetines acompañando a los destinos, que definen la categoría y número de la carretera. Las cifras alineadas con los destinos indican la distancia existente a los mismos expresada en kilómetros.

– **S-301. Poblaciones en un itinerario por autopista o autovía.** Indica los nombres de poblaciones situadas en un itinerario constituido por una autopista o autovía y el sentido por el que aquellas se alcanzan. El cajetín situado dentro de la señal define la categoría y número de la carretera. Las cifras alineadas con los destinos indican la distancia existente a los mismos expresada en kilómetros.

– **S-320. Lugares de interés por carretera convencional o carretera multicarril.** Indica lugares de interés general que no son poblaciones situados en un itinerario constituido por una carretera convencional o una carretera multicarril. Las cifras alineadas con los destinos indican la distancia existente a los mismos expresada en kilómetros.

– **S-321. Lugares de interés por autopista o autovía.** Indica lugares de interés que no son poblaciones situados en un itinerario constituido por una autopista o autovía. Las cifras alineadas con los destinos indican la distancia existente a los mismos expresada en kilómetros.

– **S-322. Señal de destino hacia una vía ciclista o senda ciclopeatonal.** Indica la existencia en la dirección apuntada por la flecha de una vía ciclista o senda ciclopeatonal. Las cifras alineadas con los destinos indican la distancia existente a los mismos expresada en kilómetros.

– **S-341. Señales de destino de salida inmediata hacia carretera convencional o carretera multicarril.** Indica el lugar de salida de una autopista o autovía hacia una carretera convencional o una carretera multicarril. La cifra indica el número del enlace, que se corresponde con el punto kilométrico de la carretera.

– **S-342. Señales de destino de salida inmediata hacia autopista o autovía.** Indica el lugar de salida de una autopista o autovía hacia una autopista o autovía. La cifra indica el número del enlace, que se corresponde con el punto kilométrico de la carretera.

– **S-344. Señales de destino de salida inmediata, exclusiva o compartida con carretera convencional o carretera multicarril, hacia los servicios indicados..** Indica el lugar de salida hacia los servicios señalizados, pudiendo esta ser coincidente con una salida hacia una carretera convencional o una carretera multicarril.

– **S-347. Señales de destino de salida inmediata hacia los servicios indicados, con salida compartida hacia autopista o autovía.** Indica el lugar de salida hacia una zona, área o vía de servicios, siendo esta coincidente con una salida hacia una autopista o una autovía.

- **S-348. Señalización de salida inmediata, con cartel lateral, en carretera convencional o carretera multicarril hacia carretera convencional o carretera multicarril.** Indica, en una carretera convencional o una carretera multicarril, los destinos de las salidas del próximo nudo cuando estas dirigen hacia una carretera convencional o una carretera multicarril.

- **S-348 a. Señalización de salida inmediata, con cartel lateral, en carretera convencional o carretera multicarril hacia carretera convencional o carretera multicarril y dirección propia.** Indica, en una carretera convencional o una carretera multicarril, la dirección propia de la carretera por la que se circula y los destinos de las salidas del próximo nudo cuando estas dirigen hacia una carretera convencional o una carretera multicarril.

- **S-349. Señalización de salida inmediata, con cartel lateral, en carretera convencional o carretera multicarril hacia autopista o autovía.** Indica, en una carretera convencional o una carretera multicarril, los destinos de las salidas del próximo nudo cuando estas dirigen hacia una autopista o una autovía.

- **S-349a Señalización de salida inmediata, con cartel lateral, en carretera convencional o carretera multicarril hacia autopista o autovía y dirección propia.** Indica, en una carretera convencional o una carretera multicarril, la dirección propia de la carretera por la que se circula y los destinos de las salidas del próximo nudo cuando estas dirigen hacia una autopista o una autovía.

- **S-350. Señalización de salida inmediata, con cartel sobre la calzada, en carretera convencional o carretera multicarril hacia carretera convencional o carretera multicarril.** Indica, en una carretera convencional o una carretera multicarril, los destinos de la salida del próximo nudo cuando esta dirige hacia una carretera convencional o una carretera multicarril.

- **S-350 a. Señalización de salida inmediata, con carteles sobre la calzada, en carretera convencional o carretera multicarril hacia carretera convencional o carretera multicarril y dirección propia.** Indica, en una carretera convencional o una carretera multicarril, la dirección propia de la carretera por la que se circula y los destinos de la salida del próximo nudo cuando esta dirige hacia una carretera convencional o una carretera multicarril.

- **S-351. Señalización de salida inmediata, con cartel sobre la calzada, en carretera convencional o carretera multicarril hacia autopista o autovía.** Indica, en una carretera convencional o una carretera multicarril, los destinos de la salida del próximo nudo cuando esta dirige hacia una autopista o una autovía.

- **S-351 a. Señalización de salida inmediata, con carteles sobre la calzada, en carretera convencional o carretera multicarril hacia autopista o autovía y dirección propia.** Indica, en una carretera convencional o una carretera multicarril, la dirección propia de la carretera por la que se circula y los destinos de la salida del próximo nudo cuando esta dirige hacia una autopista o una autovía.

– **S-352 Señalización de salida inmediata, con cartel sobre la calzada, en auto-pista o autovía hacia carretera convencional o carretera multicarril.** Indica, en una autopista o una autovía, los destinos de la salida del próximo enlace cuando esta dirige hacia una carretera convencional o hacia una carretera multicarril. También indica el número de salida y en su caso la letra.

– **S-352a Señalización de salida inmediata, con carteles sobre la calzada, en autopista o autovía hacia carretera convencional o carretera multicarril y dirección propia.** Indica, en una autopista o una autovía, la dirección propia de la carretera por la que se circula y los destinos de la salida del próximo enlace cuando esta dirige hacia una carretera convencional o una carretera multicarril. También indica el número de salida y en su caso la letra.

– **S-353. Señalización de salida inmediata, con cartel sobre la calzada, en autopista o autovía hacia autopista o autovía.** Indica, en una autopista o una autovía, los destinos de la salida del próximo enlace cuando esta dirige hacia una autopista o una autovía. También indica el número de salida y en su caso la letra.

– **S-353 a. Señalización de salida inmediata, con carteles sobre la calzada, en autopista o autovía hacia autopista o autovía y dirección propia.** Indica, en una autopista o una autovía, la dirección propia de la carretera por la que se circula y los destinos de la salida del próximo enlace cuando esta dirige hacia una autopista o una autovía. También indica el número de salida y en su caso la letra.

– **S-373. Señalización de la primera salida inmediata de dos muy próximas, con carteles sobre la calzada, en autopista o autovía hacia carretera convencional o carretera multicarril, destinos de la segunda salida y dirección propia** Indica, en la primera salida de dos muy próximas en una autopista o una autovía, la dirección propia de la carretera por la que se circula (cartel izquierdo y central), los destinos de la segunda salida (cartel central) y los destinos de la primera salida cuando esta dirige hacia una carretera convencional o una carretera multicarril (cartel derecho). También indica el número de salida y en su caso la letra.

– **S-375. Señalización de la primera salida inmediata de dos muy próximas, con carteles sobre la calzada, en autopista o autovía hacia autopista o autovía , destinos de la segunda salida y dirección propia**. Indica, en la primera salida de dos muy próximas en una autopista o una autovía, la dirección propia de la carretera por la que se circula (cartel izquierdo y central), los destinos de la segunda salida (cartel central) y los destinos de la primera salida cuando esta dirige hacia una autopista o una autovía (cartel derecho). También indica el número de salida y en su caso la letra.

– **S-376 Señalización de salida inmediata a servicios en carreteras convencionales con elevada intensidad de tráfico y en todas las carreteras multicarril.** Indica en carreteras convencionales con tráfico elevado y en todas las carreteras multicarril, la salida hacia los servicios señalizados. Si estos se encuentran ubicados en una población, el nombre de la misma podrá figurar en la primera línea del cartel y si están emplazados en una vía de servicio figurará la inscripción "vía de servicio". En caso de que entre los servicios exista una estación de servicio y/o una estación de recarga, se indicará la distancia hasta la misma así como su horario de apertura. En el subcartel inferior figurará la distancia y horario de apertura de la siguiente estación de servicio y/o estación de recarga en el sentido de la marcha.

- **S-377. Señalización de salida inmediata a servicios en el resto de carreteras convencionales** Indica, en el resto de carreteras convencionales, la salida hacia los servicios señalizados. En caso de que entre ellos exista una estación de servicio y/o una estación de recarga se indicará su horario de apertura.

- **S-378. Señalización de salida inmediata a servicios en autopista o autovía**. Indica, en una autopista o una autovía, la salida hacia los servicios señalizados. Si estos se encuentran ubicados en una población, el nombre de la misma podrá figurar en la primera línea del cartel y si están emplazados en una vía de servicio figurará la inscripción "vía de servicio". En caso de que entre los servicios exista una estación de servicio y/o vía de servicio una estación de recarga, se indicará la distancia hasta la misma, así como su horario de apertura. En el subcartel inferior figurará la distancia y horario de apertura de la siguiente estación de servicio y/o estación de recarga en el sentido de la marcha. En el subcartel superior figurará el número de salida.

- **S-379. Señalización de salida inmediata hacia un área de servicios**. Indica, en una autopista o una autovía, la salida hacia un área de servicio, figurando su nombre y horario de apertura además de los pictogramas de los servicios que ofrece. En el subcartel inferior figurará la distancia y el horario de apertura de la siguiente área de servicio en el sentido de la marcha.

- **S-380. Señal de destino de salida inmediata hacia un área de servicios**. Indica el lugar de salida de una autopista o una autovía hacia un área de servicios.

c) *Señales de identificación de carreteras*

Las señales destinadas a identificar las vías, sea por su número, compuesto en cifras, letras o una combinación de ambas, sea por su nombre, estarán constituidas por este número o este nombre encuadrados en un rectángulo o en un escudo.

Tienen la nomenclatura y el significado siguientes:

- **S-400. Itinerario de la red internacional «E»**. Identifica un itinerario de la red de la red internacional «E».

- **S-410. Autopista y autovía**. Identifica una autopista o autovía. Cuando esta pertenezca a una administración autonómica, además de la letra A y a continuación del número correspondiente o bien encima de la señal con un panel complementario, pueden incluirse las siglas de identificación de la comunidad autónoma. Ninguna carretera que no tenga características de autopista o autovía podrá ser identificada con la letra A. Cuando la autopista o autovía sea una ronda o circunvalación , la letra A podrá sustituirse por las letras indicativas de la ciudad, de acuerdo con el código establecido al efecto por el Ministerio de Fomento.

- **S-410 a. Autopista de peaje**. Identifica una autopista de peaje. A las autopistas de peaje pertenecientes a una administración autonómica se les aplicará en cuanto a su nomenclatura las mismas reglas que las establecidas para la señal S-410.

- **S-420. Carretera convencional o carretera multicarril de la red del Estado**. Identifica una carretera de la red del Estado que no sea autopista o autovía.

- **S-430. Carretera de primer nivel perteneciente a una red diferente de la del Estado**. Identifica una carretera del primer nivel, que no sea autopista o autovía, perteneciente a una red diferente de la del Estado.

- **S-440. Carretera autonómica de segundo nivel perteneciente a una red diferente de la del Estado**. Identifica una carretera del segundo nivel, que no sea autopista o autovía, perteneciente a una red diferente de la del Estado.

d) *Señales de localización*

Las señales de localización podrán utilizarse para indicar la frontera entre dos Estados o el límite entre dos divisiones administrativas del mismo Estado o el nombre de un poblado, un río, un puerto, un lugar u otra circunstancia de naturaleza análoga.

La nomenclatura y significado de las señales de localización son las siguientes:

- **S-500. Entrada a poblado**. Indica el nombre de la población a la que se accede, así como el lugar a partir del cual rigen las normas de circulación en poblado. El subcartel superior refuerza el mensaje de que debe adaptarse la conducción ante la presencia de peatones, ciclistas u otras personas usuarias vulnerables. Además, podrá incluirse la velocidad máxima permitida en esa vía a partir de ese punto, con independencia de que en otras vías del poblado puedan existir límites diferentes.

- **S-510. Fin de poblado**. Indica el nombre de la población de la que se sale, así como el lugar desde donde dejan de ser aplicables las normas de circulación en poblado.

- **S-520. Situación de puntos atravesados por la vía geográficos atravesados por la vía.** . Indica el lugar donde la vía atraviesa un punto geográfico característico.

- **S-530. Localización de un túnel en carretera convencional o carretera multicarril con información sobre sus instalaciones de seguridad**. Indica la localización de un túnel en una carretera convencional o una carretera multicarril incluyendo información sobre sus instalaciones de seguridad, así como su longitud.

- **S-531. Localización de un túnel en autopista o autovía con información sobre sus instalaciones de seguridad**. Indica la localización de un túnel en una autopista o una autovía incluyendo información sobre sus instalaciones de seguridad, así como su longitud.

- **S-532. Localización de túnel en carretera convencional o carretera multicarril con información sobre las obligaciones específicas de circulación dentro del mismo**. Indica la localización de un túnel en una carretera convencional o una carretera multicarril incluyendo la información sobre las obligaciones específicas de circulación dentro del mismo.

- **S-533. Localización de túnel en autopista o autovía con información sobre las obligaciones específicas de circulación dentro del mismo**. Indica la localización de un túnel en una autopista o una autovía incluyendo la información sobre las obligaciones específicas de circulación dentro del mismo.

- **S-540. Situación de límite de provincia**. Indica el lugar a partir del cual la vía entra en una provincia.

- **S-550. Situación de límite de comunidad autónoma**. Indica el lugar a partir del cual la vía entra en la comunidad autónoma indicada.

- **S-551. Situación de límite de demarcación hidrográfica**. Indica el lugar a partir del cual la vía entra en la demarcación hidrográfica indicada.

- **S-560. Situación de límite de comunidad autónoma y provincia**. Indica el lugar a partir del cual la vía entra en una comunidad autónoma y provincia.

- **S-561. Cartel institucional en carretera convencional o carretera multicarril**. Señal indicativa de la titularidad, numeración y denominación de la carretera convencional o la carretera multicarril a la que se accede. Si la carretera no tiene denominación, el cartel contendrá el texto "Carretera" seguido del cajetín identificativo.

- **S-562. Cartel institucional en autopista o autovía**. Señal indicativa de la titularidad, numeración y denominación de la autopista o la autovía a la que se accede. Si la autopista o la autovía no tienen denominación, el cartel contendrá el texto "Autopista" o "Autovía" seguido del cajetín identificativo.

- **S-570. Hito kilométrico en autopista y autovía**. Indica el punto kilométrico de la autopista o autovía cuya identificación aparece en la parte superior.

- **S-570 a. Hito kilométrico en autopista de peaje**. Indica el punto kilométrico de la autopista de peaje cuya identificación aparece en la parte superior.

- **S-571. Hito kilométrico en autopista o autovía perteneciente a un itinerario internacional**. Indica el punto kilométrico de la autopista o autovía perteneciente a un itinerario internacional cuya identificación aparece en la parte superior de la señal.

- **S-572. Hito kilométrico en carretera convencional o carretera multicarril** Indica el punto kilométrico de una carretera convencional o una carretera multicarril cuya identificación aparece en la parte superior sobre el fondo del color que corresponda a la categoría de la carretera.

- **S-573. Hito kilométrico en carretera convencional o carretera multicarril perteneciente a un itinerario internacional**. Indica el punto kilométrico de una carretera convencional o una carretera multicarril perteneciente a un itinerario internacional, cuyas letras y números aparecen en la parte superior de la señal.

- **S-574. Hito miriamétrico en carretera convencional**. Indica el punto kilométrico de una carretera convencional cuando aquel es múltiplo de diez.

- **S-574 a. Hito miriamétrico en autopista o autovía**. Indica el punto kilométrico de una autopista o autovía cuando aquel es múltiplo de diez.

- **S-574 b. Hito miriamétrico en autopista de peaje**. Indica el punto kilométrico de una autopista de peaje cuando aquel es múltiplo de diez.

- **S-574 c. Hito miriamétrico en carretera convencional o carretera multicarril perteneciente a un itinerario internacional**. Indica el punto kilométrico cuando aquel es múltiplo de diez en una carretera convencional o una carretera multicarril perteneciente a un itinerario internacional, cuya identificación aparece en la parte superior de la señal.

- **S-574 d. Hito miriamétrico en autopista o autovía perteneciente a un itinerario internacional.** Indica el punto kilométrico cuando aquel es múltiplo de diez en una autopista o una autovía perteneciente a un itinerario internacional, cuya identificación aparece en la parte superior de la señal.

- **S-574 e. Hito miriamétrico en autopista de peaje perteneciente a un itinerario internacional.** Indica el punto kilométrico cuando aquel es múltiplo de diez en una autopista de peaje que, además, forma parte de un itinerario internacional, cuya identificación aparece en la parte superior de la señal.

- **S-575. Hito miriamétrico en carreteras no pertenecientes a la red del Estado**. Indica el punto kilométrico de una carretera que no es autopista ni autovía, perteneciente a una red diferente a la del Estado, cuando aquel es múltiplo de diez. Su color se corresponderá con el de la categoría de dicha carretera.

e) *Señales de confirmación*

Las señales de confirmación tienen por objeto recordar, cuando las autoridades competentes lo estimen necesario, como puede ser a la salida de los poblados importantes, la dirección de la vía.

Cuando se indiquen distancias, las cifras que las expresen se colocarán después del nombre de la localidad.

Su nomenclatura y significado son los siguientes:

- **S-600. Confirmación de poblaciones en un itinerario por carretera convencional**. Indica, en carretera convencional, los nombres y distancias en kilómetros a las poblaciones expresadas.

- **S-602. Confirmación de poblaciones en un itinerario por autopista o autovía**. Indica, en autopista o autovía, los nombres y distancias en kilómetros a las poblaciones expresadas.

- **S-603. Confirmación complementaria con preseñalización de salida**. Indica en una autopista o una autovía los nombres de capitales de provincia no adyacentes a la autopista o a la autovía por la que se circula y las correspondientes distancias en kilómetros. Asimismo, figurarán los cajetines identificativos de las autovías o las autopistas por las que se accede a dichas poblaciones. En los subcarteles superiores figurará además el número de salida correspondiente y la distancia existente a dicha salida.

f) Señales de uso específico en poblado

Están constituidas por módulos, utilizados conjunta o separadamente, cuya finalidad común es comunicar que los lugares a que se refieren se alcanzan siguiendo el sentido marcado por la flecha, y cuya nomenclatura y significado respectivos son los siguientes:

- **S-700. Lugares de la red viaria urbana**. Indica los nombres de calles, avenidas, plazas, glorietas o de cualquier otro punto de la red viaria.

- **S-710. Lugares de interés para viajeros**. Indica los lugares de interés para los viajeros, tales como estaciones, aeropuertos, zonas de embarque de los puertos, hoteles, campamentos, oficinas de turismo y automóvil club.

- **S-720. Lugares de interés deportivo o recreativo**. Indica los lugares en que predomina un interés deportivo o recreativo.

- **S-730. Lugares de carácter geográfico o ecológico y de interés monumental, histórico o artístico**. Indica los lugares de tipo geográfico o de interés ecológico o de interés monumental, histórico o artístico tales como monumentos, castillos, monasterios, museos, palacios, etc.

- **S-740. Lugares de interés cultural**. Indica los lugares de interés cultural, tales como universidades, centros culturales, bibliotecas, teatros, etc.

- **S-750. Zonas de uso industrial**. Indica las zonas de importante atracción de camiones, mercancías y, en general, tráfico industrial pesado.

- **S-760. Autopistas y autovías**. Indica las autopistas y autovías y los lugares a los que por ellas puede accederse.

- **S-770. Otros lugares y vías**. Indica las carreteras que no sean autopistas o autovías, los poblados a los que por ellas pueda accederse, así como otros lugares de interés público no comprendidos en las señales S-700 a S-760.

E) Paneles complementarios

Precisan el significado de la señal que complementan. Su nomenclatura y significado son los siguientes:

- **S-800. Distancia al comienzo del peligro o prescripción**. Indica la distancia desde el lugar donde está la señal a aquel en que comienza el peligro o comienza a regir la prescripción de aquella. En el caso de que esté colocada bajo la señal de advertencia de peligro por estrechamiento de calzada, puede indicar la anchura libre del citado estrechamiento.

- **S-810. Longitud del tramo peligroso o sujeto a prescripción**. Indica la longitud en que existe el peligro o en que se aplica la prescripción.

- **S-820 y S-821. Extensión de la prohibición, a un lado**. Colocada bajo una señal de prohibición, indica la distancia en que se aplica esta prohibición en el sentido de la flecha.

- **S-830. Extensión de la prohibición, a ambos lados**. Colocada bajo una señal de prohibición, indica las distancias en que se aplica esta prohibición en cada sentido indicado por las flechas.

- **S-840. Preseñalización de detención obligatoria**. Colocada bajo la señal de ceda el paso, indica la distancia a que se encuentra la señal detención obligatoria o *stop* de la próxima intersección.

- **S-850 a S-853. Itinerario con prioridad**. Panel adicional de la señal R-3, que indica el itinerario con prioridad.

- **S-860. Genérico**. Panel para cualquier otra aclaración o delimitación de la señal o semáforo bajo el que esté colocado.

- **S-870. Aplicación de la señalización**. Indica, bajo la señal de prohibición o prescripción, que la misma se refiere exclusivamente al ramal de salida cuya dirección coincide aproximadamente con la de la flecha. Colocada bajo otra señal, indica que esta se aplica solamente en el ramal de salida.

- **S-880 a, b, c, d, e y f. Aplicación de señalización a determinados vehículos**. Indica, bajo la señal vertical correspondiente, que la señal se refiere exclusivamente a los vehículos que figuran en el panel, y que pueden ser camiones, vehículos con un solo eje, autobuses, ciclos, vehículos de movilidad personal, remolque, autobuses o ciclos y vehículos de movilidad personal conjuntamente.

- **S-890 a. Aplicación de la señalización a circunstancias de nieve**. Indica, bajo la señal vertical correspondiente, que esta se aplica únicamente cuando se den circunstancias de nieve.

- **S-890 b. Aplicación de la señalización a circunstancias de lluvia**. Indica, bajo la señal vertical correspondiente, que esta se aplica únicamente cuando se den circunstancias de lluvia.

- **S-890 c. Aplicación de la señalización a circunstancias de niebla**. Indica, bajo la señal vertical correspondiente, que esta se aplica únicamente cuando se den circunstancias de niebla.

- **S-891. Distancia lateral en adelantamiento a ciclo o ciclomotor**. Recuerda, bajo la señal vertical correspondiente, la anchura de seguridad mínima que debe guardarse en caso de adelantamiento a un ciclo o ciclomotor, o, en ambos casos, conjunto de ellos. Cuando se trate de un conjunto de ciclos o ciclomotores, la anchura se refiere al que circula más escorado a la izquierda.

- **S-892. Vigilancia por medios automáticos**. Indica la vigilancia mediante medios de captación y denuncia automáticos, del cumplimiento de lo establecido por la señal vertical a la que acompaña.

F) Otras señales

Otras señales de indicación son las siguientes:

- **S-900. Peligro de incendio**. Advierte del peligro que representa encender un fuego.

- **S-910. Extintor**. Indica la situación de un extintor de incendios.

- **S-920. Entrada a España**. Indica que se ha entrado en territorio español por una carretera procedente de otro país.

- **S-930. Confirmación del país**. Indica el nombre del país hacia el que se dirige la carretera. La cifra en la parte inferior indica la distancia a que se encuentra la frontera.

- **S-940. Limitaciones de velocidad en España**. Indica los límites genéricos de velocidad en las distintas clases de carreteras y en zona urbana en España.

- **S-950. Radiofrecuencia de emisoras específicas de información sobre carreteras**. Indica la frecuencia a que hay que conectar el receptor de radiofrecuencia para recibir información.

- **S-960. Teléfono de emergencia**. Indica la situación de un teléfono de emergencia.

- **S-970. Teléfono de emergencia y extintor de incendio**. Indica la situación de un extintor de incendios y teléfono de emergencia.

- **S-980. Salidas de emergencias**. Indica la situación de una salida de emergencia.

S-970

- **S-980 a y b. Salida de emergencia contigua**. Indica la posición en que se encuentra la salida de emergencia más cercana.

- **S-990 a y b. Salida de emergencia próxima**. Indica la dirección en que se encuentra la salida de emergencia más cercana y la distancia que resta hasta alcanzarla.

- **S-991 a. Control de velocidad en carretera convencional o carretera multicarril.** Indica la existencia de un dispositivo de control de velocidad en un punto o tramo de una carretera convencional o una carretera multicarril. Podrá incluir una señal R-301 con el valor de la velocidad correspondiente, así como añadirse subcarteles superiores o inferiores con información adicional.

- **S-991 b. Control de velocidad en autopista o autovía.** Indica la existencia de un dispositivo de control de velocidad en punto o tramo de una autopista o una autovía. Podrá incluir una señal R-301 con el valor de la velocidad correspondiente, así como añadirse subcarteles superiores o inferiores con información adicional.

- **S-991 c. Control de semáforo en rojo.** Indica la existencia de un dispositivo de control de paso con semáforo en rojo. Se podrán añadir subcarteles superiores o inferiores con información adicional.

- **S-991 d. Control de STOP.** Indica la existencia de un dispositivo de control de paso con STOP. Se podrán añadir subcarteles superiores o inferiores con información adicional.

–   **S-991 e. Control de separación mínima en convencional o carretera multi-carril carretera.** Indica la existencia de un dispositivo de control de separación mínima entre vehículos en un punto o tramo de una carretera convencional o una carretera multicarril. Se podrán añadir subcarteles superiores o inferiores con información adicional.

–   **S-991 f. Control de separación mínima en autopista o autovía.** Indica la existencia de un dispositivo de control de separación mínima entre vehículos en un punto o tramo de una autopista o autovía. Se podrán añadir subcarteles superiores o inferiores con información adicional.

–   **S-991 g. Control de velocidad mediante medios aéreos.** Indica la posible existencia en el tramo de controles de velocidad mediante medios aéreos, como helicóptero o dron. En caso de que dichos controles tengan como objeto un tipo de vehículo en concreto, la señal podrá incluir únicamente el pictograma correspondiente a dicho vehículo.

–   **S-992 a. Señal informativa de la distancia mínima entre vehículos en carretera convencional o carretera multicarril.** Indica, en un tramo de carretera convencional o una carretera multicarril donde se dan frecuentemente colisiones por alcance, el número de marcas viales de galón que debe dejar un vehículo entre él y el que le precede.

–   **S-992 b. Señal informativa de la distancia mínima entre vehículos dentro de un túnel en carretera convencional o carretera multicarril.** Indica el número de marcas viales de galón que debe dejar un vehículo entre él y el que le precede dentro de un túnel en una carretera convencional o una carretera multicarril.

–   **S-992 c. Señal informativa de la distancia mínima entre vehículos en autopista o autovía** Indica, en un tramo de una autopista o una autovía donde se dan frecuentemente colisiones por alcance, el número de marcas viales de galón que debe que dejar un vehículo entre él y el que le precede.

–   **S-992 d. Señal informativa de la distancia mínima entre vehículos dentro de un túnel en autopista o autovía.** Indica el número de marcas viales de galón que debe dejar un vehículo entre él y el que le precede dentro de un túnel en una autopista o una autovía.

–   **S-992 e. Señal informativa de la distancia mínima entre vehículos indicada mediante balizas luminosas.** Indica, en un tramo donde es frecuente la pérdida de visibilidad debido a la niebla, el número de balizas luminosas que debe dejar un vehículo entre el y el que le precede.

–   **S-993. Advertencia de riesgo de alcances en tramo de autopista o autovía en pendiente ascendente**. Advierte del riesgo por alcances en un tramo de autopista o autovía debido a que la pendiente ascendente provoca que los camiones circulen a una velocidad sensiblemente menor que los turismos.

Actividad 5

Las señales que tienen por objeto indicar a los usuarios de la vía la proximidad y la naturaleza de un peligro difícil de ser percibido a tiempo, con objeto de que se cumplan las normas de comportamiento que, en cada caso, sean procedentes, son:

☐ a) Las señales de reglamentación.

☐ b) Las señales de restricción.

☐ c) Las señales de peligro.

3.6.5. Marcas viales

3.6.5.1. Objeto y clases

Las marcas viales, tienen por objeto regular la circulación y advertir o guiar a los usuarios de la vía, y pueden emplearse solas o con otros medios de señalización, a fin de reforzar o precisar sus indicaciones.

La forma, color, diseño y significado de las señales, así como las dimensiones de las mismas en función de cada tipo de vía se regulan en el apartado 5 del anexo I.

Las marcas viales se clasifican del siguiente modo:

a) **Marcas viales longitudinales**: delimitan los carriles por los que circulan los usuarios de la vía y ordenan sus movimientos tanto en sentido longitudinal como transversal.

b) **Marcas viales transversales**: se trata bien de líneas o conjunto de ellas dispuestas a lo ancho de uno o varios carriles que tienen como objeto indicar a los usuarios de la vía ciertas obligaciones, limitaciones o prohibiciones previas a franquearlas.

c) **Flechas**: indican el movimiento o los movimientos permitidos u obligados a los conductores que circulan por el carril en el que están dispuestas, o si la señalización lo permite, cambiarse a otro carril. También pueden estar colocadas aproximadamente en el eje de una calzada de doble sentido de circulación.

d) **Líneas paralelas oblicuas (cebreado)**: se trata de una zona marcada por franjas oblicuas paralelas enmarcadas por una línea continua. Significa que ningún conductor debe entrar con su vehículo o animal en la citada zona, excepto los obligados a circular por el arcén.

e) **Señales horizontales de circulación**: las señales horizontales son señales pintadas sobre la calzada con el mismo significado que sus homólogas verticales. La obligación de las señales horizontales situadas en un carril delimitado por líneas longitudinales se aplica exclusivamente a los vehículos que circulen por dicho carril.

f) **Inscripciones y otras marcas viales**: tienen como objeto proporcionar una información complementaria al conductor, imponer una determinada prescripción o advertir que se encuentran en un tramo con características especiales.

A) Marcas viales longitudinales

Su nomenclatura y significado son los siguientes:

a) **Marcas longitudinales discontinuas**. Una marca longitudinal discontinua está destinada a delimitar los carriles con el fin de guiar la circulación, y significa que ningún conductor debe circular con su vehículo o animal sobre ella, salvo cuando, debido a la anchura de los carriles, sea necesario y la seguridad de la circulación lo permita. Estas marcas podrán ser atravesadas para realizar ciertas maniobras permitidas, como giros o cambios de carril, respetando en cualquier caso la prioridad del vehículo que circula por el carril que se pretende ocupar.

b) **Marcas longitudinales discontinuas dobles**. Se trata de un caso especial de marcas longitudinales discontinuas. Delimitan por ambos lados los carriles reversibles, en los que el sentido de circulación está reglamentado en uno u otro sentido mediante semáforos de carril u otros medios.

c) **Marcas longitudinales continuas**. Una marca longitudinal continua significa que ningún conductor con su vehículo o animal debe atravesarla ni circular con su vehículo sobre ella, o circular por la izquierda de la misma cuando la marca separe los dos sentidos de circulación (excepto en los casos establecidos en el Reglamento General de Circulación,). Se excluyen de este significado las líneas continuas de borde de calzada, ya que al estar situadas en el arcén pueden ser ocasionalmente atravesadas cuando resulte necesario invadir este por razones de emergencia. Una marca longitudinal constituida por dos líneas continuas y paralelas tiene el mismo significado que la formada por una sola línea continua.

d) **Marcas longitudinales continuas adosadas a discontinuas**. Cuando una marca consiste en una línea longitudinal continua adosada a otra discontinua, las personas conductoras deben tener en cuenta la línea situada en el lado por el que circulan. Cuando la marca separe sentidos de circulación opuestos, un vehículo que haya iniciado una maniobra de adelantamiento en un tramo con este tipo de marca desde el carril contiguo a la línea discontinua, podrá atravesar la línea continua y volver a su carril tras realizar el adelantamiento o desistir de él.

e) **Marcas longitudinales discontinuas de interrupción de marca continua y de guía**. Este tipo de marcas pueden utilizarse bien para interrumpir una línea longitudinal continua, tanto de eje como de borde, permitiéndose traspasarla para realizar un giro hacia o desde un acceso; bien para indicar, dentro de una intersección, la prolongación ideal de las marcas viales de separación de carriles o para borde de calzada en los casos en que la trayectoria a seguir por los vehículos no resulte obvia.

f) **Líneas de separación de sentidos sin regular el adelantamiento**. En carreteras con doble sentido de circulación y visibilidad de adelantamiento reducida debido al trazado en planta (habituales en puertos de montaña), se podrá disponer esta línea, la cual tiene el único fin de guiado del tráfico, estableciendo el eje de separación de sentidos. No proporciona a las personas usuarias indicaciones sobre la regulación del adelantamiento en función de la visibilidad de adelantamiento disponible.

g) **Líneas de borde de la calzada**. Delimitan el borde de la calzada. El hecho de que sean continuas o discontinuas no conlleva ninguna diferencia con respecto al uso del arcén reglamentariamente establecido.

B) Marcas transversales

Su nomenclatura y significado son los siguientes:

a) **Marca transversal continua**. Una línea continua, dispuesta a lo ancho de uno o varios carriles, es una línea de detención que indica que ningún vehículo o animal ni su carga debe franquearla en cumplimiento de la obligación impuesta por una señal horizontal o vertical de detención obligatoria, una señal de prohibición de pasar sin detenerse, un paso para peatones indicado por una marca vial, un semáforo o una señal de detención efectuada por un agente de la circulación o por la existencia de un paso a nivel o puente móvil.

Si desde el lugar donde se ha efectuado la detención no existe visibilidad suficiente, la persona conductora deberá detenerse de nuevo en el lugar desde donde tenga visibilidad, sin poner en peligro a ninguna persona usuaria de la ví.

b) **Marca transversal discontinua**. Una línea discontinua dispuesta a lo ancho de uno o varios carriles es una línea de detención que indica que, salvo en circunstancias anormales que reduzcan la visibilidad, ningún vehículo o animal ni su carga deben franquearla, cuando tengan que ceder el paso, en cumplimiento de la obligación impuesta por una señal vertical u horizontal de «Ceda el paso», por una flecha verde de giro de un semáforo, o cuando no haya ninguna señal de prioridad por aplicación de las normas que rigen esta.

c) **Marca de paso para peatones**. Una serie de líneas dispuestas en bandas paralelas al eje de la calzada, formando un conjunto transversal a esta, indica un paso para peatones en el cual los conductores de vehículos o animales deben dejarles paso. Podrá suprimirse la parte central de una línea por cada carril de circulación. En pasos para peatones regulados por semáforo, podrá utilizarse la marca constituida por dos líneas transversales discontinuas y paralelas. No podrán utilizarse líneas de otros colores que alternen con las blancas.

d) **Marca de paso para ciclistas**. Una marca consistente en dos líneas transversales discontinuas y paralelas sobre la calzada indica un paso para ciclistas en el cual los vehículos que circulan por esta deben dejarles paso. Con el fin de hacer más notoria su presencia, en los pasos para ciclistas podrá pigmentarse el pavimento, preferiblemente con color rojo.

e) **Marca de reductor de velocidad tipo «lomo de asno».** La presencia de un reductor de velocidad tipo «lomo de asno» se advertirá mediante tres triángulos dispuestos sobre la parte ascendente de este. Se ejecutará el lado menor de cada triángulo en la parte más elevada.

Actividad 6

Indica si la siguiente cuestión es verdadera o falsa:

Las marcas longitudinales discontinuas dobles delimitan un carril por ambos lados significando que este es reversible, es decir, que en él la circulación puede estar reglamentada en uno o en otro sentido mediante semáforos de carril u otros medios

Verdadera ☐   Falsa ☐

C) Flechas

a) **Flecha de sentido o de selección de carriles.** Indica el o los movimientos permitidos u obligados a los vehículos que circulan por el carril en el que está situada la flecha. Las flechas que incluyan la dirección de frente no impiden el cambio de carril, siempre que se mantenga la dirección de circulación y que las marcas longitudinales lo permitan.

b) **Flecha de fin de carril.** Indica que el carril en que está situada termina próximamente, siendo por tanto necesario abandonarlo hacia la dirección indicada, respetando en todo caso la prioridad de los vehículos que circulan por el carril que se pretende ocupar.

c) **Flecha de retorno.** Anuncia la proximidad de una línea continua que implica la prohibición de circular por su izquierda, por lo que se debe desistir de iniciar la maniobra de adelantamiento o finalizarla lo antes posible en caso de que esta ya se haya iniciado.

d) **Flecha en accesos a glorietas con selección de carriles.** Anuncia las direcciones que se podrán tomar al salir de la glorieta accediendo a ella por el carril en el que está situada la flecha. Este tipo de flechas no se podrá utilizar en glorietas convencionales en las que no se da la selección de carril en función de la salida que se tomará.

e) **Flechas en miniglorietas.** Indican la existencia de una glorieta de radio reducido (diámetro de la isleta central igual o menor de 4 m) así como el sentido de circulación en ella.

D) Señales horizontales de circulación

Su nomenclatura es la siguiente:

a) **Detención obligatoria o *stop*.** indica la obligación de detener el vehículo ante una línea de detención o, si esta no existiera, inmediatamente antes de la calzada a la que se aproxima, y, una vez detenido el vehículo, ceder el paso a los vehículos que circulen por ella. Si la marca está situada en un carril delimitado por marcas longitudinales, la obligación descrita se refiere exclusivamente a los vehículos que circulen por ese carril.

b) **Ceda el paso.** indica a las personas conductoras la obligación de ceder el paso a los vehículos que circulen por la calzada a la que se aproxima, deteniéndose si es preciso ante la línea de ceda el paso. Si la marca está situada en un carril delimitado por marcas longitudinales, la obligación descrita se refiere exclusivamente a los vehículos que circulen por ese carril.

c) **Limitación de velocidad.** Indica la velocidad, expresada en km/h, que ningún vehículo debe sobrepasar. Si la marca está situada en un carril delimitado por marcas longitudinales, la obligación descrita se refiere exclusivamente a los vehículos que circulen por ese carril. La limitación establecida se aplica hasta la siguiente señal de «Fin de limitación», «Fin de limitación de velocidad» u otra señal de velocidad máxima de valor diferente.

d) **Zona reservada o con prioridad para determinadas personas usuarias o vehículos.** Indican carriles o zonas reservadas o con prioridad para determinadas personas usuarias o vehículos, como personas con movilidad reducida, peatones, ciclos, vehículos de movilidad personal, vehículos eléctricos, etc. También pueden incluirse pictogramas para indicar en una plaza de estacionamiento la función para la que está reservada (farmacia, centro de salud u hospital, etc.)

E) Inscripciones

Las inscripciones en la calzada proporcionan a las personas usuarias información complementaria. Son:

a) **De punto kilométrico (M-6.20):** indica el punto kilométrico de la carretera. Está dirigida a equipos de salvamento aéreo.

b) **De orientación (M-6.21 y M-6.22):** indican la carretera, población, zona de estacionamiento, aeropuerto, peaje u otro lugar que se pueda alcanzar si se sigue por el carril en que estén situadas las inscripciones y se efectúan los cambios de dirección indicados por las flechas que, en su caso, puedan situarse en el mismo carril e inmediatas a la inscripción.

F) Líneas paralelas oblicuas (cebreados)

Una zona marcada por franjas oblicuas paralelas enmarcadas en una línea continua significa que ningún conductor debe entrar con su vehículo o animal en ella, excepto aquellos obligados a circular por el arcén.

G) Otras marcas

a) **Líneas y marcas de estacionamiento.** Delimitan los lugares o zonas de estacionamiento, así como la posición en la que los vehículos deben ocuparlos. Además de blancas, estas marcas pueden de otros colores, así como utilizar en su interior determinados pictogramas, para indicar ciertas limitaciones temporales, por tipo de persona usuaria o para un fin concreto (plazas reservadas a personas con movilidad reducida, para clientes de una farmacia cercana, de un centro médico, etc.).

b) **Marca de paso a nivel.** Indica la proximidad de un paso a nivel por una vía de ferrocarril o tranvía, en el que los vehículos que circulen por la calzada deben ceder el paso cuando se aproxime un tren o tranvía.

c) **Marca de comienzo de carril reservado.** Indica el comienzo de un carril reservado a determinados vehículos, tales como autobuses, taxis, ciclos, etc

d) **Líneas de prohibición de parada o estacionamiento (marcas viales amarillas).** Las siguientes marcas se pintarán en color amarillo, pudiendo ser de los siguientes tipos:

– Marca longitudinal discontinua de prohibición de estacionamiento.

– Marca longitudinal continua de prohibición de parada

– Marca en zigzag.

– Cuadrícula.

e) **Marca de acceso a un lecho de frenado**. Damero formado por cuadrados de colores blanco y rojo que indica el lugar donde empieza una zona de frenado de emergencia, prohibiendo la parada, el estacionamiento o la utilización de esta superficie con otros fines.

f) **Marca de separación de seguridad entre vehículos**. Facilita, sirviendo como referencia, el mantenimiento de la separación mínima entre un vehículo y el que le precede en túneles, secciones especiales y tramos de mayor riesgo de accidentes por alcance.

g) **Avanza-bici o avanza-motos**: indican, en la sección inmediatamente anterior a una intersección o paso de peatones regulados por semáforo, un espacio en el que cuando el semáforo esté rojo solo podrá ser ocupado por determinados vehículos como ciclos, vehículos de movilidad personal, motocicletas o ciclomotores.

h) **Marcas particulares para aumentar la seguridad vial o calmar el tráfico**: indican a las personas conductoras que se encuentran en un tramo de la carretera o vía urbana con características especiales y que, debido al trazado, el entorno, la presencia de personas usuarias más vulnerables u otros factores, deberán adaptar su conducción a dichas características, extremando la precaución. También se incluyen en esta categoría las marcas utilizadas para delimitar las zonas de bajas emisiones a las que determinados vehículos no podrán acceder u otras zonas con restricción o regulación de accesos.

– Dientes de dragón.

– Líneas de borde quebradas.

– Damero para la reducción de la velocidad.

– Marcas de guiado para motoristas.

 Actividad 7

La marca horizontal que indica al conductor la obligación de detener su vehículo ante una próxima línea de detención o, si esta no existiera, inmediatamente antes de la calzada a la que se aproxima, y de ceder el paso a los vehículos que circulen por esa calzada, es la de:

3.6.6. Tramos con obras o tareas de conservación

Las obras y tareas de conservación que alteren de cualquier modo la circulación vial deberán hallarse señalizadas, tanto de día como de noche, y balizadas luminosamente durante las horas nocturnas, o cuando las condiciones meteorológicas o ambientales lo exijan, a cargo del realizador de la obra.

Con respecto a la señalización en tramos en los que se estén llevando a cabo obras o tareas de conservación, este catálogo solo incluye expresamente la señal P-18 Obras, ya que esta únicamente puede ser utilizada con fondo amarillo. Cuando en dichos tramos se dispongan señales de peligro y reglamentación cuyo fondo sea en su versión convencional de color blanco, estas tendrán fondo amarillo.

3.6.7. Señales en los vehículos

Las señales en los vehículos están destinadas a dar a conocer a los usuarios de la vía determinadas circunstancias o características del vehículo en que están colocadas, del servicio que presta, de la carga que transporta o de su propio conductor.

Con independencia de las exigidas por otras reglamentaciones específicas, la nomenclatura y significado de las señales en los vehículos son las siguientes:

– **V-1. Vehículo prioritario**. Indica que se trata de un vehículo de los servicios de policía, de extinción de incendios, protección civil y salvamento o de asistencia sanitaria, en servicio urgente, si se utiliza de forma simultánea con el aparato emisor de señales acústicas especiales, al que se refieren las normas reguladoras de los vehículos.

– **V-2. Vehículo-obstáculo en la vía**. La utilización de la señal V-2 en un vehículo indica la posición en la vía o en sus inmediaciones de un vehículo que desempeña un servicio, actividad u operación de trabajo, en situación de parada o estacionamiento, o a una velocidad que no supere los 40 kilómetros por hora.

Tendrán obligación de utilizar esta señal todos los vehículos que habitualmente desarrollen en la vía las acciones indicadas anteriormente. Igualmente tendrán obligación de utilizar esta señal los vehículos en régimen de transporte especial y sus vehículos piloto o de acompañamiento, en los términos indicados en la autorización especial de circulación, así como los vehículos de acompañamiento de las pruebas deportivas, marchas ciclistas y otros eventos y de las columnas militares.

En caso de avería de esta señal, deberá utilizarse la luz de cruce junto con las luces indicadoras de dirección con señal de emergencia.

- **V-3. Vehículo de Policía**. Señaliza un vehículo de esta clase en servicio no urgente.

- **V-4. Limitación de velocidad**. Indica que el vehículo no debe circular a velocidad superior, en kilómetros por hora, a la cifra que figura en la señal.

- **V-5. Vehículo lento**. Indica que se trata de un vehículo de motor, o conjunto de vehículos, que, por construcción, no puede sobrepasar la velocidad de 40 kilómetros por hora.

- **V-6. Vehículo largo**. Indica que el vehículo o conjunto de vehículos, tiene una longitud superior a 12 metros.

- **V-7. Distintivo de nacionalidad española**. Indica que el vehículo está matriculado en España.

- **V-8. Distintivo de nacionalidad extranjera**. Indica que el vehículo está matriculado en el país al que corresponden las siglas que contiene, y que su instalación es obligatoria para circular por España.

- **V-9. Servicio público**. Indica que el vehículo está dedicado a prestar servicios públicos. El uso de esta señal sólo será exigible cuando así lo disponga la normativa reguladora del servicio público de que se trate.

- **V-10. Transporte escolar**. Indica que el vehículo está realizando esta clase de transporte.

- **V-11. Transporte de mercancías peligrosas**. Indica que el vehículo transporta mercancías peligrosas.

- **V-12. Placa de ensayo o investigación**. Indica que el vehículo está efectuando pruebas especiales o ensayos de investigación.

- **V-13. Conductor novel**. Indica que el vehículo está conducido por una persona cuyo permiso de conducción tiene menos de un año de antigüedad.

- **V-14. Aprendizaje de la conducción**. Indica que el vehículo circula en función del aprendizaje de la conducción o de las pruebas de aptitud.

- **V-15. Minusválido**. Indica que el conductor del vehículo es una persona con discapacidades que reducen su movilidad y que, por tanto, puede beneficiarse de las facilidades que se le otorguen con carácter general o específico.

– **V-16. Dispositivo de preseñalización de peligro**. Indica que el vehículo ha quedado inmovilizado en la calzada o que su cargamento se encuentra caído sobre ella.

– **V-17. Alumbrado indicador de libre**. Indica que los auto taxis circulan en condiciones de ser alquilados.

– **V-18. Alumbrado de taxímetro**. Es el destinado, en los automóviles de turismo de servicio público de viajeros, a iluminar el contador taxímetro tan pronto se produzca la bajada de bandera.

– **V-19. Distintivo de inspección técnica periódica del vehículo**. Indica que el vehículo ha superado favorablemente la inspección técnica periódica, así como la fecha en que deben pasar la próxima inspección.

– **V-20. Panel para cargas que sobresalen**. Indica que la carga del vehículo sobresale posteriormente.

– **V-21. Cartel avisador de acompañamiento de transporte especial o de vehículos en régimen de transporte especial**. Indica la circulación próxima de un transporte especial.

– **V-22. Cartel avisador de acompañamiento de ciclistas**. Indica la circulación próxima de ciclistas.

– **V-23. Distintivo de vehículos de transporte de mercancías**. Señaliza un vehículo de esta clase. Estará constituida por marcas reflectantes utilizadas para incrementar la visibilidad y el reconocimiento de camiones y vehículos largos y pesados y sus remolques. El distintivo de los vehículos de transporte debe ajustarse a lo establecido para esta señal en el anexo XI del Reglamento General de Vehículos.

– **V-24. Vehículo de servicio de auxilio en vías públicas**.

– **V-25. Distintivo ambiental**. Identifica la clasificación ambiental que el vehículo tiene en el Registro de Vehículos: 0 emisiones, ECO, C y B. No se crea distintivo para la categoría A.

– **V-26. Distintivo de uso compartido**. Identifica la clasificación del vehículo en el Registro de Vehículos como vehículo de uso compartido.

– **V-27. Triángulo virtual**. La señal se activará en el sistema de a bordo del vehículo para advertir la presencia de un peligro próximo, cuando este hecho haya sido informado por un tercero a la plataforma de vehículo conectado de la Dirección General de Tráfico.

Para concluir, señalemos que la forma, color, diseño, símbolos, dimensiones, significado y colocación de las señales en los vehículos se ajustarán a lo establecido en el anexo XI del Reglamento General de Vehículos.

4. Carencia del seguro obligatorio

4.1. Introducción

El seguro obligatorio de los vehículos a motor viene regulado en la actualidad en el **Texto Refundido de la Ley sobre Responsabilidad civil y seguro en la circulación de vehículos a motor, aprobado por el Real Decreto Legislativo 8/2004, de 29 de octubre** (LRCSCVM, en adelante).

Con arreglo al **art. 1 de la LRCSCVM**:

1. El conductor de vehículos a motor es responsable, en virtud del riesgo creado por los hechos de la circulación de tales vehículos, de los daños causados a las personas o en los bienes como consecuencia de esos hechos.

    En el caso de daños a las personas, de esta responsabilidad sólo quedará exonerado cuando pruebe que los daños fueron debidos a la culpa exclusiva del perjudicado o a fuerza mayor extraña a la conducción o al funcionamiento del vehículo; no se considerarán casos de fuerza mayor los defectos del vehículo ni la rotura o fallo de alguna de sus piezas o mecanismos.

    En el caso de daños en los bienes, el conductor responderá frente a terceros cuando resulte civilmente responsable según lo establecido en los artículos 1.902 (regulador de la responsabilidad por daños causados por culpa o negligencia) y siguientes del Código Civil, artículos 109 (sobre la responsabilidad civil derivada de la comisión de un hecho delictivo) y siguientes del Código Penal, y según lo dispuesto en esta Ley.

    Es sujeto perjudicado toda persona que tiene derecho a la indemnización de los daños y perjuicios causados por un vehículo.

2. Sin perjuicio de que pueda existir culpa exclusiva, cuando la víctima capaz de culpa civil sólo contribuya a la producción del daño se reducirán todas las indemnizaciones, incluidas las relativas a los gastos en que se haya incurrido en los supuestos de muerte, secuelas y lesiones temporales, en atención a la culpa concurrente hasta un máximo del setenta y cinco por ciento. Se entiende que existe dicha contribución si la víctima, por falta de uso o por uso inadecuado de cinturones, casco u otros elementos protectores, incumple la normativa de seguridad y provoca la agravación del daño.

    En los supuestos de secuelas y lesiones temporales, la culpa exclusiva o concurrente de víctimas no conductoras de vehículos a motor que sean menores de catorce años o que sufran un menoscabo físico, intelectual, sensorial u orgánico que les prive de capacidad de culpa civil, no suprime ni reduce la indemnización y se excluye la acción de repetición contra los padres, tutores y demás personas físicas que, en su caso, deban responder por ellas legalmente. Tales reglas no procederán si el menor o alguna de las personas mencionadas han contribuido dolosamente a la producción del daño.

Las reglas de los dos párrafos anteriores se aplicarán también si la víctima incumple su deber de mitigar el daño. La víctima incumple este deber si deja de llevar a cabo una conducta generalmente exigible que, sin comportar riesgo alguno para su salud o integridad física, habría evitado la agravación del daño producido y, en especial, si abandona de modo injustificado el proceso curativo.

3. El propietario no conductor responderá de los daños a las personas y en los bienes ocasionados por el conductor cuando esté vinculado con este por alguna de las relaciones que regulan los artículos 1.903 del Código Civil (padres, tutores, curadores, empresarios respecto de sus trabajadores y docentes respecto de sus alumnos menores de edad) y 120.5 del Código Penal (dependientes, representantes o personas autorizadas). Esta responsabilidad cesará cuando el mencionado propietario pruebe que empleó toda la diligencia de un buen padre de familia para prevenir el daño.

    El propietario no conductor de un vehículo sin el seguro de suscripción obligatoria responderá civilmente con el conductor del mismo de los daños a las personas y en los bienes ocasionados por éste, salvo que pruebe que el vehículo le hubiera sido sustraído.

4. Los daños y perjuicios causados a las personas como consecuencia del daño corporal ocasionado por hechos de la circulación regulados en esta Ley, se cuantificarán en todo caso con arreglo a los criterios del Título IV, que regula el Sistema para la valoración de los daños y perjuicios causados a las personas en accidentes de circulación y dentro de los límites indemnizatorios fijados en el Anexo.

5. Las indemnizaciones pagadas con arreglo a lo dispuesto en el apartado 4 tendrán la consideración de indemnizaciones en la cuantía legalmente reconocida, a los efectos de la Ley 35/2006, de 28 de noviembre, del Impuesto sobre la Renta de las Personas Físicas y de modificación parcial de las leyes de los Impuestos sobre Sociedades, sobre la Renta de no Residentes y sobre el Patrimonio, en tanto sean abonadas por una entidad aseguradora como consecuencia de la responsabilidad civil de su asegurado, o, en su caso, por el Consorcio de Compensación de Seguros.

 Actividad 8

¿A partir de qué ley dejaron de tipificarse en nuestro Código Penal las faltas cometidas con ocasión de la circulación de vehículos a motor?

1. A tales efectos, y conforme al **art. 1 bis**, añadido por Ley 5/2025, se entiende por **vehículo a motor**:

a) Todo vehículo automóvil accionado exclusivamente mediante una fuerza mecánica que circula por el suelo y que no utiliza una vía férrea, con:

    i. una velocidad máxima de fabricación superior a 25 km/h, o

    ii. un peso neto máximo superior a 25 kg y una velocidad máxima de fabricación superior a 14 km/h.

b) Todo remolque y semirremolque destinado a ser utilizado con uno de los vehículos a que se refiere la letra a), tanto enganchado como no enganchado.

2. **No son vehículos a motor**:

a) Los ferrocarriles, tranvías y otros vehículos que circulen por vías que les sean propias.

b) Las sillas de ruedas y otros vehículos motorizados específicos de apoyo a la movilidad de personas con movilidad reducida, que son destinados exclusivamente a tales personas. En todo caso, son vehículos a motor aquellos que cumpliendo la definición hayan sido adaptados para su uso por personas con movilidad reducida.

3. A efectos de la responsabilidad civil derivada de los hechos de la circulación y de la cobertura del seguro obligatorio regulado en esta ley, se entiende por hecho de la circulación toda utilización de un vehículo a motor que sea conforme con la función del vehículo como medio de transporte en el momento del accidente, con independencia de las características de este, del terreno en el que se utilice el vehículo y de si está parado o en movimiento.

4. **No son hechos de la circulación**:

a) Los derivados de la utilización de vehículos en eventos y actividades automovilísticos, tales como carreras y competiciones, así como entrenamientos, pruebas y demostraciones que, con la debida autorización, tengan lugar en zonas restringidas y demarcadas o se desarrollen en itinerarios o en circuitos especialmente destinados o habilitados para dichas actividades. El organizador de la actividad deberá disponer de un seguro, aval o garantía financiera que ofrezca una protección a terceros equivalente a la ofrecida por el seguro regulado en esta ley, incluidos los espectadores y otros transeúntes, con los mismos límites establecidos en el artículo 4, aunque no cubra necesariamente los daños a los conductores participantes y sus vehículos. Mediante Orden Ministerial se podrán desarrollar los requisitos del seguro, aval o garantía financiera.

b) La utilización de un vehículo a motor como medio para causar deliberadamente daños a las personas o en los bienes, sin perjuicio de la obligación del Consorcio de Compensación de Seguros de indemnización en los términos establecidos en el artículo 11.1.g).

c) Los desplazamientos de vehículos a motor utilizados exclusivamente en determinadas zonas de acceso restringido de puertos y aeropuertos, sin perjuicio de la obligatoriedad de disponer de un seguro, aval o garantía financiera equivalente que garantice una protección a terceros equivalente a la ofrecida por el seguro regulado en esta ley, con los mismos límites establecidos en el artículo 4.

5. A los efectos de esta ley, toda referencia efectuada en la misma y en su normativa de desarrollo a "vehículo", se entenderá realizada a "vehículo a motor".

Por su parte, el **art. 2** de esta LRCSCVM dispone que:

1. Todo propietario de vehículos a motor que tenga su estacionamiento habitual en España estará obligado a suscribir y mantener en vigor un contrato de seguro por cada vehículo de que sea titular, que cubra, hasta la cuantía de los límites del aseguramiento obligatorio, la responsabilidad civil por los hechos de la circulación a consecuencia de la conducción de los mismos.

   También deberán asegurar su responsabilidad civil en esas mismas condiciones los propietarios de:

   a) Ciclos de motor diseñados para funcionar a pedal que cuentan con propulsión auxiliar de velocidad máxima superior a 25 km/hora.

   b) Cualquier otro vehículo definido dentro de la categoría L1e-B del anexo I del Reglamento (UE) n.º 168/2013 del Parlamento Europeo y del Consejo, de 15 de enero de 2013.

   c) Cualquier otro vehículo diseñado para funcionar a pedal que no puede incluirse en ninguna de las categorías L1e del anexo I del Reglamento (UE) n.º 168/2013 del Parlamento Europeo y del Consejo, de 15 de enero de 2013 por contar con propulsión auxiliar de velocidad máxima superior a los 45 km/hora establecida genéricamente como límite para los vehículos de la categoría L1e.

   No obstante, el propietario quedará relevado de tal obligación cuando el seguro sea concertado por cualquier persona que tenga interés en el aseguramiento, quien deberá expresar el concepto en que contrata.

   Se entiende que el vehículo tiene su estacionamiento habitual en España:

   – Cuando tiene matrícula española, independientemente de si dicha matrícula es definitiva o temporal.

   – Cuando se trate de un tipo de vehículo para el que no exista matrícula, pero lleve placa de seguro o signo distintivo análogo a la matrícula y España sea el Estado donde se ha expedido esta placa o signo.

   – Cuando se trate de un tipo de vehículo para el que no exista matrícula, placa de seguro o signo distintivo y España sea el Estado del domicilio del usuario.

   – A efectos de la liquidación del siniestro, en el caso de accidentes ocasionados en territorio español por vehículos sin matrícula o con una matrícula que no corresponda o haya dejado de corresponder al vehículo. Reglamentariamente se determinará cuándo se entiende que una matrícula no corresponde o ha dejado de corresponder al vehículo.

e) Cuando se trate de un vehículo importado desde otro Estado miembro del Espacio Económico Europeo, durante un período máximo de treinta días a contar desde que el comprador aceptó la entrega del vehículo, aunque este no ostente matrícula española. A tal efecto dichos vehículos podrán ser asegurados temporalmente mediante un seguro en frontera.

No obstante, durante dicho periodo máximo de treinta días, la persona responsable de suscribir y mantener en vigor el seguro de responsabilidad civil podrá elegir entre asegurar el vehículo en el Estado miembro de matriculación o, tras la aceptación de la entrega por el comprador, asegurarlo en España.

2. Con el objeto de controlar el efectivo cumplimiento de la obligación de asegurarse y de que las personas implicadas en un accidente de circulación puedan averiguar con la mayor brevedad posible las circunstancias relativas a la entidad aseguradora que cubre la responsabilidad civil de cada uno de los vehículos implicados en el accidente, las entidades aseguradoras remitirán al Consorcio de Compensación de Seguros, la información sobre los contratos de seguro que sea necesaria con los requisitos, en la forma y con la periodicidad que se determine reglamentariamente.

3. Las autoridades aduaneras españolas serán competentes para comprobar la existencia y, en su caso, exigir a los vehículos extranjeros de países no miembros del Espacio Económico Europeo que no estén adheridos al Acuerdo entre las oficinas nacionales de seguros de los Estados miembros y de otros Estados asociados, y que pretendan acceder al territorio nacional, la suscripción de un seguro obligatorio que reúna, al menos, las condiciones y garantías establecidas en la legislación española. En su defecto, deberán denegarles dicho acceso. La Oficina Española de Aseguradores de Automóviles (OFESAUTO) gestionará procedimientos de emisión y de registro electrónicos de certificados internacionales de seguro y de seguros en frontera.

4. En el caso de vehículos con estacionamiento habitual en el territorio de un Estado miembro del Espacio Económico Europeo o vehículos que teniendo su estacionamiento habitual en el territorio de un tercer país entren en España desde el territorio de otro Estado miembro, se podrán realizar controles no sistemáticos del seguro siempre que no sean discriminatorios y se efectúen como parte de un control que no vaya dirigido exclusivamente a la comprobación del seguro.

5. Además de la cobertura obligatoria, la póliza en que se formalice el contrato de seguro de responsabilidad civil de suscripción obligatoria podrá incluir, con carácter potestativo, las coberturas que libremente se pacten entre el tomador y la entidad aseguradora con arreglo a la legislación vigente.

6. En todo lo no previsto expresamente en esta Ley y en sus normas reglamentarias de desarrollo, el contrato de seguro de responsabilidad civil derivada de la circulación de vehículos de motor se regirá por la Ley 50/1980, de 8 de octubre, de Contrato de Seguro.

7. Las entidades aseguradoras deberán expedir a favor del propietario del vehículo y del tomador del seguro del vehículo asegurado, en caso de ser persona distinta de aquél, previa petición de cualquiera de ellos, y en el plazo de quince días hábiles, certificación acreditativa de los siniestros de los que se derive responsabilidad frente a terceros, correspondientes a los cinco últimos años de seguro, si los hubiere o, en su caso, una certificación de ausencia de siniestros. Las entidades aseguradoras que tengan en cuenta la certificación de antecedentes siniestrales en la determinación de las primas de sus seguros publicarán en su sitio web una sinopsis general de las políticas que apliquen en relación con el uso de dichas certificaciones, con el contenido que reglamentariamente se determine.

8. Se exceptúan de la obligación de aseguramiento:

a) Los vehículos que requieran autorización administrativa para circular pero que no se usen como medio de transporte, y que hayan sido dados de baja de forma temporal o definitiva del registro de vehículos de la Dirección General de Tráfico.

b) Los remolques y semirremolques que no excedan de 750 kilogramos de masa máxima autorizada.

c) Los vehículos a motor durante su fabricación y transporte como mercancía. Para estos vehículos, en tanto sean mercancía, debe existir un seguro, aval o garantía financiera equivalente que cubra la responsabilidad civil por los daños que puedan causar dichas mercancías, conforme a los límites mínimos siguientes:

i. en los daños a las personas, 6.450.000 euros por siniestro, cualquiera que sea el número de víctimas;

ii. en los daños a los bienes, 1.300.000 euros por siniestro.

 Actividad 9

¿Cuándo quedará exonerado de la responsabilidad por los daños causados a las personas o en los bienes con motivo de la circulación?

4.2. Incumplimiento de la obligación de asegurarse

Al mismo se refiere el **art. 3 LRCSCVM**, con arreglo al cual:

1. El incumplimiento de la obligación de asegurarse determinará:

a) La prohibición de circulación por territorio nacional de los vehículos no asegurados.

b) El depósito o precinto público o domiciliario del vehículo, con cargo a su propietario, mientras no sea concertado el seguro.

Se acordará cautelarmente el depósito o precinto público o domiciliario del vehículo por el tiempo de un mes, que en caso de reincidencia será de tres meses y en el supuesto de quebrantamiento del depósito o precinto será de un año, y deberá demostrarse, para levantar dicho depósito o precinto, que se dispone del seguro correspondiente. Los gastos que se originen como consecuencia del depósito o precinto del vehículo serán por cuenta del propietario, que deberá abonarlos o garantizar su pago como requisito previo a la devolución del vehículo.

c) Una sanción pecuniaria de 601 a 3.005 euros de multa, graduada según que el vehículo circulase o no, su categoría, el servicio que preste, la gravedad del perjuicio causado, en su caso, la duración de la falta de aseguramiento y la reiteración de la misma infracción.

2. Para sancionar la infracción serán competentes los Jefes Provinciales de Tráfico o, en las Comunidades Autónomas que tengan transferidas competencias ejecutivas en materia de tráfico y circulación de vehículos a motor, los órganos previstos en la normativa autonómica, en los términos establecidos en el artículo 71 del texto articulado de la Ley sobre Tráfico, Circulación de Vehículos a Motor y Seguridad Vial, aprobado por Real Decreto Legislativo 339/1990, de 2 de marzo (derogada por Real Decreto Legislativo 6/2015, de 30 de octubre, por el que se aprueba el texto refundido de la Ley sobre Tráfico, Circulación de Vehículos a Motor y Seguridad Vial).

3. La infracción se sancionará conforme a uno de los procedimientos sancionadores previstos en el texto articulado de la Ley sobre Tráfico, Circulación de Vehículos a Motor y Seguridad Vial.

4. El Ministerio del Interior y las autoridades competentes de las comunidades autónomas a las que se hayan transferido competencias en materia sancionadora entregarán al Consorcio de Compensación de Seguros el 50 por ciento del importe de las sanciones recaudadas al efecto, para compensar parte de las indemnizaciones satisfechas por este último a las víctimas de la circulación en el cumplimiento de las funciones que legalmente tiene atribuidas.

4.3. Ámbito del aseguramiento obligatorio

El artículo 4, establece que:

1. El seguro obligatorio previsto en esta Ley garantizará la cobertura de la responsabilidad civil en vehículos terrestres automóviles con estacionamiento habitual en España, mediante el pago de una sola prima, en todo el territorio del Espacio Económico Europeo y de los Estados adheridos al Acuerdo entre las oficinas nacionales de seguros de los Estados miembros del Espacio Económico Europeo y de otros Estados asociados.

Dicha cobertura incluirá cualquier tipo de estancia del vehículo asegurado en el territorio de otro Estado miembro del Espacio Económico Europeo durante la vigencia del contrato.

2. Los importes de la cobertura del seguro obligatorio serán:

   a) En los daños a las personas, 70 millones de euros por siniestro, cualquiera que sea el número de víctimas.

   b) En los daños en los bienes, 15 millones de euros por siniestro.

3. La cuantía de la indemnización cubierta por el seguro obligatorio en los daños causados a las personas se determinará con arreglo a lo dispuesto en el Sistema para la valoración de los daños y perjuicios causados a las personas en accidentes de circulación y dentro de los límites indemnizatorios fijados en el Anexo.

   Si la cuantía de las indemnizaciones resultase superior al importe de la cobertura del seguro obligatorio, se satisfará, con cargo a éste, dicho importe máximo, y el resto hasta el montante total de la indemnización quedará a cargo del seguro voluntario o del responsable del siniestro, según proceda.

4. Cuando el siniestro sea ocasionado en un Estado adherido al Acuerdo entre las oficinas nacionales de seguros de los Estados miembros del Espacio Económico Europeo y de otros Estados asociados, distinto de España, por un vehículo que tenga su estacionamiento habitual en España, se aplicarán los límites de cobertura fijados por el Estado miembro en el que tenga lugar el siniestro. No obstante, si el siniestro se produce en un Estado miembro del Espacio Económico Europeo, se aplicarán los límites de cobertura previstos en el apartado 2, siempre que estos sean superiores a los establecidos en el Estado donde se haya producido el siniestro.

El **art. 5**, por su parte, establece que:

1. La cobertura del seguro de suscripción obligatoria no alcanzará a los daños y perjuicios ocasionados por las lesiones o fallecimiento del conductor del vehículo causante del accidente.

2. La cobertura del seguro de suscripción obligatoria tampoco alcanzará a los daños en los bienes sufridos por el vehículo asegurado, por las cosas en él transportadas ni por los bienes de los que resulten titulares el tomador, el asegurado, el propietario o el conductor, así como los del cónyuge o los parientes hasta el tercer grado de consanguinidad o afinidad de los anteriores.

3. Quedan también excluidos de la cobertura de los daños personales y materiales por el seguro de suscripción obligatoria quienes sufrieran daños con motivo de la circulación del vehículo causante, si hubiera sido robado. A los efectos de esta ley, se entiende por robo la conducta tipificada como tal en el Código Penal. En los supuestos de robo será de aplicación lo dispuesto en el artículo 11.1.c), respecto de la cobertura del Consorcio de Compensación de Seguros de indemnizar los daños, a las personas y en los bienes, ocasionados en España por un vehículo que esté asegurado y haya sido objeto de robo o robo de uso.

Finalmente, el **art. 6** señala que el asegurador no podrá oponer frente al perjudicado ninguna otra exclusión de la cobertura, pactada o no, distinta de las recogidas en el artículo 5 que acabamos de ver.

En particular, no podrá hacerlo respecto de aquellas cláusulas contractuales que excluyan de la cobertura la utilización o conducción del vehículo designado en la póliza por quienes carezcan de permiso de conducir, incumplan las obligaciones legales de orden técnico relativas al estado de seguridad del vehículo o, fuera de los supuestos de robo, utilicen ilegítimamente vehículos de motor ajenos o no estén autorizados expresa o tácitamente por su propietario.

Tampoco podrá oponer aquellas cláusulas contractuales que excluyan de la cobertura del seguro al ocupante sobre la base de que éste supiera o debiera haber sabido que el conductor del vehículo se encontraba bajo los efectos del alcohol o de otra sustancia tóxica en el momento del accidente.

El asegurador no podrá oponer frente al perjudicado la existencia de franquicias.

No podrá el asegurador oponer frente al perjudicado, ni frente al tomador, conductor o propietario, la no utilización de la declaración amistosa de accidente.

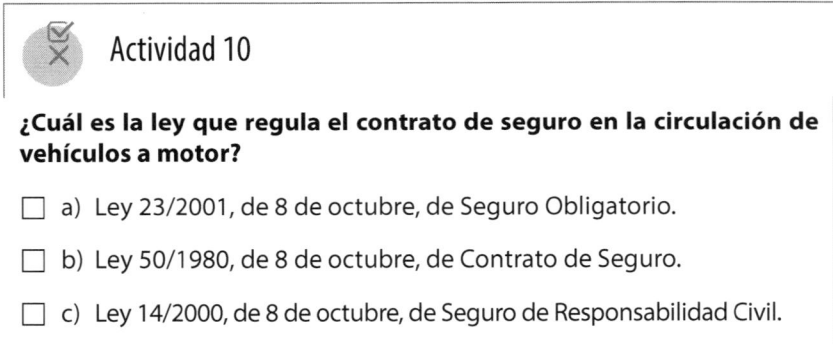

Actividad 10

¿Cuál es la ley que regula el contrato de seguro en la circulación de vehículos a motor?

☐ a) Ley 23/2001, de 8 de octubre, de Seguro Obligatorio.

☐ b) Ley 50/1980, de 8 de octubre, de Contrato de Seguro.

☐ c) Ley 14/2000, de 8 de octubre, de Seguro de Responsabilidad Civil.

4.4. Acreditación del seguro obligatorio

A la misma se dedican los **arts. 13 a 15 del RSORCCVM** (Real Decreto 1507/2008, de 12 de septiembre, por el que se aprueba el Reglamento del seguro obligatorio de responsabilidad civil en la circulación de vehículos a motor), disponiendo el primero de ellos que el asegurador deberá entregar preceptivamente al tomador la póliza de seguro, documento en el cual, necesariamente, constará una referencia clara y precisa a las normas aplicables a este tipo de seguro y los demás extremos que se determinen en la regulación del contrato de seguro y de ordenación y supervisión de los seguros privados.

Actividad 11

Indica si las siguientes cuestiones son verdaderas o falsas:

- **El asegurador podrá oponer frente al perjudicado la existencia de franquicias.**

  Verdadera ☐   Falsa ☐

- **La cobertura del seguro de suscripción obligatoria alcanzará a los daños y perjuicios ocasionados por las lesiones o fallecimiento del conductor del vehículo causante del accidente.**

  Verdadera ☐   Falsa ☐

- **Podrá el asegurador oponer frente al perjudicado, frente al tomador, conductor o propietario, la no utilización de la declaración amistosa de accidente.**

  Verdadera ☐   Falsa ☐

Asimismo, y una vez cobrada la prima, el asegurador deberá entregar al tomador un justificante del pago.

En cuanto a la acreditación propiamente dicha, dispone el **art. 14** que:

1. Todo vehículo a motor deberá ir provisto de la documentación acreditativa de la vigencia del seguro obligatorio.

2. La vigencia del seguro obligatorio se constatará por los agentes de la autoridad mediante la consulta al Fichero Informativo de Vehículos Asegurados.

   En su defecto, quedará acreditada la vigencia del seguro mediante el justificante de pago de la prima del periodo de seguro en curso, siempre que contenga, al menos, la identificación de la entidad aseguradora, la matrícula, placa de seguro o signo distintivo del vehículo, el periodo de cobertura y la indicación de la cobertura del seguro obligatorio.

   Tratándose de vehículos dedicados al alquiler sin conductor, se considerará documentación acreditativa de la vigencia del seguro la copia cotejada del justificante de pago de la prima, en la forma que determine la Dirección General de Tráfico.

Finalmente, el **art. 15** se refiere al seguro en frontera, señalando que el documento acreditativo del seguro en frontera deberá contener, como mínimo, las siguientes indicaciones:

a) Que la garantía se concede dentro de los límites y condiciones previstas como obligatorias en el texto refundido de la Ley sobre responsabilidad civil y seguro en la circulación de vehículos a motor y en este reglamento.

b) Que si el siniestro se produce en España, se aplicarán los límites previstos en la legislación española y, en concreto, en el texto refundido de la Ley sobre responsabilidad civil y seguro en la circulación de vehículos a motor.

c) Acreditación de la vigencia del seguro, en los términos establecidos en este reglamento.

 Recuerda que...

El Texto Refundido de la Ley sobre Responsabilidad Civil y Seguro en la Circulación de Vehículos a Motor, fue aprobado por el Real Decreto Legislativo 8/2004, de 29 de octubre.

Solución a las actividades

Actividad 1.

> Deberán circular siempre por su derecha los que empujen o arrastren un ciclo o ciclomotor de dos ruedas, carros de mano o aparatos similares, todo grupo de peatones dirigido por una persona o que forme cortejo y los impedidos que se desplacen en silla de ruedas.

Actividad 2.

1. Detenerse de forma que no cree un nuevo peligro para la circulación.

2. Establecer un orden de preferencias.

3. Restablecer o mantener la seguridad de la circulación y, si hubiera resultado muerta o gravemente herida alguna persona o se hubiera avisado a la autoridad o sus agentes, evitar la modificación del estado de las cosas.

4. Prestar a los heridos el auxilio que resulte más adecuado y recabar auxilio sanitario.

5. Avisar a la autoridad o a sus agentes si, aparentemente, hubiera resultado herida o muerta alguna persona.

6. Comunicar su identidad.

7. Facilitar los datos del vehículo.

Actividad 3.

- Semáforos. `3`

- Marcas viales. `5`

- Señalización circunstancial que modifique el régimen normal de utilización de la vía. `2`

- Señales y órdenes de los agentes de la autoridad encargados de la vigilancia del tráfico en el ejercicio de las funciones que tengan encomendadas. `1`

- Señales verticales de circulación. `4`

Actividad 4.

- Señales de prioridad.

- Señales de prohibición de entrada.

- Señales de restricción de paso.

- Otras señales de prohibición o restricción.
- Señales de obligación.
- Señales de fin de prohibición o restricción.

Actividad 5.

☐ a) Las señales de reglamentación.

☐ b) Las señales de restricción.

☑ c) Las señales de peligro.

Actividad 6.

Verdadera.

Actividad 7.

La marca horizontal que indica al conductor la obligación de detener su vehículo ante una próxima línea de detención o, si esta no existiera, inmediatamente antes de la calzada a la que se aproxima, y de ceder el paso a los vehículos que circulen por esa calzada, es la de: **Stop**

Actividad 8.

A partir de la Ley Orgánica 1/2015 de 30 de marzo.

Actividad 9.

Cuando pruebe que los daños fueron debidos a la culpa exclusiva del perjudicado o a fuerza mayor extraña a la conducción o al funcionamiento del vehículo.

Actividad 10.

☐ a) Ley 23/2001, de 8 de octubre, de Seguro Obligatorio.

☑ b) Ley 50/1980, de 8 de octubre, de Contrato de Seguro.

☐ c) Ley 14/2000, de 8 de octubre, de Seguro de Responsabilidad Civil.

Actividad 11.

- Falsa.
- Falsa.
- Falsa.

TEMA 12

La policía como servicio público. La policía local como policía de proximidad y de servicio. El auxiliar de policía y sus funciones. Responsabilidades del auxiliar de policía

Empieza **subrayando** solo las ideas principales en la lectura comprensiva. Elige tu código de color según su importancia. Si quieres saber más, te lo explicamos en tu Curso MAD360.

Índice

1. La policía como servicio público

Desde la época de los romanos hasta el siglo XIX no existió ningún cuerpo profesionalizado de policía. Mantener la seguridad y el orden público se hizo a través del ejército, de funcionarios dedicados a este fin y a través de otras figuras jurídicas.

El antecedente de los cuerpos policiales hay que buscarlo en el siglo XIX, donde se comienza a diferenciar la función militar de la función policial, surgiendo así lo que se conoce como modelo policial.

1.1. Modelo policial: tipología

El modelo policial trata de determinar el patrón de organización que siguen los cuerpos de seguridad. Así podemos clasificar los modelos policiales en base a tres criterios: desde el punto de vista teórico, administrativo-territorial y por su estatuto o naturaleza.

Desde el punto de vista teórico siguiendo el esquema de Wilson, 1968, se dividen en tres modelos:

a) **Legalista**. Este modelo se caracteriza por pertenecer a sistemas políticos fuertemente burocratizados, donde la función principal de la policía es aplicar de manera imparcial y rígida sanciones ante cualquier infracción del ordenamiento jurídico. Su relación con la sociedad civil es casi inexistente.

b) **De vigilancia o control**. Este sistema es propio de sistemas políticos autoritarios, en los que la función de la policía es el mantenimiento del orden público de manera discrecional y con una presión absoluta a los ciudadanos; la relación con estos no existe.

c) **De servicio público**. Este sistema es propio de los países democráticos. La función policial es esencialmente preventiva, y se lleva a cabo con respecto a los derechos fundamentales de los ciudadanos. Además, la policía ejerce su función con proximidad a la sociedad civil.

Desde el punto de vista administrativo-territorial pueden ser de dos tipos:

a) **Centralizados**. En este modelo los cuerpos de seguridad dependen totalmente del Gobierno a nivel central, desempeñando sus funciones a nivel de todo el territorio del Estado. Por ejemplo, Francia.

b) **Descentralizados**. Este modelo se puede dividir en tres subtipos, que pueden ser:

  – **Federales**. En este modelo existe una policía federal, que comparte actuación con las policías de cada territorio federado.

  – **Locales o municipales**. En este modelo la seguridad pública es prestada por las policías de cada municipio, limitándose al territorio del municipio.

– **Mixtos**. En estos sistemas se comparte la prestación de la seguridad pública entre los cuerpos policiales de la Administración central y los de otras administraciones públicas de nivel inferior, por lo que hay que establecer fórmulas de colaboración y coordinación entre ellos, para garantizar una prestación del servicio eficaz.

Son ejemplos, Alemania, Gran Bretaña y Estados Unidos.

Desde el punto de vista de su estatuto o naturaleza pueden ser de tres tipos:

a) De naturaleza **civil**.

b) De naturaleza **militar**.

c) De naturaleza **mixta**.

En el ámbito del **derecho comparado europeo**, también cabe distinguir dos modelos, que son los siguientes:

a) Modelo de influencia **francesa**. Este modelo es centralista. Sus cuerpos de policías prestan sus servicios a nivel del Estado, y su naturaleza es civil y militar. En este modelo también pueden existir policías locales. Por ejemplo, Luxemburgo, Grecia, Italia y Portugal.

Este sistema en origen fue seguido por España, pero las profundas e importantes modificaciones que ha ido sufriendo el modelo español lo llevan a ir abandonando este sistema.

b) Modelo de influencia **anglosajona**. Este modelo es descentralizado y sus cuerpos de policía de naturaleza civil, que prestan el servicio sin armas. Basado en el principio de "policía de cercanías", donde la convivencia con la ciudadanía es de absoluto respeto. Por ejemplo, Gran Bretaña, Alemania y Holanda.

1.2. Prestación de un servicio público: la seguridad

Según la mayoría de la doctrina administrativista, la expresión "servicio público" se puede caracterizar por lo siguiente:

1. El titular de la prestación de servicio es el Estado.

2. La actividad es prestada por una administración pública.

3. La actividad esencial beneficia a la sociedad.

4. La administración asume un poder de disposición y control sobre los servicios.

5. El régimen jurídico de estos servicios está sometido al derecho administrativo.

El fundamento jurídico del servicio público se encuentra en el texto constitucional. Así, los servicios que impliquen ejercicio de autoridad como la seguridad pública requieren la prestación directa por parte de la administración pública.

El servicio de seguridad pública es una función a cargo del Estado que tiene como fines salvaguardar la integridad y los derechos de las personas, así como preservar las libertades, el orden y la paz públicos.

Las autoridades competentes serán responsables de que se alcancen los fines de la seguridad pública mediante la prevención, persecución y sanción de las infracciones y delitos, así como la reinserción social del delincuente y del menor infractor.

Una de las principales atribuciones de los municipios es la de prestar el servicio de seguridad pública para procurar que el desarrollo de la vida de sus habitantes en el territorio municipal transcurra dentro de los cauces del Estado de Derecho. Las autoridades del Ayuntamiento deben organizar y proveer de medios a los cuerpos de policía local además de a otras unidades destinadas a la seguridad, vialidad y asistencia a la población en situaciones de emergencia.

En definitiva, este servicio público especializado, que realiza una función técnica específica, requiere que la organización se adapte a cada entorno, en función de los problemas determinados de seguridad que le afectan.

La seguridad pública forma parte del bienestar social, por lo que es un bien público que garantiza la policía y para que esta se oriente en sus actuaciones a la prestación del servicio público es necesario que:

1. Se tengan en cuenta las demandas y necesidades sociales de seguridad.

2. Se facilite una alta relación social.

3. Se fomente la democratización en las relaciones.

4. Se dé una buena formación a los funcionarios.

5. Se instruya en enfoques preventivos en colaboración con otros profesionales y medios.

Dentro del concepto amplio de policía de servicio público se encuentra la policía de cercanías. La policía de servicio público es un modelo de prestación de servicios a la sociedad civil, cuando así lo requieran, además de tener como finalidad principal la lucha contra la delincuencia, priorizando la prevención, en el marco legal correspondiente.

El servicio público de seguridad utilizara distintas herramientas para comunicarse con los ciudadanos: campañas informativas, de prevención, profesionales por temáticas, información de actuaciones policiales, informes, comisiones de investigación, etc.

La policía se concibe como una organización que presta el servicio público de seguridad, actuando en beneficio de los ciudadanos, pero cuando estos no cumplen voluntariamente la normativa, aunque los agentes deben agotar la posibilidad de que lo hagan, puede darse las circunstancias en que tengan que utilizar legítimamente la fuerza. Por lo que esta organización exigirá que sus miembros sean profesionales, y estén en permanente actualización, a través de su específica formación, para adaptarse a todos los cambios técnicos, jurídicos y sociales.

En España, la policía local es el primer eslabón en la prestación de este servicio de seguridad pública, cuya salvaguardia como bien jurídico de ámbito colectivo, no individual, es función del Estado. Así el artículo 104 de la Constitución Española establece una reserva de ley orgánica en cuanto a la determinación de las funciones, principios básicos de actuación y estatutos de las fuerzas y cuerpos de seguridad. En cumplimiento de esta reserva de ley, se dictó la Ley Orgánica 2/1986, de 13 de marzo, de Fuerzas y Cuerpos de Seguridad, que afecta a todas las fuerzas y cuerpos de seguridad, ya sean estatales, autonómicas o locales. A todas ellas se les impone como principios básicos de actuación, actuar con respeto al ordenamiento jurídico, con neutralidad, integridad y dignidad, así como con sometimiento a los principios de jerarquía y subordinación, entre otros.

 Sabías que...

La policía local en España es el primer eslabón en la prestación del servicio de seguridad pública.

A nivel internacional cabe hacer referencia al Código de Conducta de las Naciones Unidas para funcionarios encargados de hacer cumplir la ley y los Principios básicos sobre el empleo de la fuerza y de armas de fuego por los funcionarios encargados de hacer cumplir la ley y a la Resolución 690 de 1979, de la Asamblea Parlamentaria del Consejo de Europa, declaración sobre la policía.

1.3. Modelo policial español

En base a lo expuesto, **el modelo policial español se configura como un modelo de servicio público,** dirigido a la protección de la comunidad, mediante la defensa del ordenamiento democrático, la protección del libre ejercicio de los derechos y libertades y garantizar la seguridad ciudadana; **además de ser un modelo de estado descentralizado, mixto, exclusivista y armado**.

La Constitución Española de 1978 (CE) señala que España se constituye en un Estado social y democrático de Derecho, que propugna como valores superiores de su ordenamiento jurídico la libertad, la justicia, la igualdad y el pluralismo político. Reconociendo, además, que se fundamenta en la indisoluble unidad de la Nación española, patria común e indivisible de todos los españoles, y reconoce y garantiza el derecho a la autonomía de las nacionalidades y las regiones que la integran y la solidaridad entre todas ellas.

Toda persona tiene derecho a la libertad y a la seguridad según la CE, por lo que esta configura **la seguridad como un derecho fundamental**.

Su más claro ejemplo se pone de manifiesto en la exposición de motivos de la Ley Orgánica 2/1986, de 13 de enero, de Fuerzas y Cuerpos de Seguridad, que responde fundamentalmente al mandato del artículo 104 de la Constitución, según el cual una ley orgánica determinará *las funciones, los principios básicos de actuación y los estatutos de las fuerzas y cuerpos de seguridad*, entre los que están las **policías locales**.

La Ley de Fuerzas y Cuerpos de Seguridad acoge la problemática de las fuerzas y cuerpos de seguridad del Estado, de las comunidades autónomas y de las corporaciones locales.

Su carácter de ley orgánica viene exigido por:

– El artículo 104 de la CE para las funciones, los principios básicos de actuación y los estatutos genéricamente de las fuerzas y cuerpos de seguridad;

– El artículo 149.1.29 de la CE, para determinar el marco en el que los estatutos de autonomía pueden establecer la forma de concretar la posibilidad de creación de policías de las respectivas comunidades;

– El artículo 148.1.22 de la Constitución, para determinar la vigilancia y protección de sus edificios e instalaciones de las comunidades autónomas. La coordinación y demás facultades en relación con las policías locales.

El objetivo de esta ley es regular el régimen jurídico de las fuerzas y cuerpos de seguridad en su conjunto, tanto de las dependientes del Gobierno de la Nación como de las policías autónomas y locales, estableciendo los principios básicos de actuación comunes a todos ellos y fijando sus criterios estatutarios fundamentales, respondiendo a lo señalado en el artículo 104.2 de la CE, que se remite a una ley orgánica para determinar las funciones, los principios básicos de actuación y los estatutos de las fuerzas y cuerpos de seguridad.

La seguridad pública constituye una competencia difícil de parcelar, toda vez que no permite delimitaciones o definiciones, con el rigor y precisión admisibles en otras materias, porque sus normas ordenadoras no contemplan realidades físicas tangibles, sino eventos meramente previstos para el futuro, respecto a los cuales se ignora el momento, el lugar, la importancia y, en general, las circunstancias y condiciones de aparición.

A nivel competencial, el artículo 149.1.29 de la CE enumera la seguridad pública entre las materias sobre las cuales el Estado tiene competencia exclusiva, pero hace de ella una de las materias compartibles por todos los poderes públicos, si bien con estatutos y papeles bien diferenciados.

Es la naturaleza fundamental y el carácter peculiarmente compartible de la materia lo que determina su tratamiento global en un texto conjunto, a través del cual se obtenga una panorámica general y clarificadora de todo su ámbito, en vez de parcelarla en textos múltiples de difícil o imposible coordinación.

La existencia de varios colectivos policiales que actúan en un mismo territorio con funciones similares y, al menos parcialmente, comunes, obliga necesariamente a dotarlos de principios básicos de actuación idénticos y de criterios también comunes, y el mecanismo más adecuado para ello es reunir sus regulaciones en un texto legal único que constituye la base más adecuada para sentar el principio fundamental de la materia: el de la coordinación recíproca y de coordinación de las fuerzas y cuerpos de seguridad pertenecientes a todas las esferas administrativas.

Con apoyo directo en el artículo 149.1.29 de la CE, en relación con el 104.1 de la CE, la ley recoge el mantenimiento de la seguridad pública que es competencia exclusiva del Estado, correspondiendo su mantenimiento al Gobierno de la Nación y al de las demás administraciones públicas, comunidades autónomas y corporaciones locales, por lo que se tienen que determinar los principios básicos de actuación de las fuerzas y cuerpos de seguridad y las disposiciones estatutarias comunes. Se establecen como principios básicos de actuación, que vinculan a todos los miembros de los colectivos policiales, el respeto a la Constitución, el servicio permanente a la comunidad, la adecuación entre fines y medios, como criterio orientativo de su actuación, el secreto profesional, el respeto al honor y dignidad de la persona, la subordinación a la autoridad y la responsabilidad en el ejercicio de la función.

Recuerda que...

La seguridad pública que es competencia exclusiva del Estado.

Los principios básicos de actuación de las fuerzas y cuerpos de seguridad son los ejes fundamentales, en torno a los cuales gira el desarrollo de las funciones policiales, derivando a su vez de principios constitucionales más generales, como el de legalidad o adecuación al ordenamiento jurídico, o de características estructurales, como la especial relevancia de los principios de jerarquía y subordinación, que no eliminan, antes potencian, el respeto al principio de responsabilidad por los actos que lleven a cabo la activa e intensa compenetración entre la colectividad y los funcionarios policiales que constituye la razón de ser de estos y es determinante del éxito o fracaso de su actuación, hace aflorar una serie de principios que, de una parte, manifiestan la relación directa del servicio de la policía respecto a la comunidad y, de otra, como emanación del principio constitucional de igualdad ante la ley, le exigen la neutralidad política, la imparcialidad y la evitación de cualquier actuación arbitraria o discriminatoria por encima de cualquier otra finalidad.

La finalidad que pretende esta ley es la consideración de la policía como un servicio público dirigido a la protección de la comunidad, mediante la defensa del ordenamiento jurídico democrático.

A través de las fuerzas y cuerpos de seguridad se ejerce el monopolio, por parte de las administraciones públicas, del uso institucionalizado de la coacción jurídica, lo que hace imprescindible la utilización de armas por parte de los funcionarios de policía. Ello, por su indudable transcendencia sobre la vida y la integridad física de las personas, exige el establecimiento de límites y la consagración de principios, sobre moderación y excepcionalidad en dicha utilización, señalando los criterios y los supuestos claros que la legitiman, con carácter excluyente.

También en el terreno de la libertad personal entran en tensión dialéctica la necesidad de su protección por parte de la policía y el peligro, no por meramente posible y excepcional menos real, de su invasión, por cuya razón, en torno al tratamiento de los detenidos, se articulan obligaciones terminales sobre la protección de su vida, integridad física y dignidad moral y sobre el estricto cumplimiento de los trámites, plazos y requisitos exigidos por el ordenamiento jurídico.

El **principio de obediencia debida**, en ningún caso podrá amparar actos manifiestamente ilegales ordenados por los superiores, además de estar obligados los miembros de las fuerzas y cuerpos de seguridad a evitar cualquier práctica abusiva, arbitraria o discriminatoria que entrañe violencia física o moral.

Hay que señalar la estrecha interdependencia que refleja la ley entre el régimen disciplinario del Cuerpo Nacional de Policía que habrá de tenerse en cuenta al elaborar los de otras fuerzas y cuerpos de seguridad y los principios básicos de actuación, como garantía segura del cumplimiento de la finalidad de estos.

En el **aspecto estatutario**, la ley pretende configurar una organización policial, basada en criterios de profesionalidad y eficacia, atribuyendo una especial importancia a la formación permanente de los funcionarios y a la promoción profesional de los mismos.

Los funcionarios de policía materializan el eje de un difícil equilibrio, de pesos y contrapesos, de facultades y obligaciones, ya que deben proteger la vida y la integridad de las personas, pero vienen obligado a usar armas; deben tratar correcta y esmeradamente a los miembros de la comunidad, pero han de actuar con energía y decisión cuando las circunstancias lo requieran y la balanza capaz de lograr ese equilibrio, entre tales fuerzas contrapuestas, no puede ser otra que la exigencia de una actividad de formación y perfeccionamiento permanentes respecto a la cual se pone un énfasis especial, sobre la base de una adecuada selección que garantice el equilibrio psicológico de la persona.

La constitucionalización del tema de las fuerzas y cuerpos de seguridad es una necesidad y una lógica derivación de su misión trascendental, en cuanto a la protección del libre ejercicio de los derechos y libertades que, en el contexto de la Constitución, son objeto de su Título I. Esta es la razón que determina el particular relieve con que la ley resalta la promesa o juramento de acatar y cumplir la Constitución por parte de los miembros de todas las fuerzas y cuerpos de seguridad y que no constituye un mero trámite o formalismo, sino un requisito esencial, constitutivo de la condición policial y al mismo tiempo símbolo o emblema de su alta misión.

El artículo 104.1 de la Constitución atribuye a las fuerzas y cuerpos de seguridad, bajo la dependencia del Gobierno, la misión de proteger el libre ejercicio de los derechos y libertades y garantizar la seguridad ciudadana además de la competencia en materia de armas y explosivos, que también la propia Constitución ha reservado al Estado de modo expreso, y también, se encuentra la vigilancia de puertos, aeropuertos, costas y fronteras, aduanas, control de entrada y salida del territorio nacional, de españoles y extranjeros, régimen general de extranjería, extradición, emigración e inmigración, pasaportes y documento nacional de identidad, resguardo fiscal del Estado, contrabando, fraude fiscal al Estado y colaboración y auxilio a policías extranjeras.

El artículo 126 de la Constitución concibe la policía judicial estrechamente conectada con el poder judicial, además la Constitución establece la unidad jurisdiccional (artículo 117.5); su órgano de gobierno, el Consejo General Poder Judicial (artículo 122.2), establece que los jueces y magistrados se integren en un cuerpo único (artículo 122.1) y atribuye al Estado competencias plenas en materia de Administración de Justicia (artículo 149.1.5), pero hay que señalar la colaboración de la policía judicial con los cuerpos de policía de las comunidades autónomas y de las corporaciones locales.

El artículo 25 de la Ley 7/1985, de 2 de abril, reguladora de las bases régimen local, reconoce competencias a los municipios en materias de seguridad en lugares públicos y de ordenación del tráfico de personas y vehículos en las vías urbanas. A partir del reconocimiento de dichas competencias, la Ley de Fuerzas y Cuerpos de Seguridad admite distintas modalidades de ejecución de las mismas, desde la creación de cuerpos de policía propios, por parte de las corporaciones locales, hasta la utilización de personal auxiliar de custodia y vigilancia.

Por lo que respecta a las **funciones**, dado que no existe ningún condicionamiento constitucional, se ha procurado dar a las corporaciones locales una participación en el mantenimiento de la seguridad ciudadana, coherente con el modelo diseñado, presidido por la evitación de duplicidades y concurrencias innecesarias y en función de las características propias de los cuerpos de policía local y de la actividad que tradicionalmente vienen realizando.

Así se atribuyen a las policías locales las funciones naturales y constitutivas de toda policía, recogiéndose como específica la ya citada ordenación, señalización y dirección del tráfico urbano, añadiendo la de vigilancia, protección de personalidades y bienes de carácter local, en concordancia con cometidos similares de los demás cuerpos policiales, y atribuyéndoles también las funciones de colaboración con las fuerzas y cuerpos de seguridad, en materia de policía judicial y de seguridad ciudadana. Se reconoce la potestad normativa de las comunidades autónomas en la materia y se parte de la autonomía municipal para la ordenación complementaria de este tipo de policía; la Ley Orgánica, en cuanto a régimen estatutario, se limita a reiterar la aplicación a las policías locales de los criterios generales establecidos en los capítulos II y III del Título I de la Ley Orgánica 2/1986.

En definitiva, la estructura policial en España se configura a tres niveles:

1. A nivel nacional: el Cuerpo Nacional de Policía, instituto armado de naturaleza civil; y el Cuerpo de la Guardia Civil, que es un cuerpo de seguridad pública de naturaleza militar.

2. A nivel autonómico: los cuerpos de policía de las comunidades autónomas que los reconocen en sus estatutos de autonomía; por ejemplo, Policía de Galicia, Ley 8/2007, de 13 de junio.

3. A nivel local: los cuerpos de policía local en aquellos municipios que procedan a crearlos.

Esta estructura de seguridad pública a nivel del Estado español se complementa con otros instrumentos, que ejercen funciones de vigilancia, protección, prevención, etc., como:

a) **La seguridad privada**, cuyo marco normativo es la Ley 5/2014, de 4 de abril. Esta ley tiene por objeto regular la realización y la prestación por personas privadas, físicas o jurídicas, de actividades y servicios de seguridad privada que, desarrollados por estos, son contratados, voluntaria u obligatoriamente, por personas físicas o jurídicas, públicas o privadas, para la protección de personas y bienes. Igualmente regula las investigaciones privadas que se efectúen sobre aquellas o estos. Todas estas actividades tienen la consideración de complementarias y subordinadas respecto de la seguridad pública. Asimismo, esta ley, en beneficio de la seguridad pública, establece el marco para la más eficiente coordinación de los servicios de seguridad privada con los de las fuerzas y cuerpos de seguridad, de los que son complementarios.

b) **Policía militar, naval o aérea** que se regula en los artículos 29 a 32 del Real Decreto 194/2010, de 26 de febrero, por el que se aprueban las normas sobre seguridad en las fuerzas armadas.

c) **Servicio de Vigilancia Aduanera**. Los funcionarios de Vigilancia Aduanera tienen carácter de agentes de la autoridad (policía fiscal y policía judicial), dadas las misiones que desempeñan y, por ello, están autorizados a portar armas reglamentarias. Sus actuaciones están encaminadas a la represión de los delitos e infracciones de contrabando, la lucha contra el tráfico de drogas y otros delitos relacionados como el blanqueo de capitales, el fraude de impuestos especiales y otros fraudes fiscales y la economía sumergida. Por este motivo, cuentan con una extensa formación en derecho administrativo, penal y procesal, comunitario, tributario, aduanero y legislación sobre contrabando.

d) **Policía portuaria**. Es un cuerpo de policía especial administrativa dependiente de cada autoridad portuaria. Su marco normativo es el Real Decreto Legislativo 2/2011, de 5 de septiembre, por el que se aprueba el Texto Refundido de la Ley de Puertos del Estado y de la Marina Mercante.

2. La policía local como policía de proximidad y de servicio

2.1. Policías locales

Las policías locales se regulan en el título V, artículos 51 a 54 de la Ley Orgánica 2/1986, de 13 de enero, de Fuerzas y Cuerpos de Seguridad. En su artículo 2 se reconoce que:

"Son fuerzas y cuerpos de seguridad:

a) Las fuerzas y cuerpos de seguridad del Estado dependientes del Gobierno de la Nación.

b) Los cuerpos de policía dependientes de las comunidades autónomas.

c) Los cuerpos de policía dependientes de las corporaciones locales."

Los municipios pueden crear cuerpos de policía propios, de acuerdo con lo previsto en la Ley Orgánica 2/1986, en la Ley de bases de régimen local y en la legislación autonómica. **En los municipios donde no exista policía municipal, los cometidos de esta serán ejercidos por el personal que desempeñe funciones de custodia y vigilancia de bienes, servicios e instalaciones, con la denominación de guardas, vigilantes, agentes, alguaciles o análogos**. Dichos cuerpos solo podrán actuar en el ámbito territorial del municipio respectivo, salvo en situaciones de emergencia y previo requerimiento de las autoridades competentes. Cuando ejerzan funciones de protección de autoridades de las corporaciones locales, podrán actuar fuera del término municipal respectivo, con autorización del Ministerio del Interior o de la correspondiente autoridad de la comunidad autónoma que cuente con cuerpo de policía autonómica, cuando desarrollen íntegramente esas actuaciones en el ámbito territorial de dicha comunidad autónoma.

Los cuerpos de Policía local son institutos armados de naturaleza civil, con estructura y organización jerarquizada, rigiéndose, en cuanto a su régimen estatutario, por los principios generales de los capítulos II y III del título I y por la sección 4.ª del capítulo IV del título II de la Ley Orgánica 2/1986, con la adecuación que exija la dependencia de la administración correspondiente, las disposiciones dictadas al respecto por las comunidades autónomas y los reglamentos específicos para cada cuerpo y demás normas dictadas por los correspondientes ayuntamientos.

Por lo que respecta al ejercicio de los derechos sindicales, y en atención a la especificidad de las funciones de dichos cuerpos, les será de aplicación la ley que se dicte en cumplimiento de lo establecido en la disposición adicional segunda, apartado 2, de la Ley Orgánica 11/1985, de 2 de agosto, de libertad sindical.

Será también de aplicación a los miembros de dichos cuerpos lo dispuesto, respecto a los cuerpos de policía de las comunidades autónomas, en el artículo 41.3 de la Ley Orgánica 2/1986, si bien la facultad que en el mismo se atribuye a las Juntas de Seguridad corresponderá a los Delegados y Subdelegados del Gobierno.

Los cuerpos de Policía local deberán ejercer las **funciones** señaladas en el artículo 53.1 de la Ley Orgánica 2/1986, y **en sus actuaciones en relación con la comunidad están sujetos a los principios señalados en el artículo 5.2 de este texto legal**:

A) Funciones:

a) Proteger a las autoridades de las corporaciones locales, y vigilancia o custodia de sus edificios e instalaciones.

b) Ordenar, señalizar y dirigir el tráfico en el casco urbano, de acuerdo con lo establecido en las normas de circulación.

c) Instruir atestados por accidentes de circulación dentro del casco urbano.

d) Policía administrativa, en lo relativo a las ordenanzas, bandos y demás disposiciones municipales dentro del ámbito de su competencia.

e) Participar en las funciones de policía judicial, en la forma establecida en el artículo 29.2 de esta Ley.

f) La prestación de auxilio, en los casos de accidente, catástrofe o calamidad pública, participando, en la forma prevista en las leyes, en la ejecución de los planes de protección civil.

g) Efectuar diligencias de prevención y cuantas actuaciones tiendan a evitar la comisión de actos delictivos en el marco de colaboración establecido en las Juntas de Seguridad.

h) Vigilar los espacios públicos y colaborar con las fuerzas y cuerpos de seguridad del Estado y con la policía de las comunidades autónomas en la protección de las manifestaciones y el mantenimiento del orden en grandes concentraciones humanas, cuando sean requeridos para ello.

i) Cooperar en la resolución de los conflictos privados cuando sean requeridos para ello.

Las actuaciones que practiquen los cuerpos de Policía local en el ejercicio de las funciones previstas en los apartados c) y g) precedentes deberán ser comunicadas a las fuerzas y cuerpos de seguridad del Estado competentes.

Actividad 1

Indica la naturaleza de los cuerpos de Policía local:

☐ a) Civil.

☐ b) Militar.

☐ c) Mixta.

B) Principios relacionados con sus actuaciones en relación con la comunidad:

a) Impedir, en el ejercicio de su actuación profesional, cualquier práctica abusiva, arbitraria o discriminatoria que entrañe violencia física o moral.

b) Observar en todo momento un trato correcto y esmerado en sus relaciones con los ciudadanos, a quienes procurarán auxiliar y proteger, siempre que las circunstancias lo aconsejen o fueren requeridos para ello. En todas sus intervenciones, proporcionarán información cumplida, y tan amplia como sea posible, sobre las causas y finalidad de las mismas.

c) En el ejercicio de sus funciones deberán actuar con la decisión necesaria, y sin demora cuando de ello dependa evitar un daño grave, inmediato e irreparable; rigiéndose al hacerlo por los principios de congruencia, oportunidad y proporcionalidad en la utilización de los medios a su alcance.

c) Solamente deberán utilizar las armas en las situaciones en que exista un riesgo racionalmente grave para su vida, su integridad física o las de terceras personas, o en aquellas circunstancias que puedan suponer un grave riesgo para la seguridad ciudadana y de conformidad con los principios que exige el ordenamiento jurídico de acuerdo con el artículo 5.1 de la Ley Orgánica 2/1986.

En los municipios de gran población y en las ciudades con Estatuto de autonomía podrá asignarse, por el pleno de la corporación o por sus respectivas asambleas, al ejercicio exclusivo de las funciones previstas en el párrafo b) del artículo 53.1 de la Ley Orgánica 2/1986, a parte de los funcionarios pertenecientes a las mismas, que tendrán la consideración de agentes de la autoridad, subordinados a los miembros de los respectivos cuerpos de policía local, sin integrarse en las fuerzas y cuerpos de seguridad y de manera que ello no comporte un incremento en el número de efectivos ni en los costes de personal. Estos funcionarios se regirán por las normas reguladoras de la función pública, y las demás normas que se dicten en desarrollo y aplicación de la misma.

En los municipios que tengan cuerpo de policía propio, podrá constituirse una Junta local de Seguridad, que será el órgano competente para establecer las formas y procedimientos de colaboración entre los miembros de las fuerzas y cuerpos de seguridad en su ámbito territorial. La constitución de dichas Juntas y su composición se determinará reglamentariamente. La presidencia corresponderá al alcalde, salvo que concurriera a sus sesiones el Delegado del Gobierno en la Comunidad Autónoma o el Subdelegado del Gobierno en la Provincia, en cuyo caso, la presidencia será compartida con aquel.

2.2. La policía local como policía de proximidad y de servicio

Tras las consideraciones realizadas en la anterior pregunta sobre el modelo policial español como un modelo de servicio público, trataremos ahora el tema de la policía local como policía de proximidad.

Para identificar esta proximidad de la policía, en su evolución social, es decir, en las relaciones que tienen con los ciudadanos en un Estado moderno, existen diversas expresiones: policía de cercanías, policía de seguridad, policía comunitaria, policía de barrio, policía social, policía moderna...

El modelo policial español tiene en su origen influencia del francés, pero con el paso del tiempo se ha ido transformando, y tomando elementos de otros modelos. El principio de "policía de cercanías" es propio del modelo anglosajón. Este principio entiende que la labor de prevención y vigilancia de la policía debe estar cercana al lugar de residencia del ciudadano, buscando su colaboración, para mejorar la calidad de la seguridad en esa zona.

La policía de cercanías se idea como una policía que patrulle en moto o a pie para vigilar y atender al ciudadano por los barrios, pero trabajando en equipo. Para el diseño de esta policía se tiene como marco de comparación las policías de determinados países: Estados Unidos, Canadá e Inglaterra.

Los objetivos básicos de la policía de cercanías son:

1. La mejora de la calidad de vida de los ciudadanos, procurando un mejor servicio a través de la resolución de los problemas relacionados con la seguridad ciudadana.

2. Una policía preventiva y proactiva, no meramente reactiva, que busca la colaboración ciudadana a través de contactos formales e informales.

3. Las relaciones de la policía con su medio público deberán ser de cercanías, de confianza y de cooperación; en definitiva, aproximación a la sociedad.

4. La interacción dinámica con el resto de las instituciones y medios.

Como hemos visto, las policías locales tienen competencias en materia de seguridad en lugares públicos y de ordenación del tráfico de personas y vehículos en las vías urbanas como señala el artículo 25 de la Ley 7/1985, de 2 de abril, reguladora de las bases de régimen local. Por lo que son funciones de la policía local las señaladas en el artículo 53.1 de la Ley Orgánica 2/1986.

La policía de cercanías se enmarca en el ámbito constitucional dentro del modelo policial que se regula en la Ley Orgánica de Fuerzas y Cuerpos de Seguridad del Estado español.

Algunos ayuntamientos han creado dentro de sus policías locales unidades basadas en el principio de "policía de cercanías". La policía local es la policía más próxima al ciudadano, por lo que las unidades que se crean dentro de esta policía, en base a este principio de "policía de cercanías" pretenden realizar sus funciones de una manera más social. Apuestan por la mediación para la resolución de conflictos, por la función asistencial, ejercen su función de manera más preventiva que represiva, se integran en la comunidad, deciden cómo realizar su trabajo, atienden a temas de medio ambiente, de cumplimiento de las ordenanzas reguladoras de animales de compañía, a personas mayores, absentismo escolar, sobre vehículos abandonados, temas urbanísticos, inspecciones a establecimientos públicos, de gestión de la diversidad cultural…

Se pretende mejorar la calidad del servicio público de seguridad, aumentando el grado de satisfacción de los ciudadanos.

La policía local se presenta como una policía prestadora de servicios, que responde a las necesidades inmediatas de los ciudadanos habitantes que habitan ese municipio; lo que es la prestación del servicio público de seguridad más inmediata.

Esta policía es más cercana al ciudadano, vela por su seguridad y protección, para que pueda ejercer libremente sus derechos y garantiza su seguridad desde la cercanía y trato personalizado.

Este modelo, que actúa de manera funcionalista y sociológica, se ejerce con unos nuevos métodos profesionales acordes con el objetivo de mejora continua de la calidad personalizada, eficaz e integral de los servicios que se presten a los ciudadanos, en el sentido de que se sientan más seguros y que vean en el policía a una persona cercana y accesible.

Para concluir, las ventajas de la cultura de una policía de cercanías son las siguientes:

1. La policía de cercanías toma en cuenta las demandas y necesidades de la población del municipio.

2. El servicio policial es personalizado.

3. La relación cara a cara con el ciudadano facilita el poder reunir información vital para la resolución integral de los problemas de seguridad y conflictos sociales con los que se puede encontrar en su vida cotidiana.

4. Las relaciones con los miembros de la comunidad dan un conocimiento mayor de su conflictividad, por lo que minimizan la reacción policial.

---

5. El policía de cercanías tiene un conocimiento y relación mayor con las personas potencialmente más violentas de esa zona.

6. Las necesidades de esa comunidad o ayuntamiento son más conocidas por los funcionarios de esa policía de cercanías, lo que provoca una mayor sensibilización de estos profesionales.

7. La policía de cercanías simboliza un compromiso con la comunidad donde presta sus servicios.

8. La policía de cercanías desarrolla controles sociales informales y contribuye a la calidad del entorno físico, integrándose en su medio social y facilitando la participación de los ciudadanos.

9. Esta policía contribuye al sentido de la responsabilidad democrática en el municipio, favoreciendo su gobernabilidad.

10. Esta policía, al tener una activa e intensa compenetración con los ciudadanos del municipio, ayuda a pacificar la convivencia en el mismo.

11. Esta policía satisface las demandas en materia de asistencia y protección de la comunidad.

3. El auxiliar de policía y sus funciones. Responsabilidades del auxiliar de policía

La Ley 4/2007, de 20 de abril, de coordinación de policías locales de Galicia regula, en su título VIII, artículos 95 y 96, a los auxiliares de Policía local. Estos artículos son desarrollados por el título VI del Decreto 15/2023, de 12 de enero, por el que se desarrolla la Ley 4/2007, de 20 de abril, de coordinación de policías locales.

La disposición final segunda del Decreto 115/2017, de 17 de noviembre, por el que se regula la cooperación de la administración general de la Comunidad Autónoma de Galicia con los ayuntamientos en la selección de los miembros de los cuerpos de la policía local, vigilantes municipales y auxiliares de policía local, queda derogada por el Decreto 15/2023. Asimismo, quedan derogadas cuantas disposiciones de igual o inferior rango se opongan a lo dispuesto en este decreto.

La Orden de 28 de enero de 2009, de la Consejería de Presidencia, Administraciones Públicas y Justicia, por la que se determinan las pruebas de selección, temarios y baremos de méritos para el ingreso, promoción interna, y movilidad en los cuerpos de policías locales, para la integración de los vigilantes y auxiliares de policía o interinos, para el acceso como vigilantes municipales y la contratación de auxiliares de policía de temporada, mantendrá su vigencia en las materias que no se opongan a lo dispuesto en el Decreto 15/2023, y mientras no se publiquen en el *Diario Oficial de Galicia* las disposiciones necesarias para adaptarla a las previsiones contenidas en este decreto.

Por último, el Decreto 15/2023 modifica los artículos 5, 10, 15, 18 y 20 del Decreto 115/2017, de 17 de noviembre, por el que se regula la cooperación de la administración general de la Comunidad Autónoma de Galicia con los ayuntamientos en la selección de los miembros de los cuerpos de la policía local, vigilantes municipales y auxiliares de policía local.

Distintivo específico para los auxiliares de Policía local[1]

3.1. Contratación de personal con funciones de auxiliar de Policía

En los ayuntamientos con aumento notorio de población en temporadas determinadas podrá incrementarse transitoriamente su plantilla de personal mediante la **contratación de personal con funciones de auxiliar de Policía**. Dicho incremento no superará

---

[1]   Orden de 22 de julio de 2010 por la que se establece la descripción y las características de los medios de acreditación profesional de los cuerpos de policía local, vigilantes municipales y auxiliares de Policía local de Galicia; mantendrá su vigencia en las materias que no se opongan a lo dispuesto en el Decreto 15/2023. Publicada en el DOG núm 144 de 29 de julio de 2010.

el 50 % del personal funcionario de la Policía local, no pudiendo tampoco tener una duración de más de 4 meses en periodo anual.

El establecimiento de este personal requerirá la tramitación por los respectivos ayuntamientos de un **expediente motivado**, del cual habrá de darse cuenta a la consejería competente en materia de seguridad de la Xunta de Galicia.

El órgano directivo competente en materia de coordinación de policías locales, en los ayuntamientos con notorio aumento de población en temporadas determinadas o en determinados casos, debida y objetivamente justificados, **podrá autorizar la contratación a los ayuntamientos de un número de auxiliares superior al 50% del personal funcionario de la policía local,** y/o por una duración superior a los 4 meses, que en todo caso no puede superar los 6 meses dentro del año natural.

Estas solicitudes de autorización excepcional, que se presentarán por la persona titular de la Alcaldía ante el órgano directivo competente en materia de coordinación de policías locales, deben justificar objetiva y suficientemente la necesidad de superar las limitaciones establecidas en el número 1 del artículo 95 de la Ley 4/2007, de 20 de abril.

El plazo máximo para la resolución y su notificación al ayuntamiento de la autorización solicitada será de 2 meses, contados desde el día siguiente al de la presentación de la solicitud.

En cualquiera caso, el órgano directivo, bien directamente o bien a solicitud del Gabinete Técnico, requerirá al ayuntamiento solicitante la aportación de la información complementaria que sea necesaria para la resolución.

3.2. Funciones

Los auxiliares de Policía local desempeñarán las **funciones** de apoyo y de auxilio a los miembros del cuerpo de Policía local en el marco de lo dispuesto en la legislación de fuerzas y cuerpos de seguridad.

 Sabías que...

Los auxiliares de Policía local desempeñarán las **funciones** de apoyo y de auxilio a los miembros del cuerpo de Policía local en el marco de lo dispuesto en la legislación de fuerzas y cuerpos de seguridad.

3.3. Selección

La **selección** se hará siguiendo criterios semejantes a los fijados para los integrantes de los cuerpos de la Policía local, contemplados en el artículo 35 de la Ley de coordinación de policías locales de Galicia.

Para la contratación como personal auxiliar de la Policía Local se requerirá la certificación de haber superado la educación secundaria obligatoria, título de graduado escolar o equivalente, correspondiente al grupo C, subgrupo C2, del Estatuto Básico del Empleado Público. Para poder ejercer estas funciones, los auxiliares tendrán que superar previamente un curso teórico-práctico en la Academia Gallega de Seguridad Pública.

El personal auxiliar tendrá la consideración de contratado laboral y su contratación podrán efectuarla los ayuntamientos, de conformidad con la normativa laboral que regule las modalidades de contratación, en función de las plazas que se van a cubrir, mediante convocatoria pública, que se publicará en el tablón de anuncios del ayuntamiento, en uno de los diarios de mayor tirada de Galicia y en el Boletín Oficial de la provincia, por el sistema de oposición.

Para participar en los procesos selectivos de acceso a los puestos de personal auxiliar deberá poseerse en la fecha de presentación de solicitudes de participación y mantenerse hasta la toma de posesión los siguientes **requisitos:**

a) Haber cumplido los 18 años y no exceder, en su caso, de la edad máxima de jubilación forzosa.

b) Tener la nacionalidad española o de un Estado miembro de la Unión Europea, así como también las personas extranjeras con residencia legal en España, en los términos previstos en el artículo 52 de la Ley 2/2015, de 29 de abril.

c) Tener superada la educación secundaria obligatoria, título de graduado escolar o equivalente, correspondiente al grupo C, subgrupo C2, del Real Decreto Legislativo 5/2015, de 30 de octubre.

d) No haber sido despedido/a mediante expediente disciplinario del servicio de ninguna administración pública o de los órganos constitucionales o estatutarios de las comunidades autónomas, ni encontrarse en la situación de inhabilitación absoluta o especial para el desempeño de empleos o cargos públicos por resolución judicial, cuando se trate de acceder a la misma categoría profesional a la que pertenecía.

e) Carecer de antecedentes penales por delito doloso.

La oposición comprenderá las siguientes **pruebas**, citadas por el orden en que se deberán desarrollar:

a) **Prueba de evaluación de conocimientos.** En esta prueba las personas aspirantes deberán demostrar su preparación intelectual y su dominio de los contenidos de la totalidad del temario.

b) **Prueba de evaluación de conocimiento de la lengua gallega**. En esta prueba las personas aspirantes deberán demostrar que comprenden, hablan y escriben correctamente el gallego.

Sin embargo, aquellas personas que estén en posesión del título Celga 3 o equivalente, debidamente homologado por el órgano competente en materia de política lingüística de la Xunta de Galicia, de acuerdo con la disposición adicional segunda de la Orden de 16 de julio de 2007, por la que se regulan los certificados oficiales justificativos de los niveles de conocimiento de la lengua gallega, o norma que la sustituya, estarán exentas de la realización de esta prueba, que se les dará por superada con la calificación de apta.

c) **Pruebas de aptitud física.** En estas pruebas las personas aspirantes deberán demostrar sus capacidades de fuerza, resistencia, agilidad, flexibilidad y velocidad para las funciones que tienen que desempeñar.

La descripción de las pruebas de selección y los temarios para el personal auxiliar de Policía se regularán mediante una orden de la consejería competente en materia de coordinación de policías locales.

Para poder ejercer las funciones de auxiliar de Policía local será requisito indispensable haber superado un **curso de formación**, que a tal efecto programará y desarrollará la Academia Gallega de Seguridad Pública, que determinará la duración, estructura y contenidos relacionados con las funciones de apoyo y auxilio al personal funcionario de policía, en el marco de lo dispuesto en la legislación de fuerzas y cuerpos de seguridad. Este curso tendrá una validez de 4 años naturales, incluido el año en el que se hubiese realizado, que deberá renovarse transcurrido dicho plazo.

Recuerda que...

Los/las auxiliares de Policía local tendrán la consideración de contratado laboral.

Actividad 2

Indica qué validez tiene el curso de formación que deben realizar los auxiliares de Policía local en la Academia Gallega de Seguridad Pública:

☐ a) 2 años.

☐ b) 4 años.

☐ c) 6 años.

3.4. Uniformidad, acreditación y medios técnicos

La uniformidad del personal auxiliar de Policía local será la prevista para el personal de los cuerpos de la Policía local, en función de sus necesidades, de la época en que sean contratados y según determine la jefatura de la Policía local, pero se distinguirán en los siguientes aspectos:

a) Llevará la leyenda «Auxiliar de policía local» tanto en la parte delantera derecha del pecho de la prenda de que se trate, como centrada en la espalda.

b) No llevarán placa-emblema ni distintivos en las hombreras.

El medio de acreditación profesional del personal auxiliar de Policía local es el documento de acreditación profesional.

Su documento de acreditación profesional será el previsto en el artículo 114.2 del Decreto 15/2023, en el que se sustituirá la categoría por la de auxiliar de policía local. El ayuntamiento le facilitará un número de identificación al cual precederá la letra A.

Los medios de dotación serán los que determine el ayuntamiento o la jefatura del cuerpo policial de acuerdo con sus concretas funciones, pero no podrán llevar armas de fuego ni defensas eléctricas.

3.5. Registro de Policías Locales

De acuerdo con el Decreto 105/2008, de 8 de mayo, que crea y regula el Registro de las Policías Locales de Galicia[2], en él deberá figurar la información, que se referirá exclusivamente a los datos profesionales del personal que debe inscribirse en el registro, y la adopción de las cautelas necesarias para garantizar la confidencialidad de los datos en los términos que establece la normativa vigente sobre la materia. En el registro se inscribirán preceptivamente todos los miembros pertenecientes a los cuerpos de Policía local, entendiéndose incluidos los **auxiliares de Policía local**, así como los vigilantes municipales de los ayuntamientos sin cuerpo. El número de registro será el mismo que el número de identificación profesional, que en el caso de **las/los auxiliares de Policía local irá precedido de una <A> mayúscula**.

Por Orden de 27 de enero de 2009 se desarrolla el Decreto 105/2008[3], siendo su objeto el establecimiento de los criterios técnicos para que todas las comunicaciones entre los diferentes ayuntamientos y la unidad encargada del registro de policías locales se realicen a través de la aplicación informática creada para la tramitación por medios electrónicos de los procedimientos registrales. Se aplica a los ayuntamientos de Galicia con policía local y a los que, no habiendo creado tal cuerpo, cuenten con vigilantes municipales, para dar cumplimiento a las obligaciones de comunicación de datos para su registro, conforme a lo previsto en el artículo 4 del Decreto 105/2008.

---

2   Decreto 105/2008, de 8 de mayo, que crea y regula el Registro de las Policías Locales de Galicia. Publicado en DOG núm. 100 de 26 de mayo de 2008.

3   Orden de 27 de enero de 2009, por la que se desarrolla el Decreto 105/2008, de 8 de mayo, por el que se crea y se regula el Registro de Policías Locales de Galicia. Publicada en el DOG núm 22 de 2 de febrero de 2009.

Al amparo de lo dispuesto en los artículos 7 y 13 del Decreto 105/2008, de 8 de mayo, por el que se crea y se regula el Registro de las Policías Locales de Galicia, los datos que deberán comunicarse para su anotación en la sección primera del registro son el alta, baja y modificación de datos profesionales de los policías locales, **auxiliares de policía de temporada** y de los vigilantes municipales, integración en el cuerpo de vigilantes, auxiliares e interinos, clasificación en el nuevo grupo profesional de los funcionarios policiales.

3.6. Responsabilidad

La Ley Orgánica 2/1986, de 13 de marzo, de Fuerzas y Cuerpos de Seguridad señala en su artículo 2 que los cuerpos de policía dependientes de las corporaciones locales son fuerzas y cuerpos de seguridad. Así en su título V, artículos 51 a 54, desarrolla los preceptos dedicados a las policías locales. El artículo 53 remite a las normas contenidas en la Ley 30/1984, de 2 de agosto, de medidas para la reforma de la función pública, y las demás normas que se dictan en desarrollo y aplicación de la misma, como régimen aplicable a estos funcionarios. Esta Ley 30/1984 en relación con el régimen disciplinario está derogada por el Real Decreto Legislativo 5/2015, de 30 de octubre, que regula el texto refundido de la Ley del Estatuto Básico del Empleado Público (EBEP)[4].

La Ley 7/1985, de 2 de abril, reguladora de las bases de régimen local señala, en su artículo 89, que el personal al servicio de las entidades locales estará integrado por funcionarios de carrera, contratados en régimen de derecho laboral y personal eventual que desempeñe puestos de confianza o asesoramiento especial. Dedica su artículo 91 a la selección de personal.

La Ley 5/1997, de 22 de julio, reguladora de la administración local de Galicia, remite a la Ley 2/2015, de 29 de abril, de empleo público de Galicia, que deroga el capítulo IV del título VI de esta ley, que se dedicaba al personal al servicio de las entidades locales.

El Real Decreto Legislativo 5/2015, de 30 de octubre, por el que se aprueba el texto refundido de la Ley del Estatuto Básico del Empleado Público constituye legislación básica en materia del empleado público y partiendo de la relación laboral que los auxiliares de Policía local tienen en Galicia cabe realizar las consideraciones que a continuación se exponen.

El artículo 1.2 del EBEP señala que este Estatuto tiene por objeto determinar las normas aplicables al personal laboral al servicio de las administraciones públicas, indicando su artículo 2 que se aplica en lo que proceda al personal laboral al servicio de las administraciones de las entidades locales, por lo que dedica su artículo 3 al personal funcionario de las entidades locales señalando que:

"1. El personal funcionario de las entidades locales se rige por la legislación estatal que resulte de aplicación, de la que forma parte este Estatuto y por la legislación de las comunidades autónomas, con respeto a la autonomía local.

---

[4] Real Decreto legislativo 5/2015, de 30 de octubre, que regula el texto refundido de la ley del Estatuto Básico del Empleado Público. Publicado en BOE núm. 261 de 31 de octubre de 2015.

2. Los cuerpos de Policía local se rigen también por este Estatuto y por la legislación de las comunidades autónomas, excepto en lo establecido para ellos en la Ley Orgánica 2/1986, de 13 de marzo, de Fuerzas y Cuerpos de Seguridad".

Continúa señalando este Estatuto, en su artículo 7, que el personal laboral al servicio de las administraciones públicas se rige, además de por la legislación laboral y por las demás normas convencionalmente aplicables, por los preceptos de este Estatuto que así lo dispongan.

Este Estatuto, en su artículo 8, considera que son empleados públicos quienes desempeñan funciones retribuidas en las administraciones públicas al servicio de los intereses generales, por lo que entre ellos, regula al personal laboral, ya sea fijo, por tiempo indefinido o temporal.

Por último, este Estatuto establece el régimen disciplinario en su título VII, artículos 93 a 98, indicando el artículo 93 que el personal laboral queda sujeto al régimen disciplinario establecido en este título y en las normas que las leyes de función pública dicten en desarrollo de este estatuto. Además, señala que el régimen disciplinario del personal laboral se regirá, en lo no previsto en este título, por la legislación laboral.

En desarrollo de este Estatuto, Galicia aprueba la Ley 2/2015, de 29 de abril, del empleo público de Galicia[5], estableciendo en su artículo 4 que esta ley se aplica al personal funcionario, en lo que proceda, al personal laboral de las entidades locales gallegas. Además, dedica su artículo 7 al personal funcionario de las entidades locales gallegas, en términos similares al EBEP, indicando lo siguiente:

1. El personal funcionario al servicio de las entidades locales gallegas se rige por la legislación básica estatal que le resulte de aplicación y por la presente ley, con las especialidades reguladas en su título X.

2. El personal de los cuerpos de Policía local se rige, además de por la normativa mencionada en el apartado anterior, por la legislación general de fuerzas y cuerpos de seguridad y por su legislación específica, la cual regulará las demás especialidades de su régimen jurídico."

Así el título X de la Ley 2/2015 se dedica a las especialidades del personal al servicio de las entidades locales, dedicando el artículo 212 al procedimiento disciplinario. En cuanto al resto de las cuestiones disciplinarias, indica el artículo 183 de esta Ley que "todo el personal al servicio de las administraciones públicas incluidas en el ámbito de aplicación de esta Ley queda sujeto al régimen disciplinario establecido en el título IX, artículos 183 a 199".

En cuanto a la legislación específica en materia de régimen disciplinario para las policías locales de Galicia se ha explicado en el tema 4 de este temario. En concreto, hay que señalar que el régimen disciplinario de las policías locales de Galicia y sus faltas disciplinarias se regula en el título VII de la Ley de coordinación de policías locales, artículos 75 a 87.

---

5   Ley 2/2015, de 29 de abril, del empleo público de Galicia. Publicado en DOG núm. 82 de 04 de mayo de 2015 y BOE núm. 123 de 23 de mayo de 2015.

Las faltas disciplinarias en que puede incurrir el personal de los cuerpos de policía local podrán ser muy graves, graves o leves como se indica en los artículos 79, 80 y 81 de la Ley 4/2007.

Además de la responsabilidad disciplinaria caben otros tipos de responsabilidades como son la **responsabilidad patrimonial, penal y civil**. Así se señala en los artículos 32 a 37 de la Ley 40/2015, de 1 de octubre, de régimen jurídico del sector público[6].

Los particulares tendrán derecho a ser indemnizados por las administraciones públicas correspondientes, de toda lesión que sufran en cualquiera de sus bienes y derechos, siempre que la lesión sea consecuencia del funcionamiento normal o anormal de los servicios públicos salvo en los casos de fuerza mayor o de daños que el particular tenga el deber jurídico de soportar de acuerdo con la ley.

La responsabilidad penal del personal al servicio de las administraciones públicas, así como la responsabilidad civil derivada del delito se exigirá de acuerdo con lo previsto en la legislación correspondiente.

La exigencia de responsabilidad penal del personal al servicio de las administraciones públicas no suspenderá los procedimientos de reconocimiento de responsabilidad patrimonial que se instruyan, salvo que la determinación de los hechos en el orden jurisdiccional penal sea necesaria para la fijación de la responsabilidad patrimonial.

---

6   Ley 40/2015, de 1 de octubre, de Régimen Jurídico del Sector Público. Publicado en BOE núm. 236 de 02 de octubre de 2015.

Solución a las actividades

Actividad 1.

☑ a) Civil.

☐ b) Militar.

☐ c) Mixta.

Actividad 2.

☐ a) 2 años.

☑ b) 4 años.

☐ c) 6 años.

TEST

TEST N.º 1

El municipio. Concepto y elementos. Competencias municipales. La organización y funcionamiento del municipio. El Pleno. El alcalde. La Xunta de Gobierno local. Otros órganos municipales

1. Entre las potestades y prerrogativas que tienen los municipios, se encuentran:

a) La tributaria y financiera.
b) De revisión de oficio de sus actos y acuerdos.
c) Expropiatoria.
d) Todas las respuestas son correctas.

2. Los elementos del Municipio son:

a) El territorio, la población y la financiación.
b) El territorio, las instituciones y la organización.
c) La organización, la autonomía y el territorio.
d) La población, la organización y el territorio.

3. Según el Reglamento de Población y Demarcación Territorial de las Entidades Locales el término municipal es:

a) El territorio en que el Ayuntamiento ejerce su jurisdicción.
b) El territorio en que el Ayuntamiento ejerce sus competencias.
c) El territorio en que el Ayuntamiento ejerce su política.
d) Las respuestas b) y c) son correctas.

4. De acuerdo con lo dispuesto en la Ley de Bases de Régimen Local:

a) La creación de nuevos municipios solo podrá realizarse sobre la base de núcleos de población territorialmente diferenciados, de al menos 25.000 habitantes.
b) La creación de nuevos municipios solo podrá realizarse sobre la base de núcleos de población territorialmente diferenciados, de al menos 4.000 habitantes.

c) La creación de nuevos municipios solo podrá realizarse sobre la base de núcleos de población territorialmente diferenciados, de al menos 3.000 habitantes.

d) La creación de nuevos municipios solo podrá realizarse sobre la base de núcleos de población territorialmente diferenciados, de al menos 250.000 habitantes.

5. ¿La alteración de términos municipales podrá suponer la modificación de los límites provinciales?

a) Solo en casos excepcionales.

b) En ningún caso.

c) Cuando concurran los requisitos establecidos en la ley.

d) Sí.

6. En los casos de fusión de municipios:

a) El nuevo municipio se subrogará en todos los derechos y obligaciones de los anteriores municipios.

b) El nuevo municipio resultante de la fusión no podrá segregarse hasta transcurridos cien años.

c) El órgano del gobierno del nuevo municipio resultante estará constituido transitoriamente por la suma de los concejales de los municipios fusionados.

d) Las respuestas a) y c) son correctas.

7. Son derechos y deberes de los vecinos:

a) Contribuir mediante la aportación de sus bienes inmuebles a la realización de las competencias municipales.

b) Exigir la prestación y, en su caso, el establecimiento del correspondiente servicio público, en el supuesto de constituir una competencia municipal propia aunque no sea de carácter obligatorio.

c) Acceder a los aprovechamientos comunales.

d) Ejercer la iniciativa individual en los términos previstos en el art. 70 bis de la Ley de Bases de Régimen Local.

8. La inscripción de los extranjeros en el Padrón municipal:

a) Constituirá prueba de su residencia legal en España.

b) Iniciará el expediente de adquisición de la nacionalidad española.

c) No les atribuirá ningún derecho que no les confiera la legislación vigente.

d) Permitirá obtener un permiso de trabajo.

9. El padrón municipal es:

a) La base de datos donde constan los nombres de los vecinos.

b) El registro administrativo donde solo constan los domicilios de los vecinos.

c) El registro administrativo donde constan los vecinos de un municipio.

d) El registro administrativo donde solo constan los domicilios de los extranjeros del municipio.

10. La inscripción en el Padrón municipal contendrá como obligatorios los siguientes datos:

a) Las matrículas de los vehículos de los vecinos.

b) El número de identificación de los aparatos tecnológicos existentes en cada casa.

c) Los ascendientes que habitan en cada casa.

d) Ninguna de las respuestas es correcta.

En MADTEST tienes **más preguntas de este tema**, y todos tus avances quedan registrados y se reflejan en el ranking.

¡Supera tus límites con MADTEST!

Solución al test n.º 1

1. d) Todas las respuestas son correctas.

2. d) La población, la organización y el territorio.

3. b) El territorio en que el Ayuntamiento ejerce sus competencias.

4. b) La creación de nuevos municipios solo podrá realizarse sobre la base de núcleos de población territorialmente diferenciados, de al menos 4.000 habitantes.

5. b) En ningún caso.

6. d) Las respuestas a) y c) son correctas.

7. c) Acceder a los aprovechamientos comunales.

8. c) No les atribuirá ningún derecho que no les confiera la legislación vigente.

9. c) El registro administrativo donde constan los vecinos de un municipio.

10. d) Ninguna de las respuestas es correcta.

TEST N.º 2

Ordenanzas, reglamentos y bandos. Clases y procedimiento de elaboración y aprobación

1. ¿Cómo se denominan los bandos dictados en desarrollo de las atribuciones delAlcalde para mejor regir y gobernar la vida de la comunidad?

a) Bandos Ordinarios.
b) Bandos de Gobierno.
c) Bandos de Policía y Buen Gobierno.
d) Bandos de Seguridad y Buen Gobierno.

2. ¿A quién le corresponde, en los Municipios de gran población, la aprobación de los proyectos de ordenanzas y reglamentos, incluidos los orgánicos, con excepción de las normas reguladoras del Pleno y de sus comisiones?

a) Al Alcalde.
b) Al Pleno.
c) A la Junta de Gobierno Local.
d) Al Secretario de la Corporación.

3. Los actos de deterioro grave y relevante de equipamientos, infraestructuras, instalaciones o elementos de un servicio público, constituyen una infracción a las ordenanzas locales de carácter:

a) Muy grave.
b) Grave.
c) Menos grave.
d) Leve.

4. Las infracciones leves de las Ordenanzas Locales podrán acarrear una multa de hasta:

a) 1.500 euros.
b) 1.000 euros.

c) 750 euros.
d) 600 euros.

5. ¿Cuándo prescribirán las sanciones impuestas por faltas muy graves a las Ordenanzas Locales, si estas no fijaran plazo de prescripción?

a) A los cinco años.
b) A los tres años.
c) A los dos años.
d) Al año.

6. El art. 30 de la Ley 40/2015, de 1 de octubre, de Régimen Jurídico del Sector Público, dispone que las infracciones y sanciones prescriban según lo dispuesto en las leyes que las establezcan. Si estas no fijan plazos de prescripción, las infracciones muy graves prescribirán:

a) A los cinco años.
b) A los tres años.
c) A los dos años.
d) Al año.

7. ¿Cómo se denominan los bandos que se limitan a recordar el cumplimiento de disposiciones vigentes de carácter legal, publicándose en fechas fijadas de antemano por la ley y en todos los Municipios?

a) Bandos generales.
b) Bandos simples.
c) Bandos ordinarios.
d) Bandos periódicos.

8. ¿A quién corresponde elevar al Consejo de Ministros el Plan Anual Normativo para su aprobación?

a) Al Presidente del Gobierno.
b) Al Ministro de la Presidencia, Justicia y Relaciones con las Cortes.
c) Al Ministro del Interior.
d) Al Vicepresidente del Gobierno.

9. El/la Ministro/a competente elevará el Plan al Consejo de Ministros para su aprobación antes de:

a) El 30 de abril.
b) El 1 de mayo.
c) El 30 de junio.
d) El 31 de diciembre.

10. Conforme dispone el artículo 86 de la CE, en caso de extraordinaria y urgente necesidad, el Gobierno podrá dictar disposiciones legislativas provisionales que tomarán la forma de:

a) Leyes orgánicas.
b) Decretos leyes.
c) Decretos legislativos.
d) Reglamentos.

En MADTEST tienes **más preguntas de este tema**, y todos tus avances quedan registrados y se reflejan en el ranking.

¡Supera tus límites con MADTEST!

Solución al test n.º 2

1. c) Bandos de Policía y Buen Gobierno.

2. c) A la Junta de Gobierno Local.

3. a) Muy grave.

4. c) 750 euros.

5. b) A los tres años.

6. b) A los tres años.

7. d) Bandos periódicos.

8. b) Al Ministro de la Presidencia, Justicia y Relaciones con las Cortes.

9. a) El 30 de abril.

10. b) Decretos leyes.

TEST N.º 3

La licencia municipal. Tipos.
Actividades sometidas a licencia. Tramitación

1. Las Entidades Locales podrán intervenir la actividad de los ciudadanos a través de los siguientes medios:

a) Sometimiento a comunicación previa o a declaración responsable.
b) Órdenes individuales constitutivas de mandato para la ejecución de un acto o la prohibición del mismo.
c) Sometimiento a previa licencia y otros actos de control preventivo.
d) Todas son correctas.

2. Podrá exigirse una licencia u otro medio de control preventivo respecto a aquellas actividades económicas:

a) Cuando esté justificado por razones de orden público.
b) Cuando esté justificado por razones de seguridad nacional.
c) Cuando esté justificado por razones de salud pública.
d) Las respuestas a) y c) son correctas.

3. Se entenderá por declaración responsable:

a) Aquel documento mediante el que los interesados ponen en conocimiento de la Administración Pública competente sus datos identificativos o cualquier otro dato relevante para el inicio de una actividad o el ejercicio de un derecho.
b) El documento suscrito por un interesado en el que este manifiesta, bajo su responsabilidad, que cumple con los requisitos establecidos en la normativa vigente para obtener el reconocimiento de un derecho o facultad o para su ejercicio.
c) El documento suscrito por un interesado en el que este manifiesta, bajo su responsabilidad, que ha adquirido todos los derechos necesarios para el ejercicio de una actividad.
d) El documento suscrito por un interesado en el que este manifiesta, bajo su responsabilidad, que ya ha pasado todos los controles exigidos en la normativa para el ejercicio de una actividad.

4. Determinará la imposibilidad de continuar con el ejercicio del derecho o actividad afectada por una declaración responsable desde el momento en que se tenga constancia de:

a) La inexactitud, falsedad u omisión de cualquier dato o información.
b) La inexactitud, de carácter esencial, de cualquier dato o información.
c) La omisión de cualquier dato o información de carácter esencial.
d) Las respuestas b) y c) son correctas.

5. No serán transmisibles:

a) Las licencias relativas a las condiciones de una obra.
b) Las licencias concernientes al ejercicio de actividades sobre bienes de dominio público.
c) Las licencias relativas a las condiciones de una instalación.
d) Las licencias cuando el número de las otorgables fuere limitado.

6. Las solicitudes de licencias municipales, según establece el artículo 9 del Reglamento de Servicios de Corporaciones Locales:

a) Deberá acompañarse proyecto técnico con ejemplares para cada uno de los organismos que hubieren de informar la petición, si se refieren al ejercicio de actividades.
b) Se presentarán en el Registro General del Estado.
c) Se presentarán por triplicado.
d) Deberá acompañarse proyecto técnico con ejemplares para cada uno de los organismos que hubieren de informar la petición, si se refieren a ejecución de obras o instalaciones.

7. En el régimen del Reglamento de Servicios de las Corporaciones Locales, el plazo que tiene la Comisión Provincial de Urbanismo, u órgano equivalente de la Comunidad Autónoma, para decidir sobre una licencia una vez que se ha denunciado la mora ante la misma es de:

a) Seis meses.
b) Diez días.
c) Dos meses.
d) Un mes.

8. Una licencia de obra menor, en el régimen del Reglamento de Servicios de las Corporaciones Locales, debe otorgarse en el plazo de:

a) Un día.
b) Un mes.
c) Dos meses.
d) Seis meses, si es actividad molesta.

9. En materia de licencias, en el régimen del Reglamento de Servicios de las Corporaciones Locales, para subsanar deficiencias, debe concederse al particular un plazo de:

a) Ocho días.
b) Diez días.
c) Quince días.
d) Veinte días.

10. Con carácter general, el ejercicio de actividades no se someterá a la obtención de licencia u otro medio de control preventivo, salvo que:

a) El número de operadores económicos del mercado sea ilimitado.
b) Por legislación de la Comunidad Económica Europea la realización de actividades por los ciudadanos, no puedan someterse a la obtención de licencia, debiendo utilizarse únicamente la autorización previa.
c) Cuando esté justificado por razones de orden público, seguridad pública, salud pública o protección del medio ambiente en el lugar concreto donde se realiza la actividad, y estas razones no puedan salvaguardarse mediante la presentación de una declaración responsable o de una comunicación.
d) Ninguna es correcta.

En MADTEST tienes **más preguntas de este tema,** y todos tus avances quedan registrados y se reflejan en el ranking.

¡Supera tus límites con MADTEST!

Solución al test n.º 3

1. d) Todas son correctas.

2. d) Las respuestas a) y c) son correctas.

3. b) El documento suscrito por un interesado en el que este manifiesta, bajo su responsabilidad, que cumple con los requisitos establecidos en la normativa vigente para obtener el reconocimiento de un derecho o facultad o para su ejercicio.

4. d) Las respuestas b) y c) son correctas.

5. d) Las licencias cuando el número de las otorgables fuere limitado.

6. d) Deberá acompañarse proyecto técnico con ejemplares para cada uno de los organismos que hubieren de informar la petición, si se refieren a ejecución de obras o instalaciones.

7. d) Un mes.

8. b) Un mes.

9. c) Quince días.

10. c) Cuando esté justificado por razones de orden público, seguridad pública, salud pública o protección del medio ambiente en el lugar concreto donde se realiza la actividad, y estas razones no puedan salvaguardarse mediante la presentación de una declaración responsable o de una comunicación.

TEST N.º 4

Ley de coordinación de las policías locales de Galicia y normas de desarrollo. Régimen disciplinario: disposiciones generales y faltas disciplinarias

1. Indica en cuántos títulos se estructura la Ley 4/2007, de 20 de abril, de coordinación de policías locales:

a) En 8.
b) En 7.
c) En 6.
d) En 5.

2. ¿Cuántos artículos tiene la Ley 4/2007, de 20 de abril, de coordinación de policías locales?

a) 95.
b) 96.
c) 97.
d) 98.

3. Según el artículo 95 de la Ley 4/2007, de 20 de abril, los auxiliares de Policía local desempeñarán las funciones:

a) De auxilio y apoyo a los/as vecinos/as del municipio.
b) De auxilio y apoyo a los/as turistas del municipio.
c) De auxilio y apoyo a los/as miembros de la policía local.
d) De auxilio y apoyo a las fuerzas y cuerpos de seguridad del municipio.

4. ¿Cuántas disposiciones transitorias tiene la Ley 4/2007, de 20 de abril, de coordinación de policías locales?

a) 1.
b) 2.
c) 3.
d) 4.

5. ¿Cuántas disposiciones derogatorias tiene la Ley 4/2007, de 20 de abril, de coordinación de policías locales?

a) 1.
b) 2.
c) 3.
d) 4.

6. ¿Cuántas disposiciones finales tiene la Ley 4/2007, de 20 de abril, de coordinación de policías locales?

a) 1.
b) 2.
c) 3.
d) 4.

7. Indica cuál es el objeto de la Ley de coordinación de las policías locales de Galicia:

a) Regular la coordinación de las policías locales en el ámbito territorial de la Comunidad Autónoma de Galicia, sin perjuicio de su dependencia de las autoridades municipales, de conformidad con lo dispuesto en la legislación orgánica de fuerzas y cuerpos de seguridad, y con pleno respeto al principio de autonomía municipal.

b) Regular la colaboración de las policías locales en el ámbito territorial de la Comunidad Autónoma de Galicia, sin perjuicio de su dependencia de las autoridades municipales, de conformidad con lo dispuesto en la legislación orgánica de fuerzas y cuerpos de seguridad, y con pleno respeto al principio de autonomía municipal.

c) Regular la coordinación de las policías locales en el ámbito territorial de la Comunidad Autónoma de Galicia, sin perjuicio de su dependencia de las autoridades autonómicas, de conformidad con lo dispuesto en la legislación orgánica de fuerzas y cuerpos de seguridad, y con pleno respeto al principio de autonomía municipal.

d) Regular la coordinación de las policías locales en el ámbito territorial de la Comunidad Autónoma de Galicia, sin perjuicio de su dependencia de las autoridades municipales, de conformidad con lo dispuesto en la legislación orgánica de las fuerzas armadas, y con pleno respeto al principio de autonomía municipal.

8. Los cuerpos de Policía local son:

a) Institutos de naturaleza civil, con estructura y organización jerarquizada bajo la superior autoridad y dependencia directa del alcalde respectivo, o del concejal en que este delegue.

b) Institutos armados de naturaleza civil, con estructura y organización jerarquizada bajo la superior autoridad y dependencia directa del alcalde respectivo, o del concejal en que este delegue.

c) Institutos armados de naturaleza militar, con estructura y organización jerarquizada bajo la superior autoridad y dependencia directa del alcalde respectivo, o del concejal en que este delegue.

d) Institutos armados de naturaleza civil, con estructura y organización jerarquizada bajo la inferior autoridad y dependencia directa del alcalde respectivo, o del concejal en que este delegue.

9. ¿En qué artículo de la Ley orgánica 2/1986 se regulan los principios básicos de actuación para los miembros de los cuerpos de Policía local?

a) En el 5.
b) En el 6.
c) En el 7.
d) En el 8.

10. Indica qué principios básicos están relacionados con la adecuación al ordenamiento jurídico:

a) Ejercer sus funciones con absoluto respeto a la Constitución, al Estatuto de autonomía y al resto del ordenamiento jurídico.

b) Actuar, en el cumplimiento de sus funciones, con absoluta neutralidad política e imparcialidad y, en consecuencia, sin discriminación alguna por razón de raza, etnia, nacionalidad, ideología, religión o creencias personales, opinión, sexo, orientación sexual, lengua, lugar de vecindad, lugar de nacimiento o cualquier otra condición o circunstancia personal o social.

c) Actuar con integridad y dignidad, absteniéndose de todo acto de corrupción y oponiéndose a él resueltamente.

d) Todas son ciertas.

En MADTEST tienes **más preguntas de este tema**, y todos tus avances quedan registrados y se reflejan en el ranking.

¡Supera tus límites con MADTEST!

Solución al test n.º 4

1. a) En 8.

2. b) 96.

3. c) De auxilio y apoyo a los/as miembros de la policía local.

4. c) 3.

5. a) 1.

6. c) 3.

7. a) Regular la coordinación de las policías locales en el ámbito territorial de la Comunidad Autónoma de Galicia, sin perjuicio de su dependencia de las autoridades municipales, de conformidad con lo dispuesto en la legislación orgánica de fuerzas y cuerpos de seguridad, y con pleno respeto al principio de autonomía municipal.

8. b) Institutos armados de naturaleza civil, con estructura y organización jerarquizada bajo la superior autoridad y dependencia directa del alcalde respectivo, o del concejal en que este delegue.

9. a) En el 5.

10. d) Todas son ciertas.

TEST N.º 5

La actividad de la policía local como policía administrativa I: consumo. Abastos. Mercados. Venta ambulante. Espectáculos y establecimientos públicos

1. En relación a la venta ambulante o no sedentaria, señala la respuesta correcta:

a) Se realiza dentro de establecimiento comercial permanente.

b) Las ventas efectuadas dentro de los locales o recintos ocupados por un certamen ferial pueden tener la consideración de ambulante si así queda establecido por la ordenanza correspondiente.

c) La venta ambulante en mercados periódicos es aquella autorizada en los mercados ubicados en poblaciones, en lugares y espacios determinados, con una periodicidad habitual establecida. Dentro de este epígrafe están encuadradas, entre otras, las realizadas en ferias populares, mercadillos y rastros.

d) La venta ambulante en mercados ocasionales es aquella instalada en la vía pública, autorizada por un número de puestos, situaciones y periodos determinados.

2. El ejercicio de la venta ambulante estará sujeta a la obtención de licencia municipal. ¿A quién corresponde su autorización?

a) A la Xunta de Galicia.

b) A los Ayuntamientos.

c) A la Xunta de Galicia a propuesta del Ayuntamiento.

d) A las Diputaciones provinciales.

3. ¿Qué modalidad de venta ambulante no existe en la actualidad?

a) Venta ambulante en mercados periódicos.

b) Venta ambulante en puestos desmontables instalados en la vía pública.

c) Venta ambulante mediante camiones o vehículos tienda.

d) Venta ambulante a domicilio.

4. ¿A quién le corresponde presentar propuestas y sugerencias al Instituto Gallego de Consumo, en materia de defensa del consumidor y usuario?

a) Al propio Instituto Gallego de Consumo.
b) Al Consello Gallego de Consumidores y Usuarios.
c) A los Ayuntamientos.
d) Todas son correctas.

5. Señala la respuesta incorrecta, respecto al Instituto Gallego del Consumo y de la Competencia:

a) Es un organismo autónomo.
b) Está adscrito a la Consellería competente en materia de consumo.
c) Tendrá como fines generales y objetivos básicos la defensa, protección, promoción e información de los derechos de las personas consumidoras y usuarias, y la garantía, promoción y preservación de una competencia efectiva en los mercados en el ámbito de la Comunidad Autónoma de Galicia, en la perspectiva de conseguir la máxima eficiencia económica y la protección y el aumento del bienestar de las personas consumidoras y usuarias.
d) Tiene personalidad jurídica plena.

6. ¿A quién le corresponde incoar, instruir y resolver los expedientes sancionadores por infracciones cometidas en materia de espectáculos públicos y actividades recreativas que no sean de competencia autonómica?

a) Todos son de competencia autonómica.
b) A los Ayuntamientos.
c) Al Estado a través de organismos públicos competentes en espectáculos.
d) Ninguna es correcta.

7. La venta ambulante autorizada en lugares anexos a los mercados municipales o de abastos, con instalaciones permanentes en las poblaciones, se denomina:

a) Venta ambulante en mercados periódicos.
b) Venta ambulante en mercados fijos.
c) Venta ambulante en puestos desmontables instalados en la vía pública.
d) Venta ambulante en mercados ocasionales.

8. ¿Qué información deben contener las entradas que expidan para la venta, los organizadores de espectáculos públicos y actividades recreativas?

a) La clase de localidad y el número, en sesiones no numeradas.
b) El lugar, fecha y hora de celebración, los precios de las entradas y los lugares de venta.
c) La identificación del organizador y de su DNI.
d) Todas son correctas.

9. Con independencia de la forma de presentación de una reclamación, las empresas deberán dar respuesta adecuada a las reclamaciones de los consumidores en el plazo más breve posible, y en todo caso:

a) En el plazo de un mes desde la presentación de la reclamación, salvo en el supuesto de prestación de servicios de carácter continuado, en el que la respuesta habrá de darse en el plazo máximo de dos horas para los supuestos relativos a la continuidad del servicio o las incidencias relativas a dicha continuidad, como el corte o la suspensión del servicio, aplicándose el plazo anterior de un mes para el resto de los supuestos.

b) En el plazo de un mes desde la presentación de la reclamación, salvo en el supuesto de prestación de servicios de carácter continuado, en el que la respuesta habrá de darse en el plazo máximo de cinco horas para los supuestos relativos a la continuidad del servicio o las incidencias relativas a dicha continuidad, como el corte o la suspensión del servicio, aplicándose el plazo anterior de un mes para el resto de los supuestos.

c) En el plazo de quince días desde la presentación de la reclamación, salvo en el supuesto de prestación de servicios de carácter continuado, en el que la respuesta habrá de darse en el plazo máximo de 48 horas para los supuestos relativos a la continuidad del servicio o las incidencias relativas a dicha continuidad, como el corte o la suspensión del servicio, aplicándose el plazo anterior de un mes para el resto de los supuestos.

d) En el plazo de veinte días desde la presentación de la reclamación, salvo en el supuesto de prestación de servicios de carácter continuado, en el que la respuesta habrá de darse en el plazo máximo de 24 horas para los supuestos relativos a la continuidad del servicio o las incidencias relativas a dicha continuidad, como el corte o la suspensión del servicio, aplicándose el plazo anterior de un mes para el resto de los supuestos.

10. No disponer de las hojas de reclamaciones establecidas normativamente, o no exhibir de modo visible el cartel anunciador de su existencia, así como negar la entrega de las mismas a los consumidores que lo soliciten, se considera, según la Ley 2/2012, de 28 de marzo, de protección general de las personas consumidoras y usuarias:

a) Infracción muy grave.
b) Infracción grave.
c) Infracción leve.
d) No se considera infracción, pero sí se le apercibirá.

En MADTEST tienes **más preguntas de este tema**, y todos tus avances quedan registrados y se reflejan en el ranking.

¡Supera tus límites con MADTEST!

Solución al test n.º 5

1. c) La venta ambulante en mercados periódicos es aquella autorizada en los mercados ubicados en poblaciones, en lugares y espacios determinados, con una periodicidad habitual establecida. Dentro de este epígrafe están encuadradas, entre otras, las realizadas en ferias populares, mercadillos y rastros.

2. b) A los Ayuntamientos.

3. d) Venta ambulante a domicilio.

4. b) Al Consello Gallego de Consumidores y Usuarios.

5. d) Tiene personalidad jurídica plena.

6. b) A los Ayuntamientos.

7. b) Venta ambulante en mercados fijos.

8. b) El lugar, fecha y hora de celebración, los precios de las entradas y los lugares de venta.

9. a) En el plazo de un mes desde la presentación de la reclamación, salvo en el supuesto de prestación de servicios de carácter continuado, en el que la respuesta habrá de darse en el plazo máximo de dos horas para los supuestos relativos a la continuidad del servicio o las incidencias relativas a dicha continuidad, como el corte o la suspensión del servicio, aplicándose el plazo anterior de un mes para el resto de los supuestos.

10. c) Infracción leve.

TEST N.º 6

La actividad de la policía local como policía administrativa II: urbanismo. Infracciones y sanciones. La protección ambiental: prevención y calidad ambiental, residuos y disciplina ambiental

1. ¿Qué artículo de la Constitución Española, confiere a las Comunidades Autónomas la competencia exclusiva en ordenación del territorio, urbanismo y vivienda?

a) 103.
b) 9.
c) 148.
d) 149.

2. ¿Qué regula la Ley 6/2021, de 17 de febrero?

a) Los residuos y suelos contaminados de Galicia.
b) La prevención y control integrados de la contaminación.
c) La evaluación de los efectos ambientales de Galicia.
d) La evaluación de incidencia ambiental.

3. El incumplimiento de la orden de corte de suministro de los servicios de agua, electricidad y otros, se considera una infracción:

a) Muy grave.
b) Grave.
c) Leve.
d) No se contempla.

4. Las infracciones urbanísticas graves prescriben una vez transcurrido un plazo, a contar desde la finalización de las obras o de la actividad; ¿de qué plazo en concreto se trata?

a) De 15 años.
b) De 6 años.
c) De 2 años.
d) No prescriben.

5. La Ley de Protección Ambiental de Galicia es:

a) Ley 10/1998.
b) Ley 16/2002.
c) Ley 7/1985.
d) Ley 1/1995.

6. La actividad del órgano ambiental competente que tenga por objeto determinar la compatibilidad de un proyecto, obra o actividad con el medio ambiente, y en su caso, las medidas correctoras que es preciso incluir en el proyecto y/o en su desarrollo se denomina:

a) Disciplina ambiental.
b) Evaluación.
c) Residuos.
d) Prevención.

7. El pronunciamiento del órgano ambiental dirigido al promotor que tiene por objeto delimitar sobre el contenido, la amplitud, nivel de detalle y grado de especificación que debe tener el estudio ambiental estratégico y el estudio de impacto ambiental, se denomina:

a) Impacto o efecto significativo.
b) Documento de alcance.
c) Evaluación ambiental estratégica.
d) Estudio ambiental estratégico.

8. Señala la respuesta correcta en relación a la evaluación ambiental:

a) La evaluación ambiental estratégica procede respecto de los proyectos.
b) La evaluación de impacto ambiental procede respecto de los planes o programas.
c) La evaluación ambiental tendrá carácter transversal.
d) Ninguna es correcta.

9. El Consejo Gallego de Medio Ambiente y Desarrollo Sostenible es:

a) Un órgano estatutario de la administración ambiental.
b) Una entidad de derecho público.
c) Un órgano consultivo de la administración ambiental.
d) Ninguna es correcta.

10. Las infracciones graves, tipificadas en la Ley 6/2021, de 17 de febrero, de residuos y suelos contaminados de Galicia, prescriben:

a) A los cinco años.
b) A los tres años.
c) Al año.
d) A los seis meses.

En MADTEST tienes **más preguntas de este tema**, y todos tus avances quedan registrados y se reflejan en el ranking.

¡Supera tus límites con MADTEST!

Solución al test n.º 6

1. c) 148.

2. a) Los residuos y suelos contaminados de Galicia.

3. b) Grave.

4. b) De 6 años.

5. d) Ley 1/1995.

6. b) Evaluación.

7. b) Documento de alcance.

8. d) Ninguna es correcta.

9. c) Un órgano consultivo de la administración ambiental.

10. b) A los tres años.

TEST N.º 7

Delitos y delitos leves. Circunstancias modificadoras de la responsabilidad criminal. Personas responsables: autores y cómplices

1. Tras su supresión, algunas de las antiguas faltas se han subsumido en:

a) Los delitos graves.
b) Los delitos menos graves.
c) Los delitos leves.
d) Ninguno de los anteriores.

2. El dolo se contiene en el hecho de:

a) Actuar negligentemente.
b) Conocer la antijuridicidad de la conducta y querer realizarla.
c) Actuar antijurídica e inconscientemente.
d) Las respuestas a) y b) son ciertas.

3. Cuando el sujeto responsable realice una conducta antijurídica sin consciencia y voluntad de realizarla, pero, también, sin emplear la diligencia que personalmente le es exigible para evitarla, se habla de conducta:

a) Dolosa.
b) Impune.
c) Imprudente.
d) Sustituible.

4. En virtud del principio de legalidad penal:

a) Se puede condenar a un delincuente por un delito cometido en un momento anterior a la tipificación de la conducta como punible.
b) Por vía reglamentaria, la Administración puede tipificar conductas como delitos.
c) No se puede aplicar retroactivamente una Ley favorable a un condenado.
d) Se efectúa una reserva a Ley formal respecto de la tipificación de los delitos y penas.

5. El principio de legalidad penal se contiene, fundamentalmente, en el siguiente artículo de la Constitución:

a) 1.
b) 25.
c) 9,3°.
d) 24.

6. Si un Tribunal, al ejercer su función, entiende que una conducta es punible, y la misma no viene tipificada como tal por ley, deberá:

a) Aplicar una pena acorde con dicha conducta.
b) Imponer la mínima condena posible.
c) Abstenerse de proceder y elevar al Gobierno de la Nación los motivos que, a su juicio, hacen reprensible dicha conducta.
d) Interponer la cuestión de inconstitucionalidad.

7. Por el contrario, en el supuesto de que dicho Tribunal entienda que una conducta no debe ser penada o lo debe ser en menor grado del previsto legalmente:

a) Planteará la cuestión de inconstitucionalidad.
b) No dictará sentencia.
c) Aplicará la pena en uno o más grados por debajo del previsto legalmente.
d) Juzgará y hará ejecutar lo juzgado, sin perjuicio de elevar esta cuestión al Gobierno de la Nación.

8. Quien evite voluntariamente la consumación de un delito desistiendo de la ejecución ya iniciada:

a) Queda exento de toda responsabilidad penal.
b) Será castigado con una pena inferior en grado a la prevista para el delito.
c) Será responsable de los actos ejecutados si éstos fueren ya constitutivos de otro delito.
d) Responderá en cualquier caso y se le condenará con la pena prevista para el delito inicialmente ejecutado.

9. El bien jurídico lesionado se considera:

a) Objeto inmaterial del delito.
b) Objeto material del delito.
c) Objeto formal del delito.
d) Nada de lo anterior.

10. Cuando en la comisión de un delito se da el concurso de autores y cómplices:

a) Se castiga sólo a los primeros.
b) Se castiga a los primeros y, si fueren insolventes, se actuará sobre los segundos.
c) Sólo se castigará a los cómplices si no se condena a los autores.
d) Se castiga a todos ellos.

En MADTEST tienes **más preguntas de este tema**, y todos tus avances quedan registrados y se reflejan en el ranking.

¡Supera tus límites con MADTEST!

Solución al test n.º 7

1. c) Los delitos leves.

2. b) Conocer la antijuridicidad de la conducta y querer realizarla.

3. c) Imprudente.

4. d) Se efectúa una reserva a Ley formal respecto de la tipificación de los delitos y penas.

5. b) 25.

6. c) Abstenerse de proceder y elevar al Gobierno de la Nación los motivos que, a su juicio, hacen reprensible dicha conducta.

7. d) Juzgará y hará ejecutar lo juzgado, sin perjuicio de elevar esta cuestión al Gobierno de la Nación.

8. c) Será responsable de los actos ejecutados si éstos fueren ya constitutivos de otro delito.

9. c) Objeto formal del delito.

10. d) Se castiga a todos ellos.

TEST N.º 8

Delitos contra la seguridad vial. Faltas cometidas con ocasión de la circulación de vehículos a motor. Lesiones y daños imprudentes

1. El conductor que, requerido por un agente de la autoridad, se negare a someterse a las pruebas legalmente establecidas para detectar la alcoholemia:

a) Solo será sancionado administrativamente.
b) Incurre en delito de atentado a la autoridad.
c) Será castigado con prisión de seis meses a un año.
d) Solo será imputado como autor de una falta penal.

2. El que condujere bajo la influencia de drogas tóxicas será castigado con la pena de:

a) Prisión de hasta seis meses.
b) Localización permanente.
c) Prisión de uno a dos años.
d) Trabajos en beneficio de la comunidad durante un año.

3. En el supuesto a que se refiere el artículo 379 del Código Penal, se podrá privar al imputado del derecho a conducir vehículos a motor y ciclomotores:

a) En ningún caso, al condenársele penalmente.
b) Como sanción administrativa.
c) Cuando el órgano que lo juzgue lo estime pertinente.
d) En todo caso.

4. De imponerse la privación de derecho a conducir indicado en la pregunta anterior, el tiempo máximo de privación será de:

a) Un año.
b) Seis meses.

c) Dos meses.
d) Cuatro años.

5. El que condujere un ciclomotor con temeridad manifiesta y concreto peligro para la vida de las personas, será castigado con pena de prisión de hasta:

a) Un año.
b) Dos años.
c) Cuatro años.
d) Seis meses.

6. En el supuesto anterior, la privación del derecho a conducir ciclomotores a que se le condene será por tiempo superior, como mínimo, a:

a) Seis meses.
b) Dos años.
c) Un año.
d) Seis años.

7. Se considera que existe temeridad manifiesta y concreto peligro para la vida de las personas cuando:

a) Se conduzca bajo los efectos de bebidas alcohólicas con altas tasas de alcohol en sangre.
b) Se conduzca con velocidad superior en 80 kilómetros por hora a la permitida reglamentariamente en vía interurbana.
c) No se preste el interesado a las pruebas de detección alcohólica.
d) Se den al mismo tiempo las circunstancias previstas en los apartados a) y b) que anteceden.

8. Los conductores no podrán circular con una tasa de alcohol en sangre superior a 0,3 gramos por litro, o de alcohol en aire espirado superior a 0,15 miligramos por litro, cuando se trate de vehículos destinados al transporte de viajeros de más de:

a) Seis plazas.
b) Siete plazas.
c) Ocho plazas.
d) Nueve plazas.

9. La conducción de un vehículo a motor en vía urbana se considera delito cuando se exceda, como mínimo, respecto a la permitida reglamentariamente la siguiente velocidad:

a) 60 kilómetros por hora.
b) 50 kilómetros por hora.

c) 80 kilómetros por hora.
d) 30 kilómetros por hora.

10. En el supuesto a que se refiere la pregunta anterior la pena de privación del derecho a conducir vehículos a motor puede llegar hasta el siguiente número de años:

a) Ocho.
b) Diez.
c) Seis.
d) Cuatro.

En MADTEST tienes **más preguntas de este tema**, y todos tus avances quedan registrados y se reflejan en el ranking.

¡Supera tus límites con MADTEST!

Solución al test n.º 8

1. c) Será castigado con prisión de seis meses a un año.

2. a) Prisión de hasta seis meses.

3. d) En todo caso.

4. d) Cuatro años.

5. b) Dos años.

6. c) Un año.

7. d) Se den al mismo tiempo las circunstancias previstas en los apartados a) y b) que anteceden.

8. d) Nueve plazas.

9. a) 60 kilómetros por hora.

10. d) Cuatro.

TEST N.º 9

Ley de seguridad vial. Reglamentos de desarrollo. Estructura y conceptos generales

1. El vigente Texto Refundido de la Ley de Seguridad Vial es de:

a) 2016.
b) 2015.
c) 1990.
d) 2018.

2. Para que la normativa vigente en materia de Seguridad Vial se aplique en vías y terrenos privados, se requiere que:

a) Así lo disponga el titular de los mismos.
b) Se efectúe un convenio con las Fuerzas y Cuerpos de Seguridad competentes por razón de la materia.
c) Dichas vías y terrenos sean utilizados por una colectividad indeterminada de usuarios.
d) En ningún caso puede aplicarse esta normativa a estas vías y terrenos, dado su carácter de privados.

3. En un vehículo de autoescuela que circule en el ejercicio de las funciones de enseñanza que le son propias, se considera conductor/a a la:

a) A la persona que esté aprendiendo a conducir.
b) A la persona que enseña, llevando los mandos adicionales.
c) A cualquiera de los dos anteriores.
d) A todo aquel que con carácter profesional se encuentre en dicho vehículo.

4. Al vehículo de dos ruedas por lo menos, accionado exclusivamente por el esfuerzo muscular de las personas que lo ocupan, en particular mediante pedales o manivelas, se le denomina:

a) Ciclo.
b) Vehículo especial.

c) Ciclomotor.
d) Coche de minusválido.

5. La capacidad de plazas de un turismo no debe exceder, como regla general, de:

a) Cinco, incluido el conductor.
b) Nueve, incluido el conductor.
c) Ocho, incluido el conductor.
d) Depende del modelo.

6. A la masa del vehículo, con su equipo fijo autorizado, sin personal de servicio, pasajeros ni carga, y con su dotación completa de agua, combustible, lubricante, repuestos, herramientas y accesorios reglamentarios se le denomina:

a) Masa en carga.
b) Masa por eje.
c) Tara.
d) Masa máxima autorizada.

7. ¿Cómo se define legalmente al autobús o autocar?

a) Automóvil que tenga más de siete plazas, sin incluir la del conductor, destinado, por su construcción y acondicionamiento, al transporte de personas y sus equipajes.
b) Automóvil que tenga más de siete plazas, incluida la del conductor, destinado, por su construcción y acondicionamiento, al transporte de personas y sus equipajes.
c) Automóvil que tenga más de nueve plazas, incluida la del conductor, destinado, por su construcción y acondicionamiento, al transporte de personas y sus equipajes.
d) Automóvil que tenga más de nueve plazas, sin incluir la del conductor, destinado, por su construcción y acondicionamiento, al transporte de personas y sus equipajes.

8. Se considera como remolque ligero a aquel cuya masa máxima autorizada no exceda de:

a) 1000 kg.
b) 900 kg.
c) 850 kg.
d) 750 kg.

9. Como regla general, la luz de posición delantera:

a) Solo se permite en vehículos de más de nueve plazas.
b) Se limita a los camiones, para señalar el gálibo.
c) Indica la presencia y la anchura del vehículo.
d) Es utilizada para alumbrar la vía por delante del vehículo.

10. La luz destinada a señalizar el volumen de determinados vehículos se denomina:

a) Dispositivo reflectante.
b) De gálibo.
c) De estacionamiento.
d) Indicadora de dirección.

En MADTEST tienes **más preguntas de este tema**, y todos tus avances quedan registrados y se reflejan en el ranking.

¡Supera tus límites con MADTEST!

Solución al test n.º 9

1. b) 2015.

2. c) Dichas vías y terrenos sean utilizados por una colectividad indeterminada de usuarios.

3. b) A la persona que enseña, llevando los mandos adicionales.

4. a) Ciclo.

5. b) Nueve, incluido el conductor.

6. c) Tara.

7. c) Automóvil que tenga más de nueve plazas, incluida la del conductor, destinado, por su construcción y acondicionamiento, al transporte de personas y sus equipajes.

8. d) 750 kg.

9. c) Indica la presencia y la anchura del vehículo.

10. b) De gálibo.

TEST N.º 10

Normas generales de circulación: lugar en la vía, velocidad, prioridad de paso, cambios de dirección y sentido. Adelantamientos. Parada y estacionamiento. Vehículos y transportes especiales. Cinto y casco de seguridad

1. Señala cuál de los siguientes vehículos no pueden utilizar el carril habilitado para VAO:

a) Vehículos mixtos adaptables.
b) Motocicletas.
c) Turismos con remolque.
d) Turismos.

2. Señala la respuesta incorrecta respecto a la utilización de los carriles para VAO:

a) Podrán utilizarlos los vehículos de policía, extinción de incendios, protección civil y salvamento y asistencia sanitaria estén o no en servicio de urgencia.
b) El organismo autónomo Jefatura Central de Tráfico o, en su caso, la autoridad autonómica o local responsable de la regulación del tráfico, previo informe vinculante del organismo titular de la carretera, determinará los tramos de la red viaria en los que funcionarán carriles reservados para VAO.
c) La habilitación o reserva de uno o varios carriles para la circulación de VAO podrá ser permanente o temporal, con horario fijo o en función del estado de la circulación.
d) Las infracciones de las normas relativas a la circulación en sentido contrario al establecido tendrán la consideración de muy graves.

3. Los carriles para VAO podrán ser utilizados por los vehículos, aun cuando solo lo ocupe su conductor, si el vehículo ostenta la señal:

a) V-15.
b) V-17.
c) V-23.
d) C-13.

4. A tenor del art. 38 RGC se prohíbe, con carácter general, circular por autopistas y autovías a:

a) Vehículos de movilidad personal.
b) Ciclomotores.
c) Vehículos para personas de movilidad reducida.
d) Todas las respuestas son correctas.

5. Las restricciones a la circulación en las vías objeto de la legislación sobre tráfico, circulación de vehículos a motor y seguridad vial serán publicadas:

a) Con una antelación mínima de veinte días hábiles, en el Boletín Oficial del Estado.
b) Con una antelación mínima de quince días hábiles, en el Boletín Oficial del Estado.
c) Con una antelación mínima de diez días hábiles, en el Boletín Oficial del Estado.
d) Con una antelación mínima de ocho días hábiles, en el Boletín Oficial del Estado.

6. Los conductores que circulen por un carril reversible deberán llevar encendida, al menos, la luz de corto alcance o de cruce en sus vehículos:

a) Solo de día.
b) Solo de noche.
c) Tanto de día como de noche.
d) Cuando la visibilidad se vea reducida por el ocaso de luz o circunstancias atmosféricas adversas.

7. Los usuarios de los carriles de utilización en sentido contrario al habitual circularán a una velocidad máxima de:

a) 80 kilómetros por hora.
b) 60 kilómetros por hora.
c) 50 kilómetros por hora.
d) 40 kilómetros por hora.

8. El conductor de un vehículo de dos ruedas que pretenda adelantar fuera de poblado a otro cualquiera, lo hará de forma que entre aquel y las partes más salientes del vehículo que adelanta quede un espacio no inferior a:

a) 2 metros.
b) 1,5 metros.
c) 1 metro.
d) 0,5 metros.

9. Señala la respuesta incorrecta:

a) Cuando en la vía existan refugios, isletas o dispositivos de guía, se circulará por la parte de la calzada que quede a la derecha de los mismos, en el sentido de la marcha, salvo cuando estén situados en una vía de sentido único o dentro de la parte correspondiente a un solo sentido de circulación, en cuyo caso podrá hacerse por cualquiera de los dos lados.

b) Los supuestos de circulación en sentido contrario al estipulado tendrán la consideración de infracciones muy graves, aunque no existan refugios, isletas o dispositivos de guía.

c) En las plazas, glorietas y encuentros de vías, los vehículos circularán dejando a su derecha el centro de aquellas.

d) En las vías divididas en dos calzadas, en el sentido de su longitud, por medianas, separadores o dispositivos análogos, los vehículos deben utilizar la calzada de la derecha en relación con el sentido de su marcha.

10. A tenor del art. 46 RGC, se circulará a velocidad moderada y, si fuera preciso, se detendrá el vehículo, cuando las circunstancias lo exijan, especialmente:

a) En los tramos con edificios en ambos lados de la vía que se esté utilizando.

b) Fuera de poblado, al acercarse a vehículos inmovilizados en la calzada y a ciclos que circulan por ella o por su arcén.

c) Cuando haya peatones en la parte de la vía que se esté utilizando, siempre que se trate de niños, ancianos, invidentes u otras personas manifiestamente impedidas.

d) Todas las respuestas son correctas.

En MADTEST tienes **más preguntas de este tema**, y todos tus avances quedan registrados y se reflejan en el ranking.

¡Supera tus límites con MADTEST!

Solución al test n.º 10

1. c) Turismos con remolque.

2. a) Podrán utilizarlos los vehículos de policía, extinción de incendios, protección civil y salvamento y asistencia sanitaria estén o no en servicio de urgencia.

3. a) V-15.

4. d) Todas las respuestas son correctas.

5. d) Con una antelación mínima de ocho días hábiles, en el Boletín Oficial del Estado.

6. c) Tanto de día como de noche.

7. a) 80 kilómetros por hora.

8. b) 1,5 metros.

9. a) Cuando en la vía existan refugios, isletas o dispositivos de guía, se circulará por la parte de la calzada que quede a la derecha de los mismos, en el sentido de la marcha, salvo cuando estén situados en una vía de sentido único o dentro de la parte correspondiente a un solo sentido de circulación, en cuyo caso podrá hacerse por cualquiera de los dos lados.

10. b) Fuera de poblado, al acercarse a vehículos inmovilizados en la calzada y a ciclos que circulan por ella o por su arcén.

TEST N.º 11

Circulación por zonas peatonales. Comportamiento en caso de emergencia. Señales de circulación. Clasificación y orden de prioridad. Carencia del seguro obligatorio

1. Los elementos retrorreflectantes de los agentes de la autoridad responsable del tráfico deben distinguirse por quien se aproxime a una distancia mínima de:

a) Doscientos cincuenta metros.
b) Ciento cincuenta metros.
c) Cincuenta metros.
d) Veinticinco metros.

2. Cuando un agente de la circulación se encuentra con el brazo levantado verticalmente:

a) Obliga a disminuir la velocidad del vehículo que se aproxime.
b) Obliga a detenerse a los usuarios que se acerquen al mismo, como regla general.
c) Da preferencia de paso a los usuarios que se aproximen por detrás.
d) Indica que se puede reanudar la marcha.

3. ¿Qué tipo de señal de silbato emitida por los agentes de la autoridad ordena la reanudación de la marcha?

a) Toques repetidos sean largos o cortos.
b) Un toque largo.
c) Toques cortos y frecuentes.
d) Dos toques cortos.

4. El balanceo de una luz roja o amarilla por un agente indica que:

a) Debe detenerse el vehículo al que se dirigen.
b) Puede reanudar la marcha dicho vehículo.
c) Debe incrementarse la velocidad del vehículo.
d) Ha de disminuir la velocidad el vehículo.

5. El brazo extendido hacia abajo inclinado y fijo de un agente desde un vehículo indica:

a) La obligación de detenerse en el lado derecho a aquellos usuarios a los que va dirigida la señal
b) La orden de reanudar la marcha a los conductores de los vehículos a los que se dirige.
c) El usuario del vehículo al que se dirige debe circular detrás del vehículo del agente hasta el lugar de detención que le señale.
d) Deben inmovilizarse todos los vehículos en el mismo lugar en el que se encuentren.

6. Cuando una calzada está totalmente cerrada al tránsito, debe señalizarse a través de un/una:

a) Luz amarilla intermitente.
b) Luz roja fija.
c) Panel direccional provisional.
d) Barrera móvil.

7. Cuando nos encontramos ante dos luces rojas alternativamente intermitentes en un semáforo circular para vehículos, nos están indicando que:

a) Debemos circular con precaución.
b) Se nos prohíbe temporalmente el paso a la zona donde se ubiquen.
c) Nos encontramos ante un control policial.
d) Ha de incrementarse la velocidad.

8. En cambio, si las luces alternativamente intermitentes son amarillas, nos indican que:

a) Debemos incrementar la velocidad.
b) Se prohíbe el paso a la zona a la que se refieran.
c) Se permite el paso, pero extremando el conductor su precaución.
d) Nos encontramos ante un control policial.

9. ¿Cómo puede indicarse la distancia entre una señal de advertencia de peligro y el principio del tramo peligroso al que se refiere?

a) Con una señal de indicación.
b) A través de la colocación de una bandera roja.
c) Colocando la propia señal en el punto de inicio del tramo.
d) Mediante un panel complementario.

10. Las señales de servicios se incluyen entre las de:

a) Reglamentación.
b) Marcas viales.
c) Obligación.
d) Indicación.

Solución al test n.º 11

1. b) Ciento cincuenta metros.

2. b) Obliga a detenerse a los usuarios que se acerquen al mismo, como regla general.

3. b) Un toque largo.

4. a) Debe detenerse el vehículo al que se dirigen.

5. a) La obligación de detenerse en el lado derecho a aquellos usuarios a los que va dirigida la señal

6. b) Luz roja fija.

7. b) Se nos prohíbe temporalmente el paso a la zona donde se ubiquen.

8. c) Se permite el paso, pero extremando el conductor su precaución.

9. d) Mediante un panel complementario.

10. d) Indicación.

TEST N.º 12

La policía como servicio público. La policía local como policía de proximidad y de servicio. El auxiliar de policía y sus funciones. Responsabilidades del auxiliar de policía

1. Indica qué caracteriza a la expresión "servicio público":

a) El titular de la prestación de servicio es el Estado y la actividad es prestada por una administración pública.
b) La actividad esencial beneficia a la sociedad.
c) La administración asume un poder de disposición y control sobre los servicios, estando el régimen jurídico de estos servicios sometido al derecho administrativo.
d) Todas son correctas.

2. El fundamento jurídico del servicio público se encuentra en:

a) El texto constitucional.
b) La norma consuetudinaria.
c) La jurisprudencia.
d) Los principios generales del Derecho.

3. El servicio de seguridad pública:

a) Es una facultad a cargo del Estado que tiene como fines salvaguardar la integridad y los derechos de las personas, así como preservar las libertades, el orden y la paz pública.
b) Es una función a cargo del Estado que tiene como fines salvaguardar la integridad y los derechos de las personas, así como preservar las libertades, el orden y la paz públicos.
c) Es una potestad a cargo del Estado que tiene como fines salvaguardar la integridad y los derechos de las personas, así como preservar las libertades, el orden y la paz pública.
d) Es una función a cargo del Estado que tiene como fines salvaguardar la integridad y los deberes de las personas, así como preservar las libertades, el orden y la paz pública.

4. Las autoridades competentes serán responsables de que se alcancen los fines de la seguridad pública mediante:

a) La prevención, persecución y sanción de las infracciones y delitos, así como la reinserción social del delincuente y del menor infractor.

b) La prevención, persecución y sanción de las infracciones y delitos, así como la reinserción social del delincuente y del mayor infractor.

c) La prevención, persecución y sanción de las faltas y delitos, así como la reinserción social del delincuente y del menor infractor.

d) La prevención, persecución y sanción de las infracciones y delitos, así como la reinserción física del delincuente y del menor infractor.

5. Una de las principales atribuciones de los municipios es:

a) La de prestar el servicio de seguridad privada para procurar que el desarrollo de la vida de sus habitantes en el territorio municipal transcurra dentro de los cauces del Estado de Derecho.

b) La de prestar el servicio de seguridad pública para procurar que el desarrollo de la vida de sus gentes en el territorio municipal transcurra dentro de los cauces del Estado de Derecho.

c) La de prestar el servicio de seguridad pública para procurar que el desarrollo de la vida de sus habitantes en el territorio municipal transcurra dentro de los cauces del Estado de Derecho.

d) La de prestar el servicio de seguridad pública para procurar que el desarrollo de la vida de sus habitantes en el censo municipal transcurra dentro de los cauces del Estado de Derecho.

6. La seguridad pública forma parte del bienestar social, por lo que es un bien público que garantiza la policía. Indica cuáles son sus actuaciones necesarias:

a) Que se tengan en cuenta las demandas y necesidades sociales de seguridad y se facilite una alta relación social.

b) Que se fomente la democratización en las relaciones.

c) Que se dé una buena formación a los funcionarios y se instruya en enfoques preventivos en colaboración con otros profesionales y medios.

d) Todas son ciertas.

7. La existencia de varios colectivos policiales que actúan en un mismo territorio con funciones similares y, al menos parcialmente, comunes, obliga a:

a) Dotarlos de principios fundamentales de actuación idénticos y de criterios también comunes, y el mecanismo más adecuado para ello es reunir sus regulaciones en un texto legal único que constituye la base más adecuada para sentar el principio fundamental de la materia: el de la coordinación recíproca y de coordinación de las fuerzas y cuerpos de seguridad pertenecientes a todas las esferas administrativas.

b) Dotarlos de principios básicos de actuación idénticos y de criterios también comunes, y el mecanismo más adecuado para ello es reunir sus regulaciones en un texto legal único que constituye la base más adecuada para sentar el principio fundamental de la materia: el de la coordinación recíproca y de coordinación de las fuerzas y cuerpos de seguridad pertenecientes a todas las esferas administrativas.

c) Dotarlos de principios esenciales de actuación idénticos y de criterios también co-munes, y el mecanismo más adecuado para ello es reunir sus regulaciones en un texto jurídico único que constituye la base más adecuada para sentar el principio fundamental de la materia: el de la coordinación recíproca y de coordinación de las fuerzas y cuerpos de seguridad pertenecientes a todas las esferas administrativas.

d) Dotarlos de principios básicos de actuación idénticos y de criterios también co-munes, y el mecanismo más adecuado para ello es reunir sus regulaciones en un texto legal único que constituye la base más adecuada para sentar el principio fundamental de la materia: el de la cooperación recíproca y de colaboración de las fuerzas y cuerpos de seguridad pertenecientes a todas las esferas administrativas.

8. La Ley Orgánica de Fuerzas y Cuerpos de Seguridad pretende ser el inicio de una nueva etapa en la que destaque:

a) La consideración de la policía como un servicio público dirigido a la protección de la comunidad, mediante la defensa del ordenamiento jurídico democrático.

b) La consideración de la policía como un servicio fundamental dirigido a la protec-ción de la comunidad, mediante la defensa del ordenamiento jurídico democrático.

c) La consideración de la policía como un servicio público dirigido a la legitimidad de la comunidad, mediante la defensa del ordenamiento jurídico democrático.

d) La consideración de la policía como un servicio público dirigido a la protección de la comunidad, mediante la prevención del ordenamiento jurídico democrático.

9. ¿Qué artículo de la Ley 7/1985, de 2 de abril, reguladora de las bases de régimen local, reconoce competencias a los municipios en materias de seguridad en lugares públicos y de ordenación del tráfico de personas y vehículos en las vías urbanas?

a) El 24.
b) El 25.
c) El 23.
d) El 21.

10. Las faltas disciplinarias en que puede incurrir un auxiliar de la Policía local podrán ser:

a) Muy graves, graves o leves.
b) Graves, menos graves o leves.
c) Muy graves, menos graves o leves.
d) Ninguna es correcta.

En MADTEST tienes **más preguntas de este tema**, y todos tus avances quedan registrados y se reflejan en el ranking.

¡Supera tus límites con MADTEST!

Solución al test n.º 12

1. d) Todas son correctas.

2. a) El texto constitucional.

3. b) Es una función a cargo del Estado que tiene como fines salvaguardar la integridad y los derechos de las personas, así como preservar las libertades, el orden y la paz pública.

4. a) La prevención, persecución y sanción de las infracciones y delitos, así como la reinserción social del delincuente y del menor infractor.

5. c) La de prestar el servicio de seguridad pública para procurar que el desarrollo de la vida de sus habitantes en el territorio municipal transcurra dentro de los cauces del Estado de Derecho.

6. d) Todas son ciertas.

7. b) Dotarlos de principios básicos de actuación idénticos y de criterios también comunes, y el mecanismo más adecuado para ello es reunir sus regulaciones en un texto legal único que constituye la base más adecuada para sentar el principio fundamental de la materia: el de la coordinación recíproca y de coordinación de las fuerzas y cuerpos de seguridad pertenecientes a todas las esferas administrativas.

8. a) La consideración de la policía como un servicio público dirigido a la protección de la comunidad, mediante la defensa del ordenamiento jurídico democrático.

9. b) El 25.

10. a) Muy graves, graves o leves.